Gervinus, Georg

Geschichte des neunzehnten Jahrhunderts seit den Wiener Vertraegen

4. Band

Gervinus, Georg Gottfried

Geschichte des neunzehnten Jahrhunderts seit den Wiener Vertraegen

4. Band

Inktank publishing, 2018

www.inktank-publishing.com

ISBN/EAN: 9783750102750

Geschichte

des

neunzehnten Jahrhunderts

seit den Wiener Verträgen.

Von

G. G. Gervinus.

Vierter Band.

———

Leipzig,

Verlag von Wilhelm Engelmann.

1859.

Inhalt.

Geschichte

des neunzehnten Jahrhunderts

seit den Wiener Verträgen.

———

Vierter Band.

V.

Unterdrückung der Revolutionen in Italien und Spanien.

1. Einleitendes.

Die Erschütterungen der romanischen Welt, die wir erzählten, mußten in dem Hauptlager der Erhaltungspolitik, in Wien, wo man eben dachte dem System des heiligen Bundes in Frankreich und Deutschland die Schlußsteine eingefügt zu haben, die größten Besorgnisse erregen. Sie bewegten am stärksten die Scharfblickenden, die den Ereignissen am tiefsten auf den Grund sahen; die nicht so sehr beunruhigt waren über das anscheinend bedrohendere Nahe als über das scheinbar gefahrlosere Ferne, nicht so sehr über die plötzlichen constitutionellen Neuerungen in Südeuropa als über die dauernden republicanischen Bewegungen in America, mehr über den Geist in den Thatsachen als über die äußeren Erscheinungen, mehr über die unterirdischen verborgenen Kräfte des großen moralischen Erdbebens als über seine ersten sichtlichen Wirkungen. Nach einigen Jahren, als die Bewegungen in Europa bereits wieder unterdrückt waren, aber freilich um den Preis der freistaatlichen

1 *

Unabhängigkeit der spanischen Colonien, war Fr. Genß in höchster Aufregung über den Zuwachs von Macht, der dem demokratischen Nordamerica durch die republicanische Umgestaltung jener ganzen Erdhälfte zu Theil geworden; und er wollte in tiefe Erwägung gezogen haben, „was, jenem neuen aus feindseligen und gefährlichen Elementen gebildeten transatlantischen Koloß gegenüber, nicht sowohl für die materielle Sicherheit Europa's, als für die moralische und politische Erhaltung der alten Welt auf ihrer jetzigen Basis geschehen müsse." War diese schreckhafte Besorgniß um die Erhaltung der alten Welt auf ihren bisherigen Unterlagen die Grille eines Geängstigten, den wir den Anfällen feiger Furchtsamkeit auch unter sehr kleinen Gefahren schon haben ausgesetzt gesehen? oder war sie die Ahnung, die Einsicht eines Denkers, von dem wir wissen, daß er so manchen erleuchteten Blick in die kommenden Dinge vorausgeworfen hat? Wir wollen zu Anfang und Ende dieses vorliegenden Bandes versuchen, auf diese Fragen eine Antwort zu finden, indem wir beginnen, mit den bisher gesammelten Thatsachen zu rechnen und auf den geschichtlichen Gedanken zu achten, der als ein erstes größeres Ergebniß aus den Erfahrungen herausspringen wird.

Jahr Grunde.　Als die revolutionäre Bewegung der spanischen Colonien in das Mutterland vordrang, in dieser Zeit gerade, wo noch eben (1819) Lord Castlereagh, wie aus Metternich's Munde, öffentlich gerühmt hatte, daß nie zuvor in der Weltgeschichte der Geist der Versöhnlichkeit, der Wunsch nach Frieden, das Bedürfniß nach Ruhe so allgemein gewesen; als die Häupter der spanischen Radicalen sich wissentlich „in Widerspruch mit allen Königen" setzten, in dem Augenblick gerade, wo die mächtigsten Selbstherrscher in ein siegreiches reactionäres Bündniß von schreckender Eintracht versammelt waren, mußte dieß unerwartete Zwischenspiel den Charakter

einer höchst unzeitigen tumultuarischen Farce annehmen, die, in die
große historische Friedensidylle wie in muthwilliger Naivetät hineingeworfen, sehr schleunig wieder werde ausgestoßen werden. Aber
daß mit dieser Beseitigung auch der Eindruck der scheinbar so thö-
richten Aufführung verwischt sein werde, das wagten selbst die nicht
zu hoffen, denen das Austrommeln derselben über Erwarten leicht
gelingen sollte. Denn das Spiel hatte doch bei näherem Nachdenken
trotz aller oberflächlichen Posse so merkwürdig tiefsinnigen Hinter-
grund; es hatte, vor und nach dem Fiasco, den es machte, doch so
merkwürdig große Erfolge. Es waren dieß die Jahre, wo in den
V. Staaten Nordamerica's, die die französischen Revolutionszeiten
an sich hatten vorüberbrausen lassen, friedlich ihrer inneren Entwicklung lebend, die demokratischen Einrichtungen im Staatshaushalte die ersten verlockenden Früchte trugen, und wo nun diese
Ernbte eine zweite, große verführende Wirkung nach außen üben
sollte, wie sie ein Menschenalter vorher die bloße Aussaat der Unabhängigkeit dieser Lande geübt hatte. In einem ganzen Bündel
von Freistaaten entfaltete sich dort jetzt eben, wo die Machthaber in
Europa die Republik so systematisch ausgethan hatten, eine staat-
liche und wirthschaftliche Wohlfahrt in einer beneidenswerthen, von
diesen aber gefürchteten Kraft, und zugleich in einer beneideten,
von diesen aber gehaßten Regelmäßigkeit, Ordnung, Sicherheit
und Ruhe. Diesen Entwicklungen gegenüber schien die Welt allmälig den Abscheu vor dem Namen der Volksherrschaft wieder ab-
legen zu lernen, der seit den Ausschweifungen der französischen Revolution den Begriff aller Schrecknisse in sich schloß. Es wollte
nun nicht mehr passen, alle Republik als Anarchie und Revolutions-
greuel zu verrufen, alle Demokratie als Dämonokratie zu brand-
marken. Man lernte jetzt täglich besser, die große Geschichte der
Freiheit zu überblicken und die americanische Staatsgestaltung als
eine natürliche Fortbildung, als einen neuen gesunden Zweig an

dem Baume der staatlichen Wiedergeburt zu betrachten, dessen
deutscher Stamm, die Reformation, nach einander die Aeste in den
Niederlanden, in England und Frankreich getrieben hatte. Ein
neuer Trieb setzte sich jetzt, wo man es am wenigsten vermuthet
hätte, in Südamerica an. Jene Angelsachsen hatten einst bei ihrer
Ueberfahrt über das große Wasser (mit der Politik des Fuchses verglich man das) alles peinigende privilegirte Ungeziefer zurückge-
lassen; unter den Creolen im Süden dagegen war diese aussaugende
Plage gerade recht eingenistet; dieß hinderte aber nicht, daß man
bei den ersten Verfassungseinrichtungen in Buenos Aires, und so
fort in Santiago, in Angostura, in Bogota das politische System
Nordamerica's mit aller Verachtung alles historischen Rechtes einfach übertrug. Dieß Verfahren der radicalen Rücksichtslosigkeit,
das in allen Umwälzungen so oft in Uebertreibungen und so schnell
zu Rückschlägen führt, war doch auch zu aller Zeit das Merkzeichen
aller grundtiefen, aufräumenden, ausfegenden Staats- und Gesell-
schaftsveränderungen gewesen; dieß war es, was die Männer der
Erhaltung so schreckte, als nun die americanische Bewegung nach
Europa übersprang. Die spanische Verfassung, nach ihrem ersten
Entstehen 1812 gleich wieder untergegangen, hatte damals unter
Kriegslärm und während der Unterdrückung Europa's wenig Arg
erregt; jetzt, wo sie sich auf der Folie einer scheußlichen sechsjährigen
Willkürherrschaft abhob, trat sie plötzlich in ein ganz anderes Licht.
Die demokratischen Einrichtungen America's versetzt mit denen des
revolutionären Frankreich erschienen in ihr neu krystallisirt. Ein
monarchischer Schleier von der durchsichtigsten Dünne versuchte dieß
kaum zu verhüllen. In England sah man mit Unmuth den König
von Spanien in seiner Fürstengewalt mehr beschränkt, als die früheren Statthalter von Holland. Das festländische Europa (wo fast
die ganze Wissenschaft für Adel, Kirche und Mittelalter focht, wo
alle Aristokratie wie in einem gemeinsamen Kampf zusammen-

geschlossen stand, wo das Prinzip erblicher Kammern aus Wien allen deutschen Staaten gebieterisch auferlegt ward,) entsetzte sich über die demokratischen Gleichungen der spanischen Verfassung und über die Unbekümmertheit, mit der die Cortes über die Vorrechte des Adels und der Geistlichkeit hinweggingen. Gegen alle herrschenden Vorstellungen und begünstigten Strebungen prallte diese Verfassung in dem seltsamsten Gegensatze an; und nun rollten wie Donner die Revolutionen, und prasselten die Feuer, die durch sie angezündet wurden, über den ganzen Süden Europa's unaufhaltsam dahin. In Spanien, in Portugal, in Brasilien, in Neapel, bald auch in Piemont wurde diese Verfassung wie eine gemeinsame Standarte erhoben; französischen Verschworenen ward sie ein neues Looszeichen; eben jetzt begann der aufständische Geist auch die unterjochten Christen in Griechenland aufzuwühlen, und von Conception in Chile bis Bucharest hin loderten die gleichen Feuerzeichen, wie es schien aus einerlei Brennstoff von einverstandenen Händen entzündet. Gewiß, nicht die zaghaften Schreiber in Wien allein sahen diese Flammen, wie flackernd sie auch über die Oberfläche hinwegfuhren, für einen großen und folgenschweren Weltbrand an. In England, wo man den politischen Horizont von freierer Warte weiter überschaut, blickten alle Partheien und Klassen auf diese Feuersbrunst hin als auf ein Zeitereigniß von der ernstesten Bedeutung. Das Haupt der whiggistischen Presse[1] sagte 1818 voraus, daß Nordamerica in 70 Jahren das bedeutendste Element in der europäischen Geschichte bilden und den siegreichsten Einfluß in dem verhängnißvollen Kampfe zwischen Legitimität und Volksregierung üben werde, zu dem die französische Revolution und die früheren Ursachen, die sie erzeugt, in ganz Europa auf lange Zeiten hinaus den Grund gelegt. Das Haupt des englischen Radicalis-

---

1) Life of Jeffrey, by Lord Cockburn. 2, 183.

mus, J. Bentham, sah allein in America eine felsenfeste Verfassung
im Bestand, durch welche das Interesse der Mehrheit dem der Min-
derzahl nicht geopfert werde, und in der spanischen Verfassung fand
er eben dieses selbe politische System nun auch in Europa praktisch
eingeführt, auf das ihn Nachdenken und Beobachtung theoretisch
geleitet hatte und dem er die Zukunft der Welt verhieß. Das
Haupt der torystischen Regierung, Lord Castlereagh, beobachtete
mit Bekümmerniß, wie „beide America das vorwiegende Verzeichniß
der Staaten anschwellen würden, die unter einem System auf demokratischer Grundlage regiert werden," daß der gleiche Geist rasch in
Europa voranschreite und „der Strom der Revolution in einer fast
ununterbrochenen Flut von America bis Griechenland fortströme."
Und eben dieses, was der Staatsmann in nüchterner Prosa befürchtete, das pries der Poet[2] wieder in dichterischem Jubel: wie
die Völker einander die Fackel der Freiheit reichten; England an
America, America an Frankreich, das, baschantisch die Funken über
die Welt ausschüttend, sie verlösche, bis sie in Spanien jetzt wieder
entglomm, von da an Neapel gegeben ward, das sie erschreckt zu
Boden fallen ließ, worauf sie dann Hellas emportaffen und in die
Heimat zurücknehmen sollte, von wo ihr erster Glanz einst ausge-
strahlt war.

Englische Sym-
pathien für die
Revolutionen im
Süden.

Die schwachen Staaten Südeuropa's hatten dieser neuen Flut
americanischer Strömungen keinen Widerstand bieten können. Für
das gefährdete System des heiligen Bundes kam nun Alles darauf
an, wie stark die Dämme halten würden, die die beiden westlichen
Machtstaaten, Frankreich und England, ihr entgegenwarfen.

In Frankreich, das stets zwischen entgegengesetzten Extremen
schwankte, stand es bisher immer in Frage, ob die Bourbonen die

---

2) Moore, in den Fabeln für die heilige Allianz.

neue Staatsordnung, im Sinne der gewährten Einrichtungen selber, pflegen und ausbilden würden oder nicht. Geschah das erstere, begründete sich in Frankreich eine freiere Ordnung, von Vernunft und Gerechtigkeit gestützt, auf die Dauer, dann hätte dieß nicht nur eine schützende und stärkende Wirkung auf die Neuerungen im Süden geübt, sondern das System der absoluten Mächte selbst wäre auf die Länge nicht haltbar, geschweige zum Angriff auf diese neuen Zustände mächtig geblieben; denn die Lenker dieser Staaten würden aus zahllosen Albernheiten und Schädlichkeiten der alten Regierungsweise herausgeschreckt worden sein durch den bloßen Spiegel, den ihnen das Beispiel einer großen, in ihre Mitte gepflanzten, von jeher höchst einflußreichen Nation entgegen gehalten hätte. Aber dort, haben wir gesehen, war nun Alles auf dem Wege, das Gedeihen der neuen Ordnung zu verkümmern, und die Ostmächte sollten in der französischen Regierung erst einen neutralen Zuschauer und dann den thätigsten Bundesgenossen finden in den Gegenstrebungen gegen die constitutionellen Wagnisse in Südeuropa, zu denen sie sich rüsteten.

Auch der toryistischen Regierung Englands mochten sie sich sicher glauben. Nicht so sicher waren sie des englischen Volkes. In ihm regten sich gerade in diesen Jahren nicht allein politische Gedanken und Forderungen einer neuen Art, die auch hier nur allzu deutlich die amerikanische Ansteckung verriethen, sondern es hegte auch in Folge von alten und neuen Beziehungen sehr warme Zuneigungen gerade für die Sache des europäischen wie amerikanischen Südens. Wie langeher war es schon immer gewesen, daß irische Familien sich in Spanien und Portugal einbürgerten, daß sich „Erin's Klee mit der spanischen Olive" verband! In den Befreiungskriegen hatte England auf der iberischen Halbinsel und in beiden Sicilien für die Unabhängigkeit dieser Lande gekämpft. Damals hatten sich die großen Staatspartheien in England gerade in dem

Puncte dieser Bundesgenossenschaft geeinigt, als ein Theil der
Whigs den Widerstand gegen die freiheitfeindlichen Kriege mit
Frankreich aufgab, da sie nun freiheitfördernd geworden waren, und
England auf Spaniens Seite nun dieselbe Staatskunst befolgte,
wie einst als es unter Elisabeth und Wilhelm III. an der Seite
der Niederlande stand. Seit jener Zeit, wo ein Quintana mit Lord
Holland, ein Jovellanos mit John Allen in den innigsten Beziehungen standen, war der Verkehr der spanischen Liberalen mit den
englischen Whigs nie abgebrochen und er nahm jetzt seit der Revolution 1820 einen neuen Aufschwung. Wußten doch jene recht
gut, welche Gefahr von dem heiligen Bund ihnen drohte und daß,
wenn irgendwo, nur in England eine Hoffnung auf Beistand für
sie war, das in der Welt nun einmal für das Bollwerk der Freiheit
angesehen war; waren doch d i e s e auch jetzt der folgerichtigen Ansicht, daß ihrem England heute gegen die Uebermacht des östlichen
Fürstenbundes dieselbe Politik obliege, wie gegen die Uebermacht
Bonaparte's zuvor. Im Kreise der romanischen Völker selber waren bisher die Fortwirkungen der revolutionären Bewegungen nur
ganz moralischer Art gewesen; aus und nach England aber begann
eine förmliche werkthätige Handreichung aller unruhigen Geister.
London war damals der Aufenthaltsort aller politischen Flüchtlinge
und Verschwörer: gleich der heiligen Jungfrau, wie der Pariser Hof
sagte, einst der Trost der Bekümmerten, aber jetzt die Zuflucht aller
Sünder. Und umgekehrt: über alle Länder waren jene englischen
Reisenden und Abenteurer, die Kinnaird, Lady Morgan, Blaquière,
Rob. Wilson, Cochrane u. A., verbreitet, die im Mißmuth über
den sinkenden Einfluß Englands alle Unzufriedenen aufreizten ge-
gen die russisch-österreichische Allianzpolitik. Nach Südamerica
waren Tausende von Engländern bewaffnet ausgezogen, um der
Revolution ihre Arme zu leihen wider die Macht, die auf russischen
Schiffen zu ihrer Unterdrückung kam. Es war als ob sich Völker-

bündnisse vorbereiteten, sich dem großen Fürstenbunde im Osten ent-
gegenzuwerfen. Die weltbürgerliche Denkart aller der wandernden,
schreibenden und streitenden Sendboten der Freiheit beförderte diese
Handreichungen außerordentlich, unter denen die schrillen ungleich
gefährlicher als die werkthätigen waren. Schon schlossen, durch die
freiheitbeschwörenden Rufe des englischen Dichters (Byron) aufgestachelt, die Leidenschaften, schon schlossen, durch die Gei-
steswerke des englischen Staatsweisen (Bentham) angenähert, die
Ideen in allen Völkern und vorzugsweise, schien es damals, zwischen Spaniern und Engländern, ihren verhängnisvollen Bund,
der wie in einem verborgenen Glimmbrande um sich fraß, den Er-
stickungskünsten der Regierungen unerreichbar. Die großen dämo-
nischen Einflüsse jenes Dichters werden uns erst später beschäftigen
dürfen, wenn wir die Gesammtheit der Bewegungen dieser Jahre
in noch weiter gezogenen Kreisen überblicken; die Wirksamkeit dieses Staatsphilosophen dagegen tritt nirgends auffallender zu Tage,
als gerade in der Zeit und in den Verhältnissen, bei denen wir
stehen. Gleich als zu Anfang dieses Jahrhunderts die Staats- und
Rechtslehren Bentham's in den französischen Bearbeitungen von
Dumont zum ersten Male größere Verbreitung fanden, waren sie,
zum Befremden aller Beobachter, mehr als irgendwohin sonst in
die Länder spanischer Zunge eingedrungen. War es schon seltsam
genug, daß die in furchtbarer Folgerichtigkeit ausgebildete demokratische Theorie Bentham's in dem Lande der aristokratischsten
Ordnungen aufgekommen war, wo sie praktisch machtlos schien ver-
kommen zu müssen; war es seltsamer noch, daß jene ausgebildetste
demokratische Praxis in der Verfassung von 1812 auf dem von
Despotie und Hierarchie am härtesten gestampften Boden Europa's
eingepflanzt werden sollte, wo ihr von Theorie und Bildung am
wenigsten vorgearbeitet war; so war doch dieß das seltsamste von
Allem, daß sich nun zwischen diesen beiden übelgestellten Potenzen,

dieser scheinbar ursachlosen praktischen Demokratie in Spanien und
jener scheinbar wirkungslosen demokratischen Theorie in England,
das innigste Band schien knüpfen zu sollen. Da wo die Mißstände
in Staat und Recht, wo die Vorurtheile der Bevorrechteten, wo die
Unwissenheit des Volks in so riesiger Unüberwindlichkeit aller Verbesserung trotzten wie in den spanischen Landen, da warf man sich
eben wie in einer verzweifelten Begeisterung auf die Heilmittel, die
die radicale Staatslehre Jeremy Bentham's mit einer außerordentlichen Zuversicht darbot; und so reizte ihn selber wieder, deren Urheber, der wilde Boden dieser romanischen Gebiete, den er für seine
Anbauversuche am leichtesten umzuroden dachte. Gleich 1808—
1810, als Spanien aufstand, als die Colonien sich regten, hatte
es ihn getrieben, persönlich nach Spanien zu gehen, oder mit einem
Abenteurer, Oberst Burr, der sich zum Kaiser von Merico aufwerfen wollte, als dessen Gesetzgeber nach Neuspanien, oder mit Mi-
randa nach dem befreiten Venezuela überzuziehen; er war überzeugt
seine Gesetze dort als goldene Sprüche aufgenommen zu sehen.
Jetzt 1820 bei der Herstellung der Verfassung von 1812 wurden
in Spanien seine Werke mit neuem Eifer hervorgesucht und übersetzt. Ein Cortesausschuß empfahl seine Gefängnißreformen zur
Annahme. Die edelsten Männer des Landes, die beiden Arguelles,
Toreno, Falqueira, befragten ihn um seinen Rath über Geschwor-
nengerichte, über Zweikammersystem, über den Entwurf eines
neuen Strafgesetzes; und er gab über dieses wie über das spanische
Zollsystem seine schonungslosen Gutachten, wie er über die anderen
Fragen seine rücksichtslosen Rathschläge gab. Er bot den Cortes
in Madrid und Lissabon an, ihnen vollständige Gesetzbücher des
bürgerlichen, des Straf- und Verfassungsrechts auszuarbeiten, und
wirklich beschlossen (Anf. 1822) die portugiesischen Landesvertreter,
sein Anerbieten anzunehmen und ihm alles vorhandene Material
zu überschicken: es waren Tage unbegrenzter Hoffnungen für

Bentham, als er die Augen der Welt auf diesem Verkehre liegen sah. Noch innigere Beziehungen knüpften sich über die See hin. Der Gesetzgeber von Buenos Aires, Rivadavia, war sein Schüler; Bolivar war mit ihm in brieflicher Verbindung; in Guatemala wandte sich J. del Valle, in Brasilien wollte sich später der Minister d'Andrade an ihn wenden um seinen Beistand für die Gesetzgebung dieser Staaten. Alle Verfassungen, alle Gesetze der neuen Republiken trugen seitdem die Spuren Bentham'scher Einflüsse; alle Congreßreden verriethen die Bekanntschaft der Sprecher mit seinen Werken, von welchen die Firma Bossange 1830 berechnete 40,000 Bände blos in französischen Bearbeitungen nach America verkauft zu haben. Unter den Creolen galt es in den 20er Jahren durchaus für das Erforderniß jedes Gebildeten, mit Bentham's Werken bekannt zu sein. Sie wie die Spanier priesen ihn als das Orakel des Jahrhunderts und den Gesetzgeber der Welt.

Es ist nicht diese Beziehung Bentham's zu den romanischen Staatsveränderungen dieser Zeit allein, was uns auffordert, einen Augenblick von der Erzählung der allgemeinen Ereignisse auf das Einzelleben dieses Mannes abzubeugen. Er ist uns mehr noch durch sein praktisches Verhalten zu den gleichzeitigen demokratischen Bewegungen in England, er ist uns auch durch seine schriftstellerische Bedeutung überhaupt von dem vielseitigsten Interesse; ja er ist uns für die geschichtlichen Betrachtungen, denen wir einige Blätter dieses Bandes widmen wollen, von einer ganz summarischen Wichtigkeit, weil sein Leben, seine Werke und Wirkungen in der Geschichte seiner Einen Person gleichsam ein typisches Vorbild darstellen für den inneren Verlauf, den die Entwickelungen des Demokratismus in unseren Zeiten überall zu nehmen pflegen.

Den Beobachtern der menschlichen Bildungsgänge sollte die Erfahrung und Vorstellung geläufig sein, daß neue Ideen und

Richtungen, die sich in der Geschichte vorbereiten, zuerst von bahn-
brechenden Geistern pflegen eröffnet zu werden, die das eigenthümliche Merkmal gemein haben, daß ihre Fern- und Weitsichtigkeit
vielfach von trüben und schiefen Blicken in Menschen und Dinge
beirrt ist, daß sie daher nicht selten bei all ihren weisen und selbst
weissagenden Gaben der Welt in dem Lichte von Thoren erscheinen
und eben so oft als Narren und Sonderlinge verlacht wie als Philosophen und Propheten bewundert werden. Diese Erscheinung,
befremdlich wie sie aussieht, ist doch so einfach erklärlich, wie sie
regelmäßig ist. Wer nach einem fernen Ziele schießt, ist in der natürlichen Versuchung und Gefahr, den Bogen zu überspannen und
dadurch Ziel und Mühe zu verlieren; das Ziel konnte darum doch
ganz richtig ins Auge gefaßt, und durch das Verfehlen selbst dem
näherrückenden Nachfolger nur desto erkennbarer und erreichbarer
gemacht worden sein. Als in der Geschichte der staatlichen Bildun-
gen Europa's im vorigen Jahrhundert, mitten in dem Zeitalter der
Absolutien, wo Alles bis dahin, selbst in den Republiken, monar-
chisch gedacht und gefühlt hatte, die demokratischen Ideen neu auf-
tauchten, gewahrte man auch an der Spitze dieser merkwürdigen
Veränderung zwei Männer der bezeichneten Art und Stellung,
Rousseau und Bentham. Es waren Beide gutartige, weichgeschaffene
Naturen, aber voll wunderlicher Eigenheiten; originale und kühne
Denker, aber in sehr bestimmte Grenzen eingeengt; Beide nicht den
graden gesunden Weg der Jugendbildung gegangen; für musika-
lische Nervenreize Beide empfänglich, aber ohne Sinn für die dich-
tende und plastische Kunst, die zu dem Menschenleben in vielseiti-
gerer Beziehung steht; Beide der ächtesten Quelle psychischer und
politischer Erfahrung, der Geschichte, wenig kundig; Beide daher
auch von nur halber und ungleicher Kenntniß der Menschen, der
Einzelnen und der Massen; Beide aber mit allen ihren Gedanken
und Empfindungen auf das Wohl der Menschheit und auf die

gesellschaftlichen Ordnungen gerichtet, die dessen Pflegerinnen sein
sollten; Beide daher die Vorkämpfer der demokratischen Vernunft-
lehre, daß der allgemeine Wille in dem Staate herrschen müsse, der
stets nach dem allgemeinen Nutzen strebe; Beide in dieser Richtung
wahrhaft prophetische Naturen, die Quellen einer Menge von Begriffen und Anschauungen, die, damals neu und erschreckend, jetzt
allen Vorstellungen gerecht und genehm sind. In dieser Lehre wechselte der Eine, französisch gebildete, in entgegengesetzten Launen und
Widersprüchen; der Engländer, an den scharfen Denkern seines
Volkes geschult, war selbst in seinen Wandlungen immer voll klarer
Consequenz. Jener bildete seine anfangs ganz staatsfeindlichen,
mehr noch individualistischen als kosmopolitischen Ansichten mit
der Zeit zu nationaleren, ja zu den strengen bürgerlichen Begriffen
des Alterthums um, dieser schritt von seinem anfangs national
englischen Standpuncte zu einem weltbürgerlichen aus. Jener er-
grimmte anfangs über die Behauptung, daß der Mensch unfrei und
ungleich geboren sei, später ward er doch bedenklich über die volle
Volksherrschaft, die ihm nur unter Göttern die vollkommenste Verfassung schien; der Andere verfocht jene Aristotelische Ansicht zu
aller Zeit, ohne zu zweifeln an der Ausführbarkeit der reinsten
Demokratie. Jener, in Phantasien verworren, sich selber unklar,
ohne Ahnung von den ungeheueren Wirkungen, die er rasch und
stürmisch durch seine politische Hauptschrift machen sollte, war wider Willen ein Mann der Revolution, zum Einreißen geschickter
als zum Aufbauen; der Andere, dem aller gewaltsame Umsturz ganz
außer seinem Gedankensysteme lag, selbst bei seinen kühnsten Entwürfen immer ein Mann der Reform, auf augenblickliche Wirkung
in der Gegenwart stets bereit zu verzichten, einer weithinaus vor-
bereitenden und vorarbeitenden Stellung sich klar bewußt. Die
Träume von Bentham's Kindheit füllte der Ehrgeiz ein Gesetzgeber
zu werden; diese Rolle dachte Rousseau nur einem übermenschlichen

Wesen zukömmlich, daß alle Leidenschaften kenne und keine besitze, keinen Bezug zur menschlichen Natur habe und sie doch gründlich durchschaue: seltsam widersprechende Züge, die aber auf Bentham, der diese Rolle wirklich zu spielen strebte, in nicht geringem Maaße zutreffen. — Von Rousseau nun, dessen Wirksamkeit unserer Aufgabe voraus liegt, haben wir früher angeführt[1], wie er die Schleusen geöffnet, die den vollen Strom der demokratischen Ideen aus dem anderen Welttheile nach Frankreich herüberleiteten. Es war dem revolutionären Charakter seiner Lehre durchaus gemäß, daß dann von hier aus der starke Stoß auf die gesammte Staatsordnung Europa's versucht ward, mit der Macht des Gedankens zuerst, als man in der Erklärung der Menschenrechte den Unterbau jeder künftigen Verfassung schien legen zu wollen, und mit den Waffen dann, als diese Aufforderung an alle Gepreßten und Unterdrückten nichts verfangen wollte. Aber diese demokratische Leidenschaft der Franzosen war schnell der militärischen Ruhmsucht gewichen. Und als auch diese sich überstürzt hatte, waren mit der Besiegung der französischen Waffen auch die französischen Revolutionsideen unterdrückt. Die frischen Geister, die nachher in Frankreich den freiesten Ton angaben, waren von Rousseau auf Montesquieu zurückgetreten. Den demokratischen Gleichheitsprinzipien, die noch im Verborgenen fortlauerten, waren die gewaltigen Gewichte des Aristokratismus und der monarchischen Legitimität entgegengeworfen. Alle Keime der revolutionären Grundsätze, die in den Osten waren eingetragen worden, waren überall sorglich zurückgeschnitten worden. Die Absichten Pitt's, des starken Gegners der französischen Revolution, waren vollzogen: der ihr Prinzip hatte bekämpfen wollen, bis es sich in die Zelle der Reue und Einsamkeit zurückgezogen, der sich vermessen hatte, die Kraft des Jacobinismus durch den Krieg eines Menschenalters selbst in den Individuen auszutilgen. So schien es seit 1815 gekommen. Die Revolution war in Frankreich in die Zelle der Reue gesperrt; die Demokratie nach ihrer planmäßigen Vernichtung in Europa in die Zelle der americanischen Einsamkeit zurückgedrängt; der Jacobinismus in den Gemüthern erstickt. Jene offene gewaltsame Flut, in der sich das demokratische Element durch Frankreich über Europa ergossen, war abgedämmt und ausgetrocknet.

Aber mitten unter dieser Arbeit eines ganzen Menschengeschlechtes war gerade in jenes conservativste Volk, das diese Arbeit vor den anderen geleitet und vollbracht hatte, dasselbe dort abgelenkte Element durch andere Canäle heimlicher eingesickert, um sich von da aus in getheilteren, sanfteren, verborgneren Strömen in alle Räume der Welt hin aufs neue weiter zu breiten. Dieß war Bentham's Werk, das Rousseau's Arbeit ablöste; wenn man Werk nennen kann, was nur die Wegweisung eines rasch orientirten Führers ist, der im voreilenden Geiste die Richtung vorwegnimmt, die die Allgemeinheit in dunklem Instincte einzuschlagen ringt. Zunächst in Bezug auf die englischen Reformen dieses Jahrhunderts und weiterhin auf die ganze Umgestaltung des Geistes und Körpers dieser Zeit hat Bentham in den wichtigsten Angelegenheiten voraus erkannt und gelehrt, wohin bald die Geschicke und die Geschichte mit Nothwendigkeit treiben würden, und hat persönlich voraus erlebt, was ihm die Geschlechter nachleben sollten. Betroffen von dem Unmaaß des Mißbrauchs und der Verrottung in dem englischen Staatswesen begann er anfangs, versöhnlich und maasvoll, mit staatssinnigen Vorschlägen einfacher Verbesserungen seinen ferngesteckten Zielen einer grundmäßigen Staatsveränderung nur allmälig vorzuarbeiten. Mit diesen wohlwollenden Bestrebungen aber fand er sich von Menschen und Verhältnissen in England wiederholt abgestoßen und zurückgewiesen. Ueber dieser Unbill der Zurücksetzung seiner Person, aber mehr seiner edlen Sache, und über dem Mißgefühl bei dem Rücksturz der Zeit in die Ausschreitungen

des Abfolutismus verbitterte er feine gutmüthig angelegte Natur,
ftreute er nun das Gift der Leidenfchaft in feine kaltverftändige
Lehre und fprang von feiner praktifch nationalen Richtung über in
überfpannte Uebereilungen, in radicale und weltbürgerliche Extreme.
In diefer Gefchichte eines Individuums kann fich das ganze Zeitalter wie im Spiegel erblicken.

Allerdings wies das Centralprinzip in Bentham's Auffaf-
fungsweife, das gleich im Anfang der Geiftesentwickelung des früh-
reifen Wunderkindes entfchieden war, fchon von vornherein auf eine
völlig demokratifche ja nivellirende Staatslehre hin. Der Prüf-
ftein, den er an alle fittlichen wie politifchen Gefetze und Einrichtungen legte, war ihre Gemeinnützlichkeit, ihre Abzweckung auf das
größtmögliche Glück der größtmöglichen Zahl. Er gründete diefe
ganz materialiftifche Lehre auf die Beobachtung, daß die Haupt-
triebfeder aller menfchlichen Handlungen die Selbftbevorzugung,
die Verfolgung des eigenen Nutzens fei. Voll der ächteften Men-
fchenliebe, aber frei von aller falfchen Empfindfamkeit, wie er war,
fand er und geftand er, daß diefe Eigenfchaft dem Menfchen erft
zum vernünftigen Wefen mache und zu feiner Wohlfahrt fo dienfam
wie unerläßlich zu feiner bloßen Exiftenz fei: nur daß der Eigennutz
in dem fittlichen Menfchen von dem Gefühle eines Nutzens höherer
Art überboten, nur daß im Staate dem kleineren Intereffe, dem
Eigennutz der wenigen Regierenden das höhere Intereffe der Mehrheit müffe vorgezogen werden. Daher denn foll dieß Prinzip der
Gemeinnützlichkeit als eine oberfte Sanction alle rechtlichen und
fittlichen Beziehungen, Gefetze und Ordnungen überherrfchen: dem
rechtlichen Vertrage, dem unwiderruflich erklärten Gefetze felbft gibt
nur feine Nützlichkeit feine Kraft, muß feine Gemeinfchädlichkeit
die Geltung entziehen; Tugend ift nichts, als das Opfer eines
kleinen, flüchtigen, zweifelhaften Intereffes um eines größeren,

dauernden, gewissen Interesses willen; kein wesentlicher Unterschied
daher zwischen Moral und Politik; ihr gemeinsamer Zweck das
Glück, das nicht in einer künftigen unbestimmten Vollkommenheit
des Geschlechts zu suchen, sondern in jedem vorliegenden Falle aus
deutlich erkennbaren Elementen bestimmbar und meßbar ist. Mit
dem Prinzip, diese Elemente oder Werthgrade des Glücks, seine
Reinheit, Fruchtbarkeit, Nähe, Gewißheit, Dauer und Intensität
zu unterscheiden, berühmte sich Bentham, die Unbestreitbarkeit der
mathematischen Berechnung in das Gebiet der moralischen Wissen-
schaften einzuführen und sich mit seinen Reformbestrebungen den
großen Entdeckern in der physikalischen Welt gleichrücken zu wollen.
Und zu diesem Beruf und Werke besaß er allerdings eine Weitsichtigkeit der Phantasie, eine Kühnheit und Rastlosigkeit der Speculation, eine Schärfe der Denkkraft verbunden mit der selbstgefüh-
ligsten Verachtung aller Autorität, eine Unerschrockenheit und Un-
erbittlichkeit der Argumentation und Folgerung, womit er die wirren
Räthsel der moralischen Welt oft wirklich wie einfache mathemati-
sche Sätze zu lösen verstand, oft freilich mit gordischen Hieben auch
durchschnitt, indem er an allen Erwägungen und Einwürfen aus
menschlicher Natur und geschichtlicher Erfahrung einfach vorbeiging,
alle Rücksicht auf das Recht der Thatsachen, auf die wechselnde
Sitte des Tages wie auf das eingewurzelte Herkommen der Jahrhunderte verleugnete. Daher in allen seinen Werken dieß wunder-
liche Nebeneinander von Vernunft und Widersinn, von treffender
eindringender Schärfe und matter abprallender Stumpfheit, von
praktischem Rathschlag und eitler Wortfechterei, und wie man alle
die schroffen Gegensätze bezeichnen mag, die Bentham's Lehren so
grell widersprechende Beurtheilungen zugezogen und sie so sehr entfernt gehalten haben von der Unbestrittenheit mathematischer Berechnungen. Denn wie wünschenswerth die Uebertragung der mathematischen Methode auf die Gebiete der geistigen Welt auch sei,

fie wird fich hier fehr lange noch nicht berühmen dürfen, die Ueber-
zeugungskraft der genauen Wiffenschaften erlangt zu haben. Es
ist ein Irrthum, zu glauben, daß man durch die vielfältigen Zwi-
schenglieder, die hier die Theorie von der Praxis, Gefetz und Grund-
fatz von ihrer Anwendung trennen, die verbindenden Fäden fo leicht
verfolgen könne, wie man dort aus wenigen elementaren Begriffen
zu einfachen Schlußfolgen gelangt. Es find ganz andere Eigenschaften des Geiftes, die den Entdecker der Naturgefetze, und die
einen „Newton der Gefetzgebung" (wie man Bentham fo oft genannt
hat,) zu ihren Berufen befähigen. Der Letztere bedarf vor Allem
des instinctiven Blicks, der in feinem unermeßlichen Stoffe die verwickelten und streitigen Forderungen des Rechts, der Zuträglichkeit
und der Sittlichkeit, der Nothwendigkeit und der Freiheit, der geistigen und physischen Bedürfniffe, des Einzelnen und des Allgemeinen rasch zu sondern, der mehr annähernd, mehr beziehungs-
weife das jeweilig Zeit- und Zweckgemäße zu erkennen versteht,
statt ein völlig und immer Richtiges und Beftes ins Auge zu faffen,
das in den menschlichen Dingen nicht besteht, in die ein nie genau
zu berechnendes Maas von Freiheit und Willkür gemischt ist. Mit
Bentham's realistischem Prinzip und Methode (die die Betrachtung
der großen geschichtlichen Gewalten, der Naturgefetze des Völker-
lebens ganz ausschließt, womit ein Staatslehrer wie Machiavelli
anfängt und aufhört) geräth man nahezu eben fo fehr wie mit der
spiritualiften in die Gefahr, fich eine Menschheit zu denken nicht wie
fie ist fondern wie fie fein follte; ein „gelobtes Land", einen besten
Staat in Ausficht zu nehmen, deffen Bürger man Eines bestimmten Weges nach einem bestimmten Glücke nach Willkür weifen könne,
wo es der menschlichen Natur weil angemeffener scheint, die höchste
Leistung des Staates in das befriedigte Selbstgefühl feiner Bürger,
in die Ueberreinstimmung des Standes und Ganges der jeweiligen
Regierung mit den jeweiligen Gefühlen und Bedürfniffen des Volkes

zu setzen; man kommt mit dieser Beglückungstheorie, die eine „verschiedene Liste der Luft und Unluft" ableugnet, dahin, die Verschiedenheit der Menschen- und Völkernatur zu bestreiten, in der theoretischen Betrachtung daher Alles zu generalisiren, wie das System,
in je vollerem Umfang es praktisch ausgeführt würde, desto mehr
die Gesellschaft einebnen müßte. Und dieß gewiß nicht zu ihrem
dauernden Nutzen. Denn die möglichste Ausgleichung von Besitz und
Bildung, zu dem die fortwährende und ausschließliche Abzweckung
des Staats auf das möglichste Glück der Meisten nothwendig leiten
müßte, würde den großen Quell der Verjüngung und Auffrischung
der moralischen und physischen Staatskräfte zerstören, der in dem
mafsigen Stock der unteren und ärmeren Volksklassen gelegen, und
bestimmt ist, die vorgeschobenen, vortretenden, handelnden Volks-
theile, wie sie sich durch Bildung und Thätigkeit verbrauchen und
abnutzen, zu ersetzen, so wie die sterilen Berge und armen Hochlande
die Wasserquellen enthalten, die das allernährende Flachland speisen
und befruchten.

So sehr nun aber die Consequenzen einer ganz demokratischen Bentham's praktische Tendenz.
Staatslehre schon in dem Ausgangsprinzipe Bentham's gelegen
waren, so wenig war er doch anfangs darauf gestellt, seine Theorie
in Einem Zuge auf dieses Aeußerste zu treiben; und dieß, weil er
überhaupt darauf gestellt war, praktisch und nicht theoretisch zu
wirken. Wenn er selbst sich mit den A. Smith, den Montesquieu
und Beccaria verglich, so fühlte er sich als einen Mann der praktischen Staatskunst dem Manne der Wissenschaft, als einen Gesetzgeber dem Antiquar und dem abstracten Philosophen gegenüber.
Wohl war gleich seine Erstlingsschrift[3] wider Blackstone schon eine
ganz grundsätzliche Kriegserklärung gegen das Beharrungsprinzip

_____

3) A fragment on Government. 1776. Works, ed. Bowring. tom. I.

der englischen Tories und ein vermessener Angriff auf den ganzen
cyclopischen Bau des englischen Staatsherkommens; und seine
zweite⁴ enthielt schon die ganz theoretische Grundlegung seiner
Nützlichkeitslehre. Beides aber waren nur Bruchstücke, von denen
das letztere sogar 9 Jahre in Bentham's Pulte verborgen blieb;
und so legte er auch alles übrige, was er anfangs streng Wissen-
schaftliches entwarf, zuwartend zurück, und ließ noch viel später
das Wichtigste darunter zuerst durch einen Fremden, gleichgültig
gegen die Form und gleichgültig selbst gegen die Aechtheit des Inhalts, in fremder Sprache veröffentlichen. Die Beschäftigungen
dagegen, zu denen er sich am liebsten bestimmen ließ und die er rasch
und am eifrigsten förderte, waren immer durch praktische Anforderungen der Zeit und Gelegenheit veranlaßt; und durchgängig waren seine früheren Arbeiten in dieser Richtung die gesünderen, von
praktischer Nüchternheit ermäßigt. Gleich seine erste Thätigkeit fiel
in die Jahre, wo nach dem amerikanischen Kriege die Geister in
Großbritannien in eine reformistische Aufregung gerathen waren:
als sich England um Durchsicht der Armengesetze, Irland um ein
neues Erziehungssystem, die Dissenters um Rücknahme der Test-
acte regten, als die ersten Plane einer Parlamentsreform anflammen
und in Folge der neuen Verhältnisse zu Amerika eine allgemeine
Veränderung der Ansichten über alle Puncte der Staatswirthschaft
zu beobachten war. In allen Schriften aber aus diesen Jahren
erscheint Bentham als der Sohn seines Landes, der sich noch zu
der „vernünftigen" Abneigung aller Engländer gegen abstracte Aufstellungen und hastige Generalisationen ausdrücklich bekennt. Noch
erklärte er sich damals gegen alle geduldlose heißköpfige Neuerung,
die der Irrthum eines Joseph's II. gewesen und das größte Hinderniß aller Verbesserung sei; noch erwog er damals große rechtliche

_____

4) Die Einleitung in die Prinzipien der Moral und Gesetzgebung. 1780.

und politische Fragen (wie die Todesstrafe, das allgemeine Stimm-
recht u. a.) unbefangen nach allen Seiten; noch sah er damals
manchen aristokratischen Mißbräuchen die gute Seite ab und ent-
schuldigte manche nachher verurtheilte Satzung des englischen Verfassungsrechts, das er damals noch der Vollkommenheit nahe befand[5]. Den zweiten und größeren praktischen Anstoß empfing
Bentham's Thätigkeit dann in der Zeit der Bruthwärme der beginnenden Revolution, als er Frankreich auf dem Wege sah, sein
Vaterland plötzlich zu überflügeln. Damals schrieb er für die Ge-
neralstaaten seinen vortrefflichen Versuch über den parlamentarischen
Geschäftsgang[6]; er unterzog den Ausschußentwurf einer neuen
Gerichtsordnung für Frankreich seiner Kritik[7]; er erbot sich später
(1791) der Nationalversammlung, die Verbesserung des Gefängnißwesens persönlich in seine Hand zu nehmen. Trat er jetzt, erwar-
tungsvoll aufgeregt von der versprechenden Zeit, schon mit kühneren Projecten seiner ferusichtigen Staatsweisheit hervor, in denen
die Brissot, die Mirabeau einen Mann erkannten, der schon vor
der Revolution deren Grundsätze bekannte, so zog er doch bei dem
üblen Fortgang der Dinge in Frankreich die Fühlhörner seiner
Hoffnung schleunig zurück. Noch suchte er rathend und schreibend
als ein französischer Ehrenbürger für die Franzosen zu wirken, als
er sich längst an ihrem theatralischen Pompe, an ihrem terroristisch
rhetorischen Unsinne verekelt hatte, als er ihre Menschen- und Bür-
gerrechte schon für einen Coder der Anarchie ansah[8] und mit merk-
würdigem Scharfsinn darin die Keime des Communismus voraus
erkannte, der ihm (obwohl er sich später Waffen aus seinen Schriften

---

5) Works 1, 185. Essay on the influence of time and place. 1782.

6) On political tactics. 1789.

7) Draught of a code for the organisation of the judicial establish-
ment in France. 1790.

8) Anarchical fallacies.

holte) ein lächerlicher Greuel war. Aus dem Allem spricht der Stolz
des Engländers, der die „große Nation" auf dem Forum weit hinter
dem Ruhme zurückbleiben sah, den sie sich in den exacten Wissen-
schaften erworben. Er fiel nun wieder von den weiteren Entwürfen
in französischen Interessen auf die bescheidnere Thätigkeit innerhalb
seines Vaterlandes zurück, wo es seit 1783 keine Regierung gab,
die nicht gelegentlich seinen Rath eingeholt hätte. Denn noch immer
hatte er in den heimischen Verhältnissen den Sinn für alles Einzelne, das Auge für alles Naheliegende offen. Wenn er damals
(1795) seinen Protest gegen alle gerichtlichen Gebühren einlegte,
wenn er gleichzeitig Vorschläge der Steuerersparung durch Erwei-
terung des Heimfallrechts machte, wenn er (1797) Pitt's vorbereitete
Veränderungen im Armengesetze durch eine Eingabe verhinderte,
wenn er (1800) mittelst kleiner Schatzkammerscheine ein verzins-
liches Umlaufsmittel schaffen und die Staatsschuld in circulirende
Annuitäten verwandeln wollte, überall sieht man ihn zu dem lang-
samen Gang der einzelnen Verbesserung resignirt, den er später
verächtlich den Schneckenschritt schalt. Selbst in dem großen Entwurfe, den er in seinem „Aufsichtshause" (1791) niederlegte[9], durch
den er sich gern zu einem Königlein aller Armen und Gefangenen
in England gemacht hätte, war er bemüht, den wirren Knoten der
englischen Straf- und Armengesetze nicht zu durchhauen, sondern
praktisch verständig lösen zu helfen. An diese Entwürfe hatte er
einen Theil seines Vermögens gesetzt; Parlamentsacten (1794. 99)
hatten ihre Ausführung so gut wie verbürgt; Bentham's Herz
hing an ihnen, denen er gern sein Leben gewidmet hätte. Aber
Georg III., der ihm grollte, weil er sich in jener Kritik der französischen Gerichtsordnung gegen die Fiction aufgeworfen hatte,
daß der König der Quell der Gerechtigkeit sei, verweigerte hart-

---

9) Panopticon. 1791.

nädig seine Genehmigung. Von dieser Enttäuschung ab datiren Bentham's Bekannte[10] die erste Verbitterung seiner Gesinnung und Meinung. Auch knüpfte sich in der That sein erster heftiger Angriff auf die englische Regierung noch an diese seine Bekümmerniß um das Gefängnißwesen an, als er (1803) einen schonungslosen Ausfall[11] auf die verfassungswidrigen Willküren machte, die sich die rohe Ortsregierung in den Strafcolonien von Neusüdwales gestattete. Der Mismuth über seine persönliche Behandlung in dieser Sache hätte übrigens bei Bentham's weichem und stets heiterem, wohllaunigem Wesen schwerlich angehalten, wenn nicht eine dauernde patriotische Verstimmung hinzugetreten wäre. Als Pitt (1801) vor Addington's Ministerium aus der Verwaltung wich, sah Bentham den geistlosen Schlendrian in die Regierung einziehen, der jede Aussicht auf eine großartige Staatsleitung in England entzog, in dem Augenblick gerade, als wieder die Erwartungen aller Welt auf die reformistische Thätigkeit des Consuls Bonaparte gespannt waren. Auf diesen neuen Anstoß zu einer bedeutenden praktischen Wirksamkeit wandte sich Bentham noch einmal den französischen Dingen zu. Sanguinisch hatte er als französischer Bürger (was er später selbst kaum begriff) für Bonaparte's lebenslängliches Consulat gestimmt; der Freund Dumont aus Genf, der gewesene Mitarbeiter Mirabeau's, suchte persönlich Talleyrand für alle die gesetzgeberischen, finanziellen, panoptischen Entwürfe seines Lehrers einzunehmen und begann zugleich (1801—2) die bekannte Auswahl von seinen Werken in französischer Sprache zu bearbeiten[12], die bei einem Manne wie Genz sogleich entsetzte Aufmerksamkeit erregten. Aber es sollte Bentham mit dem monarchischen Frankreich nicht besser ergehen als mit dem republicanischen. Ueber der Ausarbei-

10) The Life of W. Wilberforce. 1838. 2, 172.
11) A plea for the constitution. 1803.
12) Traité de législation civile et pénale. 1802.

tung des französischen Gesetzwerkes fand sich bald, daß die Ideen
Bentham's zu despotischen Zwecken nicht taugten. Bereitwillig
gab er auch jetzt noch neue Beweise, wie gern er in den kurzen Jahren von Pitt's zweiter Verwaltung und Grenville's Coalition
(1805—7) zu jeder nützlichen Dienstleistung zu Hause zurückgekehrt
wäre; in Dumont's Arbeiten ließ er in dieser Zeit eine völlige
Pause eintreten. Allein bei dem Eintritt der stodtorpstischen Ministerien Portland (1807) und Perceval (1809), die einen traurigen
Umschlag in Englands innerer Lage bedeuteten, kehrte er hoff-
nungslos und entschlossen dem Vaterlande den Rücken zu. Dem
Propheten, den die Heimat nun seit so lange vernachlässigte, war
seit kurzem aus den fernsten Fernen ein Ruhm entgegengebracht
worden, der die Thätigkeit des überraschten und geschmeichelten
Mannes nun mehr nach außen lockte und ihn stachelte, der englischen Regierung und ganzen Staatsordnung gegenüber jede Rücksicht in seiner persönlichen Stellung und jede Schonung in seinem
Systeme abzustreifen.

**Kosmopolitische
Abwendung
Bentham's von
England.**   Schon seit Dumont's Veröffentlichungen, die sogleich in alle
Räume der Welt vordrangen, waren diese beiden Wendungen ent-
schieden gewesen. Bentham's Werke in dieser französischen Gestalt
waren augenblicklich (1803) in St. Petersburg so gesucht wie in
London und Madrid. Alle reformfrohen Russen, die Sablukow,
Mordwinow u. A. wurden und blieben seitdem seine begeisterten
Verehrer. Speranski, mit Bentham's Bruder, dem Generale, be-
freundet, faßte Jeremy's Schriften für seine Gesetzbücher ins Auge,
die auf Befehl der Regierung (1805), sogar zwei Mal, ins Russische übersetzt wurden. Diese fremden Ehren fliegen dem schon
alternden Manne berauschend zu Kopfe. Nun plötzlich schien er
die Rolle des Weltgesetzgebers mit Gewalt an sich reißen zu wollen:
denn in alle Nähen und Fernen bot er jetzt seine Dienste und

Schriften mit einer Aufdringlichkeit an, die zu seiner bisherigen
Rückhaltung und sorglos-bescheidenen Vernachlässigung seiner eigenen Werke den unerquicklichsten Gegensatz bildet. Vergebens hin-
gen sich seine Schüler Dumont und Romilly (1808 f.) an ihn, um
ihn von seinen lächerlich auffallenden Schritten zurückzuhalten, als
er dem Parlament ein schottisches Gesetzbuch anbieten wollte, dem
Lord Sidmouth antrug, einen englischen Strafcoder, und dem Präsidenten Madison (1811), ein Pannomion für die V. Staaten auszuarbeiten. Geschwätzige, ruhmredig eitle Briefe begleiteten alle
diese Erbietungen, die immer ins Weitere gingen: 1814 forderte
er zugleich den Gouverneur von Pensylvanien und den Kaiser von
Rußland auf, das gestaltlose gemeine Recht dort, das römische
Gesetzjoch hier abzuwerfen und ihn mit dem Entwurf neuer Gesetzbücher zu beauftragen. „Dann solle die Welt sehen!" Später (1817)
schickte er dem ersten Antrag ein Rundschreiben an alle americanischen Staaten nach, wo in der That durch den jüngeren Plumer
und Livingston manches von seinen Grundsätzen in die Justizrefor-
men von New-Hampshire und Louisiana eingetragen wurde; und
1822 ließ er gar seine Codificationsvorschläge „an alle freien Völker" hinausgehen. Um diese Zeit gründete Dumont die Geschäfts-
ordnung des Großen Raths von Genf auf Bentham's tactics,
und suchte seine Prinzipien in das Strafgesetz (1821) einzuführen.
In den 20er Jahren ward Carl Comte, nach England verschlagen,
mit Bentham bekannt, von wo an die mancherlei Beziehungen der
Neuerer in Frankreich zu ihm datiren, wo sich ein Mann wie Say
mit Verehrung zu seinem Schüler bekannte. Als die revolutionären
Erschütterungen den ganzen Süden Europa's und America's auf-
wühlten, stand sein Name in beiden Hemisphären, wie wir gesehen
haben, in einer Glorie, deren sich wenige Menschen zu erfreuen
hatten; seine Ideen schienen jetzt dieselbe gewaltsam erobernde Kraft
zu erlangen, wie Rousseau's zuvor; eine neue Aera der umfassend-

sten praktischen Wirksamkeit schien für ihn zu beginnen. Vom Nord-
und Südwesten bis zum Nord- und Südosten reichte jetzt der Ruhm
des Reformators. Noch war in dem aufgestandenen Griechenland
Alles in heller Verwirrung, als er sich (1823—24) von Th. Ne-
gris zu Rath ziehen ließ für dessen Vorarbeiten zu einem bürgerlichen Gesetzbuch, als er ein Verfassungsgesetz anbot, das Koral
übersetzen sollte. Ja selbst für Tripolis schrieb der Republicaner
(1822) auf Ansuchen des Gesandten in London eine Schrift, die
in dem Barbareskenstaate „Sicherheiten gegen Misregierung" schaffen sollte.

Demokratische Abwendung Bentham's von der englischen Staatsordnung.

Mit dieser weltbürgerlichen Ablehr von seinem Vaterlande
ging in Bentham die demokratische Abwendung von dessen ganzer
Rechts- und Staatsordnung Hand in Hand. Es war eine Zeit,
wo er, voll jugendlich guten Glaubens an die Menschen, einfältig-
lich der Meinung war, daß der Grund der vielen Unvollkommen-
heiten in den englischen Einrichtungen nur in Achtlosigkeit und
Vorurtheil gelegen sei, daß der allgemeine Nutzen der allgemein
verfolgte und nur oft verfehlte Zweck der Regierenden sei. Jetzt
aber war er, von herben Erfahrungen belehrt, dahin gekommen,
in jenem angeblichen Erzeugniß unvergleichlicher Weisheit, der englischen Verfassung, nichts als eine Hülle der Schurkerei, ein Werk
der Arglist und der feindseligsten Einzelinteressen zu sehen. Wider
diesen ganzen Bestand nun des englischen Staats- und Rechtswesens gingen in den Bentham'schen Originalschriften, die Dumont
allerdings vieler englischen Beziehungen entkleidete (über die
Grundsätze des bürgerlichen und peinlichen Rechts, über das Rechts-
verfahren, über die Staatssophistik[13] u. s.), die radicalen Theorien

---

13) Das unschätzbare book on fallacies, als Seitenstück zu der vernich-
tenden Kritik der vulgären Demokratie in den anarchical fallacies, eine Cha-
rakteristik der vulgären legitimen Regierungskunst; eine furchtbare Liste der

des Verfassers in einem furchtbaren Stoße an, die er dann in immer schwerere Phalangen zu versammeln sann, als er seit dieser Zeit (1802) schon sein Werk über den gerichtlichen Beweis angriff, um die große Arbeit seines Lebens, die englische Rechtsreform, systematischer zu verfolgen; als er nachher (seit 1809) seine Aufmerksamkeit auch auf Verfassungsrecht und Parlamentsreform überlenkte, und sich noch später (1815) wieder auf andere wissenschaftliche Arbeiten[14] und praktische Plane zur Volkserziehung warf. In all dieser Polemik liegt der Kern seiner gewaltigen Anfechtungen systemgemäß in dem Satze: daß die Regierung in England zu ihrem Zweck nicht das Glück der Vielen hat, sondern die Interessen der Wenigen, die der verderblichen Genossenschaft des Monarchen mit den Juristen und Priestern, den Schlingern der Zehnten und Gerichtsgebühren, angehören, worin Gewalt und Trug zu einem gemeinsamen Capital zusammengeschossen sei, um die öffentlichen Zustände und Mittel zu eigenem Nutzen auszubeuten. Ein lang verhaltener Haß entzügelte sich hier zuerst gegen die chaotischen Zustände des englischen Rechtswesens in allen seinen Theilen. Gegen das Billigkeitsrecht, ursprünglich eine Rippe des ächten Rechtes, die diesem in dunkeln Zeiten, als es schlief, von kecken Richtern aus der Seite genommen ward, und nun den Herrn spielt über seine Schwester, das Statutenrecht. Gegen das Wahnbild des ungeschriebenen, von Richtern gemachten Gewohnheitsrechts, das, wenn auch Zufall mehr als Absicht manches Unschätzbare darin versammelt hat, kaum aus irgend einer Rücksichtnahme auf

---

Rechtswürdigkeiten, mit denen Bequemlichkeit, Unfähigkeit, Laune, Vorurtheil, Eigennutz der Regierenden den dringendsten Anforderungen des allgemeinsten Interesses auszubengen suchen.

14) Seine Chrestomathie; eines der charakteristischsten Producte seines Nützlichkeitsprinzips, einem Geiste entsprungen, dem alle klassische Literatur, aller geistige Luxus, alle ästhetische Bildung ein vollkommen verschlossener Buchstabe war.

die Landeswohlfahrt entstauden ist. Gegen die ungeordnete Masse
des Statutenrechts, die (bis auf den Sonderling Lord Stanhope)
nie ein Mensch ganz durchzugehen Zeit und Kräfte besessen. Gegen
die barbarische Form des Gesetzstils, der sich zu dem natürlichen
Kunstausdruck verhalte wie die Formeln der Astrologie zu denen der
Astronomie. Gegen das peinliche Recht, seine Blutgier, seine Un-
gleichheit, seine verhüllende Nomenclatur, die ganze Gruppen un-
erkennbarer Verbrechen zusammenwürfelt unter nichtssagenden Be-
nennungen. Gegen alle Theile der Prozeßführung, in der sich die
verwickelten Grundgebrechen vereinigen, die die englische Rechts-
pflege durch Förmlichkeit, Unsicherheit, Verzögerung, Kostspieligkeit
zu einer Geißel machen, gegen die alle politischen Geißeln zusam-
mengelegt nur Federn sind. Gegen das Personal der Richter endlich, die er früher für ehrenwerth und tadelfrei anerkannt, wo ihn
jetzt eine 60jährige Erfahrung überzeugt hatte, daß alle jene der
Gerechtigkeit graudaus entgegenwirkenden Gebrechen besonders von
den höheren Richtern in gemeinem und geflissentlichem Eigennutz
aufrecht erhalten würden. Und wie gegen die Rechtsverfassung, so
entfesselte nun Bentham auch gegen die ganze Staatsverfas-
sung Englands seinen verbissenen Grimm. Er glaubte in ihr ein
einziges zähes Gespinnst der Bestechung zu durchschauen, das von
dem „Generalcorruptor" herab bis zu den parteilten Vertretern des
Parlaments eine Kette von gegenseitigen Verpflichtungen, Gönner-
und Schützlingschaften bildet, die zum Nutzen der „Innen" spielen
und den Neid der „Außen" reizen, auf deren Führern wieder die
hungrigen Blicke anderer Haufen von Hab- und Ehrgierigen hängen, die auf die Banken ihrer Patrone zu ziehen denken, sobald sie
ihrerseits „hineinkommen" würden. Das hatte den Mann der auf-
richtigsten Menschenliebe von früh so verbittert gegen das ganze
Aristokratenregiment von Whigs und Tories, die ihm „nur Eins"
waren, in dem großen Geschäft der eigensüchtigen Staatsausbeu-

tung nur unterschieden wie Anwartschaft und Besitz, Eine Coterie, die um die Wette das stehende Wasser der Verfassung bewegungs- los hielt, weil in ihm die Corruption am besten brütet. Darum hatte sich schon in seiner ersten Jugendschrift sein ganzer Zorn ent- laden gegen das torystische Beharrungssystem, das die Vortheile und Vorurtheile dieser Bevorrechteten zu verewigen trachte, gegen das Erhaltungsprinzip, das sich auf die unmündige „Weisheit der Väter" steife, die doch an Erfahrung jünger waren als wir! Dem festbauenden Einfluß dieser Adelscoterien fand er auch in dem Volkshause kein Gegengewicht gegeben, das er von dem (bis zur Unempfindlichkeit gegen die Schaube getriebenen) Verderbniß der Bestechung eben so angefäult, dessen Mehrheit er durch Individuen ernannt wußte, deren Interessen, völlig in Eintracht mit denen des Königs und der Lords, dem Volksinteresse unerbittlich feindselig ist. Stets war er daher allen Bestrebungen zur Seite, die auf eine Parlamentsreform abzielten. Er war früher mit innerer Theil- nahme den Reformplanen Pitt's und Richmond's gefolgt, er folgte seit 1809 der Agitation W. Cobbett's mit thätlicher Theilnahme. Er hätte sich anfangs des Jahrhunderts mit whiggistischen Ab- schlagszahlungen begnügt, 1809 aber entwarf er schon einen radi- calen Reformkatechismus; auch dann noch war er furchtsam und unklar über den Gegenstand, der für Alle ein Schreckbild war; aber zehn Jahre später bekannte er sich zu den äußersten Anträgen der Reformer, für allgemeines Wahlrecht, jährlich erneute Parlamente und geheime Abstimmung. Er galt jetzt als der geistige Führer der Demokratie, und als 1824 das Westminster Review in der Litera- tur den ersten ernstlichen Beweis von dem Dasein einer solchen Parthei in England lieferte, waren es seine Ideen und Werke, aus denen man zu diesem literarischen Mahl das beste Mehl ent- nahm. Früher hatte Bentham immer aus dem Sinne geschrieben, daß trotz all ihren Fehlern von allen Verfassungen die englische die beste sei; aber nun[15] stellte er den Satz auf, den er einst dem Verfasser des Zeitalters der Vernunft (Paine) so übel genommen hatte: daß England gar keine Verfassung habe, weil es kein Verfassungsgesetz hatte. Früher wollte er durch ein Gegengewicht des demokratischen Einflusses den des Fürsten und Adels aufwiegen, jetzt[16] wollte er ein Uebergewicht jenes Einflusses, das diesen ganz breche. Noch 1819 schien ihm Alles gethan mit einer radicalen Reform, jetzt verschmähte er auch sie, weil sie den wesentlichen Schaden der Zustände, Monarch und Oberhaus, bestehen lassen würde. Er war nun zu der americanischen Verfassung bekehrt. Er sah jetzt England von America überholt, und konnte diesen Vorsprung nur der Verfassung der Americaner beimessen. Er war jetzt Republicaner geworden. Wenn Demokratie, schrieb er[17] unter dem König, den er für den besten erklärte, den England gehabt habe, wenn Demokratie ein besseres Ding ist als eine adelgerittene Monarchie, warum soll ich es nicht sagen? Warum nicht sagen, wenn ich kein Bedürfniß empfinde nach einem Beamten — wie ein König? „Da ist das Wort geschrieben, und noch ist die Welt nicht untergegangen!" Er sah nun um den Preis einer „wirklichen Verfassung", die auf das größte Glück der größten Zahl abzwecke, der Auflösung der englischen Verfassung ohne Aufregung entgegen. Er wollte die Menge der Leiden nicht berechnen, die der Uebergang von Monarchie zu Demokratie veranlassen würde, aber die Unausbleiblichkeit des Uebergangs schien ihm so unzweifelhaft, wie seine Zuträglichkeit.

Wirksamkeit der Bentham'schen Bestrebungen in seinem widerstrebenden Vaterlande.   Es hatte dieses letzten Endes nicht bedurft, es hatte schon an den ersten Anfängen von Bentham's Doctrinen genügt, um ihn und sie seinen Landsleuten aller Klassen gründlich zu verleiden

---

15) In seinem Verfassungsgeber. Works tom. 9.
16) On the liberty of the press and public discussion. 1821.
17) On houses of Peers and Senates. 1830. Works 4, 449.

Die Geistlichkeit bekreuzigte sich vor einem Manne, der chrestoma-
thische Schulen entwarf, von denen er alle Theologie ausschloß,
der den Krieg dem „Kakotheimus" erklärte, den er bei denen suchte,
die ihn zu verfolgen und zu bestrafen bis dahin das Alleinrecht
hatten. Der toryssische Adel hatte, kaum als die Lehre in Bentham's Jugendschrift nur ihre kahle abstracte Formel ausgesagt
hatte, von einem Manne des Conclave's seine Losung erhalten,
von Herrn Wedderburne, nachher Lord Loughborough, (jenem politischen Wetterhahn, den Georg III. den größten Schelmen in England nannte,) der Bentham in Herz und Hirn stach, als er welt-
witternd diese Lehre der „Nützlichkeit" einfach für „schädlich" erklärte.
Bei der ersten klaren Aussprache seiner Geringschätzung der englischen Verfassung hatte Franz Horner, ein befreundeter Mann aus
den Whigkreisen, schon zu bedauern, daß Bentham's Name „ab-
stoße" in dem nüchternen Volke Englands, dessen beste Eigenschaften in seinem erhaltungsfrohen Sinne wurzeln, das sich daher die
Einrichtungen nicht so sehr wollte verachten lassen, die sein Stolz
und die Bewunderung der Welt waren. Ohne Sinn für Geschichte,
wie herkömmlich all der gemeine Demokratismus ist, zeigte sich Bentham seinen Landsleuten ohne Sinn für ihr Volksleben in seiner
Ganzheit, für die Stellung und die Thaten der Nation in dem
großen Weltwesen, für die herrliche Befähigung, die der englische
Adel zu der glücklichen Leitung dieser großen Geschäfte bewiesen,
wodurch dann auch auf die innere Wohlfahrt der Einzelnen aus
dem Ganzen fördernder herabgewirkt ward, als die sorglichste
Staatspflege von unten hinauf, ohne jene Gestaltung der äußeren
Lage des Landes, jemals vermocht hätte. Durfte doch schon in
Bentham's hartem Tadel der dictatorische Ton verletzen, sein „Ipse-
dixitismus" (um mit ihm selbst zu reden), die Rechthaberei in den
großen Materien, wo es sich grade nach seinem Systeme doch um
die Mitsprache Aller über das erstrebte Wohlsein Aller hätte han-

IV **3**

dein sollen! Wie viel mehr der grelle Widerspruch, in dem sich seine
blendendsten Sätze mit dem Bestehenden befanden, das sich doch
immer so wohl wirksam bewiesen! Mit diesem Guten, das man
praktisch besaß, wurde das Vollkommene, das diese Theorie verhieß, nur mißtrauisch verglichen; das Denkbarste, was sie aufstellte,
erschien so unausführbar, sobald man anfing die thatsächlichen
Hemmnisse in Verhältnissen und Menschen zu erwägen, die in die
schnurgerade Linie des logischen Gedankens nicht hineinfallen; die
leidigen Mißstände waren von den scharfen Geschossen der Bentham'schen Gründe so oft in den Kern des Schwarzen getroffen,
aber sie wollten darum nicht wanken noch weichen. Das englische
Volk schien sich abzukehren von Bentham, wie von einem Fremden,
so wie Er sich abgewendet von ihm. Seltsam aber! seine ganze
Lehre, selbst mit allen ihren äußersten Folgerungen, war doch
durchaus heimisch angelsächsischer Natur; auch fast allein aus englischen Quellen erwachsen! Zu allen berühmtesten fremden Staats-
lehrern, zu Machiavelli, zu Montesquieu, zu Rousseau verhielt sich
Bentham feindlich; jedem englischen Vorgänger bekannte er sich
verpflichtet: für seine realistische Methode Baco, für seine forma-
len Vorzüge Locke, für sein Nützlichkeitsprinzip Hume, für den
Satz vom größten Glück der größten Zahl Priestley, für seine staats-
wirthschaftlichen Ansichten A. Smith. Ganz im Großen betrachtet
wurzelte seine Nützlichkeitslehre wesentlich in dem praktischen Sinne
des englischen Volks, und selbst ihre prosaische Einseitigkeit und
schroffe Folgerichtigkeit war durchaus in der puritanisch puristischen
Seite der englischen Natur begründet. Aber eben wie diese starre
Einseitigkeit auch im Großen von England war ausgestoßen und
über das Meer geschoben worden, so ähnlich sollte es auch mit der
Lehre dieses Einen Neuerers kommen. Allein freilich, mit jener
Entfremdung hatte man sich doch nicht auch aller der Ideen von
politischer und religiöser Freiheit entäußert, die jene Puritaner aus-

führen: Bentham und seine Geistesbildung selbst war der lebendige Beweis davon; und grade so war man jetzt auch seiner Ideen nicht ledig, wiewohl sie die Zeit nicht schmackhaft fand. Man war im 17. Jahrhundert nicht reif für jene Art von Freiheit gewesen, die man dann für unreifbar erklärte, obgleich sie eben jetzt, eben durch Bentham, verbotene Früchte in England absetzte, die man auch jetzt ungenießbar schalt, obgleich sie in wenigen Jahren die gepriesensten Nationalgerichte werden sollten. Bentham schmähte und verschmähte die Engherzigkeiten des Partheiwesens zu einer Zeit, wo die Sklaverei der eigenen Ueberzeugung unter dem Joch der Partheilosung ein feststehendes politisches Dogma war; er höhnte der englischen Bigotterie zu einer Zeit, wo Georg III. die Grundsätze aller seiner stärksten Staatsleute nach seinem bigotten Eigensinne beugte; er stellte die Barbareien des Strafrechts und die Rohheit des Gefängnißwesens in England vor aller Welt an den Pranger, als ein Lord Eldon Fuß um Fuß die scheußlichsten Strafgesetze vertheidigte und Lord Sidmouth noch eine neue „Bastille" für die Sträflinge baute; er focht in dem Lande der Majorate und der Familienstiftungen mit schonungsloser Entschiedenheit gegen jederlei Vinculation aus jederlei Beweggrund, und rief der englischen Regierung in den Blütezeiten der Zolltarife noch schärfer als A. Smith das Diogenische: Vertritt mir die Sonne nicht! zu; er lehrte das „Paradoxon", daß die Erwerbung von Colonien, wenn als ein Mittel der Bereicherung angewandt, eine Thorheit sei; all das sind jetzt Gemeinplätze oder ausposaunte Grundsätze erleuchteter Staatsweisheit in England, aber damals war es von den Meisten unstreitig auf Einer Linie gesehen mit Bentham's Plane zum ewigen Frieden, und mit diesem als Träume eines gutmüthigen Schwärmers verlacht. Die offene Heerstraße sperrte sich also seinen Ideen und Bestrebungen; so wühlten sie sich durch unterirdische Wege. Sie haben auf diese Weise, in durchgängigem Gegensatze zu Rous-

3*

seau's Lehren, nicht unmittelbar aber mittelbar gewirkt, nicht gleich
in der Gegenwart, aber fortdauernd in die Zukunft, nicht so sehr
im Ganzen als in Theilen, weniger durch Anhänger die dem
System huldigten, als durch auswählende Schüler die das Einzelne anbauten, ja durch Gegner die das Brauchliche stillschweigend
plünderten. Wir wollen nicht einzeln aufzählen, zu wie vielen
Veränderungen und Verbesserungen im englischen Staats- und
Rechtswesen, im Strafgesetze, im gerichtlichen Beweisverfahren,
im Prozesse, in der Gesetzschreibung, in den Wuchergesetzen, im
Armen- und Gefängnißwesen, in allgemeineren ökonomischen Dingen Bentham's Anregungen 'der Regierung die mächtigen Hebel
geliefert haben, die dann Andere in Bewegung setzten; wir wollen
nur zusammenfassend sagen, daß er überall als der Reformer vor
aller Reform in England erscheint, der zuerst, und weil ja allein
vorragend, durch die Gewalt seines Geistes die Berge veralteter
Mißbräuche in diesem Lande unterwühlt, in die Wälle des starren
toryistischen Beharrungssystems Bresche auf Bresche geschossen, die
blinden Vorurtheile über die Unvergleichlichkeit und Unverbesserlichkeit der englischen Verfassung in den Gemüthern erschüttert hat.
Diesem Reformgedanken rühmte er sich von Kindheit auf gelebt
zu haben. Er hatte die Unerläßlichkeit einer Staatsreform von
Grund aus und im Ganzen durchschaut zu jener Zeit, wo Pitt die
ersten vorsichtigen Vorschläge zur Veränderung der Vertretung
machte; er sah es dann, den Ausschweifungen der französischen
Revolution gegenüber, in seiner Sphäre, eben so wie Pitt in seiner
regierenden Stellung, geboten, dieses große Geschäft auf bessere
Zeit zu verlagen; aber er rettete und flüchtete die in der Praxis
geächtete Idee auf das Gebiet der Theorie, führte sie von dort bei
der ersten Gunst der Zeiten in das Leben wieder zurück, und aus
der Zelle seiner Rückgezogenheit adelte er dann mit seinem Geiste
die ersten und rohesten Reformbestrebungen des Volks in Masse,

in dem die Hunt und Cobbett die gemeinsten Triebfedern und Leidenschaften für diese Sache in Bewegung setzten. Stand er dennoch mit jenen äußersten Lehren, die er zuletzt predigte, wie ein
Einsiedler verlassen, so grämte und irrte ihn dieß nicht. Ueber das
Verhältniß dieser letzten Ergebnisse seiner Lehre zu Zeit und Gegenwart schien er selbst sich in prophetischer Klugheit nicht zu täuschen.
Er gab der Republik, der er zuletzt das Wort redete, bis sie allgemein möglich und begehrt sein werde, noch über ein halb Jahrtausend länger Zeit, als unser wackerer Fichte in Deutschland; vor
2828 hoffte er nicht, „seinen Verfassungscoder unter allen Nationen
in Kraft zu sehen!" Gleichwohl erlebte er noch in England, was
er kaum je zu erwarten gewagt hätte: die Reformbill. Sie war der
Durchbruch zu den gradweisen demokratischen Fortbildungen,
für die er fortwährenden Rath zu geben sich noch in seinen spätesten
Werken beschied. Er erlebte, daß der Geist geweckt ward, dessen
sein Werk zur Durchführung bedurfte, und dieß war in dem ächten
Sinne seiner Lehre mehr werth, als jede eingreifende Veränderung
in Verfassungsformen. Auf dergleichen zu dringen, war er mehr
und mehr von dem Troze politischer Enttäuschung gereizt worden;
was aber sein System, in der Bescheidenheit seiner reinsten Anfänge
wie in der Kühnheit seiner letzten Spitzen, als seinen stets gleichmäßigen Inhalt aufstellte, das war wesentlich dieselbe Lehre der
staatlichen Menschenfreundlichkeit, deren sich die Demokratenpartei
als ihres besten Theiles und Anspruchs überhaupt berühmen darf;
die überall, wenn nicht die erhabensten und höchsten Ziele des
Staates, fürwahr doch, eben wie Bentham's Lehren thun, seine
nächstliegenden Aufgaben zunächst ins Auge gefaßt und für seine
nächsten und ersten Pflichten erklärt hat. Wenn sie der Soldaten-
wirthschaft und ihren verderblichen Ursachen und Folgen in den
Weg tritt, wenn sie die Hemmungen des Verkehrs zu tilgen, die
Staatssorge den Bedürftigen zuzukehren, den Mängeln der Rechts-

pflege, dem Mangel des Rechtsschutzes für die ärmeren Klaffen
abzuhelfen, die Rohheiten der Strafgesetzgebung zu brechen, die
menschliche Behandlung der Sträflinge zu erwirken strebte, was
anders that sie, als daß sie sich die Grundsätze jenes Humanismus
aneignete, der im vorigen Jahrhundert als eine Idee den kommenden Thatsachen vorarbeitete, und daß sie diese Grundsätze zuerst in
politische Forderungen verwandelte? Zu dem Kampfe für diese
Forderungen liegen die schärfsten Waffen und ein unermeßliches
Rüstzeug in Bentham's Werken, das alle Theile der Welt längsther
ausbeuten ohne es zu wissen. Für sie hat kein anderer Mensch mit
solcher Geisteskraft, mit solcher Herzenswärme, mit solcher Beharrlichkeit, mit so unerschrockenem Muthe gestritten; gegen die Masse
von besonnenen Verstandesgründen, die er an sie gesetzt, verschwindet das wenige Leidenschaft ganz, das in seiner Beurtheilung der
Verfassungsfragen und Formen mitgespielt hat. Sieht man sich
daher in den Gruppen englischer Politiker nach einer Umgebung
um, in die Bentham geschichtlich zu stellen wäre, so wird ihn Niemand gewiß zu seinen radicalen Freunden Burdett und O'Connell
anreihen wollen, die ganz diesen letzten Fragen gelebt haben, viel
weniger zu einem Cobbett, der ihn neidisch sogar zu seinem Bundesgenossen verschmähte; sein Standpunct fällt in eine ganz andere
Linie. Seit der Zeit, wo der Sheriff Howard, entsetzt von der
Mißhandlung der Sträflinge in England, seine menschenfreund-
liche Gefängnißreise gemacht; wo nicht viel später der edle Romilly
(Bentham's nächster Schüler, den alle Partheien seines Landes mit
gleicher Ehrfurcht nennen,) bei seinem ersten richterlichen Rundzuge
(um 1784) von den Greueln der Strafgesetze eben so peinlich betroffen ward, beobachtet man in England eine Schaar zum Theil
sehr vereinzelt, außer allen Partheiverbindungen wirkender Männer
in und außer dem Parlamente, die sich mit einer bewundernswerthen, nur in England heimischen Ausdauer und Unverdrossenheit

auf die Durchführung verschiedener, einzelner politischer Grundsätze
und Zwecke von vorschlagend humanistischem Charakter, auf dem
ganz praktischen Wege der allmäligen Verbesserung warfen. So
wie die Clarkson, Wilberforce und Burton für die Abstellung der
Sclaverei, so wirkten Romilly und nach ihm Mackintosh für die
Milderung der Strafgesetze, so Grattan und Plunkett für die Emancipation der Katholiken, so Brougham für die Staatssorge um die
Volkserziehung, so Stourges Bourne für die Aenderung der Armengesetze, so traten später die politischen Oekonomisten unter
Grenville, King und Lansdowne als eine neue Schule im Parlamente für die Interessen der Verkehrsfreiheit auf. Den Bestrebungen dieser und ähnlicher Männer lagen, klarer oder dunkler, die Gefühle zu Grunde, daß in England unter der Aristokratenherrschaft
von Gentry und Adel die höheren Begriffe von des Staates Beruf
und Pflicht sehr gelitten hatten; daß die völlige Vernachläßigung
aller Emporbildung der ärmeren Klassen, ihres Unterrichts, ihres
Wohlstandes, ihres Rechtsschutzes laut nach Abhülfe schrie; daß
die allgemeinen Prinzipien des inneren Staatshaushalts und der
Verwaltung für den politischen Denker eben so würdige, und, da
sie mit der allgemeinen Wohlfahrt unmittelbarer verknüpft sind, vielleicht selbst würdigere Gegenstände der Aufmerksamkeit seien, als die
Verfassungsfragen. Wäre Bentham ins Parlament getreten, oder
durch irgend eine Fügung für seine Gefängnißreform beschäftigt
worden, so hätte er vielleicht in seiner Thätigkeit für diese beson-
dere einzelne Sache mit jenen Männern allen an zäher Praxis ge-
wetteifert; in seiner schriftstellerischen Wirksamkeit steht er nicht
minder in ihrer Reihe, nur daß er ihre einzelnen Wirksamkeiten
gleichsam alle umfaßt. Ueber den edlen Bestrebungen eben dieser
sittlich unbescholtenen, in den parlamentarischen Gruppen sehr neutralen Männer war es, daß im Laufe einiger Jahrzehnte die englischen Partheien langsam und schwer begreifend lernten, ihre her-

kömmlichen Umtriebe zu vertagen, ihre schroffen Grundsätze allmälig abzuschleifen, ihren Fanatismus abzukühlen. Ohne diese Veränderung aber in der ganzen politischen Moral der Staatspartheien wäre an die englischen Reformen des 3. und 4. Jahrzehnts niemals zu denken gewesen; die man überhaupt nur halb begreifen wird, wenn man nicht aus Bentham's Wirksamkeit gelernt, bis in welche Tiefen die stehenden politischen Begriffe Altenglands, abgesehen von dem großen Unterricht der Zeiten, von diesem Manne allein durch einige Jahrzehnte zuvor erschüttert worden waren.

2. Englische Zustände.

Zu keiner Zeit aber schien eine solche grundtiefe Veränderung in den englischen Staatsverhältnissen in weiterer Ferne zu liegen, nie war der Geist einer englischen Verwaltung in stärkerem Gegensatze gegen jede reformistische Bestrebung, als beim Eintritt der großen europäischen Restauration[18]. Das Ministerium Liverpool war eine Toryregierung vom reinsten Wasser, und sie schien, von der Glorie der außerordentlichsten Siege umstrahlt, in einem ganz unerschütterlichen Ansehen festzustehen. England war triumphirend aus dem großen Kampfe hervorgegangen, in dem es so lange den

Die Toryverwaltung Lord Liverpool's. [margin note]

---

18) Wir verweisen ein für alle Mal auf die annalistischen Geschichtsdarstellungen der Periode englischer Geschichte, die uns vorliegt, eine Reihe höchst planmäßiger, bei der Oeffentlichkeit der Quellen wohl übereinstimmender, nach ihrem Partheifarben leicht zu unterscheidender Werke: Bisset, the hist. of the reign of George III. tom. 7. Lond. 1820. — Belsham, memoirs of the reign of George III. from the treaty of Amiens. 1824. — Will. Wallace, memoirs of the life and reign of George IV. 1832. — Hughes, hist. of England. tom. 5. ed. Paris 1836. — Miss Martineau, the hist. of England during the thirty years peace 1816—46. Lond. 1850. — Alison, hist. of Europe from the fall of Napoleon. 1852.

Welttheil in seinem Gefolge gehabt. Das englische Volk hatte, nach Pitt's ehrenvoller Voraussage, die Behauptung: es sinke der kriegerische Geist der Nationen mit dem Steigen des Handelsgeistes, Lügen gestraft; es hatte sich so empfänglich für Ruhm, so bereit für öffentliche Opfer wie für privaten Gewinn und Vortheil bewiesen. England stand noch einmal als der Erhalter der Unabhängigkeit Europa's da. Die englische Regierung, als sie den glänzenden Siegeshelden der Zeit, den Ueberwältiger Europa's, besiegt durch einen englischen Kriegsmann von prunk- und gefahrlosem Ehrgeize und von seltener Dienst- und Pflichttreue, gefangen nach St. Helena führte, stand von Erfolgen gekrönt wie keine andere seit den Zeiten Godolphin's. Die Welt und das Vaterland beugten sich vor diesen Verdiensten. Die einheimischen Gegner der Regierung, die Opposition im Parlamente, seit langeher verstummt, wurde in laute Begeisterung hingerissen, als nach Beendigung der Kriege der Minister des Auswärtigen, Lord Castlereagh, die stattliche Gestalt noch höher tragend als zuvor, von dem Festlande nach Hause kehrte, und als ihr Wellington's letzter Ruhm die lange versagten Huldigungen abzwang.

Wohl flüsterte unter dieser lauten Anerkennung auch eine andere Stimme in und außer Landes, die nur dem blinden Glück alle die Glorien dieser Regierung zuschreiben wollte, in deren Personal die allgemeine Meinung nur eine Gruppe wenig befähigter Leute sah. So hat Brougham[19] dem Lord Castlereagh, den zwar die Schreiber seiner Parthei wie Alison zu einem Helden machen, alles Verdienst platt abgesprochen. So galt der Chef, der der Verwaltung den Namen gab, durchweg für einen Mann von einer „anständigen, entwaffnenden Mittelmäßigkeit" und bequemen Neutra-

---

19) In seinen „Staatsmännern während der Regierung Georg's III." Uebers. von Rottenkamp. 1840.

lität, wahr und verläſſig aber ſaumſelig und entſchlußſcheu, von
nichts ferner als von der Pitt'ſchen Auffaſſung ſeiner Stellung, der
für den Hauptminiſter die Leitung und im Nothfall die Entſchei-
dung aller Dinge anſprach; eine Befugniß, die Lord Liverpool
vielmehr (wie Lord North) als der Landesverfaſſung unbekannt verbieten hätte. So hat Lord Holland[20] über den Miniſter des Innern, Lord Sidmouth, geſpottet: er habe, als er 1800 bei einer
Erörterung über Brodſurrogate die Kleie in gutem Ernſte ſo nahr-
haft wie Korn nannte, das wahre Emblem der Politik dieſer Männer angegeben, die den Kern der Pitt'ſchen Verwaltung mit Hülſen
und Schalen erſetzten. So hatte der Schatzkanzler Banſttart 1811
in der brennendſten Frage ſeines Faches Aufſtellungen von einer
berüchtigten Albernheit gemacht, die ſein Freund Canning als Er-
findungen boshafter Gegner begreiflicher gefunden hätte. So war
der Lordkanzler Eldon, das eingefleiſchte Hochtoryprinzip, zwar als
der verſchmitzte Meiſter aller Intriguen lange bekannt, aber er war
in allen rein politiſchen Fragen einflußlos ſelbſt in den Verwaltungen, für deren eigentlichen Kitt er galt; nie hatte er eine gemein-
nützige Maaßregel angegeben, jeder angegebenen ſich ſtets wider-
ſetzt; und Brougham erklärte ihn öffentlich für ganz unfähig, den
Miniſter, den Richter, den Gewiſſensrath des Königs und den
Intriguenrath der Partheien zugleich ſpielen zu können. Gleichwohl, wenn man auf die Vorgeſchichte aller dieſer Männer und der
Regierung, die ſie bildeten, zurückblickt, ſo empfängt man doch nicht
eben die Eindrücke, als ob ſie alle ihre Erfolge grade nur dem
glücklichen Ungefähr zu danken hätten. Dort findet man ſie durch
lange Jahre der ſtärkſten Regierungsconvulſionen in einen ſchweren
Kampf mit den Koryphäen der engliſchen Staatspartheien ver-

20) Memoirs of the Whig Party by H. Rich. Lord Holland. 1852.
I, 170.

wickelt, in dem sich nach hartnäckigem Ringen die vollständige Niederlage ihrer heroischen Gegner und die Nachfolge und „Herrschaft
dieser Mittelmäßigkeiten" vollzog, die dann unmittelbar nach ihren
inneren Siegen auch den mächtigen äußeren Feind niederwarfen,
dessen Spielwerk sie schienen werden zu müssen, dessen Verderb sie
werden sollten. Kaum gibt es ein anderes Geschichtsschauspiel, das
für den menschlichen Stolz und die Ueberhebung des Genies so
demüthigende Lehren enthielte.

Es waren die beiden stolzen Häupter der Whigparthei und des Ein Rückblick auf ihre Vergangenheit.
aufgeklärten Toryismus, For und Pitt, zuerst, es waren hierauf
zwei Gruppen von Epigonen dieser beiden Partheiführer, die in
diesem inneren Kriege der geschlossenen Phalanx jener vielverachte-
ten Gegner nach einander welchen sollten.

Was die Whigs angeht, so war für deren Sturz allerdings
langeher durch geschichtliche Verhältnisse von der größten Wucht
vorgearbeitet. Im Mißbrauch ihres herkömmlichen Einflusses, in
Spaltungen und Eifersucht innerlich entartet, hatte die Parthei
(nach dem Ausdruck eines Mannes aus ihrer Mitte) auf die Patrioten und Märtyrer des 17. Jahrh. im 18. ein Geschlecht von
Zungendrescher erzogen, dem die Macht ein Capua geworden war.
Ihre thörichte Sicherheit hatte dem dritten Georg, als er sich von
der Herrschaft der großen Familien, denen sein Haus die Thronfolge verdankte, frei zu machen strebte, gleich im Beginne diesen
Kampf außerordentlich erleichtert. Der nackte Ehrgeiz, der nachher
einem For in seinem langen Kampfe mit Pitt so oft die Antriebe
gab, der sittliche und politische Verruf, den sich die Whighäupter in
ihrem Verhältnisse zu dem Prinzen von Wales zuzogen, hatte die
Parthei bereits um ihren besten Credit gebracht, als ihr die französische Revolution noch die stärksten Stöße versetzte. Unter den ein-
schreckenden Fortgängen dieses großen Zeitereignisses, das die Frei-

heit selbst in England verdächtig machte, erfolgte die große Fahnenflucht, die die Whigs im Oberhause auf vier, im Unterhause auf
vierzig Stimmen herabbrachte. Im Volke selbst hatte die von allen
Seiten gehaßte Parthei um die Scheide der Jahrhunderte allen
Fuß verloren. Sie hatte sich dem Nationalgefühle durch die Hartnäckigkeit ihrer Sympathien mit Frankreich entfremdet, die für eine
Art Landesverrath in den Staatsleuten galt, in deren überlieferten
Prinzipien grade die Feindschaft gegen Frankreich, den Beschützer
der von ihnen vertriebenen Stuarts, immer gelegen war. Ihre
politischen Gründe zu der unvolksthümlichen Verleugnung und
Vertauschung dieses Prinzips wurden lange Jahre hindurch, während Pitt die englischen Geschäfte wie ein Selbstherrscher führte,
nicht gewürdigt. Sie sahen, daß Pitt's verwogene Plane, mit
Englands Geldmacht und Bündnissen Frankreich finanziell und militärisch zu ruiniren, zu nichts führten als zur Ausplünderung Europa's und zu Frankreichs Universalherrschaft; und sie hatten immer
vor der Ueberreizung und Erschöpfung der nationalen Kräfte gewarnt, die England in einem neuen Nothfalle zu einer neuen solchen Anstrengung die Fähigkeit rauben müsse. Diese Bedenken,
verhöhnt von Allen, die Englands Leistungsfähigkeit selbst die über-
spanntesten Berechnungen stets hatten überbieten sehen, fanden doch
einiges achtsamere Gehör, als sie sich zum Theile durch die bittere
Erfahrung nur zu wohl begründet erwiesen. Das Land war des
verschwenderischen Systemes seines genialen Ministers offenbar
müde, als Pitt 1801 unter dem Vorwande einer Grundsatztreue
aus dem Amte trat. Es war eben die Zeit, wo Bonaparte die
französischen Dinge in seine Eine Hand nahm, als jetzt in England
die Einheit der Regierung zersplitterte und die großen Staatsleute
zerstoben, da man ihrer bedürftiger schien als je. Denn nicht For
und die glänzenden Whigführer wurden nun Pitt's Nachfolger,
sondern eben jene untergeordneten Geister rückten damals zum ersten

Male ins Amt, unter jenem Abbington (Lord Sidmouth), dessen Verwaltung sofort die Whigs als eine „Krüppelregierung, ein Ding von Lumpen und Lappen" begrüßten, der Anhang Pitt's, die Canning u. A., mit dem bittersten Spotte überschüttete, die ganze hohe Gesellschaft als einen lächerlich unhaltbaren Versuch verhöhnte. Gleich damals aber sprachen Stimmen, die auf die Autokratie des Geistes neidisch blickten, die Erwartung aus, daß auch diese genielosen Männer die Landesgeschäfte eines ebenen Weges führen würden; und sie behielten mehr Recht, als die Spötter vermuthet hatten: Pitt's Größe sollte sich selbst auf der matten Folie dieser Zwischenregierung nie wieder abheben wie zuvor. Zwar Abbington's Friedensmanie ging zuletzt selbst seinem großen Gönner, dem Könige, zu weit; man mußte zu dem grollenden Achilles Pitt zurückgreifen: der aber, um die verachtete Verwaltung fallen zu machen, sich erst mit seinem alten Gegner Fox hatte verbinden müssen, und dann, um seine neue Verwaltung bilden zu können, zu aller Welt Aergerniß zu dem unfähigen Gestürzten wieder zurückgreifen mußte. Und hatte sich dessen Friedenspolitik nicht bewährt, so bestand nun die neu aufgenommene Kriegspolitik nicht besser. Nicht mehr Er selber schleppte sich Pitt nur noch durch eine kurze Zeit demüthigender Fehlschläge dahin und war schon vor seiner letzten Krankheit in Gefahr, den Whigs zu erliegen.

Die Begründung des militärischen Despotismus in Frankreich **Fortsetzung. Das Interregno der Whigsherrschaft 1805—7.** hatte der freisinnigeren Parthei in diesen Jahren eine neue Geltung verschafft; jene Veränderung schien England naturgemäß in eine Richtung zu treiben, die der bisherigen, wider die französische Republik verfolgten, grade entgegengesetzt war. Damals war es, wo die Bentham und Cobbett in das demokratische Lager übergingen, wo sich eine reizbare Natur wie Mackintosh nach verschiedenen Wendungen jetzt wieder, ausdrücklich um dieser geänderten Zeitlage

willen, geneigt fühlte, die Grundsätze des Whiggismus selbst bis
zum Uebermaße zu treiben; damals wurde (Oct. 1802) das Edin-
burgh Review in whiggistischem Interesse gegründet, das gleich als
eine literarische Macht auftrat und in einer elektrischen Wirkung das
kirchlich und politisch erstorbene Schottland zu neuem Leben rief;
im Unterhause gewann die Parthei unerwartet wieder an Kraft.
Die Sache der toryistischen „Mediocritäten" schien ganz verloren,
als nach Pitt's Tode (1806) Fox ins Amt trat und, da auch Er
seinem großen Gegner bald ins Grab folgte, Lord Grenville an der
Spitze der berufenen Verwaltung „aller Talente" blieb. Er war der
jüngste von drei Brüdern, die wie die vier Wellesley's durch ihre
Talente eine starke Familienmacht darstellten, ein Mann, über dessen
überlegenen Charakter und Einsicht jetzt nur Eine Stimme hoch-
achtender Anerkennung herrscht. Ein Freund von Pitt, war er in
der Ueberzeugung, daß dem mächtigen auswärtigen Feinde gegenüber der innere Partheihaber schweigen sollte, die Verbindung mit
den Whigs eingegangen, die er in einer preiswürdigen politischen
Treue eingehalten hat. Er brachte wie eine neue sittliche Würde in
die Parthei und gab ihren Ansichten wieder Zugang in Kreise, von
denen sie zuvor in einem politischen Ekel ausgeschlossen waren.
Aber er konnte sich und sie gegen die tiefe Abneigung des Königs
und die Ränke der verbitterten Torycoterien nicht halten. Ihm
mangelte der fressende Ehrgeiz, der die unerläßlichen Mittel zur
Behauptung der Herrschermacht nicht verschmäht; er versäumte,
sich in Pitt's und Sidmouth's Art Freunde durch Versorgungen
zu machen, die strebenden Ehrgeizigen, wie Canning und Wellesley,
in den Kreis „aller Talente" zu ziehen, die Hofleute des Prinzen
von Wales, die Lord Moira und Sheridan, zu befriedigen. So
konnte er es vielen halben Freunden nicht recht machen; die toryistischen Gegner aber untergruben ihn, als sie ihn (1807) wegen einer
unbedeutenden Maasregel zu Gunsten der katholischen und dissen-

tirenden Militairs in England mit dem König in Zerwürfniß sahen.
Seine kurze Verwaltung war (nach Mackintosh's Worten) die ver-
dienteste unter Georg III. und sollte die verleumdetste in der ganzen
englischen Geschichte werden. Man verhöhnte die Grundsatztreue,
in der er abgetreten war, deren bloßer Schein 1801 in Pitt war
bewundert worden. Man spottete über die Parthei, die, im Besitz
der Gewalt, ihr eigenes Spiel so wenig zu spielen wisse. Man
fälschte auf eine lange Zeit hinaus die Meinung über die abgetre-
tene Regierung mit einem in diesem freien Lande unerhörten und
fast unbegreiflichen Erfolge.

Dieß war das Werk der Toryregierung, die (1807) unter dem
Herzoge von Portland, einem Apostaten der Whigparthei von 1793,
auf Grenville folgte, und die, von dem unverhofften Interim dieser
Whigherrschaft bestürzt, alle Mittel schien ergreifen zu wollen, ihrer
Wiederkehr für immer vorzubauen. Es war dieß eine Krise, die
alle freien Herzen in England mit Scham und Erbitterung füllte.
Wie diese neue Regierung damals in einem frechen Mißbrauche die
Presse benutzte, um die schändlichsten Entstellungen der Thätigkeit
der vorigen Verwaltung auszubreiten und den ganzen öffentlichen
Geist zurückzuschrauben, so begann sie das Unterhaus durch den
schamlosesten Handel mit Parlamentssitzen zu gewältigen und in
eine stumpfe Unterthänigkeit zu gewöhnen; ja sie verschmähte nicht,
in dem Pöbel das brandstifterische Geschrei gegen Pabst und Katholiken aufs neue aufzuschüren. Die engherzigste toryistische Metho-
dik, die talentlose Partheiroutine war am Steuer. Gleichwohl war
auch diese Regierung und die ihr folgende Verwaltung Perceval
(1809—12) noch nicht völlig gereinigt von den Elementen jenes
aufgeklärten Toryismus eines Pitt, der frei von aristokratischer
Bigotterie ein Tory weniger aus Grundsatz als aus Rücksicht auf
die Zeitverhältnisse gewesen war. In dem Ministerium Portland

Fortsetzung. Die Tories gegen Canning und Berkeley 1809—12.

faß Canning, in Perceval's Verwaltung Richard Wellesley, zwei befreundete Männer, die Pitt selbst als seine würdigsten Erben erkannt hatte, Staatsleute von Pitt's Entschlossenheit, von seiner kriegerischen Energie, von jenem Herrscherehrgeize, dem das Leben ohne Einfluß und Wirksamkeit reizlos ist. Ihre Meinung war, den Krieg gegen Frankreich in dem Volksbündnisse mit Spanien, mit mehr als Pitt'scher Kraft, mit dem Aufgebote aller Mittel zu führen; aber das englische Volk und seine Vertretung war, bei aller Huldigung vor dem Geiste dieser Männer, ihren Pitt'schen Ueberspannungen nicht gewogen. Beide in dem übermüthigen Troze auf ihre große Begabung dachten mit den Portland und Perceval, den Castlereagh und Liverpool dasselbe Spiel zu treiben, wie Pitt es mit Abbington hatte treiben wollen, aber der Ausgang dieses Spieles sollte noch schlimmer sein. Bei Gelegenheit der unglücklichen Unternehmung auf Walcheren (1809) suchte Canning (unter Portland im auswärtigen Amte) seinem Collegen Castlereagh in einer Weise, die selbst seine besten Freunde anwiderte, den Fuß zu unterschlagen und Wellesley in die Regierung zu bringen, dem er jedoch, mit nicht besseren Künsten, das Schatzamt vorzuenthalten suchte, um sich selber als Haupt der Verwaltung aufzuerlegen[21]. Allein diese Premierschaft stieß auf einen so allgemeinen Widerwillen, daß Canning vielmehr ganz zurücktreten mußte, als Perceval (1809) sein Ministerium bildete, in das nun Wellesley ohne den Freund eintrat, mit dem er damals (Oct. 1809) einige scharfe Briefe wechselte[22]. Bald fand er es aber dem gemeinsamen Inter-

---

21) Life of Sir J. Mackintosh I, 134.

22) Die Aufschlüsse über Canning's Rolle in diesen Verhältnissen, die aus nationalen, Familien- und Partheirücksichten sowohl in Pearce, memoirs of Rich. Mq. Wellesley, wie in den verschiedenen Biographien Canning's, ja in allen englischen Denkwürdigkeiten und Geschichten dieser Zeiten sorgfältig verhüllt wird, findet man nur in den Grenville Papieren: Memoirs of the court and cabinet of George III., by the Duke of Buckingham and Chandos. Lond. 1853. 4, 365.

esse gemäßer, sich wieder mit ihm (Anf. 1810) auszusöhnen, um nun ihn an seine Seite zu ziehen in die Regierung, die Er zu beherrschen dachte wie Canning das Ministerium Portland. Die anmaßenden und eigensüchtigen Umtriebe beider Freunde waren aber mit einer solchen Offenheit geführt und mit solcher Mißbilligung aufgenommen worden, daß die Unbefangenen sogleich voraussahen, sie hätten sich selber dadurch kampfunfähig gemacht und das Feld ihren Gegnern völlig freigegeben. Diese schoben nun Wellesley aus ihrer Mitte (Ende 1811) wie Canning zuvor. Die Genialität war in ihrem Körper wie ein böser Stoff, den er auszuschwären strebte. Bald nach Wellesley's Austritt ward Perceval ermordet. Die eigne Ueberzeugung von ihrer Unfähigkeit, von der Unmöglichkeit, ohne eine Verstärkung durch jene beiden Volksgünstlinge die Regierung fortführen zu können, befiel nun die Toryverwaltung selbst, in der nur die Lords Westmoreland und Eldon diesem Selbstmißtrauen zu widersprechen wagten. Das Unterhaus theilte aber die Scrupel der Selbstkenntniß in der Mehrheit des Ministerralhes und ging (Mai 1812) den Regenten um die Bestellung einer starken Verwaltung an. Wellesley, mit der Bildung eines Cabinets beauftragt, setzte nun Alles in Bewegung, um in einer Verwaltung auf ausgedehnter Basis die Größen beider Seiten zu vereinigen. Aber vergebens. Er scheiterte an den Whigs; aber entschiedner scheiterte er an der „schrecklichen persönlichen Verbitterung" der Tories, die sich gegen seine Premierschaft, wie zuvor gegen Canning's, in eine förmliche Ligue zusammengethan hatten. Man war entschlossen, der Despotie des Talents sich nicht zu unterwerfen. Die Parthei der Mittelmäßigkeiten vergalt zum zweiten Male den Erben Pitt's, was dieser an Addington gesündigt hatte. Der Adresse des Unterhauses zum Trotz wurde die Verwaltung Liverpool jetzt mit vollständiger Beseitigung aller widerspänstigen Elemente gebildet.

IV.   4

Kaum irgend Jemand war der Meinung, daß sich diese Regierung behaupten werde. Es war eine recht gewagte Voraussage einer klugen Dame, die gleich damals versicherte: die neuen Minister würden ihre Geschäfte so gut machen wie Andere, und Bonaparte's Witz anstechen wie den der Opposition. Und doch: so sollte es kommen. Sie saßen kaum recht fest im Amte, so erfolgte der große Umschlag des Napoleonischen Glückes im Osten; und der Mann, den die Stärke der Starken nicht gebeugt, der alle die genialen Staatslenker, die Pitt, die Stein, die Stadion aus dem Amte getrieben, erlag der Schwäche der Schwachen; sein Genius schien ihn zu verlassen, eben als der Geist aus der englischen Verwaltung wich; der Erfolg ging auch in England von den Riesen auf die Zwerge über. Die nun, die das große Zusammenwirken allgemeiner, allumfassender Verhältnisse (zu ungeheure Gegenstände für das nahegerückte Auge der Zeitgenossen) nicht übersahen, schrieben diesen Erfolg ganz dem geschickten Zusammenfassen aller festländischen Kräfte in Ein System gemeinsamer Handlung von Seiten der englischen Minister zu; die die selbstverderbende Ueberhebung in Napoleon beobachteten und die Sättigung des Welttheils an den Abenteuern seines ungemessenen Ehrgeizes, schoben Alles auf die Lage der Dinge und ließen Nichts dem Verdienste jener Männer. Dieß, wie jenes, war einseitig, und es war nicht gerecht. Auch die glückliche Benutzung glücklicher Verhältnisse ist ein Verdienst, das grade solche Naturen geschickter waren zu erwerben, die die Dinge gefügiger auf sich wirken lassen, ohne ihnen eigenmächtigen Zwang anzuthun. Und sie hatten doch auch noch manche andere gute Eigenschaft für sich gellend zu machen. Ihre Verwaltung war durch Unbescholtenheit besser berufen als die früheren. Daß Sidmouth's Unterbeamte achtbarere Leute waren, als die aus Pitt's und Melville's Dienst und Schule, hatte jenem schon vor lange ein Gewicht im Unterhause gegeben, über das seine Gegner seufzten. Alle zusammen waren Männer von langer Geschäftserfahrung, was so viel bedeutet in dem Lande, wo alle Staatskunst auf einer offenen Heerstraße geht, wo eine Menge guter mittlerer Köpfe, die in Deutschland kaum zu brauchbaren Beamten arten, sich ohne allen Luxus von staatsphilosophischen Grillen oder Grundsätzen zu tüchtigen Staats- männern bilden von prunkloser Einsicht, von Gleichmuth in jeder Schwierigkeit, von Muth zu jeder Verantwortlichkeit, von einer ernsten Hingebung an die großen Landesinteressen, die in der lan- gen Correspondenz eines Castlereagh z. B. in dem stetigsten Gleich- maaße anhält. Diese Aehnlichkeit der geschäftlichen Bildung, ver- bunden mit ihrer persönlichen Mäßigung, Nachgiebigkeit und Selbst- beherrschung schuf dann unter diesen Männern ein gegenseitiges Vertrauen, eine Einigkeit, eine Stetigkeit der Richtung, die sie gegen die zerrissenen früheren Regierungen in unschätzbare Vortheile setzte. Dieß hatte selbst ihrem vorsichtigen Gang in den äußeren Dingen Kraft und Nachdruck gegeben, wo sie in allen Fragen der Bünd- nisse, der Verträge, des Kriegs bis in seine Einzelheiten einigen Sinnes waren; dieß gab auch ihrer Stellung im Inneren ihre Festigkeit, die noch durch den guten Willen des fürstlichen Hauptes, der den früheren Verwaltungen so häufig gefehlt hatte, eine Stütze und Stärke erhielt, welche grade damals weit mehr als sonst in England bedeutete.

In dieser Beziehung hatte neuerdings die Natur der Zeiten manche Veränderung in die Begriffe und Gefühle der herrschenden und beherrschten Kreise in England eingetragen; die Regierungs- weise hatte, seitdem Georg III. nach Art der Stuarts die monar- chische Prärogative wieder stärker betonte, einen festländischen Bei- geschmack erhalten, der die reizbareren Verfassungsgetreuen schon langeher empfindlich berührte. Die Lage des englischen Regierungs- wesens seit 1688 wesentlich parlamentarisch, d. h. aristokratisch, in

Verstärkte Betonung des monarchischen Prinzips unter Georg III.

4 *

den Händen des Whigadels, der die „glorreiche Revolution" jenes
Jahres gegen die Stuarts durchgefochten hatte und nachher die
Stütze der neuen Dynastien gegen die Prätendenten des alten Hauses und deren Anhang, die Tories, bildete) hatte sich unter Georg III.
sehr verändert. Er bedurfte der Hülfe der Whigs nicht weiter, weil
er keine Stuarts mehr zu fürchten hatte. Die Feinde, von denen
Er seinen Thron bedroht fand, waren ganz anderer Art. Er sah
sich, nach seinen eigenen Betrachtungen[23], zwei neuen zeitbeherr-
schenden Verhältnissen gegenüber: dem Durst nach Veränderung,
der Widersetzlichkeit gegen Obrigkeit und Gesetz, und dem einfluß-
gierigen Eigennutz der verderbten aristokratischen Partheikörper;
der Entartung also des aristokratischen Prinzips in England, und
dem Emporkommen des demokratischen Prinzips, das ihn in America, in Irland und von Frankreich her mit Gefahren umstellte.
Die americanische Unabhängigkeit, die Forderung der Emancipation
der Katholiken („das schlechteste Jacobinische Ding, das er kenne")
und die Forderung der Parlamentsreform von Seiten der französirten Demokraten, das waren daher die Dinge, gegen die er alle
Starrheit seines monarchischen Trotzes setzte. Die Gunst, die er
die Whigs diesen neuen Ideen und Bewegungen leihen sah, befestigte ihn in dem (gleich in erster Jugend instinctiv eingeschlagenen)
Systeme, den beobachteten Verfall der Aristokratie zu benutzen zu
einem förmlichen Kampfe mit der ständischen Macht des Parlaments
und der Ministerherrschaft, zur Herstellung einer persönlicheren
Selbstthätigkeit des Königs in der Regierung. Er schob die Whigs
aus ihrer alten Machtstellung hinaus und zog sich die Tories zu
einer neuen adligen Hofparthei von „Königsleuten" an, die ihre
Interessen mit denen des Fürsten verschmolzen, um den Preis, daß
Er, der Tadler der aristokratischen Verderbniß, nun ihnen gestat-

_____

23) Memoirs of the court and cabinets of Georg III. 1, 189, 218.

tete, den Staat als einen Grundstock anzusehen, aus dem sie, wie die Redensart ist, ihr Glück zu machen befugt seien. Er erschütterte das alte Prinzip und Herkommen der Partheiregierungen im Geiste der Parlamentsmehrheit durch seine berüchtigte Kunst Ministerien zu schreinern (cabinet-making), deren Mitglieder er bei ihrem Amtsantritt durch Bedingungen band, indem er in bestimmten („offenen") Fragen ihre persönlichen Ansichten gewähren ließ, aber ihre amtliche Handlung verbat, und so mit den stärksten Meinungsverschiedenheiten die lähmendsten Gegenwirkungen bei den wichtigsten Fragen in den Schooß der Regierung trug. Zugleich suchte er sein königliches Ansehen durch die Stütze auf die besizenden Mittelklassen zu stärken, die Pitt so eifrig beförderte, die sich in den Zeiten der drohenden Unruhen von 1792—1812 so oft, so voll Dank und Ergebenheit um des Königs erhaltende Staatskunst geschaart hatten. Der große Zug der Geschichte selber förderte diese Richtungen. Der Sultanismus britischer Herrschaft in Ostindien war unter Georg III gegründet worden; in allen neuen Colonien ward eine Art selbstherrlicher Regierung behauptet; die Freiheit in Frankreich ward im Bunde mit allen despotischen Mächten unterdrückt; in seinen deutschen Staaten regierte der König als umumschränkter Herr. Wie nahe rückte aber auch selbst in England die neue Art, nach Umständen, nach augenblicklichen Bedürfnissen, nicht nach großen Grundsätzen zu regieren, das Regiment dem der halbconstitutionellen Staaten des Festlands! wie bezeichnend war nicht die Wahl eines Lieblingsministers wie Addington, in dem der bigotte Fürst wie sein anderes Selbst sah, mit dem er schon, als er noch Sprecher im Unterhause war, hinter dem Rücken seiner Minister berieth, und der seinerseits einen unterthänigen Cultus mit seinem Herrn trieb, an dessen Briefen er wie an Heiligthümern heimlich seine Augen weidete! All diese einzelnen Verhältnisse mußten dienen, dem Vorschub noch nachzuhelfen, den die ganze Zeitlage dem Bestreben gab,

die Macht des „Königs im Rathe" stärker anzuziehen. Waren doch
alle die gesetzlichen Mittel der Versorgung, der Gunst und Ungunst,
die der Krone selbst in diesem Lande so gewaltigen Einfluß verleihen, durch die Ausdehnung des Staates und aller Gesellschafts-
verhältnisse so ungemein gewachsen, daß dem Engländer, der seit
den Stuart'schen Zeiten gegen alle persönliche Mitregierung des
Fürsten voll tiefen Mistrauens ist, dieser Zuwachs allein ein neues
Gegengewicht gegen die Kronmacht zu verlangen schien. Und zu
wie vielen mißbräuchlichen Versuchen hatten nicht die unruhigen
Revolutionszeiten Anlaß gegeben, so manche bestehende Einrichtung,
die dem Despotismus eine Handhabe entgegenbot, zur Schärfung
der Regierungsgewalt zu benutzen: jene Befugnisse des Staatsanwalts und seiner Gehülfen, bloßer Advocaten im Sold der Regierung mit so viel gefährlicher Macht, die Freiheit der Presse, die
öffentliche Stimme zu unterdrücken; jene Gewalt der Richter der
Kings Bench, die in den vagen Gesetzen über gute Sitten, Religion und Verschwörung die Mittel haben, gegen alle Personen und
Handlungen einzuschreiten, die mit ihren Begriffen von Moral,
Christenthum und Bürgerpflicht nicht stimmen; jene Libellgesetze,
die nach dem Buchstaben befolgt, alle Freiheit der politischen Erörterung vernichten würden! Es gab noch mächtigere Verhältnisse,
die auf den Charakter und die politischen Gefühle der Nation allmälig eine bedenkliche Wirkung ausübten. Mit Schrecken sahen
die Whigs (um 1807), wie durch dieselben Umstände, die auch
andere freie Regierungen zu Fall gebracht, während der langen
Kriegsjahre die Empfindlichkeit des Volks gegen die Eingriffe in
seine Rechte, gegen die Untergrabung seiner Institutionen abge-
stumpft wurde; wie die überspannte Handelswuth die Uebergriffe
der Regierung in den Colonien übersehen machte; wie das Schul-
densystem das Hauptrecht der Vertretung anfing zu verkümmern;
wie die Gewöhnung an Krieg, die herrschende Militärmanie, den

heilsamen Argwohn gegen das Soldatenwesen austilgte; wie man
sich gefallen ließ, bei jeder Stadt Casernen entstehen, hannoversche
Truppen im Herzen des Landes gelagert, ganze Gebiete unter den
Befehl deutscher Officiere, die Miliz unter die Aufsicht der Linientruppen gestellt zu sehen. Man hatte so das Heer geräuschlos im
Kriege anwachsen lassen, ohne Besorgniß, daß die Regierung einmal versucht sein möchte, sich fester auf diese neuentstandene Macht
zu stützen und so den starken Schutz der englischen Freiheit, der in
der Abwesenheit eines stehenden Heeres gelegen ist, zu beeinträch-
tigen. Nur grade jetzt, beim Eintritt in die Zeit des Friedens, in
demselben Augenblicke, wo die englische Nation, immer geneigt, in
den äußeren Dingen ihrer Regierung vertrauend zu folgen, das
Ministerium Liverpool mit Befriedigung aus seinen auswärtigen
Aufgaben hervorgehen sah, begann sie, in neu erwachender Eifersucht auf ihre heimischen Freiheiten, minder zufriedene Blicke auf
diesen Stand der inneren Dinge zu werfen. Als die Regierung
1816 (einschließlich der Besatzungstruppen in Frankreich) einen
Heerbestand von 176,000 Mann verlangte, und diesen, auch für
den inneren Dienst sehr verstärkten, Militäretat damit rechtfertigen
wollte, daß bei der Erhöhung der Heerstände der Festlandstaaten
die Stellung und Würde Englands eine entsprechende Verstärkung
erheische, bezeichnete diese fremdländische, für englische Gesinnung
höchst abstoßende Auffassungsweise den Höhepunct der neuen tory-
stisch-monarchischen Tendenzen, an denen sich die alte Wachsamkeit
auch der Gemäßigtsten[24] wieder schärfte. Nun besann man sich
plötzlich, wer die Männer eigentlich waren, diese methodischen Tories des blödesten Partheigeistes, denen man diese Machtmittel in
die Hände geben sollte. Wohin diese Leute steuerten, das schien

_____

24) Lord John Russell, Gesch. der engl. Reg. und Verfassung; übers. von
Krug. 1825. p. 265.

schon aus den Triumphgesängen klar geworden, die die Times und
andere Organe der Presse gleich zu Ende des Krieges anstimmten,
wo sich Rathgeber hören ließen, die, wie die Schergen Ferdinand's
in Südamerica, gleich jetzt, in Einem Zuge der Erfolge, auch noch
das verderbliche Beispiel des ersten Sieges der demokratischen
Grundsätze wollten vertilgt, die den „Thron Madison's" wollten
niedergeworfen haben! Wohin diese Leute steuerten, das mußte
auch schon aus der Natur der einflußreichsten Persönlichkeiten lange
bekannt sein. Konnte man doch wissen, daß ein Wellington über
die Presse nicht anders dachte als Genz, und Gesetze zur Beschränkung derselben unerläßlich fand, wenn man nicht zur Reitpeitsche
greifen dürfe[25]; daß er voll Mißfallen war an allen Cortes und
ständischen Einrichtungen, von denen er selbst für England das
Verderben befürchtet hätte, wenn nicht das lebende Geschlecht durch
die französischen Erfahrungen gewißigt wäre! Wußte man doch,
daß Lord Castlereagh in dem langen Verkehre mit den Diplomaten
der absoluten Mächte nicht frei von Ansteckung geblieben, und den
neumodischen Verfassungen auf dem Festlande eben so gram war
wie Wellington! Hatte doch selbst mancher englische Tory darüber
geknirscht, wie er sich in Deutschland, Italien, Spanien allen freien
Ordnungen zuwider bewiesen hatte und wie er die mächtige englische Regierung von einem Metternich fortwährend gängeln ließ.

Dieser Stand der Dinge schien in einem freien Lande wie
England, in Zeiten einer unbehinderten Bewegung wie jetzt im
Frieden, nothwendig ein neues Gegengewicht gegen die Macht
und die Weise dieser Regierung zu verlangen. Daß aber dieß
Gegengewicht in einer irgend wirksamen Weise durch die alte Gegen-
parthei der Whigs gebildet werden sollte, dazu schien jetzt weniger

---

25) Castlereagh, memoirs. 11, 361.

Aussicht als je. Sie waren unter den übelsten Auspicien in die neue Zeit herübergetreten. Die letzte Aussicht, zur Macht zu gelangen, hatte sich ihnen (1812) geschlossen, als Wellesley's Plane mit ihnen scheiterten. Damals glaubten Viele ihre Zeit noch einmal gekommen, weil grade jetzt ihr alter Gönner der Prinz von Wales, der einst (1785) „mit ihnen zu schwimmen und zu sinken" gelobt hatte, mit voller Regentschaftsgewalt an die Stelle seines geisteskranken Vaters getreten war, und eben sich auch in einem berüchtigten Briefe an seinen Bruder York geneigt erklärt hatte, zu ihnen zurückzugreifen, „da er keine Vorliebe habe und keinen Groll hege". Allein die Kundigen[26] wußten wohl, daß dieß in der Sprache des charakterlosen Prinzen nichts helfe, als daß es keine Beleidigung gebe, die er nicht vergeben, und keine Dienste, die er nicht vergessen könne. Die Grey und Grenville zeigten sich daher spröde gegen die mageren Anerbietungen, die ihnen gemacht wurden, und die nur gemacht waren, damit sie zurückgewiesen würden. Man spottete auch damals der ungeschickten Empfindlichkeit der Whigs, mit der sie der Macht auszuweichen schienen; aber sie hatten doch selbst am besten gewußt, wie der Prinz eigentlich zu ihnen stand, der gleich darauf seinen Vertrautesten, Lord Moira, dupirt nach Indien schickte und öffentlich aussprach, daß er lieber abgedankt hätte, als sich Lord Grenville aufzwingen zu lassen[27]. Seitdem man die Parthei nun in derselben Ungunst bei dem Regenten wie zuvor bei dem König wußte, und da nun eben seit dieser Zeit die glänzenden äußeren Erfolge der Toryregierung eintraten, hatte sie jeden Einfluß gänzlich eingebüßt. Sie stand wie ein schwacher, gebrochener Körper da, und galt bei Tories und Demokraten für eine abgenutzte, zusammengeschmetterte Fraction. Es wäre ihr unmöglich gewesen,

---

26) Life of Romilly. 3, 11.

27) Miß Godfrey an J. Moore, in dessen von Lord J. Rußell herausgegebenen Denkwürdigkeiten. tom. I.

nach einer Coalition zu ringen; unmöglicher, das Schiff mit eigenen
Kräften zu bemannen. Sie war im Unterhause ohne eigentlichen
Führer. Grenville lebte jetzt zurückgezogen. Der Earl Howick,
der unter ihm eine Weile For' Nachfolger gewesen war, hatte seit
1807 als Lord Grey seinen Sitz im Oberhause. Den jungen Henry
Petty (Lord Lansdowne) fand man ohne vordringlichen Ehrgeiz,
von einer nüchternen Bescheidenheit, die ihn mehr zu einem langsam sicheren Wachsthume bestimmte. Sheridan hatte seinen be-
schmutzten Ruhm lange überlebt. Ein anderes Trümmerstück der
Parthei, „der große" Erskine, war nie im Parlamente bedeutend
gewesen und beschäftigte sich jetzt mit harmlosen Versuchen im politischen Romane. Grattan war zu alt und ausschließlich irisch. Es
war ein Behelf, als man auf Ponsonby und Tierney gefallen war;
es zeugte von der Noth, in der man war, als Manche schon auf
den jungen Brougham als auf einen Obmann wiesen, der, von
unbestreitbarem Talent, von ungeordnetem Ehrgeiz, schon damals
ganz darauf gestellt war, seine Wirkungen mit lärmendem Aufsehn
und wohl auch Lärm ohne Wirkung zu machen, daher zur Zeit noch
für die Parthei oft eine Verlegenheit war[28]. In zweiter Linie besaßen die Whigs dann jene Schaar von Specialitäten, die wir vor-
hin zu Bentham gruppirten, Gelehrte zum Theil von schottischer
Schule und Herkunft, durch Geist und Wissenschaft persönlich verbundene, aber nicht politisch zu einer gemeinsamen Partheithätigkeit
geeinigte Männer, nicht ehrgeizig genug um nach Herrschaft in der
Parthei zu streben, zu selbständig um ihr zu bloßen Werkzeugen zu
dienen. Noch wurden auch diese dünnen Reihen in den ersten Jahren der neuen Epoche (1814—19) auffallend durch den Tod gelich-
tet: Whitbread, Sheridan, Franz Horner, Ponsonby, Romilly,
Grattan starben in dieser Zeit rasch nach einander weg. Schwach

---

28) Romilly 3, 236.

an Zahl, schwach an Talenten, war die Parthei auch schwach an
Eintracht und an innerem Grundsatz. Wie der politische Freisinn
überall, als eine Art Protestantismus, die Freiheit seiner Bekenntnisse mit der Spaltung der Meinungen zu erkaufen hat, so hatte
man die Whigs zwistig gesehen in der Revolutionszeit, zwistig in
der Zeit, wo sie sich (um 1798) des Sitzes im Parlamente enthielten, zwistig in ihrer Stellung zu dem spanischen Aufstande,
und zwistig sah man sie auch jetzt wieder in den Angelegenheiten,
die am stärksten ihre inneren Grundsätze herausforderten.

Wir haben in unserem kurzen Rückblick auf die Regierungswechsel der letzten Jahrzehnte nur Winke geben können, aber hinlängliche gegeben, um anschaulich zu machen, wie alles Parthei-
treiben in diesen Zeiten so sehr zu einem bloßen Ringen um äußere
Macht und Einfluß ausgeartet war, daß nichts natürlicher erschien
als jene Versuche der Krone, diesen inneren Verfall zu ihrem Vortheile auszubeuten, und daß aus der Fäulniß der ganzen alten
Partheiverhältnisse eine Auflösung vorauszusehen war, wenn nicht
äußere Antriebe oder innere Läuterung eine Veränderung der Par-
theistellungen und eine Wiedergeburt fester Partheigrundsätze be-
wirkten. Es läßt sich der Ansicht nicht füglich widersprechen, die
noch der berühmte Whighistoriker unserer Tage mit neuem Nach-
drucke betont hat, daß die beiden englischen Staatspartheien ihren
Ursprung in der natürlichen Verschiedenheit menschlicher Tempera-
mente und Neigungen haben, die sich ewig von den Reizen des
Alten, von der Anhänglichkeit an dem sicheren Bestande, und von
den Reizen des Neuen, dem Triebe zu fortschreitenden Verbesserungen, in entgegengesetzte Richtungen werden ziehen lassen. Gleichwohl ist in England selbst diese Ansicht aus erfahrenster Stelle[29]

29) Brougham in dem Aufsatze „über Partheikämpfe" in seinen Staatsmännern.

als eine romantische Theorie verspottet worden, und dieß zwar
Angesichts eben jener gleich unwidersprechlichen Thatsachen, die
überall nur das gemeine Interesse des Eigennutzes als den Grund
der Partheiungen ausweisen, und große, ernste Grundsätze in den
Beweggründen und Handlungen der Partheien nicht mehr erkennen
lassen. Solcher Grundsätze hatte es ursprünglich gegeben, aber sie
waren jetzt verschliffen und verschliffen. Verschiedene Bekenntnisse
über die Souveränetät von Volk und König, über das Widerstands-
recht des Einen gegen den Anderen hatten Whigs und Tories früher getheilt; jetzt dachten sie, und seit lange, im Grunde des Herzens darüber ganz einerlei, in der Hitze der Partheileidenschaften
freilich jede je nach Umständen ganz verschieden: 1788 schien For,
als er für den Prinzen von Wales die vollen Regentenbefugnisse
von Rechtswegen verlangte, in einem Partheiinteresse das Prinzip der Volksherrlichkeit zu verleugnen, und Pitt brüstete sich gegen
ihn in schmähendem Tadel über diese Hinneigung zu dem göttlichen
Fürstenrecht, „das mit Fug in Verachtung und fast in Vergessenheit
gefallen sei"; 1798 dagegen brachte For einen öffentlichen Trink-
spruch auf die Volkssouveränetät aus und nun ließ Pitt es geschehen, daß er aus der Liste der Staatsräthe gestrichen wurde! Und
so wie in diesem, so war es in jedem Falle: es ist kaum zweifelhaft,
daß Whigs und Tories in den größten Staatsfragen der äußeren
Politik, wie in den Verwicklungen mit America und Frankreich,
ganz entgegengesetzte Meinungen verfochten hätten, wenn ihre Stellungen in und zur Regierung die umgekehrten gewesen wären. Es
war eben so in Bezug auf die größte innere Staatsfrage dieser
Zeiten, die bestimmt war, im Laufe der Jahre von denen wir handeln an die Stelle der veralteten Partheigegensätze zu treten, eine
neue Unterscheidungslinie zu bilden, einen neuen Kampf zu veranlassen, in dem sich die Whigparthei läuternd zu neuen Werken und
Würden emporarbeiten sollte. Dieß war die Frage der Reform der

Parlamentsvertretung. Auch sie aber war anfangs, als sie nach dem americanischen Kriege zuerst das Parlament zu beschäftigen anfing, der Gegenstand eines ganz äußerlichen Partheihabers ohne allen Grundsatz gewesen. Alle Zeit vorher hatten die aufgewucherten Mißstände des englischen Vertretungssystems, die das Unterhaus unabhängig von dem Volke, das es darstellen sollte, abhängig von der Regierung gemacht hatten, die es überwachen sollte, unter dem allgemeinen Gedeihen des Volkswohles kaum eine Beachtung gefunden. Das organisirte Bestechungssystem hatte wohl gelegentlich in einem Kopfe wie Swift Bedenken erregt; die langen siebenjährigen Parlamente einen antiquarischen Gelehrten bewogen, auf das alte geschichtliche Recht jährlicher Neuwahlen zurückzuweisen; die Käuflichkeit der Wahlflecken einen vollsinnigen Staatsmann wie Chatham auf Gegengewichte denken lassen; zu einer stehenden Parlamentsfrage aber wurde der Gegenstand erst seit der Zeit der Zerwürfnisse mit America, wo sich zum ersten Male in einem bedeutenderen Falle die Stimme des englischen Volkes in einem starken Mißklange mit der Stimme der Vertretung gefunden, und wo Pitt und sein Anhang unter dem ersten Ueberwirken der demokratischen Ideen gegen den Anwachs der Kronmacht eine innigere Verbindung zwischen Volk und Vertretung nöthig fand. Damals (1780) stellte der Herzog von Richmond, ein Mann von unhandlichem Charakter, ein genauer Kenner des Landes, ein Veteran schon im Amte, im Heere und im Parlamente, die radicalen Anträge auf gleichere Vertretung, jährliche Neuwahlen und allgemeines Wahlrecht, auf die die Demokraten später nicht ermüdeten zurückzuweisen, wenn alle ähnlichen Züge ihrer kühnen Springer auf dem Spielfelde der Reform als träumerisch, als ochlokratisch, als revolutionär verschrieen wurden. Nach dem Vorgang dieses Edlen aus königlichem Blute waren es 1782—85 die Tories um Pitt, die alljährlich eine Reform in mäßigeren Grenzen beantragten: den

verrotteten Orten ihr Wahlrecht abzukaufen, die Vertretung der
Grafschaften zu vermehren, den Zinsholden (copyholders) Stimm-
recht zu geben, wie den Freisassen. Schon vor der Revolution aber
gab Pitt, dem Widerstande des Königs weichend, diese Sache auf,
und nun bemächtigten sich die Whigs derselben, aber im reinen
Geiste des Partheiwiderspruchs. Denn immer zuvor hatten sie die
Reform nur lässig und getheilt unterstützt, und ihre Hauptführer
Fox und Sheridan galten bei Niemandem je für aufrichtige Anhänger derselben, selbst wo sie sich noch so eifrig darum regten. Wenn
daher seit der Revolution, wo nun Pitt die Reformer als Jacobiner
verfolgte, die Whigs die Sorge um die jährlichen Reformanträge
(1790—1800) überkamen, so war dieser ihr Vorkampf in der Sache
sichtlich mehr eine Folge, als eine Ursache der Partheischeidung.
Wie sehr Pitt von ihnen um die Erstorenheit seines Herzens ge-
schmäht wurde, in der er diese Frage wie jede andere große Maasregel für die innere Wohlfahrt hatte fallen lassen, so war sie doch
auch ihnen nur ein Gegenstand der Partheibesprechung in Wahl-
und Redekämpfen, der eine eingreisende Theilnahme an des Volkes
Interessen nicht zu Grunde lag. Und wie sehr sie Pitt seinen Mangel an Ausdauer aufrückten, so gaben doch auch sie um 1800 die
Sache so gut wie auf, und ihre Grey u. A., die früher für kurze
Parlamente und möglichst zahlreiche Wähler sprachen, traten um
1809—10 auf weit gemäßigtere Ansichten wie Abtrünnige zurück.
Dieß waren die traurigen Jahre, wo die Parthei vor den Tories
weichend äußerlich wie ausgethan war und wo sie sich durch diese
Haltung in dieser Sache auch noch innerlich schien vernichten zu
wollen. Damals geschah es, daß auf diesem Puncte der parlamentarischen Erniedrigung, wo eine allgemeine Gleichgültigkeit, ein
Mißtrauen, ja ein Widerwille gegen alles Partheiwesen die Menschen
beherrschte, der nationale Instinct eine neue Widerstandskraft gegen
die Toryregierung erschuf, aber außer dem Parlamente. In den

Jahren 1809—12 baute sich eine ungeheure Parthei mitten im Volke selber auf, die sich weit in den von Georg III. so gehegten Mittelstand hineinschob. Eine neue Macht schoß hier plötzlich auf, die mit einer großen Kraftentfaltung nach einem entsprechenden Gewichte in der öffentlichen Stimme rang; die sofort eine Presse gründete, um die sich die Bevölkerung gleichsam als eine einzige Demokratie versammelte; die die Parlamentsreform als ihr gemeinsames Feldzeichen erhob, und in den Nothzeiten von 1812 schon in solche Bewegung gerieth, daß vorsorgliche Geister die Zeit kommen sahen, wo das Volk für die begehrte Aenderung der Vertretung „aufstehen und fechten" würde. Aus dieser Lage schöpfte damals die edlere Jugend unter den Whigs neue Hoffnungen. Sie erkannte aus diesem Vorspiele in der kurzen Friedenszeit von 1810—12 die Anzeigen, daß, wenn nur die Kriegskrise überstanden wäre, der Drang zum Fortschritt in den Volksmassen selbst der Verwaltung Grundsätze auferlegen werde, die den allgemeinen Bedürfnissen besser entsprächen als die Torymaximen; sie ahnten, daß wie die Revolution, das Reformwerk abbrechend, die Regierung in den Krieg geschleudert habe, so der wiederkehrende Friede mit innerer Nöthigung zu der Reform zurückführen werde. Ihr Rath und Wunsch wäre daher gewesen, daß sich die Whigs dieser neuen Lage mit Muth und Entschlossenheit Meister gemacht hätten; es war ihre Verzweiflung, daß es nicht geschah. Es hatte längst ihre Ungeduld erregt, daß die Parthei ihre Stellung auf der Seite des Volks, wohin ihre Grundsätze sie wiesen, wohin sie seit der Umbildung der Tories zu einem neuen Hofadel noch entschiedener hingeschoben war, auch zuvor schon weder mit politischer Klugheit, noch mit sittlicher Würde, noch mit nationalem Gefühle eingenommen hatte; es machte sie untröstlicher, jetzt wieder zu erleben, wie sie durch unschlüssiges Schwanken versäumte, die Leitung der neuen Volksparthei in die Hand zu nehmen, und wie sie dadurch den

Glauben der Besten an ihre Grundsatztreue erschütterte. Einge-
schüchtert von dem aufständischen Geiste im Volke, hielten sich die
Whigs in einer unthätigen Mitte zwischen Tories und Demokraten,
ohne Einfluß und ohne Gunst nach beiden Seiten. Sie wagten
sich aus ihren volksthümlichen Grundsätzen in volksthümliche Gesinnungen nicht vor; ein künftiges Unheil von dem Eigensinne der
Tories besorgend, fürchteten sie das nähere Unheil des Radicalismus noch mehr; den Fortschritten des Familieneinflusses gegenüber
hätten sie eine Reform der Vertretung gerne gesehen, der Bewegung
im Volke gegenüber schraken sie vor jedem eingreifenden Vorschlage
zurück; sie beklagten vielleicht, daß so die Leitung der Volkspartei
ihnen entschlüpfte, aber sie stießen doch die Burdett und Cochrane
wie räudige Mitglieder in eine radicale Fraction, die dieser Partei
allein die Hand zu reichen wagten und seit 1809 die Reformanträge
im Parlamente übernahmen. Dennoch hielt unter den wenigen
Zuversichtlichen der whiggistischen Jugend die Hoffnung aus, daß
gleichwohl der ideale Funken in der Partei noch könne bewahrt
und zu neuer Flamme geweckt werden. Sie vertrauten, daß jene
Selbstverleugnung, mit der eine gewählte Schaar von grundsatz-
vollen Männern die Sache der Volksfreiheit selbst in der äußersten
Ungunst der Revolutionszeit, unter dem Hasse des Volkes, in einem
unverdrossenen Kleinkrieg fortverfochten, daß jener uneigennützige
Muth, mit dem sie die Sache der Katholiken und Dissenters immer
fortgeführt, wiewohl sich diese so oft als sehr undankbare Clienten
bewiesen, auch jetzt ausdauern würde auf der Seite der allgemeinen
und dauernden Interessen des Volks, bis sich der feindliche Strom
der öffentlichen Meinung, der sich damals bereits zu stemmen begann, wieder zu ihren Gunsten wenden würde. Anders war die
Meinung auf der demokratischen Seite. Dort galt es für zweifel-
los, daß höchstens der unlautere Grund der Furcht die Whigs bewegen werde, die Volkssache um des Volkes willen zu ergreifen.

Man sah sie, um ein Gleichniß Bentham's zu brauchen, die Tories
in ihrer Harpyenburg belagern, in dem Zwecke, sich nach der Einnahme selber darin einzurichten, dieweil die Volksmänner, von denen sie all ihren Kriegsbedarf entnahmen, die Feste mit berannten,
aber um sie diesen Bundesgenossen zum Trotze in die Luft zu sprengen. Kein Gedanke, daß der Vorkampf für die Reformsache diesen
Männern noch einmal als Führern zufallen könnte, geschweige daß
in dem Hauptkampfe noch einmal das Hauptheer aus dieser furcht-
samen Schaar sollte gebildet werden, die William Cobbett als un-
schädliche Schreckmänner[30] verachtete.

Dieß war der Mann, der damals das englische Volk abson- *Senatus populi.*
William Cobbett.
dernd auf eine steile Höhe führte, von wo es seine eigenen Interessen sollte überschauen und sich seine eigenen Meinungen darüber
aus eigenem Triebe bilden lernen, die ihm zuvor von den Adels-
partheien des Parlaments mehr waren eingeredet worden. Die
demokratischen Elemente hatten in England seit dem Ausgang der
Republik im 17. Jahrhundert verbindungslos und unthätig geruht.
Die Mittelklassen auch in England hatten sich sehr lange Zeit gegen
die öffentlichen Dinge gleichgültig verhalten. Sie pflegten wohl zu
murren, wenn die Brodpreise stiegen; sie grollten wohl auch, wenn
eine grelle Gefährdung der Freiheit vorlag; aber im Ganzen waren
sie ruhig, der abstracten Erörterung ihrer Staatsverhältnisse unzugänglich, ihrer Rechte und Interessen unvollkommen bewußt. Der
Aufstand der Angelsachsen in Amerika, der die erste Saat eines
neuen Volkslebens überall in der alten Welt gestreut hat, sollte auch
in England dieser Erschlaffung des Volksbewußtseins ein Ende
machen. Er wirkte zuerst nach Irland über, das dem unterdrückn-

---

30] Er nannte sie mit dem Hampshire-Worte für Vogelscheuchen: shoy-
boys. Cooke, hist. of party 3, 511.

den England damals eine Reihe von Zugeständnissen abrang.
Dann begannen kühne Demagogen seit der französischen Revolution
auch die englische Bevölkerung aufzuwiegeln: nach ihren Angaben
für die Reform des Vertretungsystems, nach denen der Gegner für
republicanische Zwecke. Der Zeitpunct war übel gewählt, die Ziele
falsch, die Führer ohne Gewicht. Die Verbindung der politischen
Gesellschaften mit den französischen Jacobinern widerstrebte dem
nationalen Genius, und an den Dissenters, die die Seele dieser
Verbindung waren, und die eine englische Revolution gleich der
französischen als „ein Ziel aufs innigste zu wünschen" verfolgten,
übte das Volk seine verdammende Justiz gelegentlich selber aus.
Gleichwohl war es in dieser Zeit, wo die unteren Volksklassen in
England zuerst politisch zu denken lernten. Es bildete sich eine demokratische Secte, die sich von da in Einer Kette unter den Namen
von Jacobinern, Painisten, Demokraten bis auf die Radicalen der
Restaurationszeit herüberschlang. So oft in den folgenden Jahren
um 1795—96, um 1800, um 1812 eine Plage der Zeit, Noth und
Theurung in altgewohnter Weise zu Ruhestörungen führte, knüpften sich jetzt politische Forderungen an die persönlichen Leiden an.
Gleichwohl war das Alles, wie zu aller früheren Zeit, noch ohne
ernste Bedeutung gewesen. Es fehlte an jeder äußeren Verbindung,
es fehlte an jeder selbst nur geistigen Verbindung durch die Presse,
es fehlte an Mitteln, es fehlte an Führern. Selbst die begabten
Demagogen der 90er Jahre schrumpften doch vor der Größe der
Zeiten in Zerrbilder zusammen. Bei den Unruhen von 1800 stand
ein armer Porkshire Schulmeister, Spence, vor Gericht, ein ehrlicher Schwärmer, der sich lange mit communistischen Grillen getragen. Die Maschinenstürmer von 1812 waren nach einem blöd-
sinnigen Manne Ludd benannt, einem Stichblatt der Straßenjun-
gen, der einmal früher bei ähnlichen Bewegungen im Zorn einen
Strumpfwirkerstuhl zerschlagen hatte. Unter den Verfolgten dieser

Zeit war auch schon ein bizarrer Volksheld der späteren Jahre, H. Hunt, den seine Stentorstimme und die stramme Kraft seiner Gesichtsmuskeln und eine unverblüffbare Geistesgegenwart recht zum Redner der Massen befähigte, deren Huzza ihm ein Lebensbedürfniß war; aber auch Er war ein Mann ohne jede geistige und sittliche Bedeutung, vom Haß der Tyrannei nicht anders als vom Hasse alles Höheren erfüllt, von seinen schonendsten Freunden höchstens geschickt „für eine Zeit der Ernbte" gefunden. Mitten aber in solcher Umgebung hatte sich in diesen unfruchtbaren Zeiten auch jener William Cobbett aufgeworfen, der, in seiner ganzen Natur wohlgeartet den englischen Freisassen und Arbeitsmann in allen seinen Gesinnungen und Vorurtheilen zu vertreten, im höchsten Grade befähigt war, in diesen Volkstheilen politische Ueberzeugungen auszustreuen und in einer Art staatsmännischer Beherrschung ihre Führung zu übernehmen. Er war aus Surrey, in einem Bauernhofe (1766) geboren, in der Caserne erzogen, in Amerika zuerst (1791) Schriftsteller geworden. In diesen Schulen waren seine Ansichten wildwüchsig aus lebendiger Erfahrung erstanden, und sie äußerten sich frühe in einem Tone der Unfehlbarkeit und des rechthaberischen Eigensinns der Selbstüberzeugung. Seine Schriften, von kunstloser Naturkraft, wirksam durch einfache Klarheit wie durch breite eindringliche Wiederholung, waren voll Derbheit und polemischer Bitterkeit, von einer rauhen Außenseite, die ihrem Verfasser in Amerika den Spitznamen des Stachelschweins, in der feinen Gesellschaft Londons den des Rhinoceros zuzog; er hatte den trotzig freien Geist der angelsächsischen Auswanderer in der neuen Welt in sich entwickelt und trug ihn nach England, „der letzte Sachse", zurück, um ihn wieder wach zu rufen in dem alten Volke. In der Geschichte seiner politischen Wirksamkeit ist es uns von besonderem Interesse, in diesem Manne von einer grundverschiedenen Naturart ganz die gleichen Wandlungen zu beobachten,

5 *

die die gleichen Erlebniffe in diefen erfahrungsreichen Zeiten auch
in Bentham bewirkt hatten. Während der Ueberfpannungen der
franzöfifchen Revolution fchrieb Cobbett in America als ein Feind
des Republicanismus, als ein Gegner der dortigen Demokraten
im Sinne der föderalistifchen Tories; und auch bei feiner Rückkehr
nach England war er anfangs (1800) ein eifriger Anhänger der
Regierung, ein Gegner der Parlamentsreform, noch 1806 ein Tadler des allgemeinen Wahlrechts, deffen Wirkungen er zu genau und
mit zu viel Ekel gefehen habe, um es zu billigen⁸¹. Dann aber,
als die Ueberfpannungen des feftländifchen Abfolutismus begannen
nach England überzuwirken, gab er wie Bentham feine gemäßigten
Anfichten preis, und der in America englifch gewefen war, ward
nun in England americanifch. Nicht lange Jahre zuvor hatten fich
die beften englifchen Geifteskräfte zufammengefchloffen, um in anti-
jacobinifchen Wochenfchriften dem demokratifchen Geift in England
entgegenzuwirken; gegen diefe confervative Preffe ward ein furchtbarer Gegenfchlag geführt, als Cobbett unter Addington's Regiment (1802) fein Jahresregister begann, das er bald in eine Wo-
chenfchrift ("Politifches Register") umbildete. Er traf den Punct,
von dem man dem Volke felbft gegen Pitt's volksthümliche Staats-
kunft reden durfte, als er gleich anfangs das Aufpuffen des Ver-
fchwendungsfyftemes vorausfagte, das mit Kriegen und Schulden
das Land zu Grunde richtete, um wenige Monopoliften zu mäften.
Um 1804, als ihn die Maasregel beftürzte, daß die Regierung eine
Prämie auf Kornausfuhr fetzte, um die Getreidepreife zu he b e n,
wo das Brod 8¼ d., d. h. mehr als je vor dem Kriege koftete,
blickte er um fich und fah von dem einen Ende Englands zum andern die kleinen Pachten verfchlungen von großen Speculanten, die
den geduldigen Fleiß der ärmeren Pächter durch wagende Abenteuer

31) Selections from W. Cobbett's political works. t. 1—6. 2, 51.

erstickten und an die Stelle einer Landbevölkerung, in der Kleine und Große in gemeinsamen Interessen verbunden sind, eine andere von Herren und Sclaven mit ganz entgegengesetzten Interessen erschufen; er durchschaute die verderbliche Wechselwirkung, die zwischen diesen neuen Erscheinungen und den gekünstelten Marktverhältnissen der Landeserzeugnisse bestand, und eröffnete seitdem seinen unnachlässigen Kampf gegen die Korngesetze, gegen die leichtfertigen Kriege, gegen das ganze Schulden- und Papiersystem, das bereits die eigentliche Gewalt des Parlaments thatsächlich vernichtet habe, indem es sich nur noch darum handle, wie, nicht ob die Gemeinen bezahlen wollten. Früher war eben dieß Schuldenwesen ein Grund bei ihm gewesen, gegen die Parlamentsreform zu stimmen, die diesem Uebel doch nicht steuern würde; später erkannte er grade in ihr das Mittel, aller Schuld und allem Papiere gewaltsam ein Ende zu machen. Aber auch zu diesen abenteuerlich radicalen Ansichten gelangte Cobbett, wie Bentham zu seinem Republicanismus, erst ganz allmälig. Die erste Veränderung in seinen Gedanken über Parlamentsreform trat (Frühling 1806) über einem ganz besonderen mißbräuchlichen Falle bei einer Wahl in Honiton (Devonshire) ein. Noch war es auch jetzt ein Gegenstand ruhiger Untersuchung für ihn, wie diese Reform zu betreiben, wie weit sie zu treiben sei; und es schien ihm anfangs genug gethan, wenn er gegen die Söhne der Bestechung, die borough mongers, eiferte und in den Wählern das Gefühl der Unabhängigkeit zu wecken suchte. Als er aber seit 1807 das System der Tories in ganzer Schamlosigkeit begründet, die öffentliche Meinung geirrt, die Presse gefälscht, den Religionshaß aufgestachelt im Volke sah, nun warf er sich wie Bentham immer ergrimmter dem herrschenden Regimente entgegen und ward zum wildesten Demokraten. Dieß war eben jene flaue Zeit der Vernichtung alles parlamentarischen Widerstandes, wo nun Cobbett sich berufen fühlte, außerhalb des Hauses gegen die Tory-

regierung das Feld zu halten. Sein Eifer flößte jener kleinen lärmenden Whigfraction um Burdett den Muth ein, ihm zur Seite
den letzten Damm gegen die Flut der Rückschritte halten zu helfen;
er füllte jene Jugend unter den Whigs mit frischem Vertrauen durch
seine mächtige Volkspresse, die sich wie zu einem Schriftparlamente
der Demokratie gestaltete; er erregte die Bewunderung des braven
Franz Horner, als er den antipapistischen Vorurtheilen des unteren
Volkes zu trotzen wagte und den Charakter der Regierung selbst in
ihrer Haltung zu der katholischen Frage zu discreditiren vermochte;
er regte Bentham's Erstaunen auf, als ihm gelang, die öffentliche
Meinung so mächtig gegen die Tories zu wenden und das Volk in
weiten Kreisen um seine Reformagitation zu versammeln, die seitdem zum Mittelpuncte all seiner Thätigkeit ward. Gern hätte sich
jetzt Bentham mit Cobbett verbunden, dem er (1810) seinen Reformkatechismus für das Register schickte, ohne seine Aufnahme erhalten zu können. Denn leider, wie sehr Cobbett's geistige Kräfte
unter seinen Kämpfen wuchsen, sein sittlicher Charakter war immer
und blieb von einem sehr groben Gewebe. Unter schlauer Selbstbeherrschung und scherzhafter Fröhlichkeit lagen in ihm nur schlecht
verborgen die gemeinen Laster des gewöhnlichen Demokratismus,
der Neid und die Eifersucht gegen alles Gute und selbst seinen Absichten Förderliche, das von Anderen ausging; die Schwarzsichtig-
keit gegen alle regierenden und bevorrechteten Klassen, die ihm ein
einziger bestochener und bestechender Haufe waren; die Rücksichtslosigkeit im Gebrauche der Mittel, diese gehaßten Stände mit Lügen
und Entstellungen zu verdächtigen; der Mangel an jeder Rücksichtnahme auf die möglichen Folgen seiner Lehren. Kein Wunder, daß
ihn die Männer des Quarterly Review als einen rebellischen
Brandstifter verschrieen. Aber dem Volke blieb er ein „großer Mann"
und ein Orakel. Viele die damals von ihm erschreckt waren, haben
ihn später in höherer Schätzung gehalten, und ein Mann wie

Romilly, ohne sich über seinen Charakter zu täuschen, verwahrte ihn gegen den Verdacht, daß bloßer Eigennutz ihn angetrieben, und er erkannte die höheren Absichten in seiner Thätigkeit an. Wie Bentham theoretisch unter den Denkern, so begann Cobbett praktisch mitten in den Massen des Volks mit der Gewalt des demokratischen Gedankens die alten Ordnungen selbst in diesem England zu erschüttern, wo diesen Ideen die ungeheuersten Bollwerke entgegenstehen: eine Geschichte voll Glück und Ruhm; ein gekitteter Staats- und Kirchenbau, wie ihn kein anderes Volk besitzt; ein Thron um so verehrter, je weniger vergöttert er ist; ein geschäftsfähiger von dem Volksansehen getragener Adel; ein Bürgerstand, der die ausgedehntesten Geschäfte der Welt besorgt; zwischen beiden Ständen eine Verbindung, die ein Gleichgewicht mit sich bringt wie die Vermischungen in der physikalischen Welt; eine feste gleichartige Gewöhnung in Bräuchen, Sitten und Grundsätzen, die dem individuellen Zerbröckeln Einhalt thut; Begriffe von Recht und Staat, die ganz auf der großen Grundlage des Eigenthums und seiner Sicherung beruhen. An diesem rüstigen Volkskörper war es gleichwohl unverkennbar geworden, daß die bisher vorzugsweise thätigen Theile anfingen zu erlahmen; ihm neue Lebenskräfte zuzuführen, regte Cobbett's Thätigkeit in der einfachsten Form, von den untersten Volksklassen aus, die merkwürdige Bewegung an, die die ganze Folgezeit der englischen Geschichte durchdringen sollte. Er konnte kein taugliches Organ für die wahren Interessen des Volkes erkennen in einem Unterhause, das Pitt einst eine Vertretung von ruinirten Flecken, von edlen Familien und reichen Personen genannt hatte; in welchem zur Zeit von Pitt's Verwaltung durch die unmittelbare Wahl oder den mittelbaren Einfluß der Regierung selbst und von 71 Pairs und 91 Gemeinen nicht weniger als 306 Abgeordnete saßen, außer 28 Mitgliedern, die durch Compromisse ernannt und 21, die durch 17 Wahlflecken gewählt wurden, von denen keiner

150 Stimmen enthielt; was zusammen eine Majorität von 197 Stimmen ausmachte. Diesen Körper zu verjüngen, drang Cobbett auf die Bildung eines Hauses aus Mitgliedern, die mit der ganzen Masse des besitzenden Volkes Gefühle und Interessen gemein hätten. Allgemeines Wahlrecht, jährliche Wahlen, geheime Abstimmung war daher seine wie Bentham's radicale Forderung, die alle Whigs zurückschreckte, weil sie damit die Art an die ganze Verfassung gelegt sahen. Seine Verlassenheit von dieser Seite machte Cobbett, wie Bentham, nur erpichter und schärfer; 1810, als schon 17 Bände seines Registers erschienen waren, ward er wegen eines Artikels zu einer hohen Geldstrafe verurtheilt und auf zwei Jahre eingesperrt; verbitterter kam er aus der Haft heraus, mischte sich seitdem immer schroffer in jede Angelegenheit des Hofes, der Regierung und des Parlaments, stieß immer schnöder die halbe Bundesgenossenschaft der Whigs von sich weg und stützte sich ganz auf das Volk, wo ihm mehr und mehr gelang, die Agitation für die Reform aus der Erörterung in der Presse auf Straßen und Plätze zu tragen, in die Landstädte, unter die bürgerlichen Körperschaften, in die Masse der Arbeiter auszubreiten. Dabei zügelte oder trieb er klug je nach Lage der Zeit. Es war ein geschickter Kunstgriff, den einst Pitt selber angegeben hatte, daß er die Momente der äußeren Bedrängniß (die Erndtezeit der Demagogen) benutzend den Mangel in schlechten Jahren, das Elend des Kriegs und alle andere Noth auf die fehlerhafte Vertretung schob. Dazu bot ihm nach beendigten Kriegen das Elend des Friedens einen neuen begierig ergriffenen Anlaß.

Das englische Volk hatte in den Kriegszeiten auch jene glänzende Weissagung Pitt's bewährt: daß der Geist der Emsigkeit, der die Ausbreitung seines Handels, die Ueberlegenheit seiner Industrie, die Größe seines Credits und Capitalvermögens geschaffen, selbst

im größten Unglück ausdauern werde. Seine Handelsherrschaft
hatte sich unter den ungewöhnlichen Verhältnissen der Kriegszeiten,
während Frankreichs, Spaniens und Hollands Handel, Gewerbs=
thätigkeit, Colonien und Schifffahrt verloren gingen, noch unge=
wöhnlicher als zuvor entwickelt. Ein= und Ausfuhr, die Han=
delsmarine, das Nationaleinkommen hatte sich in den zwei Kriegs=
jahrzehnten beiläufig verdoppelt, der Anbau des Landes war höchlich
verbessert und mehr noch ausgedehnt als verbessert. Jetzt nun mit
der Wiederkehr des Friedens schien vollends die Aussicht auf ein
schrankenloses Gedeihen gegeben zu sein. Die Begriffe von Frieden
und Fülle waren in des Volkes Vorstellungen verschmolzen. Noch
glänzendere Ahnungen Pitt's schienen sich nun zu erfüllen, der in
Zeiten dauernder Ruhe jener bewundernswerthen Volksthätigkeit
gar keine Grenze gesteckt sah, so lange noch irgend ein Gewerbs=
zweig verbesserungsfähig, und in irgend einem Weltwinkel ein
Markt zu erkunden blieb. Sobald sich daher die lange gesperrten
Festlandhäfen geöffnet, schien man zu erwarten, daß Ab= und Zu=
fuhr nun in einer unermeßlichen Fluth anschwellen müsse: so über=
spannten alle Geschäftszweige ihre Hoffnungen, ihre Thätigkeit,
ihre Geld= und Arbeitskräfte, ihre Erzeugungen und Vorräthe.
Wie bei Eröffnung der südamericanischen Küsten (1808) wurde die
kaufmännische Welt von einer unnatürlichen Aufregung erfaßt;
eine Menge von Actiengesellschaften für die mannichfaltigsten Un=
ternehmungen wurden gegründet und rissen eine Unzahl wohlhaben=
der Familien in den allgemeinen Schwindel hinein; die abenteuer=
lichsten Speculationen mit Manufactur= und Colonialwaaren, be=
rechnet auf die übertriebensten Vorstellungen von dem Bedarf und
der Bezugsfähigkeit der Festlande, wurden gewagt. Die Erfahrun=
gen aus der Zeit nach dem americanischen Kriege waren vergessen,
wo vorübergehend ein schwerer Geschäftsdruck erfolgt war, obgleich
man damals weit vorsichtiger als jetzt das Sinken der Preise und

der Geschäfte im Frieden voraus in Berechnung gezogen; nur der
merkwürdige Aufschwung, der nachher diese kritische Zwischenzeit
vergütet hatte, schien im Gedächtniß geblieben, der, wie die Dichter
und Redner damals priesen, jede Furcht vor einer zweiten Katastrophe niederschlagen müsse. Eine solche Katastrophe war jetzt
gleichwohl wieder gekommen. Gegen jede Erwartung zeigten sich
die Kräfte und Kaufmittel Europa's völlig erschöpft; die neube-
gründeten Industrien in einem Theile der Festlandstaaten, die wieder aufgenommene Schifffahrt eines anderen Theiles machten jetzt
England Concurrenz; noch strömten die bestellten Fabricanden in
Massen zu, als schon die Ausfuhr der Fabricate völlig stockte; die
verschickten Güter häuften sich auf den überführten Märkten; die
¹1814 auf 15. Preise der Colonialwaaren sanken¹ fast oder bis mehr als auf die
Hälfte herab; die Artikel wie Kupfer und Eisen, nach denen der
Krieg die Nachfrage ungeheuer gesteigert hatte, litten in erster Linie,
ehe sich die Industrie der neuern Lage der Dinge anbequemte. Alle
Erzeugnisse, Frachten, Arbeit und Arbeitslohn, der Werth des
festen Eigenthums sanken von ihrer geschraubten Höhe herab, und
die stärksten Verluste betrafen alle Klassen der Gesellschaft. Noch
war in den Uebergangsjahren 1813—15 die Lage der arbeitenden
Klassen, deren Löhne immer am spätesten sinken wie steigen, ver-
hältnißmäßig erträglich, so lange die Lebensmittel billig blieben;
das änderte sich zum Schrecken, seit sich das Jahr 1816 zu einem
der ungünstigsten anließ, die seit 1799 erlebt worden waren, und
nun die Theurung zu der Handelsstockung und dem Arbeitsman-
gel hinzukam. Was das Uebel erhöhte, war die gestiegene Anzahl
der müßigen Hände; wo die Fabriken vielleicht 100,000 Arbeiter
jetzt weniger beschäftigten, schwellten bei 300,000 entlassene Soldaten und Matrosen die Masse der arbeitsfähigen Arbeitslosen an,
die sich in den Städten zu hungernden Haufen sammelten und den
Gemeinden umwandernd zur Last fielen. Die schrecklichsten Erin-

uerungen an 1812 brängten sich auf, (wo das Elend an Hungers-
noth gränzend sich in Aufständen entladen hatte,) als in allen mittleren Provinzen schon 1815 die Ruhestörungen unter den Arbeitern
begonnen, in dem unruhigsten Theile der Fabrikbevölkerung in
England, wo sie im Allgemeinen störriger, unordentlicher und un-
gezügelter ist als irgendwo sonst. Nicht minder als die Industrie
ward die Landwirthschaft in das Leiden aller Interessen hineinge-
rissen. Man war in England seit Jahrhunderten schon daran gewöhnt, daß sie „über Ueberfluß klagte", und des Ausfalls sich
freute; dießmal hatte sie über Beides zu klagen. Sie hatte sich
während der letzten Zeit, besonders seit 1809, in Jahren dürftiger
Erndten in ungeheuren Verhältnissen ausgedehnt, als ob die übermäßigen Kornpreise (1812 der Quart Waizen 155 sh.) dieser für
die Volksmenge mageren, für die Landwirthe fetten Zeiten ewig
dauern sollten. Alle Güterkäufe vor 1811 waren vortrefflich ausgeschlagen; die Renten waren in einzelnen Fällen zu dem Dreifachen
von dem gestiegen, was sie vor zehn Jahren waren; die ausschwei-
fendsten Speculationen hatten sich daher auf den Landbau geworfen,
denen die Capitalien und die übertriebenen Notenausgaben der Landbanken[32] bereitwillig zu Hülfe gekommen waren. Die Theilung
der Gemeindegüter, die Ausdehnung des Anbaues auf vielen auch
undankbaren Boden war im Verhältnisse zu den letztgemachten
Gewinnen vorgeschritten; die Zahl der durchgegangenen Gemein-
heitstheilungs- oder Umzäunungsbills war in dem letzten Jahrzehnt auf 1200 gestiegen. Trotz diesem vorwitzigen Anbau hatten
sich bei den steigenden Erzeugungskosten, bei dem Hochpachten,
bei dem Ausschluß aller Concurrenz durch die Kriegssperre die
Preise auf unnatürlicher Höhe erhalten. Dieß änderte sich schon

32) Nicht die solidesten Institute damals, wo unter dem alten Monopol-
systeme ihre Gründung nicht gestattet war, wenn die Zahl der Theilnehmer sechs
überstieg.

gleich nach der Schlacht bei Leipzig, als die großen Erndten Polens
und Preußens in dem noch offenen England in furchtbare Mitbe-
werbung traten und die Preise plötzlich von 120 auf 68 herab-
drückten. Der Schrei nach Abhülfe war groß und allgemein; die
Pächter wußten nicht Renten noch Steuern aufzutreiben. Die Regierung, sorglich wie immer um das landwirthschaftliche Interesse,
'1814. ihr Schooskind, stellte gleich nach dem Frieden[1] ein schützendes
Korngesetz in Aussicht. Vergebens war die energische Regsamkeit
der Hauptstadt gegen diese Absicht; vergebens jede Vorstellung,
daß die freiere Ordnung während des Krieges das einzige Correctiv
gegen die ungesunde Ueberstrigerung des Landbaues bilde, daß es
ein feindseliges Interesse begünstigen heiße, wenn die Landwirthe,
nachdem sie den vollen Vortheil der Preiserhöhung in den schlechten
Jahren weit über das Verhältniß des Ausfalls genossen, jetzt auf
Unkosten der ganzen übrigen Gesellschaft die verlangte Exemption
von den Folgen des wiedergekehrten Ueberflusses erhalten sollten;
Vernunft in diesen Fragen, sagte Horner, war damals so theuer
wie in religiösen Dingen; die Ohne-Land Theoristen standen weh-
klagenden[22] Gegnern gegenüber, denen der Hohn des Sieges schon
auf den Lippen schwebte. Als Ende 1814, bei zwar geringer Einfuhr von außen, die Preise noch tiefer (bis 56) fielen, in Folge
davon ein verderblicher Rückschlag auf die Landbanken eintrat, von
'1814—16. denen[1] 240 der unsolideren weggefegt wurden; als nun der erschütterte Credit und das schwindende Vertrauen zu allen Ursachen der
Noth und Verwirrung noch eine neue und nicht die geringste hinzu-
gab, hielt sich die Regierung, schon in der Hauptrücksicht auf die
Erhaltung der Steuerfähigkeit der Landwirthe, völlig gerechtfertigt,
1815. das alte Korngesetz von 1670 wieder[1] zu erneuern, das alle Getreide-

_____

33) All we have spoken and written, but shows,
      when you tread o na nobleman's corn, how he winces. M o o r e.

einfuhr untersagte, bis der Preis des heimischen Waizens 80 sh. erreichte. Es gab Mitglieder der Regierung selbst, die alle die leidigen Folgen dieser Maasregel fürchtend voraussahen: die Vergeltungen des Auslandes, die künstliche Erhaltung der Theurung, den Schlag auf die nothleidende Fabrikbevölkerung, den Groll und Streit zwischen den verschiedenen Klassen der Gesellschaft; aber sie sahen keinen Ausweg, anders dem Ruin der Capitalisten und Landwirthe vorzubauen, kein Mittel, dem Drang und dem überwiegenden Einfluß der Squirarchie im Parlamente zu begegnen, die damals ihre Forderungen bis zu lächerlicher Frechheit trieb. Sah doch selbst ein Cobbett den Schritt bei der bestehenden Steuerhöhe für unerläßlich an; begriff doch selbst ein Bentham, wie schwierig es den Meisten wurde, in dieser Sache zum Bewußtsein eines richtigen Urtheils zu gelangen. Im Unterhause widersetzten sich selbst die Gegner von 1814 nicht mehr; im Oberhause wurde die Stimme des Volksinteresses kaum gehört, nur daß einige Peers eine Verwahrung gegen die Maasregel abgaben, darunter Lord Grenville und Wellesley, in dem seit 1812 die whiggistische Ader sehr geschwollen war. So wurde das Korngesetz eingeführt; aber das Leidige war, daß die gemeinte Abhülfe nicht half. Anfangs blieben die Getreidepreise trotz dem Gesetze niedrig; dann war 1816 die Erzeugung so gering, daß die hohen Preise, während sie die übrige Bevölkerung in immer tieferes Elend stürzten, den Landwirthen nichts mehr nützten; das Korngesetz konnte die guten Erndten erst nicht abhalten und jetzt nicht erzwingen. In der Sitzung dieses Jahres sagte Lord Castlereagh: er sehe die Preise steigen und wenn Waizen bis zu 80 sh. sich hebe, so möchte er wissen wo die Noth sei? Er stieg bis über 100 und die Noth ward größer als je. Es war eine peinliche lastvolle Zeit, die der Friede gebracht. Das Elend reichte durch alle Klassen. Armuth, sagte Cobbett, war der Schrei des Landes von dem stolzesten Schlosse bis zu der niedersten Hütte;

die Nation war wie im Zustand eines Trunkenen, der nach kurzem Schlummer halb krank halb nüchtern zur Rechnung gezogen wird.

Wiedererwachen der Opposition in und außer dem Hause.

Die damalige Krise bestürzte und verwirrte die Menschen ungleich mehr als die ähnlichen Erscheinungen in späterer Zeit, wo man über Gründe und Gesetze ihrer, nach der Natur der Gesellschaft und der Menschen unvermeidlichen, zeitweiligen Hereinbrüche ruhigere Beobachtungen gesammelt hatte. Man sah sich um nach Rettung. Die Regierung warf Summen aus zur Linderung der allgemeinen Noth, zur Beschäftigung der Broblosen; die Sparkassen wurden empfohlen; Brodvertheilungen, Suppenanstalten, Geldsammlungen wurden veranstaltet. Das Alles waren verbundende Tropfen. Um es an der Wurzel anzufassen, forschte man nach den Gründen des Uebels, und man fiel im Eifer der Rathlosigkeit, in der Arglist des Eigennutzes, in dem Eigensinn irregeleiteter Doctrin auf die seltsamsten und abweichendsten Meinungen. Nur in Einem Puncte schienen Alle einig, daß ein Hauptgrund der Noth in den Folgen der übernatürlichen Kriegsanstrengungen, in der angewachsenen Schuld, in der übermäßigen Besteuerung liege. Nachdem das Land in den 23 vergangenen Kriegsjahren 1100 Mill. für Kriegskosten aufgewandt hatte, trat es in den Frieden mit einer Schuld von gegen 900 Mill. Pfund und einem Jahresbudget von über 100 Mill. ein. Von dem Kriege her lastete eine verhaßte Steuer auf allem Einkommen von 50 £ und darüber, die, seit sie 1806 unter Fox' populärer Verwaltung von 5 auf 10 % gesteigert worden war, 15 Mill. eintrug. Die Abgaben für Straßen, Milizen, Grafschaftsinteressen u. s. standen alle zehn Mal so hoch als vor 20 Jahren; die Salzsteuer, 1792 nur 10 d. vom Scheffel, war seit 1806 auf 15 sh. getrieben; die Armensteuer, 1813 schon auf 5 Mill. gestiegen, betrug jetzt zwischen 8 und 9 Mill. Dieser Eine Posten, rechnete Cobbett dem Volke vor, war nahezu zwei Mal so

viel, als alle Steuern, die die V. Staaten bezahlten, die da
Ueberschüsse gegen die englischen Ausfälle aufzuweisen hatten, und
ihre Schulden, sagte Bentham, schneller bezahlten als England die
seinigen machte. Unter diesen Verhältnissen war es, daß die Regierung[1] vor das Unterhaus trat mit jenen Forderungen für einen 1816.
übermäßigen Heerstand, der 11 Mill. in Anspruch nahm, mit einer
ungeordneten Civilliste, mit der Zumuthung, die Einkommensteuer,
die ausdrücklich nur für die Dauer des Krieges „und nicht länger"
auferlegt war, auf die Hälfte herabgesetzt für alles Einkommen von
150 £ und darüber auch jetzt im Frieden beizubehalten. Verletzte
schon bei der Lage des Landes die Kaltblütigkeit, mit der Vansittart
die erschreckenden Finanzvorlagen machte, so ward das böse Blut
noch mehr gereizt durch eine Aeußerung Lord Castlereagh's (die an
die berüchtigten Aussprüche deutschen Regierungsdünkels erinnert),
als er sich vor dem Unterhause sicher erklärte, das englische Volk
werde nicht, „in der unwissenden Ungeduld" von der Steuerlast befreit zu werden, Alles aufs Spiel setzen, wo fortgesetzte Festigkeit
Alles wohl hinausführen werde. Die ganze Kriegspopularität der
Toryregierung schien bei diesem ersten Zusammenstoße mit der öffentlichen Meinung plötzlich verscherzt. Die Minister hatten schon seit
einem Jahre zu ihrem Erstaunen erfahren, wie sich die Aufmerksamkeit des Landes, bisher nach außen gelenkt, nun plötzlich wieder
auf die inneren Dinge warf, wie sich die Partheierbitterung im
Parlamente, in den Clubs und Privatgesellschaften wieder zu regen
begann. Sie mußten aus der Untersuchung, der man die Civilliste
unterwarf, bemerken, daß sie im Frieden nicht mehr das gefügige
Haus vor sich hätten, wie in der Zeit der Landesgefahr; sie mußten
aus dem allgemeinen Verlangen nach Herabsetzung des Heerstandes,
und mehr noch aus seiner Motivirung, gewahr werden, daß die
Eifersucht auf die Freiheiten des Landes in ganzer Stärke wieder
bestehe; sie mußten sich durch die weite Agitation in der Hauptstadt

und aus den 400 Bittschriften, die von den Provinzen gegen die
Einkommensteuer eingingen, überzeugen, daß das Land mit dem
Eintritt des Friedens auf eine Zeit der Ersparnisse und des geord-
'10. März. neten Haushalts rechne. Bei der Theilung des Hauses' wurde
gegen die Erwartung der Opposition selber die Abstellung der Einkommensteuer mit einem Mehr von 37 Stimmen beschlossen. Ihre
eigenen Freunde gönnten der Regierung diese Niederlage, die einen
Anstoß gebe, den erschlaffenden Geist der Verfassung wieder zu
wecken; die die Minister erinnern werde, daß der Gehorsam des
Hauses nicht ins Grenzenlose gehe, und daß sie die Diener und
nicht die Herren des Landes seien. Die Whigs erhielten, von der
Macht der öffentlichen Meinung unterstützt, durch diesen Einen
Streich ein ganz neues Ansehen und Gewicht. Die Minister sahen
sich durch ihren geschlossenen Angriff und die dadurch gewonnene
Stellung der Opposition zu einem fortgesetzten Systeme der Er-
sparniß und besonders zu einer Reduction der Land- und Seemacht
genöthigt, zu der sie in einer bekannten späteren Rechtfertigung [34]
den Whigs vergebens den Ruhm bestritten, den zwingenden Antrieb
gegeben zu haben. Im ersten Augenblicke erwartete man im In-
und Auslande, bestärkt in der Meinung von der Unfähigkeit des
Ministeriums, seinen Rücktritt und wunderte sich, daß es vorzog,
die Vorschriften der Opposition auszuführen [35]. Allein die regie-

---

34) State of the nation. 1822. 7. ed. p. 52. „Sie (die Whigs) feuerten
auf gut Glück mitten in die ganze öffentliche Verwaltung hinein, und obgleich
sie, die ganze Keile beschließend, dieselben Vögel mögen getroffen haben, so
haben sie doch wenig Anspruch auf das Lob einer graden Absicht oder eines bestimmten Zieles. Indem sie vorschlugen, Alles zu reduciren, waren sie allerdings
in Uebereinstimmung mit der Regierung, als diese einiges reducirte."

35) „Es war eine Zeit (schrieb Th. Moore, memoirs 2, 96.), wenn das
Gehirn fort war, so war der Mann todt; oder wenn ein Minister, wie Dogberry
sagt, sich als einen Narren bewies, so war er nahe daran, dafür gehalten zu
werden. Aber jetzt sehen wir, wenn er seinen Platz behält, so braucht er nicht
heikel zu sein, durch wessen Maasregeln er ihn behält. Hat er nicht Sinn und

renden Herren wußten zu gut, wie viel an dem Widerstande gegen
jene Steuer, den die loyalsten Londoner Kauf- und Geldherren und
die angesehensten Toryhäupter getheilt hatten, der Eigennuß der
reichen Klassen Theil hatte, denen die Aufhebung derselben vorzugsweise eine Erleichterung verschaffte; Castlereagh konnte der
Opposition in Form und Sache einen doppelten Trotz bieten, als
er zwei Tage nach dem Fall der Einkommensteuer zur billigen Erleichterung der niederen Klassen[36] auch die Kriegssteuer auf Malz
im Betrage von 2¾ Mill. freiwillig fahren ließ, da es gleichgültig
sei, ob man, einmal zu Anleihen gezwungen, ein Paar Millionen
mehr oder weniger borge; er konnte wissen, daß ihm in anderen
und wichtigeren, grundsätzlicheren Fragen die Mehrheit des Hauses
doch nicht entgehen werde.

Die Zeit der Probe ließ nicht auf sich warten. Der Wider- Reformagitation.
stand, den die Regierung unvermuthet in dem Hause erfahren, regte
sich gleichzeitig in weit drohenderer Gestalt auch außer dem Hause,
wo William Cobbett in seiner rastlosen Thätigkeit fortfuhr. Er
heimste jetzt ein eine doppelte Erndte. Der unerträgliche Druck
schwellte in dieser Zeit die Handvoll Demokraten von 1793, die
der Schwindel der französischen Revolution ergriffen hatte, zu Hun-
derttausenden von Unzufriedenen in den unteren Klassen an, und
die unwillkommene Muße der Arbeitslosigkeit ließ ihnen Zeit um
nachzudenken, und von der Lesefähigkeit Nutzen zu ziehen, die sie
sich seit Jahrzehnten, seit den Bell-Lancaster'schen Bestrebungen
zur Ausbreitung der Volksbildung, mit Hülfe von Sonntagsschulen
und Leihbibliotheken erworben hatten. Schon vor Einbruch der

Kraft, was er für recht hält seinen Gegnern aufzuerlegen, so läßt er sich von
ihnen auferlegen, was ihnen beliebt. Die Opposition legt die Eier und der
Kukuk Minister brütet sie aus."
36) Hughes 5, 126.

IV.   6

1816. Febr. schwersten Landesnoth hatte Cobbett[1] in einer Eingabe mit 581 Unterschriften den Obersheriff von Southampton aufgefordert, eine Grafschaftsversammlung zu veranlassen zu dem Zwecke, eine Bittschrift um Parlamentsreform in Erwägung zu ziehen; auf die Weigerung des Sheriffs hatte er dann heftiger als zuvor seine Agitation wieder aufgenommen und systematischer zu ordnen begonnen. In allen Städten wurden jetzt sogenannte Hampbenclubs zur Betreibung der Reform gegründet; sie bildeten einen weit verbreiteten zusammenhängenden Verein, dessen gemeinsamer Mittelpunct der Londoner Club (unter dem Vorsitz Sir Francis Burdett's) war, wo, in einer Art organisirter Verschwörung wie unter den Carbonari und Freimaurern im Süden, die Bittschriften vorbereitet und den Landclubs zur Zeichnung zugeschickt wurden. Diese Bewegung war in vollster Blüte, als die Bedrängniß im Lande aufs Höchste stieg und da und dort, zuerst in den östlichen Grafschaften, zu 1816. Mai. Friedebruch führte. In Suffolk rotteten sich[1] hungernde Haufen zusammen, legten Feuer an, zerbrachen die Dreschmaschinen und machten Angriffe auf Mühlen; in Brandon traf der Unfug die Fleischer- und Bäckerhäuser; ähnliche Störungen gab es in Bury und Norwich, in Birmingham und Loughborough; am stärksten unter der naturwüchsigen Bevölkerung der Marschlande der abgeJuli. legenen Insel Ely. Weiterhin[1] griffen die gleichen Tumulte in die Fabrik- und Minendistricte in Staffordshire und Wales über, wo die Eisenwerke waren eingestellt worden; in den Manufacturstädten brach zu gleicher Zeit das alte Unheil der Ludditen wieder los, die Maschinenstürmerei. Diesen Geist der Unruhe suchte nun Cobbett in seinen Dienst zu beschwören, indem er ihn zugleich zu bannen schien; er bemühte sich, die Bewegung in ein ruhigeres Bett zu leiten, indem er sie überall auf Volksversammlungen zum Zwecke 2. Oct. von Reformpetitionen an das Unterhaus lenkte. Im Herbste[1] wandte er sich in einer Nummer seines politischen Registers „an die

Arbeiter", und in dem folgenden Blatte an die Ludditen, um sie
über ihr wahres Interesse aufzuklären. Er warnte sie ernstlich vor
den ausgeübten Unthaten und ermahnte sie dringend, diese ver-
sprechende Zeit nicht mit Leidenschaft und Ungesetzlichkeit zu trüben.
Er setzte ihnen aus einander, daß die Maschinen, an denen sie ihren
Zorn ausließen, die Ursache ihres Elends nicht seien; dafür wolle
er ihnen aber auch nicht verhehlen, was denn die wahre Ursache all
des Jammers sei: die Mißregierung; und was das alleinige Ab-
hülfemittel: die Parlamentsreform. Auf dieß Ziel aber solle durch
keine Gewaltsamkeiten hingearbeitet werden, sondern nur durch
fortwährende Versammlungen in allen Städten und Dörfern, zum
Zwecke der Zeichnung von Bittschriften um Reform, und nur um
Reform. In seinen nächsten Blättern richtete er gleiche Ermah-
nungen in dem gleichen Sinne an die verschiedensten Stellen: an
Sir Fr. Burdett, an den Lord Mayor von London, an die Land-
edelleute, an die Geistlichkeit u. f. Das Loosswort wurde aufgenommen. Selbst seine Verweisungen zur Ruhe wurden eine Weile
mit der Enthaltsamkeit befolgt, die großen Massen in den Anfängen
einer Erregung nicht selten eigen ist. Der Agitator durfte sich rühmen", durch seine Reformversammlungen in einer Reihe gährender
Manufacturstädte, in Norwich, Manchester, Liverpool, Glasgow,
Paisley die Ordnung erhalten, ja den Ruhestörungen in den Land-
districten ein Ziel gesteckt zu haben. Die Regierung ward voller
Unruhe über die nie zuvor erhörten Wirkungen dieser Volkspresse,
über die Macht dieses einzelnen Mannes. Man fing an, Cobbett's
Blätter in großen Versammlungen zu lesen, so daß Ein Exemplar
die Belehrung einer Menge ward. Sofort wurden die Wirthe, die
dieß in ihren Räumen gestatteten, mit Entziehung ihrer Licenzen
bedroht. Da entschloß sich Cobbett zu einer Gegenmaasregel, die

37) Political Register 31, 799.

6*

'2. Nov. einen merkwürdigen Erfolg haben sollte. Er druckte[1] ein Blatt „an
alle Gesellen und Arbeiter" gerichtet, und verkaufte es (statt wie
(seit 16. Nov. bisher zu 1 sh. ½ d.) um 2 Pence, fuhr dann[1] regelmäßig mit
diesem Zweipfennigregister fort, gab Jedem die Erlaubniß des
Nachdrucks und ließ auch einzelne ältere Nummern um diesen Preis
wieder drucken. Bei dem ersten dieser Schritte nahm das Ereigniß
die Unterhaltung von drei Weltheilen aller theilnahmefähigen Menschen im Reiche wochenlang ein; die ganze Hauptstadt war wie ein
Schwarm; in zwei Monaten waren über 200,000 Exemplare der
Nummer gedruckt; bald schlug man die Käufer des Registers auf
60,000, die Leser auf zehn Mal die Zahl an; im Februar rühmte
sich Cobbett, in sechs Monaten mehr als eine Million seiner Büchel-
chen verkauft zu haben. Die Minister sahen mit Grauen, wie dem
Manne gelang, die ganze Masse der Arbeiter zu mitsprechenden
Politikern zu machen und diesen unhandlichsten Volkstheil in
den Kampf für demokratische Ordnungen zu führen. Die Besorgniß ward größer, als der aufrührerische Geist vom Lande in die
Hauptstadt überschlug. Es war wie die Landmarke einer neuen
Zeit gewesen, als in diesem Jahre der freisinnige Wood zum Lord
Mayor gewählt worden war, ein Mann, der zu anderer Zeit nicht
. '12. Aug. hundert Stimmen auf sich versammelt hätte. Hierauf war es[1] geschehen, daß unter dieses Mannes Vorsitze eine Versammlung der
Corporation war gehalten worden, wo die heftigsten Ausfälle über
das verderbliche Verwaltungssystem fielen und wo ein Thomson
auf Entfernung von Pitt's Denkmal aus Guildhall angetragen
hatte. Die Pittisten trauten ihren Augen nicht über Allem, was sie
um sich vorgehen sahen; ihr Erstaunen sollte noch wachsen. In einer
Versammlung der Wahlbürgerschaft, des getreuen Ausdrucks der
26. Nov. Bürgermassen in London, wurde[1] eine Adresse[36] an den Regenten

---

36) Im annual register 1816. p. 417.

beschlossen, die wie ein einziges Verdammungsurtheil der langen
Toryverwaltung, wie ein Manifest des Whiggismus und der Demokratie zugleich klang: in der alle Schuld der Leiden auf die unbedachten Kriege der Vergangenheit, auf die verfassungswidrige
Stärke der Heeresmacht, auf die Höhe der Civilliste, auf die Verschwendung der öffentlichen Gelder geschoben war, was Alles wieder seinen Grund in der unverhältnißmäßigen Vertretung des Volks
im Unterhause habe. Wenige Tage vorher[1] war eine Reformver-   '15. Nov.
sammlung auf (dem damals offenen Raume) Spafields bei Jsling-
ton gehalten worden, wo hauptsächlich von den Webern des Di-
stricts eine Bittschrift an den Regenten beschlossen wurde, die Hunt
selbst dem Lord Sidmouth behändigte. Schon an diesem Tage
hatte eine Secte verzweifelter Leute Anschläge gemacht, die Reformer aus ihren friedlichen Schritten aufzustören; eine Gesellschaft
„Spencianischer Philanthropisten" hatte den Plan des alten Spence '(. s. S. 66.
hervorgesucht und sollte, wenn man den Aussagen eines verdächtigen Zeugen[39] glauben darf, unter der Leitung eines Chirurgen
Watson und seines Sohnes, eines lahmen Arbeiters Preston u. A.
verwegene Entwürfe zum gewaltsamen Umsturz der Regierung geschmiedet haben. An dem anberaumten Tage[1] einer zweiten Ver-   '2. Dec.
sammlung in Spafields drängten sich diese Meuterer vor Hunt's
Erscheinung und vor der angesagten Stunde auf den Platz und
führten die aufgehetzte Menge, blinde Haufen, die aus Zahl und
Noth ihren Muth schöpften, gegen den Tower. Unterwegs plünderten sie einen Waffenschmiedladen auf Snowhill, wo ein Mann
von dem jungen Watson erschossen wurde, wälzten sich dann längs
Cheapside durch die Börse, wo sie der Lord Mayor Wood und wenige
Begleiter selbsechste anhielt und einige verhaftete. Mit der Plünderung eines anderen Waffenladens und einer Rodomontade des

---

39) John Castles. State trials 32, 215ff.

Prahlhansen Preston, der den Tower zur Uebergabe aufforderte, endigte die wilde Posse, in deren Verlauf der kräftige Widerstand des Lord Bürgermeisters allein die Planlosigkeit und Ohnmacht des ganzen Handels bewies. Nicht so aber sah man die Vorgänge in den oberen Regionen an, wo man hinter diesem Tumulte einen furchtbaren tiefangelegten Plan suchte. Als Wood wenige Tage '2. Dec. darauf[1] die kurz zuvor beschlossene Adresse der Londoner Bürger dem Regenten übergab, konnte er aus des Prinzen ungnädiger Sprache merken, daß sein Verdienst vom 2. Dec. durch diese bloße Botschaft ausgestrichen war. Dieser einzige Wink genügte, zunächst die Hauptstadt zu einer loyalen Besinnung zurückzurufen und Spaltung in die aufgeregten Massen zu werfen. Die Reformer um Hunt und Cobbett verwahrten sich lebhaft dagegen, daß man sie mit den Spencianern vermische; die freiere Parthei der Londoner Bürgerschaft unter Walthman sagte sich wieder von Hunt los, der bald darauf auch in Bath und Bristol mit allen Zeichen des Mißfallens '1817. Jan. empfangen wurde. Als jetzt[1] die Reformer eine Versammlung in Westminster betrieben, als gleichzeitig die Abgeordneten einer Reihe von Hampdenclubs[40] in London zusammentrafen, hielt sich Sir Fr. Burdett, der Vorsitzer des Centralclubs, ängstlich fern; und als nach Eröffnung des Parlaments die Reformpetitionen mit mehr als einer Million Unterschriften, die Frucht der Cobbett'schen Arbeit, an Burdett überbracht wurden, um durch ihn im Hause aufgelegt zu werden, war der vorsichtige Herr auf die Fuchsjagd gegangen! Selbst unter den niederen Klassen der Hauptstadt war die Stimmung sehr entmuthigt, seit es geschehen war, daß der Prinz Re- '28. Jan. gent[1] auf seiner Heimfahrt aus dem eröffneten Parlament insultirt und ein Fenster seines Wagens eingeworfen wurde. Auf diesen

---

40) Darunter der Weber Bamford aus Middleton, dessen Buch: Passages in the life of a radical. 1—3. über die Vorgänge in diesen Zeiten mit Pelham, life of Lord Sidmouth fortwährend verglichen werden muß.

Zwischenfall gaben die ehrsamen Kaufleute und Bankiers in London[1] eine Erklärung gegen die Reformwühlereien ab, die jetzt auf '31. Jan.
dem Lande den Cobbett'schen Zügel verloren. Wie in London so
mischten sich auch in Manchester einzelne verbrannte Köpfe in die
Bewegung, die den lenkbaren Haufen zu Tollheiten verführten.
Ein Schuhmacher Benbow betrieb dort eine Versammlung, um
einen Marsch nach London zur Ueberreichung einer Reformpetition
vorzuschlagen. Es kamen[a] etwa 4—5000 Arbeiter zusammen', '29—30. März.
die die Parlamentsberichte nachher zu 12,000, die Zeitungen zu
70,000 vermehrten[b], und denen man die gefährlichsten Absichten
zuschrieb: gleichzeitige Aufstände in anderen Städten zu bewirken
und aus Manchester ein Moskau zu machen. Wenige Constables
und Soldaten genügten aber, den Haufen aus einander zu treiben,
aus dem sich nur 300 Arbeiter mit aufgerollten Mänteln (blankets)
wirklich in Bewegung nach London setzten, unterwegs aber auflösten. Ein Ausbruch in Derbyshire ward mit dieser Versammlung
in Verbindung gebracht. Und es ist sicher, daß sobald die Regierung der öffentlichen Reformagitation entgegenarbeitete, geheimere
Umtriebe wie in den romanischen Landen begannen, wo mittellose
verzweifelte Tollhäusler Fuß faßten und, mißleitet von Regierungsagenten, die verwilderte Menge weiter zu mißleiten suchten zu angeblich gemeinsamen Unternehmungen. Denn auch diese südlän-
dische Pest der Polizeianstiftung sollte in England ihre Opfer finden.
Die Regierung hatte einen Oliver beauftragt, die Bewegungen in
den Grafschaften auszuspähen, um, wie es heißt, zuvorzukommen
und zu entmuthigen. Dieses Mannes Spuren wurden seitdem
überall gefunden, wo es Unruhen gab, und überall scheint er die
Verbrechen hervorgerufen statt verhindert, und seine Absender be-

41) Bamford 1, 32.
42) Vgl. einen einschlägigen Aufsatz in den Zeiten. Band 50—52.

trogen, wie die Verführten die ihm trauten verrathen zu haben.
Die Leute, die die Sinnlosigkeiten des 30. März in Manchester
angegeben hatten, waren mit ihm in Verbindung[43]. Abgeordnete
der mittleren und nördlichen Provinzen, die im März in London
waren, hatten mit ihm verhandelt. Von ihnen kamen einige nach
Hause zurück, die von einem „geheimen Comité" aus die trügerische
Nachricht verbreiteten, die Hauptstadt sei bereit zum Aufstande,
wenn das Land ein Zeichen gebe. Ueber einen Monat[17. April – 27. Mai.] trieb sich
dann Oliver in eben diesen Landestheilen, in Derby, York, Lanca-
shire um im Verkehr mit allen den geheim Verbundenen. Er erschien[6. Juni.] in einer Versammlung von Abgeordneten in Thornhill Leeds
bei Dewsbury (York), die überrascht und verhaftet wurden, Oliver
mit ihnen. Tags darauf aber war er schon wieder in einer wunder-
baren Schnelligkeit auf einer Versammlung in Nottingham, wo der
Ausbruch des Derby Aufstandes berathen werden sollte. Die Frie-
densconservatoren (Polizeibehörde) der Stadt wiesen ihn an, den
Verschwörern den Ausgang der zerstreuten Yorkshire Versammlung
mitzutheilen; nichts aber geschah für ihre Verhaftung, durch die
der Derby Aufstand erstickt werden konnte, der übrigens auch so ein
Ende fast vor dem Anfang nahm. Nach einer dritten Versammlung
in dem Dorfe Pentridge, wo ein Hauptmann Brandreth das große
Wort „über diese Revolution" führte und einen allgemeinen Aufruhr in England und Frankreich und die Hülfe der Männer von
Norden (Yorkshire) ankündigte, brachen[9. Juni.] unter seiner Führung etwa
150 Leute gegen Nottingham auf, denen vorgespiegelt ward, daß
zur selben Zeit London werde genommen werden. Als aber achtzehn Dragoner gegen sie ausrückten, liefen sie auf die bloße Nachricht davon aus einander.

---

43) Bamford 1, 77.

Man war in England langeher gewöhnt, in Zeiten der Noth die leidenden Massen in aufgereizte Stimmung gerathen, und dann in Unkenntniß die Grenzen der Gesetze überschreiten zu sehen, ohne sich dabei übermäßig zu beunruhigen. Für solch eine Aufwallung ohne tiefwurzelnde schädliche Absichten nahmen die Gelassenen auch diese Störungen der Ordnung durch wenige unsinnige Menschen, die ohne alle Mittel und selbst ohne den vorschlagenden Eifer einer verderbten Gesinnung waren. Wiesen doch selbst die wenigen blutigen Scenen in diesen Aufständen so klärlich aus, wie groß der Unterschied ist zwischen germanischen Spießbürgern und romantischen Schmugglern und Wegelagerern, und daß der höchste Barometerstand englischen Aufruhrgeistes noch tief unter dem niedrigsten südländischen blieb. In dem Kern der Bevölkerung stießen die begangenen Gesetzwidrigkeiten augenblicklich auf eine so ruhige musterhafte Haltung, auf solch einen Stock von gesunden Grundsätzen, oder, sei es, auf solch einen Grad von hastiger Befürchtung, daß schon dadurch jede Gefahr abgeschnitten ward. Selbst die Agitation für die Reform hatte plötzlich, wie sie in Gewaltthätigkeiten ausartete, ihre moralische Kraft verloren und die Sache selbst ihre große Gunst im Volke eingebüßt. Unter diesen Verhältnissen hätte man die vorhandenen Gesetze genügend zur Herstellung der Ruhe geglaubt. Die erschreckte Regierung aber sah die Lage der Dinge ganz anders an. Der Minister des Inneren, Lord Sidmouth, ein kleinmeisterlicher Mann der Form, von den mäßigsten Geistesgaben, war eine leicht geängstete Natur und dazu in der Nähe und aus der Ferne von Allarmisten aufgestiftet, die seine Schreckbarkeit unterhielten und steigerten. Sein College Lord Eldon sah in dieser Volksgährung eine Ueberwirkung der irischen Aufruhrgreuel, eine warnend von ihm vorausgesagte Folge der Union zwischen Irland und England. Selbst ein Mann wie Canning, der zu Aller Erstaunen seit 1816 wieder in das Ministerium seiner Feinde getreten

war, nannte die Gefahr dieser Tage ein Sammelübel von Aufruhr,
Verrath und Confiscation, das die ganze Gestalt der Gesellschaft
bedrohe", und die Reformbetreibung war ihm nichts als ein Wühl-
mittel von Leuten, die von Eifersucht, Haß und Bosheit gegen
allen Reichthum, Rang und Regierung erfüllt seien. Außenher
kamen von allen Seiten die aufregenden Berichte der besorgten
Magistrate der Manufacturstädte und der Lordlieutnants. Unter
diesen verglich der Herzog von Northumberland den Marsch der
blanketeers von Manchester nach London mit dem Marsch der Marseiller nach Paris, und es war ihm handgreiflich, daß die Copie
von solchen eingegeben sein müsse, die bei dem Original betheiligt
gewesen. Und mit diesem Popanz überall her geschreckt, schreckte
Lord Sidmouth mit diesem Popanze wieder überall hin: als gähre
der revolutionäre Sauerteig noch einmal auf im Lande, als lägen
tief zusammenhängende Verbindungen und Plane allen diesen Bewegungen zu Grunde, als gelte es das Ungeheuer des Jacobinismus noch ein Mal zu bekämpfen. Gegen dessen Gefahren war die
Toryregierung und ihr System seit 20 Jahren immer so nothwendig befunden worden, und es schien den Ministern wie ihren Unter-
lingen keine unerwünschte Gelegenheit, die eingebildete Wiederkehr
derselben Gefahren zu neuer Festigung ihrer Macht zu benutzen.
Jetzt wieder, wie es Sheridan um 1795 fand, schien es in der Ansicht der Regierung nur Eine Art der Gesetzlichkeit zu geben: den
panischen Schreck. Jetzt wieder in dieser zahmen Zeit, wo England
die legitimen Throne und Pabst und Inquisition hatte herstellen
helfen, griff man zu denselben rücksichtslosen Maasregeln zurück,
die man damals gegen das Ungethüm der Revolution angewandt
hatte, als in Frankreich Religion und Königthum zerstört waren.
Wer den Lord Sidmouth auf seine bigotte Religiosität und sein

---

44) Speeches ed. Therry. 1836. 3, 445.

ernstes Bekenntniß sittlicher Grundsätze ansah, konnte ihn für einen
guten unschädlichen Mann halten; aber verknöchert im Geschäfts-
leben, hatte er, der „Wellington des inneren Amtes", schon seit
1812 in dem Kampfe um die innere Ruhe eine ausdauernde Festigkeit und selbst Härte bewiesen, die ihn stumpf gegen die öffentliche
Meinung und stumpf gegen höhere moralische Verpflichtung machte.
Es war in der Ordnung, daß er raschhandelnd die Auswanderung
der Arbeitlosen begünstigte, die Arbeitgeber zu Unnachgiebigkeit
gegen die unbilligen Forderungen der Arbeiter ermahnte, die ehren-
werthen Hausbesitzer ermuthigte, als Specialconstabel thätig zu
sein, daß er die berittene Miliz vermehrte und die Militärmacht
verstärkte; aber er verwirkte den Ruf seiner strengen Sittlichkeit,
als er, wie es in den 90er Jahren geschehen war, zu dem abscheu-
lichen Verfahren die Hand bot, aus der Bethörung hungernder
Verzweifelten Verbrechen reifen zu machen[15], um Gegenstände der
Bestrafung zu haben, um Beispiele der Abschreckung aufstellen, um
das Verlangen von Ausnahmsgesetzen rechtfertigen zu können.
Wie bei den ähnlichen Tumulten zur Revolutionszeit beantragte
die Regierung die Suspension der Habeas Corpus Acte und die
Ausdehnung einer Aufruhr-Versammlungsbill von 1795 auf be-
rathschlagende Gesellschaften und geheime Verbindungen, als sie 's. Schr.
dem Parlamente ihre Vorlagen machte über die Entwürfe der Auf-

---

15) Die Vertheidiger Lord Sidmouth's selbst, die die Handlungen des
Spionen Oliver auf Ueberschreitung seiner Aufträge schieben, müssen zugeben,
daß der schlecht gewählte Agent doch straflos das Gegentheil that von dem
was er sollte. Und übrigens liegen die Beweise vor, daß Lord Sidmouth das
System des Verdauens selbst so wenig mochte wie sein Agent. Er ließ die zweite
Spasieldsversammlung ruhig vor sich gehen, obgleich er durch Hunt von dem
bösen Geist der Spencianer unterrichtet war. Sein eigner Biograph Pelham
(3, 314) berichtet, daß nach der Anzeige der spätern Verschwörung von 1820
gegen die Minister die Absicht Lord Sidmouth's ausdrücklich war, das Complot,
statt es zu hindern, zum Ausbruch zu treiben, um die Verschwörer unter Umständen zu fassen, die keinen Zweifel an ihrer Absicht übrig ließen.

rührer, die nach ihren Angaben berechnet seien, das ganze System
der englischen Einrichtungen in Haß und Verachtung zu bringen.
In beiden Häusern wurden geheime Ausschüsse durch Ballot ernannt, (eine Farce, die so viel bedeutet wie ministerielle Ernennung;)

'18. 19. Febr. ihre Berichte[1], die den Spafieldslärm als einen furchtbaren vorbe-
dachten Plan zum Umsturz der Verfassung und zu allgemeiner
Plünderung, die Reformagitation nur als einen Vorwand für diese
verderblichen Entwürfe darstellten, hatten eine lächerliche Aehnlichkeit mit ähnlichen Vorgängen von 1794—95, und erwiesen sich
später, nach den Thatsachen die aus den Gerichtsverhandlungen
hervorgingen, als die Erzeugnisse furchtgeblendeter Geister, die sich
ihr Urtheil aus höchst unverläßigen Vorlagen gebildet. Mit den
verlangten Gewalten ausgestattet, ließ die Regierung dann die
Spafieldsaufrührer festsetzen, nicht in Newgate sondern im Tower,
und nicht wegen Tumults (riot), nicht wegen gesetzwidriger Versammlung und aus ihr erfolgter gewaltthätiger Handlungen belangen, wofür eine Haftstrafe erkaunt werden konnte, sondern sie ließ
sie wegen Hochverraths, auf dem der Tod stand, vor die Kings
Bench stellen. Auch dieß war eine gehäſſige Erneuerung eines tief
verhaßten Verfahrens in der Revolutionszeit, wo Lord Eldon (selbst
nach Georg's III. Meinung) die Regierung „auf einen Holzweg"
geführt hatte, als er 1795 dem unbrauchbaren Hochverrathsgesetz
aus der Zeit des Feudaltrotzes (unter Eduard III.), das die Strafe
des Hochverraths nur auf bewaffnete Anschläge auf des Königs
Leben setzte, eine höchst vage Ausdehnung gab" auf Entwürfe einer
Verletzung des Königs und auf Einschüchterung des Parlaments.
Mit all diesen Schritten aber schien der Regierung noch nicht genug
gethan, wenn sie nicht die Reformagitation in der Saat erstickte,

---

46) In einer jetzt nicht mehr beachteten treasonable attempts bill.
S. Lord Campbell, lives of the Lord Chancellors. 7, 115.

wenn sie nicht nach Unterdrückung der Hauptenclubs auch den gefürchteten Terroristen Cobbett zum Schweigen brachte, wenn sie die Despotie jener wohlfeilen Presse nicht brach, deren Wirkung auf die heute verzehnfachte Gewalt der öffentlichen Meinung selbst bei einem Canning gefürchteter war als alles Andere. Es erging also ein Circular[1] an alle Lordlieutnants mit einer Erklärung, daß *27. März.* die Friedensrichter jede Person, die vor ihnen eidlich der Veröffentlichung einer aufrührerischen oder gotteslästerlichen Schrift beschuldigt würde, verhaften und unter Bürgschaft nehmen könnten, ohne erst die Versetzung in Anklagestand durch den Spruch der Großjury abzuwarten. Dieser Schritt ward von den Grey und Erskine als einer der keckſten Eingriffe in die öffentliche Freiheit denuncirt[47]; denn wenn diese ministerielle Auslegung des Landesgesetzes, diese Winke über die Ausübung einer discretionären Gewalt der Provincialmagiſtrate verstanden wurden, wie sie gemeint waren, so war jedem oppositionellen Schreiber der Strick, wenn nicht um den Hals, wie Cobbett sagte, so doch um die Hände gelegt.

Bei diesen ernsten Gelegenheiten war es nun, wo die Regierung die dauernde Festigkeit ihrer Stellung im Parlamente prüfen *Zunahme der Unpopularität der Regierung.* konnte. Die vier von ihr beantragten Gesetze waren ihr durch große Mehrheiten gewährt worden, obgleich sich die Stadt London in Eingaben dagegen gerührt, obgleich die Anklagejury von Norwich Widerspruch gegen behauptete Thatsachen der Ausschußberichte erhoben hatte. Auch die Rechtmäßigkeit des Circulars an die Lordlieutnants wurde von beiden Häusern ausgesprochen. Und noch im folgenden Jahre, als die Regierung, wie es Gebrauch ist, eine Indemnitätsbill für die Beamten vorlegte, die unter den Ausnahmsgesetzen gehandelt hatten, erhielt sie auch diese ohne alle Schwierig-

---

47) Hansard, parl. debates. 34, 474.

keit. Allein die öffentliche Meinung und der Instinct des Volks-
urtheils befand sich mit Parlament und Regierung allerdings auch
jetzt wieder einmal in starkem Widerspruch. Die Lärmrufe der Tories
riefen die Lärmrufe der Demokraten wach; den Handlungen der
Regierung, deren Zuständigkeit und Zuträglichkeit so bestritten war,
warfen sich Gegenhandlungen im Volke von ganz gleicher Natur
entgegen. Wenn man einen Bentham über die freiheitsmörderi-
schen Uebergriffe des neuen Despotismus ausfahren hörte, so war
es, als ob die Zeit der Abscheuabtressen und der Verbote aller Bittschriften unter Karl II. wiedergekommen wäre; und Cobbett, als
er sich zu dem vielgescholtenen Schritt treiben ließ[1], für einige Zeit
außer Landes zu gehen, schrieb von Amerika aus die „Geschichte
der letzten Tage der englischen Freiheit"[46]. Keiner der
Gegner des Regierungsverfahrens, das nach festländischer Art das
ganze Volk für die Schuld höchst kleiner Bruchtheile bestrafte und
die Habeas Corpus Acte suspendirte eben in solcher Zeit, wo sich
ihr schönes Vorrecht grade bethätigen sollte, keiner, der sich nicht
angestellt hätte, als wäre die Zeitweiligkeit dieser Maasregel nur
eine Maske, keiner, der nicht den Ministern die Plane dauernder
Verkürzung der Freiheiten zugetraut hätte. Das waren nur Worte.
Bei den verschiedenen eingeleiteten Prozessen aber gaben die Geschworenen der Regierung sehr empfindliche thatsächliche Zurecht-
weisungen. Auch auf der Volksseite wiederholte sich nun, was in
der Revolutionsperiode bereits erlebt worden war. Wenn damals
die gesetzliche Freiheit, dem Volksverlangen durch Versammlungen
und Bittschriften Luft zu machen, beeinträchtigt worden war wie
heute, so hatten sich die Geschworenen unter dem Schilde ihrer
Unverantwortlichkeit nicht selten den gefährlichen Uebergriff über ihre
strenge Befugniß erlaubt, ein unangemessenes Gesetz wirkungslos

27. März.

---

46) Selections 5, 203 ff.

zu machen, einen schlechten Brauch durch einen guten Geist zu
beffern; aber fie hatten bei diefen Ueberfchreitungen, die aus einer
köftlichen Empfindlichkeit des Rechtsgefühls ftammten, faft allezeit
auch jenes köftliche Maas bewährt, das diefes Volk, weil es Herr
feiner felbft zu fein weiß, vor jeder anderen Eigenfchaft zum Be-
herrfchen der Welt befähigt. So kam es auch jetzt wieder. Als der
ältere Watfon (deffen Sohn entkommen war) wegen feiner Theilnahme an dem Spafieldstumult vor den Gefchworenen ftand[1], '16. Juni.
wurde er unter dem Jubel des Volks für fchuldlos erklärt, worauf
der Staatsanwalt, wie es üblich ift, die Verfolgung auch feiner
Mitfchuldigen fallen ließ. Allgemein aber war man der Ueberzeugung, daß wären fie blos wegen Tumults unter erfchwerenden
Umftänden angeklagt gewefen, fie unfehlbar verurtheilt worden
wären; denn feit jenen berüchtigten Prozeffen der Revolutionszeit
gegen die Muir, Hardy und Horn Toofe hatte fich in dem Volke
die Meinung befeftigt, die gleichfam auf das Eduard'fche Hochver-
rathsgefetz zurückging, daß das Verbrechen des Hochverraths von
Menfchen der unteren Volksklaffen ohne Mittel und Macht überhaupt nicht begangen werden könne. Jene Ruheftörer in Loughborough[1] und Andere, die man nicht wegen politifcher Verbrechen 'f. o. S. 82.
angeklagt hatte, waren[1] noch in aller Strenge abgeurtheilt worden; '1. April.
die Manchefter Blanketeers dagegen wurden alle, nachdem inzwifchen
das Spionirfyftem der Regierung aufgehüllt worden, freigefprochen;
und nach dem Schluffe des Prozeffes der Yorkfhire Infurgenten[1] '22. Aug.
konnten nur zwei davon in Haft gehalten werden und auch diefe
nur in Folge der Ausfetzung der Habeas Corpus Acte. Härter
waren die Urtheile über die Derby-Aufrührer[1], unter denen fich 'im Oct.
aber auch Brandreth auf dem Marfche nach Nottingham eines
Mordes fchuldig gemacht hatte. Wogegen wieder in den kleinlichen
Preßverfolgungen die Volksmeinung der Regierung am feindfeligften ·
war: weil jeder ächte Engländer das Wefen der allgemeinen Freiheit

mehr als in der Form der Verfassung, mehr als in der Verwaltung
der Gerechtigkeit in dem Recht der freien Rede und Schrift, in der
gesetzlichen Unmöglichkeit jedes imprimatur und dicatur gelegen
steht. Die Regierung leitete gegen einen obscuren Buchhändler
W. Hone drei Prozesse auf einmal ein. Sie beschuldigte ihn der
gotteslästerlichen Parodie verschiedener Kirchenformeln; was sie
aber eigentlich gereizt hatte, war, daß er sich in diesen Parodien
politische Reibereien an den Ministern erlaubt und daß er in einem
reformer's register den radicalen Reformantrag des Herzogs von
Richmond von 1780 wieder hatte drucken lassen. Der seltsame Sonderling, der sich aus Armuth selbst vertheidigte, machte an den drei
'17—20. Dec. Tagen seiner Prozesse[1] durch seine ruhig eindrucksvolle Darlegung
bei den Geschworenen, achtbaren Londoner Kaufleuten, solchen
Eindruck und erregte allgemein ein solches Interesse, daß er alle
drei Male freigesprochen ward unter einem Volksjubel, wie er seit
der Befreiung Hardy's nicht wieder erlebt worden war.

Wiederholter   Die Regierung, die in England mit diesem Verfahren auf so
Nothstand des
Landes.   viel empfindlichen Widerstand stieß, hätte sich in jedem festländischen
Staate die dankbarste Anerkennung verdient durch ihre mit Gesetzlichkeit und Strenge verbundene Milde. Die Befürchtungen, die
die Minister gehegt, waren übertrieben gewesen; es blieb freilich
in Frage, wie weit die Bewegung im Volke hätte führen mögen,
wenn sie nicht so rasch auf dem Plane waren, ihr Einhalt zu thun.
Sie durften sich ihrer Energie rühmen, sie rühmten sich ihrer Mäßigung, mit der sie ihre außerordentlichen Vollmachten nur wie ein
Damoklesschwert über den Häuptern der Factionäre schweben ließen,
der verhüllten Statue der Freiheit den Schleier schnell wieder entnahmen und so die Verdächtigungen der Opposition Lügen straften.
Es blieb freilich auch auf dieser Seite in Frage, wohin der Hang
nach continentaler Regierungswillkür die Verwaltung geführt haben

könnte, wenn ihr durch den kräftigen Widerstand im Volke die
Mäßigung nicht wäre geboten worden. Die Whigs, die sich, in
kleiner Zahl zwar, ihren eingeschlagenen Wegen entgegenwarfen,
hatten aufs neue festeren Fuß gewonnen; die Regierung hatte mit
ihrem Repressionssysteme eben so viel Gunst wie mit ihrem Finanz-
systeme verscherzt; schon[1] hieß es in bestimmten Gerüchten, daß sie [1817]
sich mit den Grenvilles zu verstärken sänne. Nach völlig hergestellter Ruhe[1] lüpften sich die Flügel der Oppositionsparthei stärker und [1818]
stärker; es gab Buchhändler, die auf einen nahe bevorstehenden
Regierungswechsel zu Gunsten der Whigs förmliche Speculationen
machten. Dieß war die Zeit, wo die Besetzung Frankreich's zu
Ende ging, wo sich dort die freisinnigen Richtungen Bahn brachen,
wo es Augenblicke hoffnungsvollerer Aussichten in Deutschland,
Spanien und Italien gab, die sich aber zu bald wieder verdunkeln
sollten; alle dieselben Erscheinungen zeigten sich auch in England.
Die äußere Lage fing sich mit dem Jahre 1818 an merklich zu
bessern. Unternehmungen, Verbesserungen, Bauten, der wachsende
Luxus der Mittelklassen bestätigten die früheren Voraussagen der
Regierung, daß man es nur mit einer vorübergehenden Verlegenheit zu thun gehabt, und schienen die Hoffnungen zu rechtfertigen,
die sie jetzt auf eine bessere Zukunft gab. Auf die bisherige Ge-
schäftsunlust, den Waarenüberfluß, die gesunkenen Preise, die ein-
geschränkte Zufuhr von 1816—17 folgte ein Zeitpunct der Erschöpfung der Vorräthe, der steigenden Preise, der Wiederbelebung
des Unternehmungsgeistes. Dieser ökonomische Aufschwung wirkte
auch auf den politischen Geist ermunternd über. Kaum war mit
dem Eintritt der Sitzung von 1818 die Suspension der Habeas
Corpus Acte erloschen, so flackerte das Feuer der Reformbewegung
wieder auf, das seit der Verfolgung der Hampdenclubs wie aus-
gebrannt war. Einzelne zähere Naturen, die für die lärmenden
Tumulte nicht taugen, aber in Zeiten des Druckes den sinkenden

IV.   7

Geist durch ihren moralischen Muth emporheben, hatten den Funken doch glimmend erhalten. Die wissenschaftliche Presse hatte begonnen, die Sache der Reform mit rechtlichen und historischen Gründen zu unterstützen. Bentham ließ 1818 seinen Reformkatechismus in allgemein faßlicher Gestalt ausgeben und wurde von den Westminster Hausbesitzern mit einem Dankvotum belohnt. An ihm suchte sich jetzt Fr. Burdett eine Stütze, und ließ sich 26 Propositionen von ihm entworfen, die er im Unterhause[1] beantragte. Er blieb mit Lord Cochrane ganz allein und verlassen. Man hätte das auf den radicalen Inhalt seiner Anträge schieben können; aber auch ein sehr unschädlicher Antrag Lord Archibald Hamilton's auf Reform der Gemeindeverfassung der königlichen Landstädte in Schottland wurde ohne Theilung des Hauses abgewiesen, da die Minister bloß für wenig anderes als Parlamentsreform überhaupt erklärten! Auch in diesem Falle aber zeigte sich wieder, wie anderen Sinnes das Volk war als das Parlament: bis zum folgenden Jahre regten sich unter jenen 66 Städten die größten und meisten, 39 mit 420,000 Einwohnern, in Beschlüssen zu Gunsten dieser Reform. Ihre Eingaben konnte dann[2] Hamilton im folgenden Jahre wenigstens in einen Ausschuß bringen, so wie Burdett in der nächsten Sitzung um einen gemäßigteren Antrag auf Untersuchung des Zustandes der Vertretung wieder 58 Stimmen versammeln konnte. Gleichzeitig mit diesen geordneteren Bewegungen regte es sich aber auch jetzt[3] schon wieder in allen Manufacturdistricten unter den Arbeitern in Berathungen über den niederen Stand des Lohnes, die sich sogleich wieder in die politische Frage der Parlamentsreform hinüberspielten. Denn schon wieder galt es jetzt um Rath und Abhülfe einer neuen Katastrophe der Landesnoth. Die letzte Unternehmungslust in der kaufmännischen Welt hatte alsbald wieder zu überspannten Speculationen verleitet; auf den zeitweiligen Stillstand der Zufuhr war neue Ueberfüllung, auf den raschen Schwung ein neuer Absturz der

(2. Juni.)
(1819.)
(Juni. Juli.)

Preise, und in seinem Gefolge Verlust und Bankbrüche in Menge
eingetreten. Es kam zu neuen Ruhestörungen durch die nothleiden-
den Klassen, es kam in den höheren Ständen zu einem neuen Kriege
der Meinungen über die Natur und die Abhülfe der Bedrängniß,
in dem sich der Verstand der Einsichtigsten vor den Grillen der Un-
verständigsten kaum Raum schaffen konnte. Die Klügler, die Theoristen, die Partheifanatiker wetteiferten in gekünstelten Aufstellungen
über die Krisen des verderblichen Preiswechsels in allen Dingen
mit den Interessirten (besonders der Landwirthschaft), denen es
diente Vorwände zu haben, die Aenderungen der Preise nicht auf
ihre natürlichsten Gründe (in den veränderten Umständen, die die
Waaren unmittelbar betreffen), sondern auf andere erdachte und er-
dichtete zu schieben. Besonders Ein unbestimmter Eindruck hatte
sich der Menschen bemächtigt, seit 1797 die Baarzahlungen der
Bank waren eingestellt worden, als ob die hohen Preise im Kriege
durch die in Folge der Bankrestriction übertriebene Vermehrung der
Banknoten und ihre Entwerthung veranlaßt und alle späteren
Schwankungen aus entsprechenden Veränderungen in der Papiercirculation zu erklären seien. Das Verhältniß der ganzen Summe
der umlaufenden Banknoten zu dem Belaufe der zu Einer Zeit umlaufenden (geschweige während des ganzen Jahres ausgestellten)
Wechsel in England war zwar allezeit so unbedeutend, daß dieß
allein die Geringfügigkeit der Wirkung des Papiers auf die Preise
hätte anschaulich machen und die herrschende Ansicht umstoßen
müssen, der die Regierung schon 1811, aber vergebens, widersprach;
der Schein war ihr günstig, und den Thatsachen Zwang anzuthun
kostete keine Mühe. Waren 1814—16 alle Preise gesunken, so
sollte der verbesserte Cours der (angeblich) reducirten Banknoten und
die Vorbereitungen zur Wiederaufnahme der Baarzahlungen der
Bank die Ursache sein, die gesetzlich nach dem Frieden Statt haben
sollte; stiegen die Preise wieder 1816—18, so war die Schuld,

7*

daß die Regierung diese Maasregel auf zwei Jahre verschob und
daß sich in Folge davon die Papiercirculation (angeblich) wieder
erweitert hatte. Und jetzt erlebte man wieder den neuen Druck auf
den Handel, klärlich weil es nun endlich Ernst mit der Aufhebung
der Bankrestriction werden sollte. Die Art und Weise, wie auch
diese Maasregel, das Ergebniß der Sitzung von 1819, zu Parthei-
zwecken ausgebeutet ward, und wie auch in diesem Falle wieder die
Regierung einen Theil ihres schwindenden Credits einbüßte, nöthigt
uns, einen Streifblick wenigstens auf die Geschichte der Bankrestriction zu werfen, obgleich wir an den ökonomischen Verhältnissen der Staaten, als an Nebenwegen der Specialgeschichte, um
so mehr vorüberzugehen neigen, als wir an anderem Orte die ungeheuren materiellen Entwicklungen des Zeitalters, den geistigen
Bewegungen gegenüber, in Ueberblicken des großen Ganzen darzustellen haben.

Die Bank-
restriction.   In einem Zeitpuncte großer Erschöpfung ihrer Metallvorräthe
war die Bank 1797, zum ersten Male im Verlaufe ihrer Geschichte,
von Regierungs wegen zur Einstellung der baaren Einlösung ihrer
Noten erst auf beschränkte Fristen ermächtigt worden; dann hatte
Pitt diese sogenannte Bankrestriction (eine Beschränkung vielmehr
der Notenbesitzer) bis zu der unbestimmten Frist von sechs Monaten
nach dem Frieden verlängert. Als blos finanzielle Maasregel wird
heutzutage der Schritt für übereilt angesehen, weil auch früher und
später, 1783 und 1825, das Verhältniß der Papiercirculation zu
dem Metall der Bank dem von 1797 gleich war, ohne daß eine
Restriction nöthig ward; ihre Ausdehnung auf die Kriegszeit, aus
politischen Gründen angeordnet, wird von den Pittisten als eine
erleuchtete und rettende Eingebung der Staatsweisheit ihres Mei-
sters gepriesen, von seinen Gegnern als eben so unerwogen verurtheilt. Die Opposition sah sie im Momente ihrer Verfügung für

staatsgefährlich an und sagte den Ruin der Bank und den Sturz des Landes in die Papiernoth der absolutistischen Festlandstaaten voraus. Die Maasregel schien der Bank für ihre Notenausgaben keine anderen Schranken zu belassen, als die Willkür der Regierung, die Laune der Direction und den Eigennutz Beider; die Directoren wurden aus Geschäftsführern einer großen Geldcorporation zu den alleinigen Ausgebern und Reglern des ganzen Landesgeldes, und die Gesetzgebung gab ihre Machtvollkommenheit in dieser Beziehung für jene unbestimmte Frist aus den Händen. Hatte man schon bei der ersten Begründung der Bank (1694) besorgt, daß sie in ihrer genauen Verbindung mit der Regierung ein bloßes Werkzeug für Regierungsoperationen, für willkürliche Herrschaft und geheimnißvoll verwickelte Verwaltungskünste werden würde, so erneuerte sich jetzt diese Furcht, da man kein Mittel hatte, die Vorschüsse zu controliren, die die Bank durch Darlehen, durch Ankauf von Regierungshypotheken, durch Discontiren von Schatzkammerscheinen der Regierung machte. Alle diese Besorgnisse aber erwiesen sich unbegründet. Die größten Bewunderer der Uneigennützigkeit der Bank[49] müssen zwar zugeben, daß die Gefälligkeit der Regierung von ihr zu unermeßlichen Dividenden benutzt wurde, und daß auch die Regierung sich ihre Dienste, die Restriction und die Erneuerung des Bankprivilegiums, theuer genug bezahlen ließ; gleichwohl hätte in keinem anderen Lande eine solche Anstalt in solcher Lage die gebotenen Vortheile mit so vieler Bescheidenheit benutzt. Gleich anfangs begegnete die verbundene Mäßigung und Umsicht aller interessirten Theile, der Bank, der Regierung, der Kaufmannschaft, die den Mangel an Papiercirculation auch als ein Uebel hatte kennen gelernt,) allen befürchteten Misständen. Bald war die Lage der Bank wieder auf Jahre hin (1802—6, wie sie gewesen wäre ohne

---

49) J. Francis, hist. of the bank of England. 1845. 1, 269.

die Restriction. Sie fuhr in den bedrängten Zeitverhältnissen fort, wie sie gegen das Erwarten der festländischen Geschäftsleute von Anfang ihrer Gründung an begonnen hatte, den Credit und Handel des Landes unter der Gemeinpflege von Volk und Regierung in den Schwung zu bringen, der die Bewunderung der Welt ist. Die Vorschüsse, die sie der Regierung über deren Deposita hinaus machte, stiegen nie viel über drei Millionen; die Papiercirculation wuchs in keiner Weise in einem ungerechtfertigten Verhältnisse; der Stand des Papiergeldes war lange Zeit wie er bei Einlöslichkeit eben auch gewesen wäre; so oft die Ausnahmezustände pausirten, wo die Regierung ungewöhnlich große Zahlungen in die Fremde zu machen hatte, stellte sich der Preis des Goldes al pari her; und dieß Alles trotz der weggenommenen Controle, trotz allen Verlockungen zu Exceß, und selbst trotz irrigen Grundansichten, in denen die Directoren befangen waren. Die gesunde Solidität und Praxis des englischen Staats- und Verkehrswesens hielt von allen Abwegen zurück, kraft der die Regierung den Grundsatz treu einhielt, die schwebende Schuld von Zeit zu Zeit in gewisse Grenzen zurückzuschränken, kraft der die Bank nie eine Note in den Umlauf zwang, sondern zum alleinigen Leiter ihrer Emissionen die Nachfrage nach Disconto nur guter, kurzlaufender Wechsel zu 5% nahm. Glück oder Zufall fügte es, daß der Markt-Zinsfuß für solche Wechsel sich mit großer Gleichmäßigkeit auf diesem selben Stande von 5% erhielt; sonst wäre, bei einer dauernden Steigung desselben, ein Uebermaas der Emission zu befürchten gewesen, da sich die Directoren zu der Meinung bekannten, daß auch bei einer Herabsetzung ihres Discontofußes die Sicherheit gegen alles Uebermaas der Notenausgaben fortbestehen würde. Zu dieser zufällig unschädlichen Irrung kam eine größere schädliche hinzu, daß sie bei der Regelung ihrer Emissionen nicht auf die Schwankungen des Wechselcurses achteten und eine gegenseitige Einwirkung zwischen beiden nicht

ftatuirten. In all den wiederkehrenden Zeitpuncten von 1799, 1808
und später, wo der Druck großer auswärtiger Zahlungen auf dem
Lande laftete, wo sich der Gleichstand zwischen Gold und Papier
verrückte, weil die Verbindlichkeiten in der Frembe die Summen
weit überschritten, die rechtzeitig durch Waarenausfuhr gedeckt werden konnten, hätte die Bank nach der Kritik der Horner u. A. den
steigenden Verwendungen sei es der Regierung um Vorschüsse, sei
es der Handelswelt um Disconto widerstehen, durch diese Beschränkung ihrer Circulation den kaufmännischen Speculationsgeist dämpfen, den Belauf der Einfuhr (und dadurch den der auswärts zu
zahlenden Summen) herabbrücken sollen, während sie, nach einem
früher gemachten und später wiederholten Fehler, die Circulation
vielmehr noch erhöhte, dadurch den Abfluß des Goldes erleichterte
und seine Divergenz vom Papiere veranlaßte, die zuletzt (1814) bis
zu 30% stieg. Seit dem Eintritt dieser Divergenz nun war es
gewesen, daß man sich in England in einem, durch die Einwirkungen der großen Interessen und der Partheileidenschaften ungeheuer
verbitterten Kampfe zu streiten begonnen, ob das Papier durch
Ueberfluß entwerthet oder das Gold durch Abfluß vertheuert sei,
ob die steigenden Preise aller Dinge dem verringerten Werthe des
Papiergeldes oder anderen Einwirkungen des Krieges zuzuschreiben
seien. In diesem Kampfe blieb langehin die Obhand der irrigen
Ansicht[50], die in keinem andern Lande Europa's auffommen konnte,
wo die Preisschwankungen in jenen wechselvollen Jahren nicht
minder ungewöhnlich waren. Als 1810 ein Ausschuß des Unterhauses über die Frage des Geldwesens zu berichten bestellt ward
und 1811 Fr. Horner seine berühmten Anträge zur Aufhebung der
Restriction stellte, waren weder die Berichterstatter noch die Minister

50) Der das berühmte Werk von Tooke, hist. of prices später so gründlich widersprach.

weder unter sich einig noch mit sich selber im Klaren; die Partheien
theilten sich in die Wahrheit; die Regierung erkannte die Gründe
der Papierentwerthung besser, die Opposition sah in der Prinzipien-
frage richtiger. Vansittart entrüstete damals alle gute Herzen und
Köpfe in England, als er die Lehre von einer festen Geldwährung
abzuwerfen, das Grundprinzip des Geldsystemes nach dem zufälligen Stande des Umlaufsmittels zu beugen suchte, indem er seine
berüchtigte Erklärung durchsetzte: „daß die Banknoten in der allgemeinen Schätzung für gleichgeltend mit der gesetzlichen Reichsmünze
gehalten und überall so angenommen würden!" Diese Behauptung
(die das Publicum von Parlaments wegen einig erklärte über die
Streitfrage, die alle Meinungen in Aufruhr setzte,) und das entsprechende Gesetz, das die Annahme von Gold zu mehr als seinem
Münzpreise, und von Papier zu weniger als seinem Nennwerthe
als ein Vergehen erklärte, konnte natürlich an dem wirklichen Stande
der Dinge nichts ändern. Kurz vor dem Frieden war die Lage der
Bank am außerordentlichsten: die Notencirculation auf 25 Mill.
gestiegen, Metall nur etwas über 2 Mill., das Gold 5 £ 8 sh.,
weit über dem Münzpreise (3 £ 17. 10½ die Unze), das Papier
30% im Werthe gesunken. Trotz dieser so hoch gestiegenen Papier-
masse aber fiel der Preis des Goldes sechs Monate nach dem Frieden schon auf 4 £ 5 sh., und hätte die Bank nur in eben diesen
Monaten nicht ihre Circulation noch um 3 Mill. vermehrt, so würde
sich der Werth des Papieres schon jetzt gänzlich hergestellt haben.
Gleich damals wurden daher neue Anträge auf Herstellung der
Baarzahlungen gestellt. Die Regierung aber, anfangs in Rücksicht
auf ihre Benöthigung von Bankvorschüssen, dann auf die bedrängte
Landeslage, verschob die Maasregel erst bis Mitte 1816, dann
noch zwei Jahre weiter. Die Opposition drängte fortwährend,
dem Zustande der Schwankungen in den Umlaufsmitteln ein Ende
zu machen, der zu einer Zeit den Gläubiger auf Kosten des Schuld-

ners, zu anderer den Schuldner auf Kosten des Gläubigers begünstigte. Das stärkste Mistrauen verdächtigte die Absichten der Regierung, der Bank und des coalirten „Landinteresses"; ein unge-
heuerliches Project der Regierung, mit der Restriction das Korn
theuer zu erhalten, schien sich zu verrathen, als man damals geschäftig die Nachweisungen verbreitete, wie eine fortwährende reich-
liche Notenemission den Walzen wieder bis zu 100 sh. treiben
würde. Man sah auch jetzt zu finster. Die Bank begann schon
1817 wieder, einen Theil ihrer Noten in Münze zu bezahlen; und
das Vertrauen war so groß, daß nur sehr geringe Anforderungen
gemacht wurden. Die Restriction hätte sich 1818 von selber aufgehoben, wenn nicht die großen Finanzoperationen jener Zeit das
Geldwesen noch einmal in Unordnung gebracht hätten. Auch jetzt
versäumten Regierung und Bank die Anzeichen zu beachten, die
einen Zudrang zu ihrem Metalle vorhersehen ließen. Grade als[1] *Anf. 1817.
in Folge der großen Anleihen Frankreichs und anderer Staaten der
Preis des Goldes zu steigen begann, setzte die Regierung unter
Mitwirkung der Bank die Interessen der Schatzscheine unzeitig
herab, was die Reigung verstärkte, englische Capitalien in die vortheilhaften fremden Anleihen zu schießen; der neu gestörte Gleichstand zwischen Gold und Papier nöthigte zu einer neuen Verlän-
gerung der Restriction um Ein Jahr. Dann endlich wurden[1] die *Febr. 1819.
Vorbereitungen getroffen, die das Geldwesen in seine alte Ordnung
herstellen sollten. In und außer dem Hause wurden nun die letzten
krampfhaften Anstrengungen gemacht, um der Aufhebung der Restriction auch jetzt noch zu begegnen. Die Landinteressenten dachten
durch Fortsetzung der Bankbeschränkung auch jetzt dem damals wieder vorausgesehenen Fallen der Kornpreise zu begegnen. Die das
Uebel der Zeit in der ungeheueren Landesschuld und in dem Mis-
stande gelegen sahen, daß die großen neueren Posten derselben seit
1797 in einem Gelde von vermindertem Werthe contrahirt waren

und nun in vollwerthigem Gelde verzinst oder bezahlt werden sollten, versöhnten sich mit dem Gedanken, aus den Folgen der vorübergehenden Nothmaasregel der Restriction (der Papierentwerthung) einen dauernden Staatsvortheil zu ziehen und zu dem größeren oder kleineren Treubruch, der darin gelegen war, das Auge
zuzudrücken. Nicht daß die Leute zahlreich gewesen wären, die gern
mit dem Schwamm über die Schuld hinwegfahren wollten, in dem
Sinne jener Volksversammlungen, die die Schuld für die Nation
nicht anerkennen, sondern den Wählern der Scheinvertretungen zuschieben wollten, von denen das Geld geborgt worden sei; wohl
aber trugen sich Unzählige in allen Klassen und Ständen mit allerlei Planen, zu einem Abkommen mit den Staatsgläubigern, zu
einer Verständigung über die Verträge nach einem mittleren Stande
der Entwerthung des Papiers zu gelangen, oder kurzer Hand die
Währung ein Paar Töne herunterzuschrauben, um 20, ja um 40%.
Und nicht etwa nur die ergrimmten Demokraten wie Cobbett fielen
auf diese Gedanken (der damals „sein Leben einsetzte", daß die Aufhebung der Restriction die unseligsten Folgen nach sich ziehen würde)
sondern auch ein Tory wie Lord Dudley fand sich und das Volk
geneigt, zu einem auch noch so schlecht verschleierten Bankerut durch
die Finger zu sehen, und Lord Russell sah die Dinge noch 1822
darauf an, daß die Zeit doch kommen müsse, wo die Zahlung der
vollen Dividende mit der Sicherheit des Staates nicht weiter ver-
einbar sein würde. Ohne uns auf die Frage einzulassen, ob die
während der Restriction gemachte Schuld wirklich in einem werth-
loseren Gelde war aufgenommen worden, und auf die Berechnungen, ob der Staat jenen Gläubigern, denen er ihre vor der Restriction gemachten Darlehen während derselben in werthverrin-
gertem Gelde verzinste, mehr Schaden zugefügt habe, als Vortheil
den Andern, denen er die während der Restriction in einem
werthverringerten Gelde gemachten Darlehen nach derselben in

vollwerthigem Gelde verzinste, so mußte in dieser Sache doch ganz allein die Rücksicht entscheiden, daß die Zusage der Regierung, nach dem Frieden die Baarzahlungen in der ursprünglichen Landeswährung herzustellen, eine der Bedingungen jeder gemachten Anleihe war, ohne die sie gar kein Geld bekommen hätte. Zu dieser Ansicht hatte jetzt der finanzielle Instinct und das moralische Gefühl im Lande aus allen früheren Abirrungen zurückgeleitet. Als die Regierung[1] durch Robert Peel die allmählige Wiederaufnahme der Baarzahlungen empfahl, wurde dieß im Hause allgemein als eine von Treue und Gerechtigkeit gebotene Maasregel ohne Eine Gegenstimme auf- und angenommen. Von den trüben Weissagungen über diesen Schritt traf keine ein. Die Bank legte selbst die ihr bewilligte Scala, die die volle Wiederaufnahme der Baarzahlungen bis 1822 hinausschob, Ein Jahr früher zur Seite. Die „Peel's Bill" war, so weit sie die Regulation der Notenausgaben oder irgend einen Theil der Lage der Bank betraf, wie ein todter Buchstabe ohne Wirkung. Aber die Regierung gab sich durch sie einen neuen Stoß, da sie sich auch jetzt wieder eine so große Maasregel von ihren Gegnern hatte auflegen lassen. Sie hatte sich, indem sie dazu schritt, gleichsam selbst verlassen, da sie derselben früher — und zwar nicht wie Canning aus bloßen Rücksichten der Zeitgemäßheit, sondern aus Prinzip, so entschieden entgegen gewesen war. Es waren wesentlich die Beschlüsse Franz Horner's, denen Robert Peel 1811 zuwidergestimmt hatte, die er jetzt mit der Erklärung einbrachte, daß er seitdem seine Ansichten, selbst trotz der ehrwürdigen Autorität seines eigenen Vaters (eines geschworenen Pittisten) gänzlich geändert habe. Man spottete damals dieser lächerlich-ärgerlichen Belehrung[51] des Mannes, der sich eben herabgelassen habe, „so viel Staatswirthschaft zu lernen, als vor 20 Jahren alle

marginal note: 19. April.

---

51) Letters of the earl of Dudley. p. 223.

Studenten in Edinburg gewußt hätten!" In der That war sie ein
bedeutsames Zeichen in der Geschichte dieses Mannes, ja in der
ganzen Geschichte der Partheien, die mehr und mehr aus solchen
folgenreichen Beispielen der Gelehrigkeit lernen sollten, den Eigensinn der Partheisucht zu überwinden.

Neue Bewegun-
gen unter den
Radicalen.   Man erwartete auch jetzt wie 1816 einen Ministerwechsel, eine
Ersetzung Vansittart's durch Peel; die Verwaltung aber, an Eldon's
zäher Stellensucht geschult, zog vor, sich nur durch Wellington's
Eintritt in das Feldzeugamt zu verstärken. Diese Beziehung gewährte eine kräftige Unterstützung in der fortgesetzten repressiven
Politik, durch die sich die Regierung fortgesetzten und gesteigerten
Haß zuzog. Die Aufregung der unteren Volksklassen, die unter
dem neuen Nothstande des Landes wiedergekehrt war, rief eine Kette
von neuen Friedenstörungen hervor, die die Unruhen von 1816—17
in einer Reihe sehr ähnlicher Kundgebungen wiederholten, nur daß
sie um Vieles verschärft schienen durch die Einwirkungen der gleichzeitigen äußeren Ereignisse, der Meuchelmorde, der Verschwörungen,
der Militäraufstände in Deutschland, Frankreich und Spanien. Bei
jenen neuen Versammlungen der Arbeiter in den Manufacturdistricten hatten schon die aufgesteckten Freiheitshüte und andere Symptome
die Wachsamkeit der Polizei erregt; in Blackburne bei Manchester
that sich ein weiblicher Reformclub auf; die Reformer und Demokraten, die jetzt den Namen Radicale annahmen, begannen wieder
Sommer 1819. geregeltere Operationen; Berichte der Lancastermagistrate' zeigten
nächtliche Uebungen der Arbeiter im militärischen Marschiren an.
Es geschah dieß zwar nur in der unschuldigen Absicht, bei einer
großen Versammlung in Manchester nicht in dem schmutzig wilden
Aufzuge wie sonst, sondern in guter Haltung zu erscheinen; die
beabsichtigte Versammlung selbst aber war ein Anzeichen von der
neu erwachten Kühnheit der Reformer. In dem unvertretenen

Birmingham, wo die größere Noth den radicalen Doctrinen größere
Ausbreitung gab, war kurz vorher[1] von einer Volksmasse von 12. Jul.
15,000 Menschen Sir Charles Wolseley zu einem „legislatorischen
Anwalt" gewählt worden, mit dem Auftrage, seinen Sitz im Unter-
hause in Anspruch zu nehmen. Wenige Tage nachher wurden in
Leeds ähnliche Beschlüsse gefaßt, und nun suchte die Regierung
durch die Verhaftung Wolseley's einzuschrecken. Dieß hinderte nicht,
daß man in Manchester eben jene Versammlung zu dem gleichen
Zwecke veranstaltete, das Beispiel Birminghams nachzuahmen.
Die Behörden untersagten sie als ungesetzlich; die Urheber änderten
Namen und Zweck und sagten eine Reformversammlung an. Sie
hatte auf dem (nun ganz überbauten) Petersfeld in Manchester[1] 16. Aug.
Statt, wo sich aus den Nachbarorten Tausende von Menschen,
geschaart und gereiht, ohne Waffen, mit einigen drohenden Inschrif-
ten, aber auch „mit Lorbeerzweigen zum Zeichen des Friedens"[52]
zusammenfanden. Ein Ausschuß von Grafschaftsmagistraten hatte
zuvor, in Berathung mit einigen Notabeln der Stadt, beschlossen
das Vorhaben nicht zu hindern, wohl aber die Leiter und Anstifter,
H. Hunt und Genossen, in der Versammlung selbst zu verhaften.
Am Tage der Versammlung war der Magistrat in einem Privat-
hause auf der Südseite des Platzes versammelt. Der Oberconstabel
ließ ihn wissen, daß er ohne militärische Hülfe nicht im Stande sei,
die Führer zu verhaften; man beorderte sofort die Yeomanry, ein
Vierzig berittene Miltzen, meist reiche Fabricanten, dem Constabel
beizuspringen; der kleine Trupp wurde aber in der ungeheuren
Menge, die sie schreiend begrüßte, gleichsam aufgesogen, zerstreut
und einzeln eingekeilt. Bei dem Anblick dieser lächerlichen Scene
gab der Magistrat in der Meinung, die Yeomanry sei von dem
Volke angegriffen, den Befehl zur Zerstreuung der Versammlung.

52) Bamford.

Zwei Schwadronen Husaren fielen hierauf mit blanken Waffen in einem verderblichen Stoße auf die wehrlose Menge beider Geschlechter, aus der, gequetscht, gedrückt, überritten, übertreten, bei 400 Menschen verwundet und einige wenige getödtet wurden. Keine Gewaltthat war von den Versammelten begangen worden. Die Aufruhracte war verlesen, aber die gesetzliche Stunde Frist war nicht vorüber, nach deren Verlauf erst die gewaltsame Zerstreuung hätte Statt haben dürfen. So war sie ein höchst gesetzwidriger Act einer schwachen Behörde, die in einem panischen Schrecken den Kopf verloren hatte. Selbst ein Lord Eldon fand es mißlich, diese Behörde in dieser Sache zu stützen, wenn die Versammlung blos ungesetzlich gewesen wäre; aber es kostete ihn nichts, sie mit schamloser Stirne zu einem Acte des Hochverraths zu stempeln, der er doch selbst nachher nicht wagte, die Anstifter wegen Hochverraths belangen zu lassen; es kostete ihn nichts, mit den schnödesten Sophismen selbst die Versäumniß der Frist nach der Lesung der Aufruhracte zu rechtfertigen[53]. Lord Sidmouth beeilte sich, die guten ergebenen Tories des Magistrats ausdrücklich wegen ihres kräftigen Einschreitens zu beloben, und als der Londoner Stadtrath dem Regenten eine Adresse über das Ereigniß einreichte, mußte auch der Fürst seine Billigung des Verfahrens in Manchester aussprechen. Aber dieß hatte jetzt nicht mehr die Wirkung, wie zwei Jahre zuvor seine Anrede an den Lord Mayor Wood. Das Manchester „Blutbad" brachte das ganze Land in eine unsägliche Aufregung. Eine Anzahl der größeren Städte schlossen sich der ungnädig aufgenommenen Londoner Adresse an; in allen Landestheilen wurden Versammlungen gehalten, auf denen die stärksten Beschlüsse gegen die Regierung und gegen den Magistrat von Manchester durchgingen; aus den Arbeiter-Meetings kamen die kecksten Erklärungen und keine

---

53) Pelham 3, 287.

Behörde wagte ſie zu ſtören; die Mittheiluugen an die Regierung
ſtellten das Land wie am Vorabend einer Inſurrection dar. Und
nicht blos Bürger und Arbeiter gaben dieſe Stimmen der Mißbilligung ab: an einer Verſammlung der Stadt York[1] nahm der Lord- '14. Oct.
lieutnant des Weſtriding, Lord Fitzwilliam, vorragenden Antheil,
ein Mann von Anſehen und Jahren, der in der aufgeregten Zeit
von 1812 der Regierung die treueſten Dienſte geleiſtet und 1816
eher zu den Allarmiſten gezählt hatte. Ein Canning nannte dieß
voller Schrecken eine Schmach für Raug, Eigenthum und Ariſto-
kratie; Kanzler Eldon ſah darin eine Handreichung der Whigs an
die Radicalen zum Sturz der Regierung[54]. Lord Fitzwilliam wurde
ſofort ſeiner Stelle enthoben. Der Miniſter des Inneren handelte
in der Kraft all ſeiner Angſt. Er ließ ſeinen ſträubenden Collegen
nicht Ruhe, bis ſie ſich (eine neue Copie von 1792) zu einer außerordentlichen Berufung des Parlamentes entſchloſſen, dem er die
Verantwortung für die Zuſtände zuſchieben wollte, falls es gegen
den aufrühreriſchen Geiſt nicht handeln wollte wie Er nöthig fand.
Der Regent, der ſchon in einer früheren Thronrede dieſes Jahres
die Reformer beſchuldigt hatte, die glückliche Verſaſſung Englands
umſtürzen zu wollen, motivirte jetzt bei Eröffnung dieſer außerordentlichen Sitzung[1] die neu vorzuſchlagenden Unterdrückungsmaaß- '23. Nov.
regeln durch die weitere Behauptung, daß dieſer verfaſſungsfeind-
liche Geiſt auch auf den Umſturz der Eigenthumsrechte und aller
Ordnung der Geſellſchaft abziele. Lord Sidmouth erklärte die Verſaſſung Englands für gefährdeter als je ſeit der Regierung des
braunſchweigiſchen Hauſes, als er im Oberhauſe ſechs Acte vorlegte, die alle öffentliche Verſammlungen ohne Erlaubniß der Behörden unterſagten, Hausſuchung nach Waffen geſtatteten, hohe
Stempel auf Zeitungen legten, mit Transportation Jeden bedrohten,

54) Twiss, life of Lord Eldon. 1844. 2, 346.

der der Veröffentlichung von Libellen zum zweiten Male überführt
war. Die sechs „Knebelbills" wurden mit der gleichen Beeiferung
im Parlamente votirt, wie die vier im Jahre 1817; aber im Lande
erstickten sie nicht wie damals, sondern schürten das Feuer. In
21. Jan. 1820. Norwich hatte[1] ein Whigmeeting Statt, um diese Blutbills zu
denunciren; der erste Peer des Reichs, der Herzog von Norfolk,
war an der Spitze; der Herzog von Suffex war anwesend und erklärte, daß seine Gesinnungen über diese Acte auch die seines Bruders Kent seien, (von dem er nicht wußte, daß er in diesem Augenblick eine Leiche war.) In den Mittelklassen nährten diese Repres-
sionen die tiefe Verbitterung gegen das Toryregiment, die so viel
zu den nachherigen Reformen der englischen Einrichtungen beigetragen. In den unteren Klassen vollends riefen sie neue blutige
Anschläge hervor. Unter den Spafieldstumultuanten war ein Arthur
Thistlewood verhaftet worden, der zur Zeit von Robespierre's
Falle in Frankreich gewesen und dort von der revolutionären Seuche
war angesteckt worden, die in ihm zur Zeit des Spafieldslärmes
wieder ausgebrochen war. Als damals nach Watson's Freispre-
chung auch Er losgegeben ward, hatte er Lord Sidmouth heraus-
gefordert und war dafür wieder ein Jahr eingesperrt worden. Auch
dieser Haft entkommen traf er gerade in die Aufregung über das
Manchester Blutbad und entwarf nun mit 40—50 Genossen den
Plan, das dort vergossene Blut durch die Ermordung der Minister
zu rächen. Ein Mitverschworner Edwards verrieth den Anschlag,
der sehr unangenehm an die Ermordung Perceval's erinnerte. Lord
Sidmouth ergriff daher die sichersten Maasregeln, die Verschwörer
22. Febr. auf frischer That[1] zu ergreifen. Es war ein Complot, das der
schlechtesten italienischen Mordanschläge würdig war, und es fiel zum
Schmerz aller Besseren ein Schatten auf den Nationalcharakter,
als nachher bei der Hinrichtung Thistlewood's Er mit vier Spieß-
gesellen von dem versammelten Gesindel mit Zuruf empfangen

wurde. Diese Excesse gaben den Ministern wieder stärkere Hand.
Der Schrecken war groß im Lande. Waren Petersfeld, die sechs
Acte, das Ministerattentat verstärkte Auflagen von Spafields, den
vier Bills, dem Attentat auf den Regenten von 1817 gewesen, so
schienen nun auch die Provinzaufstände jenes Jahres wiederkehren
zu sollen. Man war wiederholt von bestimmten Zeitpuncten unterrichtet worden, wo da und dort Ausbrüche Statt haben sollten,
gegen die man militärische Vorkehrungen traf. In den mittleren
und nördlichen Provinzen von England gährte es fortwährend, wo
nun Huddersfield der Hauptheerd der Unzufriedenheit war. In
Glasgow und anderen schottischen Städten fand man[1] aufrührische 'Auf. April.
Anschläge im Namen einer provisorischen Regierung, die die Arbeiter aufriefen und die Soldaten ermahnten, das Beispiel der spanischen Truppen nachzuahmen. Den Besorglichen schien schon die
anstecke nde Kraft der spanischen Revolution bis in diese Fernen
dieses geordneten Landes herüberzureichen; die Sorglosen dagegen
höhnten die ängstliche Regierung aus, sie habe das Datum des
Anschlags, den ersten April, Aller Narren Tag, übersehen. Inzwischen folgte doch diesem scherzhaften Placate in Schottland ein
Zustand wilder Aufregung; alle Arbeit war verlassen; viele Tausende lebten eine Weile in gezwungener Furcht und Bereitschaft, bis
vor der aufgebotenen bewaffneten Macht die Ruhe wiederkehrte.
Der erwartete Ausbruch in England blieb aus; ein Haufe Insurgenten, der von Strathaven in Lanarkshire aussetzte, schmolz zusammen, ehe er nach Glasgow kam; ein anderer zwischen Kilsyth
und Falkirk wurde von 28 Reitern aus einander getrieben. Diese
Hasenjagd nannte man die Schlacht bei Bonnymuir. Die spieß-
bürgerlichen Aufruhrcomödien stellten auch jetzt nur dar, wie übel
angebracht die Ruhestörungen dieses Schlags in einem Lande sind,
wo alle Wünsche und Beschwerden des Volkes so viele natürliche
Ventile haben; wie sehr hier die revolutionären Neigungen nur auf

IV. 8

der obersten Fläche lagen, und wie schnell dieß fremde Unkraut unter dem gesunden Wuchs der englischen Gesetzliebe ersticken mußte. Noch vor Sommer brach die ganze Aufregung im Lande plötzlich ab. Die Ablenkung des Interesses auf die Vorgänge der europäischen Welt gab dazu die ersten Anlässe, die Besserung der inneren Verhältnisse gab der Ruhe nun Dauer. Froh über das Sinken der radicalen Stocks berichtete Castlereagh[1] an Metternich wie an eine höhere Instanz, man habe einen ungeheuren Fortschritt gegen den Radicalismus gemacht, und obgleich das Ungethüm noch lebe, verzweifle er nicht, mit Zeit und Ausdauer es ganz zu zermalmen. Und als im folgenden Jahre Lord Sidmouth von seinem Amte zurücktrat, konnte er sich rühmen, sich seiner lästigen Pflichten nicht eher entledigt zu haben, als bis jede Gefahr vorüber war.

'Mai.

König Georg IV. Noch war der Haß, den sich die Minister durch ihre Haltung in diesen inneren Wirren aufluden, in ganzer Frische, als ein neuer Zwischenfall hinzukam, in dem sie fast alle Reste ihres früheren Ruhmes in eine wahre Schmach vor der Welt verwandelten durch ihre kriechende Fügsamkeit zu einem unwürdigen Dienst, den ihr fürstlicher Gebieter von ihnen forderte, als er eben aus seiner Regentschaft auf den Thron gestiegen war. Große Veränderungen waren im Laufe der letzten Jahre in der königlichen Familie vorgegangen. Des Prinz Regenten Tochter Charlotte, früh vermählt mit dem Herzog Leopold von Coburg, war[1] gestorben und ihr Vater, der von seiner Gemahlin schlimmer als getrennt lebte, war ohne weitere Nachkommenschaft. Ganz neuerlich, mitten in den letzten Aufregungen, haben wir angedeutet, war auch der Herzog von Kent, der vierte Sohn Georg's III., gestorben[1] mit Hinterlassung einer einzigen Tochter, die voraussichtlich die einstige Erbin der Krone wurde. Nur wenige Tage nach ihm[1] starb König Georg III. selber, blind, fast taub, seit neun Jahren ohne helle Momente des

'6. Nov. 1817.

'23. Jan. 1820.

'29. Jan.

Geiftes. Und das Leben feines Nachfolgers felbft war zur gleichen Zeit von einer heftigen Lungenentzündung ernstlich gefährdet. Noch war Georg IV. nicht von dieser Krankheit ganz erholt, als er feinen Ministern das Verlangen stellte, die Scheidung von feiner Gemahlin zu bewirken. Man sagte zur Entschuldigung dieses Begehrens, er habe die Absicht gehabt sich wieder zu vermählen in der Hoffnung, sich noch Erben zu zeugen; allein er hat bald nachher, als dem nichts mehr entgegenstand, eine solche Absicht nicht verrathen. Ihn trieb nichts als ein eingefleischter Haß, sich von dem Weibe loszusagen, in dessen Mißhandlung er die verabscheuungswürdigsten Seiten seines Charakters all sein Leben entwickelt hatte.

In seiner Jugend, wo Englands höhere Gesellschaft die Versailler Sittenverderbniß durchfäulte, war der Prinz von Wales [55], der „feinste Gentleman Englands", früh ausgezeichnet durch männliche Schönheit und bezaubernd durch gefällige Leutseligkeit, allen Einflüssen dieses üppigen Gesellschaftsgeistes bloß gestellt, eine erlesene Zielscheibe aller Versuchungen und Verführungen geworden. Zu der Zeit, als er die whigglistischen Edlen und Commoners, einen Kreis voll funkelndem Witz, Geistesfülle und Unterhaltungsgabe, auf feinem Landsitze zu Brighton um sich sammelte, als er die Männer der glänzenden Lüderlichkeit und Geistesschwelgerei, die Fox und Sheridan, seine Freunde nannte, schien es, als ob die Tage Hal's und Falstaff's sich am englischen Hofe erneuern sollten. Denn gleich schien in dem Prinzen das Zerwürfniß mit dem König und der Gegensatz feiner Staatskunst, die dort nach Gunst zu fagen pflegte, wo fein Vater fie verscherzte; gleich die Vernachläffigung des öffentlichen Staatsinteresses; gleich die leichtfertige Nichtachtung des Rufes und des Berufes. Aber was in jenem früheren Prinzen von

---

55) G. Croly, the personal history of Georg IV. Lond. 1841. In Beurtheilung des Charakters dieses Königs scheint uns nur Brougham in seinen „Staatsmännern" die erforderliche Rücksichtslosigkeit geübt zu haben.

8*

Wales nur Schein war, das war in diesem jetzigen allzu traurige
Wirklichkeit. Ihm mangelte die soldatische, staatsmännische, königliche Natur, die in jenem poetischen Vorfahren das große Gegengewicht gegen die Zerstreuungen der Jugend gehalten. Er verstand
es wie jener, mit Handschütteln und Toasttrinken nach Volksgunst
zu haschen, aber ihm fehlte, auch als er schon König war, die ge-
haltene Würde, welche dauernde Ehrfurcht gewinnt: als 1814 die
Monarchen des Festlandes London besuchten, stach seine gekünstelte
und fabricirte Erscheinung gegen ihre Einfachheit höchst unvortheil-
haft ab. Nichts war in ihm von dem guten oder selbst nur schlechten Ehrgeize, den seine hohe Stellung in so großen Zeitlagen jedem
strebenden Geiste eingeflößt hätte. Sein Ausschluß von den Geschäften, der durch den Zwiespalt mit seinem Vater veranlaßt ward,
war ein großes Unheil für ihn und das Land; und er hatte schon
ganz frühe, schon 1788, begierig einen ersten Vorwand ergriffen,
der Politik den Rücken zu kehren, um ganz seinen persönlichen
Hängen zu leben, die des niedrigsten Schlages waren. Früh war
er mit seinem Bruder York als Spieler verrufen; weiterhin schwächte
er seine Natur durch übermäßiges Gewohnheitstrinken; allezeit war
er üppig und selbstsüchtig in ein weichlich epicurdisches Leben verloren, das ihn tief in Schulden und Schanden begrub; es war, als
ob in der Umgebung dieses englischen Prinzen und Regenten alle
die Lüderlichkeiten des 16. Jahrhunderts ihren Ausgang nehmen
sollten, die an dem berüchtigten Hofe des Regenten von Frankreich
begonnen hatten. Ueber diese Ausschweifungen gewöhnte der Prinz
sich frühe, die öffentliche Satire und die Rügen im Parlamente
gleichgültig ergehen zu lassen, wo Brougham 1816 einen Ausfall
auf sein Privatleben machte, als ob es einen Tiberius zu schildern
gälte. Einmal auf diesem Puncte stumpfer Schamlosigkeit angelangt, war der Prinz einer herzlosen Gefühlshärte verfallen, die
bis zur Verleugnung jeder Familienpietät und jeder Freundestreue

ging, und er verstockte in einer verjährten Lasterhaftigkeit und Un-
aufrichtigkeit, die seine Vertrautesten bestürzte. Bei dem Antritt der
Regentschaft (1811—12) hatte er die letzten Kurzsichtigen unter
seinen einstigen politischen Freunden enttäuscht durch die Falschheit
und Schwäche, in der er allezeit mehr seine Feinde schmeichelnd zu
gewinnen, als seine Freunde treulich sich zu erhalten suchte; die
Scharffichtigen aber hatte er schon ganz frühe durch die ungeahnte
Tiefe seiner Intriguen erschreckt, als die mannichfaltige Verderbtheit seiner Natur in einem ersten bedeutenderen Verhältnisse spielte.
Dieß war damals (1783), als er sich 23 Jahre alt der fassungs-
losen Leidenschaft für eine ältere Frau, die zweimal verwittwete
Mrs. Fitzherbert[56] hingab, deren spröde Flucht vor ihm nur durch
eine heimliche Scheinehe überwunden werden konnte, bei der der
Herzog von Orleans den würdigen Vermittler machte. Dieses unselige Verhältniß, das der Prinz anfänglich vor seinem Charles
(Fox) verleugnete und dann von ihm öffentlich im Parlamente verleugnen ließ, (weil ihn die Ehe mit der Katholikin um die Krone
bringen konnte,) zog alles spätere Unheil in des Prinzen Leben in
seinem Gefolge nach sich: es erschütterte die Hoffnungen aller Besseren in seiner Umgebung; es stürzte ihn in die Lasten eines doppelten Haushaltes und machte ihn bankerut; es warf ihn unent-
rinnbar in die Hände der niedrigen Ränkeschmiede, die ihn unter
der Maske politischer Freunde systematisch ausplünderten; es hielt
das Damoklesschwert gefährlicher Enthüllungen über ihm und
schnitt ihm alle Aussicht auf eine glückliche gesetzliche Vermählung
ab. Und doch hatte er durch eben diesen Schritt seine Verhältnisse
in so namenlose Verlegenheiten verstrickt, daß er sich zuletzt, um den
Preis seiner ungeheuren Schuldenlast ledig zu werden, zu einer
Heirath zwingen ließ, die er mit Widerwillen und mit den unhäus-

---

56) Memoirs of Mrs Fitzherbert ed. Charles Longdale. 1856. p. 120.

lichſten Lebensſitten einging, und in der Schamloſigkeit eines vollendeten Wüſtlings gleich im Abſchluſſe brach.

Die Auserkorene war eine Verwandte, Prinzeſſin Caroline
von Braunſchweig [57], die Tochter Herzog Ferdinand's, des unglücklichen Bekämpfers der Revolution, und einer Schweſter Georg's III.
Ihre Eheſchidſale ſind die Geſchichte eines unglücklichen deutſchen
Fürſtenkindes, das in dieſen reactionären Zeiten einem ausſchwei-
fenden Prinzen und König zum Opfer fiel, wie Marie Antonie in
der Revolutionszeit zum Opfer eines entzügelten Volkes: in einige
poetiſche Höhe gerückt, würde ſie eines der ergreifendſten tragiſchen
Seelengemälde bilden. Als Lord Malmesbury (1795) die Hei-
rathsunterhandlungen führte, ſchien ſchon ihm der üble Ausgang
dieſer Verbindung grade dieſer Prinzeſſin grade mit dieſem Prinzen
zu ahnen [58]. Er fand ſie wenig anmuthig von Geſtalt, das hübſche
Geſicht ohne ſanften Ausdruck. Ihre Anlagen waren von ſehr
ungleichem Gewebe: ſie konnte ſich wechſelnd gefallen in Tollheiten
und niedrigen Scherzen, dann wieder ſich heben zu überraſchender
Höhe des Gefühls und der Geſinnung. Für dieſe Naturart war
die Erziehung von Seiten des Vaters, der ſie in unweiſer Strenge
und Entbehrung hielt, die ſchlimmſte geweſen: ihrem klugen, ge-
weckten, neugierigen Geiſte war nicht Nahrung noch Richtung,
ihrem ſittlichen Weſen in den Familienzerwürfniſſen und der ehe-
lichen Untreue ihres Vaters ein ſchlechtes Beiſpiel gegeben; das
ſtreifte den Schmelz der Naivetät, der in ihrem Weſen gelegen war,
früh und gewaltſam ab. Sie war ein Naturkind, eine wilde Hum-
mel wie aus mittleren Ständen, ein harmlos grundfröhliches Herz,

57) Der beſte Schlüſſel zu ihrem Charakter iſt: (Lady Charlotte Campbell's) Diary illustrative of the times of George IV. tom. 1—2. 1838.
tom. 3—4. ed. Galt. 1839.

58) Diary and corresp. of the earl of Malmesbury. tom. 3.

zu Glück und Vergnüglichkeit ganz geboren, rasch und rastlos in allen Dingen, auf Einem Gefühle nicht lange haftend, zerstreuungs- und aufregungssüchtig, lachlustig, geschwätzig, ihr Mund immer überfließend wovon das Herz voll war, in immer geschäftiger Phantasie die unerwiesensten Dinge plaudernd, aber so sehr ohne lügnerischen Hang, daß vielmehr ihre Unfähigkeit, etwas anders als bei seinem wahren Namen zu nennen, zu ihren eigensten Zügen gehörte. In dieser leidenschaftlichen Lebhaftigkeit und Gradheit, die von weiblicher Bescheidung und Sanftmuth wenig gedämpft war, wäre ihr ein Zügel der Selbstbeherrschung doppelt heilsam gewesen; so aber wie sie aufgewachsen war, war sie unbesonnen wie unberathen, schwer berathbar und leicht fassungslos in der Ungeduld heftiger Gefühle, arglos und in Arglosigkeit unvorsichtig, dem Scheine nach leichtfertig, bei näherer Kenntniß immer gewinnend. Mit dieser heiteren Natur war sie in ihre neue erhöhte Lage voll freudiger Erwartung gegangen, ohne Ahnung, welche Stickluft für ihre deutsche Uebernatürlichkeit dieß Land der Pruderie und der Scheinheiligkeit und diese Hofatmosphäre der Etikette und der Intrigue sein würde. Als sie bei ihrer Ankunft[1] vor dem empfangenden Prinzen niederkniete, hob er sie anständig auf und verließ sie dann augenblicklich. Der erste Anblick hatte auf Beide keinen günstigen Eindruck gemacht. Am Abend des Hochzeittages übertäubte der Prinz seine Mißgefühle in starken Getränken. Schon einen Monat nach der Vermählung brach er schweigend den Verkehr mit der Gemahlin ab. Er suchte geflissentlich die Gelegenheiten ihr zu zeigen, daß sie an Lady Jersey eine hochbegünstigte Nebenbuhlerin habe, der er gestattete, daß sie die von Neidern und Verleumdern umspähte Neuvermählte offen und schamlos lächerlich machte. Wenige Monate nach der Geburt ihrer Tochter Charlotte kündigte der Prinz in einem unwürdigen Trennungsbriefe[1] der Gattin die gemeinsame Wohnung auf. So rasch fand sich das

[1] 5. April 1796.
[1] 30. April 1796.

unglückliche Weib um jede Hoffnung des Lebens betrogen; ihre besten Gefühle mußten zu Asche niederbrennen. Es wird ihrer guten Anlage für immer ein gutes Zeugniß sprechen, daß während der Prinz sie mit einer gemeinen Bosheit quälte, mit einem nachtragenden Hasse verfolgte, der selbst von einem fehlerlosen Gatten gegen ein schuldiges Weib gerichtet abscheulich heißen würde, sie, bei aller reizbarsten Empfindung für ihre tiefe Kränkung, frei von dem Stachel boshafter Rachsucht gegen den Prinzen und ohne Verbitterung gegen seine Freunde blieb. Wohl aber war in ihrer heftigen Natur gelegen, daß sie sich widerstandslos allerlei Unbedachtheiten hingab, die aus dem verzweifelten Herzen flossen, das sein Unglück betäuben wollte und die empfangenen Dolchstiche mit Nadelstichen zu erwiedern getrieben war. Dieweil ihr Gatte sich in einem Meere von Ausschweifungen fortbadete, war sie treu und edel genug, seine unsittliche Vergeltung zu üben, nicht unversucht in ihrem gutmüthigen Trotze, Vergeltung zu spielen. Sie nahm einen verwaisten Knaben von deutscher Herkunft in Schutz und Pflege. Man warnte sie vor der üblen Deutung, der sie sich aussetzte; sie aber gab ihr noch Vorschub in ihren Reden: beweist es, sagte sie, und ich will den Jungen zum Prinzen von Wales machen. Dann wieder sprach sie noch trotziger die wahre Wahrheit aus: sie habe nie Ehebruch getrieben als Ein Mal, und das mit dem Gemahl der Mrs. Fitzherbert. Auf dieses Verhältniß stützte sich ein erster Versuch des Prinzen, sich seiner Gattin zu entledigen: er war in allen Theilen die Vorgeschichte der eigentlichen Katastrophe, das blassere Vorspiel des Dramas von 1820. Die Prinzessin ward unter der kurzen Whigregierung (1806) in eine „delicate Untersuchung" verwickelt, aus der sich die Grundlosigkeit der erhobenen Anklage ergab, die Unvorsicht ihres Benehmens aber mit einer kleinen Brandmarke gezeichnet blieb. Schon damals wie später ward sie ein Spielzeug der Partheien, als die Tories, die Perceval

und Eldon, ihre Berather waren, und ein berüchtigtes „Buch" zu
veröffentlichen drohten, das ihr ganzes Verhältniß zu ihrem Ge-
mahle enthüllen sollte. Damals wie später entriß sie dem Prinzen
die Gunst des Volkes und selbst eines Theiles der vornehmen Welt,
aber nach ihrem Siege erlosch plötzlich, wie später, auch ihre Gunst
für eine Weile, als auf Eldon's Betrieb die Mittel ergriffen wurden, den Scandal des „Buches" zu verhindern, d. h. als Perceval
Minister ward. Gleichwohl war ihre Lage in jener Zeit vergleich-
weise so vortheilhaft und ehrenvoll, daß sie anständig rückgezogen
in ihr hätte ausharren sollen bis zur Großjährigkeit ihrer Tochter,
des einzigen Wesens, das sie begriff. Die grausamen Versuche des
Prinzen, die Tochter von ihrer Mutter zu trennen, hatten sie grade,
und schon als Kind, auf deren Seite gestellt; und als sie heran-
wuchs und von den Scheidungswünschen des Vaters erfuhr, hatte
sie als Thronerbin die stärksten Gründe, diese Seite zu halten.
Leider ließ sich die Mutter durch neue Rücksetzungen zu neuer Leidenschaft reizen. Als der Prinz die Regentschaft antrat, ohne daß
dieß den alten Freund Perceval bestimmt hätte, in der rückgezogenen
und dürftigen Stellung der Prinzessin etwas zu ändern, warf sie
sich in die Hände der Whigs und nahm nun die Dazwischenkunft
des Parlaments in Anspruch: daß man sie als schuldlos behandele
oder ihre Schuld beweise. Ueber den Verhandlungen, in denen die
Minister selbst ihre Unschuld öffentlich bezeugen mußten, erfolgte
eine neue Verletzung: in einem Blatte wärmte man die Beschuldi-
gungen von 1806 neu auf, ohne Ein Document zu ihrer Vertheidigung zuzufügen; auf diese Unbill antwortete man von der Gegenseite mit der Veröffentlichung des famosen „Buchs" von 1806, das
Cobbett in seinem Register[1] wiederholte und commentirte. Das
Unterhaus, die Stadt London, das ganze Land stand jetzt auf der
Seite der Prinzessin. Aber der unversöhnliche Gatte fand Mittel,
ihre Reizbarkeit mit noch stärkeren Dosen der Kränkung zu vergif-

April 1813.

ten. Als 1814 die Monarchen nach London kamen, konnte
sie der Regent bestimmen, seine Gemahlin nicht zu besuchen;
der König von Preußen war darunter, für den ihr Vater kämp-
pfend gefallen war! Diese öffentliche Schmach zerrüttete ihre Geduld und ihre „Philosophie", die ihr immer sauer geworden war.
Und war es ein Wunder, daß sie sich in tiefster Verachtung
„über die Niederträchtigkeit des menschlichen Geschlechts" verbitterte?
Welche schamlosen Treulosigkeiten hatte sie nicht in diesem Lande
erfahren müssen! Sie hatte in dem Adel so viele gewendete Rücken
der Unterwürfigen gesehen, die vor dem Regenten gebückt standen!
Sie hatte den Abfall der Rathgeber erlebt, des Perceval, der sie
einst rein wie ungesonnen Schnee genannt hatte, des Eldon, der
vordem zu ihrem Vortheil conspirirt hatte und nachher („Alles für's
öffentliche Wohl"! schrieb Lord Dudley) zu ihrer Schmach conspi-
rirte! Sie hatte Berühmtheiten, wie Sir T. Lawrence und Walter
Scott, zu ihren Füßen gehabt, die sich dann stumpf von ihr abge-
kehrt hatten. In ihrer äußersten Erbitterung führte sie nun' den
schon länger gehegten Gedanken aus, außer Landes zu gehen. Es
war ihr von ächten Freunden vergebens widerrathen worden. Sie
streifte damit den Charakter der gekränkten Fürstin ab, der ihr bis
dahin einen größeren Stand in den Augen der Welt gegeben. Sie
entfremdete sich dadurch dem englischen Volke noch mehr, unter dem
sie ihr Mißfallen an Vielen immer bekannt, und kaum ihre Verachtung für Alle verhehlt hatte. Sie stürzte sich mit diesem Schritte
in die unausweichliche Gefahr, wie ihrer königlichen so auch ihrer
weiblichen Würde ganz zu vergessen. Es wäre ein Wunder gewesen, wenn sie, verhetzt und verletzt wie sie war, tadellos in ihrer
Aufführung geblieben wäre; ein Wunder, wenn die spähende Verleumdung sie für tadellos hätte gelten lassen, falls sie es war. Das
ward nun im Auslande viel schlimmer. Immer seltsam und tact-

los, ward sie nun sorgloser und phantastischer, und, was die Folge erlittener Unbilden so leicht ist, stumpf gegen die Meinung. Es war ein traurig unerquickliches Schauspiel vor aller Welt, als sie nun in Genf, in Italien, im Oriente sich umtrieb, anstößig durch ihre freien und wunderlichen Trachten und Sitten, durch ihre unruhige Reisemanie, durch ihre mehr und mehr zweideutige Umgebung. Sie behauptete auch jetzt ihr eigenes Doppelwesen: bei großen Anforderungen, als sie auf der Reise im Orient unter ihrem pestkranken Gefolge die Wärterin persönlich machte, trat ihr menschliches Wohlwollen und ihre Aufopferungsfähigkeit ächt und prunklos zu Tage; im gewöhnlichen Gleise verfiel sie schlafferen Sitten und stets schlechterer Gesellschaft. That man doch auch Alles, um sie ächtend aus der besseren zu vertreiben! Ueberall hin waren vom englischen Hofe die Weisungen ergangen, die ihr die fremden Höfe sperrten, die Thüren der englischen Gesandten und Reisenden schlossen. Das schärste wieder ihre Abneigung gegen das englische Volk, von dem sie der ärgste aller Schläge noch mehr zu scheiden drohte, der sie noch betreffen konnte, als (1817) ihre Tochter Charlotte starb. Sie mußte ihren Tod durch die Zeitung erfahren; der unnatürliche Vater ließ ihn ihr nicht einmal amtlich anzeigen. Von nun band den Fürsten auch die letzte Rücksicht nicht mehr. Er dachte nun auf ernstliche Vorbereitungen zur Scheidung. Auf Eingebung eines neuen, durch Gunst erkauften, ehr- und stellensüchtigen Rathgebers, Sir John Leach, und unter persönlicher Billigung der Lords Liverpool und Eldon wurde' eine geheime Commission nach '1818. Italien gesandt, um Stoff für eine neue indelicatere Untersuchung zu sammeln. Es war eine Belagerung von Spionen, die ihre bloße Sendung nach schmuzigen Zügen und Zeugnissen gierig machen mußte.

Der Prozeß.   Dieß war die Lage der Dinge als Georg III. starb und der
neue König nun seiner Regierung zumuthete, ihn von dem gehaßten Weibe zu befreien. Die wärmsten Anhänger der Minister
seufzten über den unbedachten Schritt, mit dem sie in einen Sumpf
von Scandalen hineinwateten. Die Freunde der Königin aber
kehrten sich mit Verwünschungen gegen die „schmutzigen Kuppler
der Bosheit", als sie sich den Wünschen des Fürsten fügten, die ein
„Gestank in den Nüstern aller feinfühlenden Menschen seien"[59].
Keine sittliche Rücksicht machte ihnen Bedenken; es war für sie bloß
eine diplomatische und Popularitätsfrage, wie sie der Königin und
ihren Räthen den ersten Schritt zuschieben könnten, um zu vermeiden, „daß der König aus freien Stücken das Aergerniß und die
Gefahren eines öffentlichen Prozesses in diesen Zeiten der Parthei-
aufregung über sich nehme"[60]. Sie gingen also mit dem Fürsten
den Compromiß ein, ihm zu Willen zu sein und die Scheidung zu
betreiben, falls die Königin nicht die goldene Brücke annähme, die
sie ihr bauen wollten: sie boten ihr 50,000 £ an, wenn sie außer
Lands bliebe und auf Namen und Rechte der Königin verzichtete.
Sie vertrauten auf ihre eigene Klugheit und auf die der Fürstin,
daß sie diese vergoldete Pille einnehmen werde; sie hatten daher
die Frage: ob Königin oder nicht, schon im Voraus dadurch entschieden, daß sie in der Liturgie ihren Namen wegzulassen befohlen[61].

---

59) Charlotte Campbell 4, 187: „Wir können nur sagen, daß die Cloaken
nach Unrath müssen durchwühlt worden sein, um einen bösen Feind, dem die
Großherziglkeit des englischen Volkes verhaßt war, anzutreiben. Ebenbilder
der Männer zu formen, die damals die Macht hatten, und daß er in ihrem Namen ein Verfahren gestattete, das nach Verdienst zu bezeichnen die englische
Sprache kein zutreffend schwarzes Beiwort besitzt?"

60) Castlereagh memoirs 12, 212.

61) In der Hitze der Oberhausdebatte sagte einer der vier reichsten Peers
in England, der Earl Grosvenor: wenn Er Erzbischoff von Canterbury gewesen
wäre, so hätte er eher dem König das Gebetbuch ins Gesicht geschleudert, als zu
diesem Schritte eingewilligt.

Aber dieser gutmüthige Liverpool und dieser Alles wissende und witternde Intrigant Eldon waren so wenig wie der charakterlose König die Leute, diese Frau zu beurtheilen, die aus ihrer unglücklichen Convenienzehe wenigstens den Preis der königlichen Würde davon tragen, die sich nicht „um weniger als eine Krone verkauft" haben wollte. Sie empfing in St. Omer die Vorschläge Liverpool's; sie empfing seine Drohungen: daß jede Vermittlung zu Ende wäre, wenn sie nach London komme; sie empfing den Abrath ihres Advocaten Brougham, die Ueberfahrt nach London zu wagen. Nichts konnte sie bewegen. Sie verabschiedete ihren angeblichen Geliebten Bergami und all ihre fremde Begleitung und ging über den Canal. Wäre vordem ihr Vater, schrieb Lord Dudley, halb so entschlossen auf Paris marschirt, so wären 25 Jahre Krieges erspart worden! Dieser kecke Entschluß imponirte dem englischen Volke, das gegen seine Regierung gern die Seite der unrecht verfolgten Schwäche hält, ohne sich an die Eigenschaften der Verfolgten zu kehren; ihre Reise von Dover nach London[1] war ein einziger Triumphzug. Die Verlegenheit und Bestürzung der Gegner war groß, aber sie konnten nun nicht zurück. In dem Augenblicke ihrer Landung machte der Lordkanzler dem Oberhause die erste Mittheilung, die eine Untersuchung und ein Verfahren gegen die Königin empfahl; über die Vorfrage, ob ein Anlaß dazu vorliege, sollte ein geheimer Ausschuß berichten. Noch wurde auf die Dazwischenkunft des Unterhauses eine Beilegung versucht. Man bot ihr Rang und Unterhalt der Königin und völlige Straflosigkeit an, und das Unterhaus wollte sich zum Bürgen ihres Charakters machen gegen jede Beschuldigung, die aus dem Wegfall ihres Namens in der Liturgie gefolgert werden könne. Daß grade der Führer der sogenannten Parthei der Heiligen (Wilberforce) diesen Ausweg vorschlug, mochte nicht löblich sein; die unglückliche Fürstin hätte ihn annehmen sollen. Aber sie verwarf die Vermittlung, berauscht von ihren Erfolgen, gehetzt

von den Whigs, die sich nicht bedachten ihre Heldin bloß zu stellen,
da der schmähliche Handel die Regierung vielleicht zu Fall bringen
konnte[62]! Hielten doch die Führer der Demokraten, nach öffentlichen Aeußerungen, zwei drei Fragen dieser Art für genug, alle
Tyrannei zu stürzen und „die Menschenrechte herzustellen!" Die

4. Juli. Sache ging also ihren Gang. Der Ausschuß der Lords erklärte[1] die
Untersuchung nothwendig für die Würde der Krone und das „moralische Gefühl" des Landes. Lord Liverpool brachte eine Straf-
bill[63] ein, in deren Kraft die Königin (hauptsächlich wegen ihres
ehebrecherischen Umgangs mit Bergami) ihrer Rechte verlustig erklärt und ihre Ehe geschieden werden sollte. Es war eine veraltete
Form legislativen Verfahrens, ehedem nur in den außerordentlichsten von dem Gesetz nicht vorgesehenen Fällen großer Staatsver-
gehen angewandt, zu der die Minister griffen: man fragte sich erstaunt, was sie damit wollten, da sie eine Scheidung zu erhalten
nur schwer erwarten konnten und außer ihr nichts übrig blieb als
eine Klage auf Hochverrath, die das Jahrhundert nicht mehr wie
zur Zeit Heinrich's VIII. geduldet hätte. Bald fand sich, daß man
mit diesem Schritt nur den Förmlichkeiten eines gewöhnlichen Prozesses entgehen wollte. Die Führung des Handels ward dadurch
so faul und gehässig, wie sein Beginn. Kein Privatmann kann in
England aus den Klagegründen, die hier erhoben wurden, eine
Scheidung erhalten, ohne daß der Beklagten die Recrimination
zuständе; sie wurde der Königin verweigert, als sie über den Bericht
gehört zu werden begehrte, in Bezug auf einige Puncte, die zur
Vorbereitung der Untersuchung unerläßlich seien. Jeder gemeine

---

62) Auf diesen Entschluß rühmte sich Cobbett (hist. of George IV.
§. 428) durch seine von eingestandener Rachsucht eingegebenen Aufreizungen
bestimmend eingewirkt zu haben.

63) Bill of pains and penalties. Sie geht (den umgekehrten Weg des
impeachment) vom Oberhause aus an das Unterhaus.

Verbrecher hat in jedem ordentlichen Prozesse das Recht, die Liste der Zeugen vorgelegt zu verlangen; ihr wurde es versagt. Sie bat um Angabe der Orte, wo die angeschuldigten Handlungen begangen sein sollten, da sie doch nicht von jeder Station ihrer Reisen Zeugen aufbringen könne; es wurde ihr abgeschlagen. Diese Schmählichkeiten stachelten die öffentliche Meinung noch mehr auf, die in einer fieberhaften Spannung war; von Tag zu Tag strömten, während der ganzen Zeit der Zeugenverhöre[1], die Aufzüge mit zahllosen Städteadressen, oft 30,000 Menschen auf einmal, zu der Wohnung der Königin. Dieweil spielte im Oberhause (wie die verekelten fremden Zuschauer sagten) die „königliche Bordelkomödie", wo der Fürst, der all sein Leben an dem Einen der beiden Grundpfeiler aller gesitteten Gesellschaft schamlos gerüttelt hatte, Klage erheben durfte gegen die zweifelhaften Vergehen einer zur Verzweiflung getriebenen Frau. Er, der diese Frau in ihre Vergehen, wenn sie begangen waren, durch sein Beispiel selber hineingestoßen, um nun aus dem erzeugten Laster den Anlaß zu nehmen, die Herabgewürdigte in einer letzten Verfolgung zu vernichten. Nichts von Allem, was die Königin gefehlt haben konnte, war für das „moralische Gefühl" des Volkes so voll Aergerniß und Verderben, wie diese Oeffentlichkeit, die diesem Handel gegeben ward. Ein widerlicher scandalfroher Geist ging durch Kläger und Richter und alle Schichten der scheinzüchtigen guten Gesellschaft dieses Landes durch, dessen Senat das schadenfrohe Europa durch Monate mit den schmutzigen Aussagen bestochener italienischer Bedienten und Spione beschäftigt sah, deren Zeugnisse gegen die Königin zum großen Theile mit verworfenen Praktiken und offenbarem Meineide befleckt waren. Nach Erschöpfung der Sache, nach den machtvollen und kühnen Vertheidigungen Brougham's und Denman's, war der Eindruck so, daß die zweite Lesung der Bill[1] nur mit einem Mehr von 28 Stimmen erhalten werden konnte. Die Königin

17. Aug. —
24. Oct.

6. Nov.

legte einen wiederholten Protest ein, in dem sie den bedeutsamen
Wink gab, sie würde keinen gerichtlichen Schritt wegen der 25 Jahre
von ihr erlittenen Behandlung thun, es sei denn daß die Bill an
das Unterhaus gelange. Die Angst vor dieser Gegenklage der
Königin verzog selbst die unverblüffte Stirne eines Eldon[64]. Er
rieth, die gehäßige Scheidungsklausel fallen zu lassen, um die Bill
zu retten; viele geistliche und weltliche Lords aber hielten mit den
Freunden der Königin diese Klausel grade aufrecht, um desto sicherer
die ganze verhaßte Bill fallen zu machen. Die dritte Lesung[1] hatte
nur noch 9 Stimmen Mehrheit für sich. So blieb keine Hoffnung
die Bill im Unterhause durchzubringen gegen das nolle prosequi,
das Verdict der ganzen Nation, das aus allen Theilen des Landes
erscholl. Lord Liverpool, längst zu Ende mit seinem Muthe, beantragte die Vertagung der weiteren Erwägung der Bill „auf 6 Monate". Der Jubel im Volke war unermeßlich, wie nicht seit dem
Tage von Waterloo. Drei Nächte war London beleuchtet. Die
Räthe der Königin waren die Idole der Menge. Brougham's Ruf
und Ruhm war seit diesen Tagen gemacht. Auch jetzt aber sollte
die unselige Fürstin ihres Triumphes nicht froh werden. Während
des Kampfes hatte ihr ungezähmter Muth die Zuschauer gefesselt,
nach dem Siege besann man sich auf ihre Schwächen, und dieß war
der Zielpunct ihrer Gunst im Volke. Der schlaue Eldon hatte nach
den Erfahrungen von 1806 vorausgesagt, daß es so kommen werde.
Die Reaction war stark und augenblicklich; die Radicalen schoben
sie auf ihre Verbindung mit den unbeliebten Whigs, die Whigs
auf die mit den Radicalen; und sicherlich hätte sie ihre Schicksale
frei von so vielem Glückswechsel gehalten, wenn sie sich frei von
den Partheiumtrieben gehalten hätte. All diese Erlebnisse aber
wirkten zerrüttend auf ihre Gesundheit ein. Während des Prozesses

---

64) Campbell, lives of the Lord Chancellors 7, 355.

hatte man das zu stetiger Heiterkeit angelegte Weib in steten Thrä-
nen gesehen; ihre elastische Natur war gebrochen. Als sie nicht
lange nach dem Ende des Prozesses bei dem Acte der Krönung des
Königs[1] in dem Ungestüm ihres Herzens die verweigerte Zulassung
in der Kathedrale erzwingen wollte, mußte sie erleben, daß ihr der
Zugang versagt ward, ohne daß sich Jemand für sie regte. Die
pomphafte Feier ward zu einem unverhofften Triumphe des Königs
über sie. Sie überlebte diesen letzten Schlag nur wenige Wochen[2].
Ihren Leichnam hatte sie befohlen zur Heimat zu bringen; sie gönnte
ihn nicht der verhaßten englischen Erde.

Auch jetzt war die öffentliche Meinung, daß die Toryverwaltung dem furchtbaren moralischen Stoße, der sie in diesen Vorgängen traf, erliegen werde. Aber nur der Eine Canning, der vordem
zu dem Kreise gehört, mit dem die Prinzessin Blindekuh gespielt
und ihr trübes Leben sonst erheitert hatte, hatte das sittliche An-
standsgefühl, auszutreten; im Uebrigen lief auch jetzt wieder der
erwartete Ministerwechsel in eine bloße Verstärkung (aus den Resten
der Parthei der Grenvilles) aus. Die Lage der Regierung war
eine der ungewöhnlichsten, die man noch erlebt hatte. Immer unerschütterlich, nie unerschüttert, schien sie nur durch einen gleich
starken Druck von entgegengesetzten Seiten fest zu stehen, obwohl
unter sich ohne Boden. Wir haben sie in einzelnen finanziellen
Fragen und in der Prozeßsache parlamentarische Niederlagen erlei-
den sehen; wir haben bemerkt, wie sich die Geschworenen und die
städtischen Körperschaften gegen ihre innere Unterdrückungspolitik
erhoben; wir haben von ihren Befreundeten sogar ihre Haltung in
auswärtiger Politik verurtheilen hören; wir haben die Whigopposition und das mittlere und untere Volk in Bewegung gefunden
gegen das stationäre Regierungssystem, ja gegen die Grundlagen
des ganzen Vertretungs- und Verfassungssystems; auf der anderen

Randbemerkungen: [19. Juni 1821.] [† 7. Aug.] [Stand und Stellung Englands nach außen.]

IV.   9

Seite aber fanden wir diefelbe Verwaltung auch regelmäßig gehalten durch die confervative Mehrheit des Parlaments und felbst die Verfaffungstreuen unter der Oppofition, geftützt durch das Anfehen der befitzenden Klaffen und ihre Furcht vor den Wildlingen der neuen Volksparthei und der Wiederkehr revolutionärer Zeiten. Die Preffe verfolgte die Minifter feit der Prozeßgefchichte mit der Wuth der äußerften Verabfcheuung; die Perfonen und Häufer der Sidmouth, Caftlereagh, Eldon waren vor dem Hohn und den Angriffen des erbitterten Volkes nicht ficher; dagegen in dem Parlamente (von 1821) fanden fie fich felbst in ihrem Verfahren gegen die Königin durch verfchiedene Abftimmungen gedeckt und in der fremden Diplomatie herrfchte der Eindruck fortwährend, daß fie fehr feft im Lande ftänden. Dieß war um fo befremdlicher, als in der kurzen Zeit des Friedens auch ihr früherer politifcher Ruhm bis zum blaffeften Schimmer erlofchen war, und dieß in dem Maaße, wie Englands Anfehen in der Fremde unter der Verwirrung der inneren Zuftände und der Haltung der Regierung nach außen gelitten hatte. Und nie in Wahrheit war die Achtung eines mächtigen Volkes nach fo außerordentlichen Thaten, Erfolgen und Verdienften fo plötzlich und fo auffallend gefunken, wie die von England in diefen wenigen Jahren. Die Noth der Finanzen, der Induftrie, der Landwirthfchaft und des Handels hatte die Mißgunft, die vor- und nachher fo lange die ftehende Stimmung der Fremde war, für den Augenblick in lauernde Schadenfreude verwandelt. Wie fchon Napoleon während der Kriege auf Englands Geldverlegenheiten fpeculirt hatte, fo fahen auch jetzt die neidifchen Völker feine Finanzlage als eine zerrüttende Krankheit an und weiffagten aus ihr die fchlimmften Ausgänge. Hatte fchon zu Ende des vorigen Jahrhunderts der verdiente Büfch in Hamburg den englifchen Handel im Anfang feiner Neige zu fehen geglaubt, fo tröfteten fich auch jetzt franzöfifche Staatsmänner wie Chateaubriand mit der Hoffnung, daß das

Uebermaas des Glücks ihn in der That bereits über die Grenzen des Glückes hinausgeführt habe. Blickte man auf die jüngste Aufwühlung des Landes durch Demokraten und Radicale, so fand man unter der Rückwirkung der französischen Revolutionsideen das englische Volk in einen ganz neuen Gesellschaftszustand eintreten, in dem die bedrängten 14 Millionen nicht fürder die Herrschaft der Einen Million und die ausschließliche Staatssorge für diese ertragen würden. Die Voraussage dieser Veränderung hielt man für so sicher wie irgend eine Erfahrung der Vergangenheit. Einem Manne wie Schlabrendorf schien die Parlamentsreform ein fortan unausweichlicher Schritt, aber zugleich ein halsbrechender Sprung; er schien einen plötzlichen Fall des mächtigen Inselreiches zu besorgen: nie, sagte er, werde seine Macht glänzender gewesen sein, als am Tage vor seinem Sturze. So sprach auch Gentz in schwerer Bedeutsamkeit von den Gefahren, die aus Irland drohten. Und weniger sonderliche Menschen als diese, Männer wie Stein und Niebuhr sahen die Lage von England nicht weniger kritisch an, und betrachteten das Inselreich schon seit 1816 als eine Macht, deren Uebergewicht nicht nur, deren Gewicht in Europa in raschem Sinken begriffen war. Ein Blick in die Zeitungen jener Jahre genügt zu beobachten, wie weit damals und ganz allgemein diese Ansichten verbreitet waren. Der Groll aller Neider der Macht über das letzte Kriegssystem, der Mismuth aller Freiheitsfreunde über das gegenwärtige Friedenssystem der Regierung Englands halfen den Miscredit weiter und weiter zu tragen. In den letzten Kriegsjahren hatte unter der Einwirkung der Leidenschaften einer großen Zeit die Brutalität, mit der England seinen Einfluß in Brasilien, in Portugal, Spanien, Sicilien geltend gemacht, mit Argwohn und Empörung erfüllt; zu diesem Auftreten bildete seit dem Frieden das scheue Rückweichen einer egoistischen Regierung vor der heiligen Allianz einen beschämenden, einen hohnerweckenden Gegensatz, und

9*

Niemand hätte geahnt, daß über Kurzem eine leise Ausgleichung
der politischen Empfindungen in dem englischen Volke und Regimente genügen würde, diese leidigen Schwankungen der großen
Politik des Landes aufzuheben und ihm ohne irgend eine thatsächliche Anstrengung seine alte Machtstellung mit dem gebührenden
Einflusse wiederzugeben. Zu aller Zeit waren die Männer des
Fortschritts geneigt gewesen, die Engländer als die Lehrer der Welt
in den zwei großen Angelegenheiten alles Gewerbs= und Verfas-
sungswesens anzusehen, aber jetzt stand ihre Regierung, mehr noch
als sie eifersüchtig gegen fremde Industrie und Handelsmacht war,
durchweg mißgünstig gegen alle fremde Freiheit. Unter den Whigs
wütheten die leidenschaftlicheren Seelen vor Scham und Ekel, die
Autorität des englischen Namens dazu entweiht zu sehen, jeden
Mißbrauch der Gewalt in Europa, wie es in Spanien, in Portugal, in Genua, in Sicilien, in Parga geschehen war, zu sanctio-
niren. Stets neue Gehässigkeiten wurden emsig aufgedeckt, die den
englischen Namen verdunkeln konnten; so die Behandlung Napoleon's in St. Helena, von der seit 1818 durch las Cases die Einzelheiten anfingen bekannter zu werden; die Züge dieser Behandlung waren an sich wohl nicht schön, in dem Hohlspiegel des allgemeinen Grolls gegen England erschienen sie sehr verzerrt und
vergrößert. Und bis zu welchem Grade stieg nun in aller Welt
die Verachtung der Staatslenker, der höheren und höchsten Gesell-
schaftskreise Englands seit den unerhörten Scandalen des königs-
lichen Prozesses! An welchen Ton der Geringschätzung hatte sich
nicht schon zuvor die Presse in Frankreich gewöhnt, wo sich nur
Raum und Anlaß zeigte! in welcher Freiheit hatten sich nicht deutsche Libelle und selbst die Zeitungen der kleinen Niederlande schon
seit 1817 ausgelassen! so daß Castlereagh selber nöthig fand, die
Feder von „Freund Gentz", wie schon früher geschehen war, zum
Besen zu miethen, um dieß Spinnegewebe wegzufegen. Was sich

aber nicht wegsegen ließ, das war der offenkundige Verfall alles englischen Einflusses auf allen Puncten der Welt. Hatte es sich doch in diesem Zeitalter der Diplomatie mehr als je zuvor bewährt, wie wenig die Engländer grade für diesen Zweig der Staatskunst begabt sind, wie wenig ihre Verfassung seiner Entwicklung günstig ist! Haben wir doch überall beobachten können, wie das englische Ansehen in jeder Nähe und Ferne, im Haag wie in Rio, vor dem russischen Einflusse die Segel hatte streichen müssen! Hatte doch schon 1817 Brougham die Verwaltung anzuklagen gehabt, daß all das vergossene Blut, die vergeudeten Schätze zu nichts gedient hätten, als England zur Stufe einer Macht von zweitem Range herabzudrücken und ihm selbst den gewöhnlichen Theil des Einflusses selbst auf die Regierungen, die ihm ihre Existenz verdankten, zu entziehen! Denn die englischen Staatsleute der Opposition täuschten sich selber nicht über die sinkende Geltung ihres Vaterlandes in der Fremde. Ein Lord Russell erkannte sehr wohl, wie man in den nebenbuhlenden Nationen die Hoffnungen nährte, England an langsamer Auszehrung oder plötzlich an Krämpfen hinsterben zu sehen. Ein Lord Lansdowne beobachtete auf dem Festlande, wie der Ruf seines Vaterlandes in den Völkern verfiel, bei den Absolutisten, weil es immer Neigung und nie den Muth zeige, sich ihnen zu widersetzen, bei den Freunden freier Staatsordnungen, weil es sie immer zu ermuthigen und immer im Stich zu lassen pflegte.

Dieß aber war nun eben seit der Verfassungsrevolution in Spanien die schwebende Frage, von der wir zu dieser Episode über die englischen Zustände ablenkten, die große Frage zwischen Festland und England, zwischen Regierung und Regierung, zwischen Völkern und Völkern, welche Stellung in dem Conflicte der neuen Staatsordnungen im Süden mit den Prinzipien der absoluten Mächte

Verstärkter Einfluß der Meinung und Gefühl des Volkes in England.

England einnehmen würde. Die Völker rechneten auf die Stärke der öffentlichen Meinung in dem englischen Volke, die Regierungen rechneten auf die Festigkeit der Toryverwaltung. Und die letzteren durften wohl glauben ihrer Sache sicher zu sein. Der unruhige Geist in dem englischen Volke hatte sich eben jetzt gelegt, die Regierung war in dem Kampfe mit der Demokratie der Meister geblieben. Die Agitation für die Aenderung der Vertretung schien bedeutend gedämpft und das conservative Prinzip neu befestigt. Die innere Lage des Landes war nicht mehr ein zerrüttender Nothstand, der neue Aufregungen besorgen ließ, immer war sie noch kritisch genug, um der Regierung zu Hause vollauf zu thun zu geben. Die Opposition war stärker, nicht war sie stark geworden. Das Parlament gehörte in jeder politisch bedeutenden Frage der Regierung. Die Minister waren noch immer dieselben, die so lange mit den Ostmächten für einerlei Interessen gefochten hatten. Der Chef des auswärtigen Amtes unterhielt zu Metternich immer noch die alten freundlichen Beziehungen. Man durfte in dem bevorstehenden Kampfe gegen die constitutionellen Abenteuer im Süden auf seine heimliche Zustimmung bauen, selbst wo ihn die Rücksichten auf Volk und Opposition zu einem anderen Scheine nöthigten; in der Form würde er vielleicht als Gegner erscheinen, in der Sache die Gemeinsamkeit des Handelns ablehnen, die Neutralität aber wagen und wahren. Was den König betrifft, so hatte er vor den Diplomaten an seinem Hofe niemals Hehl, wie sehr er mit seinen persönlichen Hängen auf der monarchischen Seite stand. Was mehr als Alles war: man fühlte sich in dem absolutistischen Lager in einer gesicherten Macht zu Hause, in einer starken Eintracht mit den Bundesgenossen, wo England ganz vereinzelt, in seinem Inneren gespalten und voller Verlegenheiten, in der allgemeinen Meinung so sehr gefallen erschien. Man konnte sich daher auch kräftig fühlen,

auf alle Fälle ohne England und im Nothfalle auch trotz England
handeln zu können.

Grade aber als man sich dazu anschickte, bereiteten sich in
England ganz im Stillen sehr bedeutsame, obwohl anfangs wenig
erkennbare, unmerkliche aber darum nur um so merkwürdigere Veränderungen vor, die den Prinzipien der Festlandmächte und ihren
Wünschen und Bestrebungen in Beziehung auf die englische Politik
sehr wenig entsprachen; Veränderungen, die der bisher so zurück-
gedrängten Volkspolitik in England in den wichtigsten Dingen die
günstigsten Zugeständnisse oder Aussichten mit oder wider Willen
der Regierung brachten, als man solch eine Wendung am wenigsten
vermuthet hätte. Es war in den Jahren der europäischen Wind-
stille gewesen, daß sich in England jene Wirbelwinde erhoben hatten, die die Regierung und die Mannschaft nöthigten, vor Allem
das Schiff zu sichern und der Fahrt nicht zu achten; in dem Augenblicke aber, wo die Stürme über das Festland ergingen, war dann
in England plötzliche Ruhe eingetreten, und die Regierung, von
diesem gesunden Instincte des Volkes Vortheil ziehend, hatte nun
freie Augen und Hände, nach außen hin gelassen zu beobachten,
und nach innen eine thätigere Wirksamkeit zu entfalten. Und in
dieser söldnerneren Thätigkeit suchte sie sich nun, nach hergestellter
Ordnung, mit der öffentlichen Meinung etwas mehr in Einklang
zu setzen, der sie in ihrer hemmenden Thätigkeit zur Zeit der Unruhen so sehr entgegen gewesen war. Da aber, wo auch jetzt ihr
politisches System sie abhielt, den Volkswünschen zu Willen zu
sein, erhielten diese durch das billigere Maas und die bescheidnere
Form, auf die sie in diesen geordneten Zeiten durch die regelmäßige
parlamentarische Opposition zurückgeführt wurden, eine Wucht,
unter der sich die Tories selber anfingen gebeugt zu fühlen. Was
dieser Macht der öffentlichen Meinung jetzt noch einen weiteren
Spielraum gab, das war eine unvermuthet veränderte Haltung des

Königs in seinen privaten und öffentlichen Verhältnissen. Nicht nur war die Wüstlingsader nun mit den Jahren in ihm ausgetrocknet, auch im Politischen stumpften sich jetzt seine Abneigungen gegen Personen und Maasregeln sichtlich ab; der Erbzug der politischen Intrigue trat in ihm mehr zurück; sein Verhalten zur Regierung und Verwaltung des Landes artete mehr und mehr zum Gegentheile von dem seines Vaters; lässiger über seine monarchischen Ansprüche ließ er die Regierung wieder zur bloßen Ministerherrschaft werden; und bald vergaß das Volk über dieser Rückhaltung seines Königs, und unter der steigenden Befriedigung über die innere und äußere Lage des Landes, die Blößen und Schwächen seines früheren Lebens, und selbst die meisten historischen Erzählungen deckten sie nachher (nach der allgemeinen Landessitte) mit dem Schleier der Anständigkeit zu, durch den es nicht immer leicht ist, auf die firnißlose Gestalt der handelnden Personen in der englischen Geschichte durchzudringen.

Oekonomische Reformen.

In drei großen Verhältnissen, den wichtigsten die überhaupt zur Frage kommen konnten, läßt sich von nun an diese wachsende Kraft einer volksthümlicheren Richtung in dem Gange der englischen Dinge beobachten, die zuletzt zu den Reformen seit 1830 führen sollte, wo wir dann in vollerer Uebersicht die Gewinnste übersehen werden, zu denen alle diese Jahre hindurch mit zweifelhaftem Glücke die bald gewagten bald vorsichtigen Einsätze gemacht wurden. Das Eine dieser Verhältnisse betrifft die materielle Lage des Landes. Sie war, zur Enttäuschung des fremden Uebelwollens, seit 1820 in entschiedner Besserung. Handel und Industrie hatten jetzt das lange vermißte Gleichgewicht mit den veränderten Bedürfnissen und Umständen wieder gefunden. Aus- und Einfuhr hob sich in den Friedensjahren 1817—21 bereits nicht unbedeutend über die der Kriegsjahre 1811—15. Die Einfuhr von zu verarbeitenden Gegen-

stäuben wie Baumwolle, Flachs, Hanf und Seide war um das
Dreifache gestiegen; die Ausfuhr selbst von bearbeitetem und rohem
Eisen und Stahl hatte 1821 schon wieder die Durchschnittshöhe
wie während der Kriegszeit erreicht. Als die Minister[1] ihren (frü- '1622.
her erwähnten) Rechenschaftsbericht veröffentlichten, konnten sie mit
dem größten Vertrauen von der Zukunft der Industrie, von der
Gegenwart der Finanzen reden. Das System stets neuer Anlehen
und Steuern sollte sein Ende erreicht haben; man könne nun von
dem Einkommen leben und jährlich einen Theil der Pfandbelastung
abtragen, die die Industrie bedrücke. Die Jahreseinkünfte waren[1] '1621.
um ein Namhaftes gestiegen und nie so leicht erhoben worden.
Unter den wohlfeilen Kornpreisen athmete die Gemeinheit in Wohl-
befinden auf. Das Landinteresse klagte wie gewöhnlich. Die Regierung schien in seiner Begünstigung fortzufahren, als sie durch
eine zweideutige Veränderung des Korngesetzes von 1815 die Einfuhr des Getreides bei einem Preise von 72 sh. (statt 80) gestattete,
dafür aber eine Auflage anordnete, die der Bevölkerung, wenn die
Maasregel irgend eine Folge gehabt hätte, noch eine größere Last
geworden wäre, und als sie gleichzeitig einige Maasregeln zur Er-
weiterung der Circulation traf, von denen die Landherren wunder-
bar gefördert zu werden dachten; in der That aber waren dieß nur
Scheingewährungen ohne alle Wirkung. Denn grade in Bezug
auf das Verkehrswesen zeigte sich schon damals im Schooße der
Regierung selber die entschiedene Neigung, das alte System der
Monopole, der Beschränkungen und Ausschließungen zu verlassen.
Früher war das Andringen auf ökonomische Reformen eben so sehr
wie der Ruf nach Parlamentsreform nur Sache der Opposition
gewesen; 1817 hatte man Brougham nachdrücklich vermahnen hören,
daß die Zeit gekommen sei, wo Handelssystem und Schifffahrtacte
einer furchtlosen Durchsicht unterworfen werden müßten, deren Vorschriften festgehalten würden, nachdem alle Verhältnisse die sie einst

'1820. rechtfertigen konnten aufgehört hatten. Jetzt aber' erklärte auch
Lord Liverpool seine Ueberzeugung, daß Englands Handel und
Industrie nicht in Folge sondern trotz dem Schutz- und Ausschlie-
ßungssystem so hoch gestiegen seien, und in ihrer Rechenschafts-
schrift erklärten sich die Minister förmlich für das Prinzip des Freihandels, nur daß die Rücksicht auf Englands maritime Interessen,
seine Schuld und Steuerlast zur Zeit noch hinderten, nach diesem
Prinzipe folgerichtig zu handeln. Dabei berühmten sie sich aber,
und mit Fug, von der schroffsten Strenge des Systems bereits in
'1821. vielen Beziehungen wohlthätig abgewichen zu sein. Denn schon'
hatte das Handelsamt eine Reihe von Beschlüssen im Unterhause
vorgelegt, deren Zweck war, den Weg zu einer vollständigen Revi-
sion der Schifffahrtsgesetze zu bahnen und eine Reihe von Beschränkungen des fremden Handels zu beseitigen, und in der folgenden
Jahressitzung genehmigte das Haus die betreffenden Bills. Man
entzog der ostindischen Compagnie ihre stärksten Vorrechte und eröffnete dem englischen Privathandel den ostindischen Markt. Ein
freieres unter Georg III. schon begonnenes aber wieder verlassenes
Durchgangs- und Waarenhaussystem ward nun fortgebildet. Die
Erleichterung der lastenden Leuchtthurm-, Hafen- und Lothsenab-
gaben war im Werke. In den verwickelten Schifffahrtsgesetzen waren
liberalere Maasregeln ergriffen. Früher war die Einfuhr europäischer Erzeugnisse nach England auf Schiffe britischen Baues oder
des Erzeugungslandes oder doch der gewöhnlichen Verschiffungs-
häfen beschränkt; gewisse Artikel der Niederlande waren ganz ver-
boten; andere Güter durften nur von Calais, nicht von Ostende
oder Dünkirchen aus eingebracht werden; die Einfuhr aus entfern-
teren Welttheilen hatte nur direct auf englischen Schiffen Statt;
vom Colonial- und Küstenhandel und von der Fischerei waren alle
fremde Schiffe ausgeschlossen. Vieles von den Chicanen in diesen
Bestimmungen wurde nun aufgehoben. Den britischen Schiffen

wurde gestattet, Ladungen von jedem Plaze der fremden Welttheile
einzuführen, ob sie Erzeugnisse des Einschiffungsortes seien oder
nicht; die Landeshäfen wurden zu Niederlagen fremder Waaren geöffnet, um die englischen Kaufleute zu befähigen, wohl affortirte
Ladungen von fremden und heimischen Gütern zu machen, und die
fremden, zur Verführung ihrer Erzeugnisse die englischen Schiffe zu
benutzen. Alle diese Maasnahmen zogen schon damals die Aufmerksamkeit des Festlandes auf sich, als Schritte, die eine neue
Zeit ankündigten; und bald konnte Brougham triumphiren, daß
endlich die Regierung Englands die Krämerpolitik verlasse und den
Lehren Einlaß gebe, die die Whigs seit Generationen gepredigt.

Die Frage der Verkehrsfreiheit bildete neben den humanisti- **Ansichten der Parlaments-reform.**
schen Fragen der Abstellung des Sclavenhandels, der Barbarismen
in der Strafgesetzgebung und der bürgerlichen Rechtsungleichheiten
der dissentirenden Confessionen einen der großen Grundsätze, bei
deren Durchführung sich der Bann der orthodoxen Partheibekennt-
nisse in dem gesetzgebenden Körper Englands zuerst zu lösen begann.
Und eben dieß ist im Großen der ideale Kern der Geschichte dieser
Friedensjahre in England, daß das ganze Partheiwesen der früheren Zeit jetzt unter der Einwirkung der gesammten Bildungszustände
tiefgreifende Veränderungen erlitt. Bis dahin gehörte es durchaus
zur Moral und zum Dogma des englischen Staatsmannes, den
Partheiprinzipien jede persönliche Einsicht und Ueberzeugung zu
opfern, jeder Erfahrung und Belehrung zu trozen, sich aus Groll,
aus Stolz, aus Gewohnheit auf den Eigensinn der Genossenschaft
zu steifen und jeder gegnerischen Meinung und Handlung die schnödesten Gründe unterzuschieben. In diesen früheren Zeiten mußte
es schon ein Mann von dem unabhängigen Geiste und dem volks-
sinnigen Gemüthe des älteren Pitt sein, der den Muth haben sollte,
diese Partheisclaverei von sich abzuwerfen und das öffentliche Ge-

ständniß zu wagen: es sei die Ausdehnung und Verwicklung politischer Fragen so groß, daß kein Mensch sich einer Irrung oder
Meinungsänderung zu schämen habe. Diese Denkart allgemeiner
zu machen, jenen Partheibigottismus in seinem Grunde zu erschüttern, dazu hatte es verschiedenartiger großer und ungewöhnlicher
Hebel bedurft, die die letzten Jahrzehnte aber massenweise in Bewegung gesetzt hatten. Es hatte dazu jene tiefe Entartung gehört,
die alle Partheigrundsätze zum Deckmantel niedrigen Eigennutzes
mißbraucht und dadurch herabgewürdigt hatte. Es hatte die französische Revolution dazu gehört, die die festesten politischen Ueberzeugungen umstieß und Volksinteressen aufgestellt und Bürger-
pflichten auferlegt hatte, vor denen die Partheiinteressen und Verpflichtungen weichen mußten. Es hatten die opfervollen Kriege
dazu gehört, die im Bedürfniß der Eintracht zu Parthei-Coalitio-
nen führten, einer Sache, die allen englischen Vorstellungen bis
dahin zuwider und selbst damals noch gehässig war, wo diese Verbindungen nicht den Zwecken gemeinen Partheiehrgeizes sondern
des großen Gemeinnutzens galten. Es gehörte dazu das Beispiel
der Männer jenes freisinnigen Toryismus, die den Einflüssen der
Zeit und ihrer Fortbildung offen waren, eines Pitt, der von den
Mitgliedern des von ihm benannten Clubs so fern war, daß man
sagte, er könne mit Anstand nicht an seinem eigenen Tische tafeln;
eines Grenville, der ohne jede politische Halbheit doch ein Coali-
tionsmann aus Grundsatz war, weil er in der Leidenschaft und der
Eigensucht der Partheien den Ruin des Landes gelegen sah. Es
gehörte der größere Flor der geistigen Bildung dazu, die die frühere
Kluft zwischen Gelehrten und Staatsleuten in England ausfüllte
und die Einflüsse der Wissenschaft und Literatur auf die herrschenden Kreise erweiterte. Es gehörte die humanistische Atmosphäre
der Zeit dazu, die um die Scheide der Jahrhunderte die Stimmungen in England so gehoben hatte, daß man damals mittelst einer

aufrichtigen Verbindung der Partheien den ersten wahren Triumph der politischen Philosophie zu feiern dachte in der Durchsetzung der Grundsätze des Freihandels und der Emancipation der Katholiken. Seit jenen Zeiten hatte sich in dem Torylager selber die liberale Mittelparthei um Canning gebildet, die, unerbittlich im Verfassungspuncte, in den Fragen der parlamentarischen Reform, doch willfährig in allen Verwaltungssachen, in Fragen der ökonomischen und confessionellen Reformen war, und indem sie so die grellsten und schädlichsten Partheisatzungen und Tendenzen abwarf, das obsolete System der Hochtories von innen heraus untergrub. Das war ein Greuel für die Leute wie Eldon, der was er in Staat und Recht vorfand rechtgläubig als das Unabänderliche verfocht, wie er das sinnloseste Dogma verfochten hätte, wenn er nach seiner Jugendneigung Theologe geworden wäre; der auf jene „Halbliberalen", die Männer der gemischten Doctrinen, der Vermittlungen und der Partheiunionen, die „der Zuträglichkeit den Grundsatz" opferten, mit Furcht, mit Haß und Verachtung hinsah. Aber diese verknöcherten Partheifanatiker wie Er, dessen ganze Kunst war, in allem Ueblen das Gute zu finden, standen doch nun (gleich den pedantischen gelehrten Sonderlingen des 18. Jahrhunderts) wie verfallende Ruinen in lächerlicher Vereinzelung in dem kritikfrohen Zeitalter, das selbst in allem Guten so geneigt war nach dem Ueblen zu forschen. Wogegen die Männer nun immer zahlreicher wurden, die die systematische Partheibefangenheit, vor der alle Weisheit Thorheit heißt, von sich abstreiften. Sah man einen Castlereagh um 1814 den Vertrag zu Abstellung des Negerhandels unterzeichnen, einen Peel seine finanziellen Vorurtheile und Irrthümer aufgeben, einen Wellington (schon 1819) die Vergeblichkeit des Widerstandes gegen die Emancipation der Katholiken erkennen, so findet man mit Erstaunen, wie von der stillen Gewalt des Geistes der freieren Zeit auch die entschiedensten Partheigänger des Toryismus bereits

erreicht waren. In diesen Jahren bemerkte Lord Dudley mit Wohlgefallen, wie der Partheigeist seine blinde Wuth, wie die Opposition und der Anhang des Ministeriums gleichmäßig ihren factiösen
Charakter ablegten; ja Lord Russell glaubte zu beobachten, daß sich
sogar eine förmliche Parthei organisire, in dem Zwecke gegen alle
Partheiung zu predigen. Auch kann man auf beiden Seiten und
Partheien die aufgeklärten Männer bezeichnen, die wie Lord Dudley
und Franz Horner sich mit voller Bewußtheit von den Partheivor-
urtheilen lossagten und ihre Atrocitäten als eine Schande der Zeit
verabscheuten, die (wie Brougham später that) das Partheiwesen
in seiner bisherigen Gestaltung für eine niedere Stufe der politischen Entwicklung erklärten und mit einer neuen Freigeisterei den
blinden Partheiorthodorismus bekämpften, eben da man ihn auf
dem Festlande als eine neue Heilslehre aus England herübernahm.
Diese Männer sahen es freudig als einen großen und wahren Fortschritt an, daß jetzt das Volk selber seine Fähigkeit zur Selbstregie-
rung mehr und mehr herausbildete, daß es sich rascher orientirte
in seinen Gemeininteressen, daß es sich über jede entstehende Frage
sein eigenes Uetheil bildete und mit gesundem Instincte seiner Vertretung voranging, statt der herrschenden Parthei, wie es zuletzt
noch in den confessionellen und finanziellen Dingen immer gewesen
war, in blinder Urtheilslosigkeit nachzuhinken.

Diese erstarkende Macht der öffentlichen Meinung nun sollte
sich allmälig auch in dem zweiten jener Verhältnisse kund geben, in
denen wir jetzt so bedeutsame Veränderungen im Gange zu sehen
glaubten, in der Sache der Parlamentsreform. Hatte die Regierung in den ökonomischen Reformen eine entgegenkommende Initiative ergriffen, so leistete sie in diesem Puncte den Fortschritten
der Opposition noch festen Widerstand, aber in einer merklichen
Defensive. Noch zwar begegnet man auch in diesen Jahren im
Parlamente den Scenen, die die Tories fortwährend in ihrer ganzen

starren Consequenz beharrlich zeigen, die jede kleinste Verbesserung
im Verfassungs- und Rechtswesen noch auf ein Jahrhundert zu
vertagen schienen. Wenn Romilly die einfachsten Forderungen der
Zweckmäßigkeit und Menschlichkeit in einzelnen Puncten der bürgerlichen und peinlichen Gesetzgebung erhob: daß Freilehn an Grundbesitz für Vertragsschulden solle haften können; daß die Todesstrafe
auf Ladenbiebstahl von 5 sh. Werth abgestellt werde u. s., so hatte
Lord Eldon im Oberhause keine Mühe, mit Berufung auf die Weisheit der Väter dergleichen harmlose Anträge als Reformwühlereien
abzuweisen. Die letzten Motionen Burdett's, die die Vertretung
betrafen, waren, wie wir wissen, in einer kläglichen Verlassenheit
geblieben; und später wieder¹ fiel Mr. Lambton mit einem radicalen ¹1821.
Reformvorschlage lächerlich durch. Dennoch war in derselben Sitzung, wo dieß geschah, eine erste Bresche geschossen worden, als der
Flecken Grampound, auf einen früheren Antrag Lord Russell's,
seines Wahlrechts wegen Mißbrauchs beraubt wurde, und als
desselben Mannes Vorschlag, auch den ferner der Bestechlichkeit
überwiesenen Boroughs ihre Wahlbefugnisse zu entziehen und die
unvertretenen Städte damit zu bekleiden, nur mit einem Mehr von
31 Stimmen abgelehnt wurde. Es war ein erstes Zeichen, wie jetzt
das Eis des Widerstandes in und außer dem Hause zu schmelzen
begann. Die öffentlichen Reformversammlungen dauerten fort; sie
waren zugleich anständiger und ernster und tiefer geworden. Die
besitzenden Klassen, die mit Hunt's und Cobbett's Plänen immer
die Vorstellung von Plünderung verbunden hatten, fingen jetzt an
auf die Reformideen zu lauschen. Die dauernde Noth der Landwirthe hatte selbst dieser langsamsten und conservativsten Klasse ein
Interesse an der Frage eingeflößt. Unter dem Adel gab es täglich
Bekehrte. Lord Dudley, der früher den ersten Tag der Reform den
ersten Tag der Revolution genannt hatte, begriff 1819, daß das
ewige Gerede von den Gebrechen der Verfassung allmälig auch den

Glauben der Wohlgesinnten irre; 1820 vergingen ihm die Sinne
über den Fortschritten dieser Ideenseuche; 1821 gehörte er selber
schon zu den Angesteckten und zehn Jahre später war er Mitglied
eines Reformministeriums. Diese Geschichte des Einen war die
einer Menge von Menschen. Die Sache der Reform erhielt die
Gunst und moralische Kraft, die ihr die Straßenbewegung und der
Radicalismus geraubt hatte, jetzt bei ihrer Verlegung an die ordentliche Stätte der Gesetzgebung und durch die Mäßigung und Ver-
fassungsmäßigkeit der parlamentarischen Anträge zurück. Denn was
in den Zielen der Bentham, Cobbett und Burdett die Ueberzahl
der englischen Staatsleute, auch der freisinnigen Seite, immer abgestoßen hatte und ewig abgestoßen hätte, was der ehrenhafte
Grund jener Rückhaltung der ehrenhaften Whigs war, die die Demokraten immer so verdrossen hatte, das war der einseitig grelle
Bruch ihrer radicalen Theorie mit der ganzen bestehenden Verfassung und ihrer wohlbewährten Wirksamkeit. Die wenigsten dieser
erfahrenen Männer theilten den lechzenden Durst nach jenen puri-
tanischen Schematen einer einfacheren Staatsordnung, die der man-
nichfaltigen Gliederung der englischen Gesellschaft und den überlieferten Ansprüchen und Einflüssen der verschiedenen Gesellschafts-
klassen so schroff entgegengesetzt waren. Vielmehr würden sich die
ächtesten Patrioten unter Whigs und Tories, in Gentry und Adel,
allezeit gleichmäßig aus tiefster Ueberzeugung zu dem innerlichsten
Bekenntniß einigen, das dem demokratischen Fassungsvermögen so
schwer verständlich zu machen ist: daß sie die Verfassung Englands
grade wegen ihres Mangels an der nivellirenden Gleichförmigkeit
so hoch halten, die sehr wichtige Interessen von der Vertretung aus-
schließen würde; daß die zusammengesetzte Gestalt des englischen
Staats- und Regierungswesens nothwendig und natürlich aus den
verschiedenen Elementen der Gesellschaft erwachsen sei; daß daher
in dem Nebeneinander von verschiedenen Gewalten und Rechten

grade die Schönheit, Kraft und Wohlthätigkeit der Verfassung ge=
legen sei; daß diese gemischten Ordnungen allein der „gemäßigten
Zone der Freiheit" (wie es Canning nannte) entsprächen, die dem
Staatsleben die frischeste Gesundheit und die längste Dauer ver=
heißt. Es war eine Zeit, wo die Häupter beider englischen Staats=
partheien, die Fox, die Erskine, die Pitt ganz einig waren, daß die
Einführung allgemeinen Wahlrechts thöricht und unausführbar
sei, weil sie die gemeinschaftlichen Regierungsgewalten und den
ganzen Bestand der Dinge zerstören würde. Dann in der Zeit der
heftigen Gegensätze waren sie aus einander gegangen, und Fox
hatte weniger seine eigenen, als die Hintergedanken der Demokraten
verrathen, als er 1793 erklärte: wenn ein volksthümlich gestaltetes,
aus allgemeiner Wahl hervorgegangenes Unterhaus für Oberhaus
und König zu mächtig werden würde, so möchten diese eben, falls sie
als unnöthige Zweige der Verfassung befunden würden, abgeschafft
werden. Das klang einem Canning noch heute in den Ohren, der
wie Pitt von der folgerichtigen Durchführung des allgemeinen
Wahlrechts den Umsturz von Pairie und Königthum, von jeder
erblichen Würde und jedem bevorrechteten Stande befürchtete, der
daher in stärkster Entschiedenheit gegen das Prinzip der Reform
stand, weil er, dieß zugegeben, keinen Zügel mehr möglich glaubte,
und auf die Restauration den Neubau folgen sah. Ihm war das
Drängen nach Reform nur der Vorwand weniger misleitender Un=
zufriedener zu versteckteren Zwecken. Er übersah, daß was die ver=
derbtesten Demagogen mit Erfolg zum Vorwand nehmen, eben
darum ein wahres Bedürfniß der Allgemeinheit sein muß, weil es
sonst keinen tauglichen Vorwand abgiebt; er hätte nicht möglich
gedacht, daß sich die ganze Nation in wenigen Jahren einen unver=
gänglichen Ruhm machen würde aus dem, was er jetzt als schwär=
merische oder verderbliche Experimente verwarf. Als Lord Russell
seit 1820 die Reformsache den Cobbett und Burdett aus der Hand

IV. 10

nahm, war es nicht mehr thunlich, die Anträge dieses Mannes als
Maske, oder seine Grundsätze als Trug, oder seine Ziele als Visio-
nen zu verschreien. Er bekannte sich[1] in seinem Buche über die
englische Verfassung g e g e n alle radicale Reform, weil auch ihn,
wie die Rede der Tories war, die gute Praris der englischen Verfassung für die schlechte Theorie entschädigte; er wollte, eifernd
zwar gegen den Unfug der verrotteten Wahlflecken, nichts von einer
völligen Abstellung dieses Systemes wissen, aus Furcht, die Heilung möge sich schlimmer erweisen als das Uebel. Doch aber
warnte er mit größerem Nachdruck vor den Stillstandsystemen, die
die Festlandstaaten in die Revolutionen gestoßen; und er setzte dem-
gemäß planmäßig und stufenweise seine parlamentarische Agitation
für die Verbesserung der Vertretung fort. Dieß war jener bedeutsame, von den Demokraten nicht so bald befürchtete, von den besten
Whigs nicht so bald gehoffte Moment, wo die irregulären Haufen
der Reformmiliz vor dem regelmäßigen Operationscorps der parlamentarischen Opposition zurückwichen, wo die Cobbett und Hunt,
die selbst ein O'Connell zwar für unentbehrliche Bundesgenossen,
aber doch nur für Streifzügler und Pioniere erklärte, zum entschiedenen Vortheil des Kampfes in das Hintertreffen geschoben wurden. Als Lord Russell seinen Plan vortrug[1], das Unterhaus (wie
Pitt einst gewollt) um 100 Mitglieder der Grafschaften und Städte
zu vermehren, fühlten die Gegner zum ersten Male, obwohl auch
jetzt im Siege, wie nahe sie der Niederlage waren. Derselbe Canning, der noch 1819 über Burdett höhnend gespottet hatte, „daß er
seine Pläne von Major Cartwright (einem Reformveteranen aus
der Zeit des Herzogs von Richmond) geerbt habe und künftig einem
anderen Erben hinterlassen werde, eben so begabt wie Er, aber
ebenso wie Er verurtheilt ohne Stütze und Hoffnung im Verfolge
derselben zu bleiben", derselbe Canning beschwor jetzt, sehr entfernt
von allem Scherze und Spotte, Lord Russell, einzuhalten mit der

Erneuerung seiner Anträge, und das Haus, sich vor Zustimmung warnen zu lassen; er that es in einem Tone der Feierlichkeit, der das Sinken all seiner Zuversicht verrieth, das alte Verletzungssystem auf die Länge zu retten, an dem er von anderer Seite selber seit lange hatte rütteln helfen. Als er in eben dieser Session einen Antrag stellte, der in die Frage der Emancipation der Katholiken einschlug, jetzt, wo Wellesley in Irland Statthalter und Plunkett Generalfiscal war, der schon in voriger Sitzung einen Antrag für die Aufhebung der Rechtsunfähigkeiten der Katholischen durch alle Stadien des Unterhauses erfolgreich durchgeführt hatte, jetzt, wo Moore's poetische Stimme alle Fühlenden und Freidenkenden um diese Sache zu versammeln suchte, da durchdrang, schon damals, die frohe Vorempfindung alle Gemüther, daß die Morgenröthe einer besseren Zukunft anbreche, die den ungerechten und schädlichen Ausschließungen wie in den materiellen so auch in den constitutionellen Fragen ein Ende bereiten würde.

Und solch ein Moment nun einer versprechenden Veränderung, die Volk, Gesetzgebung und Verwaltung in einem größeren Einklange zeigte, sollte demnächst, wie in den Puncten der ökonomischen und parlamentarischen Reformen, auch noch in einem dritten Verhältnisse eintreten, wo noch zur Zeit die Zwistigkeit nicht minder stark als in jenen Beziehungen war. Wir meinen die auswärtige Politik, das Verhalten Englands zunächst in den politischen Verwicklungen, die die Ereignisse im Süden in ihrem Gefolge nach sich zogen. Darüber aber läßt sich nicht füglich berichten, ehe der Verlauf dieser Ereignisse selber erzählt worden ist.

10*

3. Oesterreichische Intervention in Italien.

a. Neapel.

Erstes Verhalten
der europäischen
Mächte beim
Ausbruch der
spanischen
Revolution.

Der erste und nächste Eindruck, den die spanische Revolution in dem Lager der Legitimität hatte machen müssen, war die Besorgniß über das gegebene Beispiel des Soldatenaufstandes. Die Welt erlebte von neuem, was die großen Erfahrungen in Frankreich schon so nachdrücklich gelehrt hatten, daß die Gefahr für Freiheit und Fortbildung, die ein Montesquieu in den stehenden Heeren gelegen sah, ein Gegengift in sich trug, insofern der Soldat doch nie ganz aufhörte Bürger zu sein. Die Machthaber fühlten das Bajonet, auf das sie sich immer zu stützen gemeint, plötzlich in der Seite. Sie wußten, daß der ähnliche unruhige Geist wie in dem spanischen Heere auch unter den Napoleonischen, Muratistischen, Eugenischen Kriegsleuten in Frankreich und Italien herrschte; sie waren daher in einer natürlichen Aufregung über das Lärmzeichen, das aus Isla de Leon all diesen Unzufriedenen gegeben war, über das Aergerniß das in alle Völker ausging, über die schlimmeren Folgen die sich noch entwickeln würden. Die Agenten Metternich's zweifelten anfangs nicht, daß die Cortes bei ihrem Zusammentritt den König absetzen und mit Adel und Klerus in einen tödtlichen Kampf gerathen würden; die Liberalen aber sagten in geschäftiger Zuversicht die ähnlichen Ausbrüche in Frankreich und Preußen voraus. Die Befürchtung solch einer Propaganda der Revolution war in der diplomatischen Welt zuerst durch die Regentschaft von Portugal aufgeweckt worden, die gleich nach dem Ausbruch der spanischen Bewegung, in Angst vor ihrer Ausbreitung, an Frankreich und Rußland den Wunsch ausgedrückt hatte[1], die Bürgschaft der Mächte

---

1) Zufolge einer Depesche Nesselrode's an Baron de Tuyll vom 18. Juli 1820. in Castlereagh memoirs 12, 291.

für die Integrität der portugieſiſchen Beſißungen in Europa zu erhalten. Der Kaiſer von Rußland, dem die ſpaniſche Volksbewe-
gung all ſeinen dort erlangten Einfluß bedrohte, ergriff begierig
dieſen Anlaß, um ſeine Aachener Ideen neu einzuſchärfen: den heiligen Bund in die Form eines europäiſchen Vertrags zur Geſammt-
Verbürgung des Beſißſtandes wie der Legitimität der hergeſtellten
Regierungen zu bringen. Er ließ in einer Depeſche an Alopeus[1] '4. Febr. 1820.
dieſe Anträge erneuern und ſeine Aachner Verbalnote[1] noch ein Mal 'vgl. 2, 720.
verſenden; er ließ in Paris zu einer Zeit, wo der ſpaniſche Auf-
ſtand noch dem Erſticken näher als dem Gelingen war, in einer
Depeſche an Graf Lieven[1] auf Vereinbarung gemeinſamer Maaß- '3. März.
regeln antragen, und wiederholte den Lieblingsgedanken, die Pariſer
Conferenz zur Vermittlung zwiſchen Spanien und Portugal zu
benußen. Hardenberg und Metternich waren ſofort bereit mit
Rußland zu gehen. Frankreich wich aus. Es war lüſtern, den von
Rußland eingebüßten Einfluß in Spanien an ſich zu reißen. Der
König hatte den Plan, Latour du Pin[1] nach Madrid zu ſchicken[2], 'April.
um zwiſchen dem König und den Häuptern der Revolution eine
Veränderung der Verfaſſung zu vereinbaren, die ſie mehr der franzöſiſchen Charte annähern würde. Dieſen freundlichen Schritten
Frankreichs arbeitete ſofort die Eiferſucht Englands in einer kleinlichen und für Spanien verderblichen Weiſe entgegen. Es ſchürte
in Madrid den Argwohn und die Empfindlichkeit der Junta und
der Freiheitsmänner in dem Maaße, daß die ſpaniſche Regierung
die beabſichtigte Abſendung Latour's verbeten hätte, wenn ſie nicht
von ſelbſt wäre aufgegeben worden. Viel entſchiedner noch ſtellte
ſich England den feindlichen Abſichten Rußlands gegenüber. Ver-
ſtrickt wie Caſtlereagh durch ſeine Neigungen und Beziehungen mit
den feſtländiſchen Staatsleuten und Staatsmarimen ſein mochte,

---

2) Martignac, essai hist. sur la révol. d'Espagne. 1632. 1, 219.

nie war er es doch mit der russischen Allianzpolitik gewesen. Hatte
er England eine Weile weit genug aus dem Bereich der Gefahren
gesehen, um gegen Rußlands vordringliches Einflußbestreben eine
argwohnlose Großmuth zu setzen, so hatte sich das doch geäußert,
sobald sich die Staatskunst des heiligen Bundes weiter entwickelte.
Die Mißstimmung, wissen wir, hatte sich bereits bei wiederholten
Gelegenheiten kund gegeben: gleich damals, als 1817—18 Spa=
'vgl. 2. 181 f. nien auf Rußlands Eingebung[1] die Hülfe der Allianz in seinen
portugiesischen und americanischen Wirren in Anspruch nahm; dann
' als Rußland in Aachen den Vertrag des heiligen Bundes in eine
Art europäischer Bundesacte umgestalten wollte; und wieder als
'vgl. 2. 319. 1819 Metternich[1] auf diese russischen Ideen mit seinen eigenen
Hintergedanken einging; zuletzt als sich Rußland 1819 gerne thät=
'vgl. 2. 436 f. lich[1] in die deutschen Dinge gemengt hätte. England hatte der hei=
ligen Allianz die Unterzeichnung geweigert, der Aachner Verbalnote
die Antwort; die Anträge zur Einmischung in Deutschland hatte
es höflich abgelehnt, den neuesten Gelüsten der Einschreitung in
Spanien trat es mit entschiedenen Erklärungen entgegen. Die
'Ende April. Minister legten[1] dem König in einem Memorandum ihre Meinung
vor über die Festlandangelegenheiten und über ihre Gründe, die
russischen Vorschläge vom 4. Febr. und 3. März, so wie andere
„noch mißlichere Eröffnungen" aus Berlin abzulehnen, die selbst
von Oesterreich schon mißbilligt seien; und diese Ansichten wurden
'Mai. dann[1] von Castlereagh in Form einer vertraulichen Mittheilung[2]
an die vier Mächte versandt. Das englische Interesse wies dahin,
die Verwicklungen in Spanien, die die Unabhängigkeit seiner Colo=
nien nur begünstigen und beschleunigen konnten, von jeder Störung

---

3) Hansard, parl. debates 8, 1138. Diese Staatsschrift, zu deren lei=
tenden Grundsätzen sich auch Canning später bekannte, wäre nach Stapleton's
Vermuthung auch aus seiner Feder geflossen. Lord Liverpool erklärte sie aber
ausdrücklich 1823 für Castlereagh's Werk.

durch äußere Einmischung frei zu halten; die Minister sprachen sich
daher in ihrer Note mit großer Bestimmtheit gegen alle Fürsten-
congresse und Ministerconferenzen aus, gegen jede voreilige Berathung über die noch unreife Lage von Spanien, gegen jede unge-
rechtfertigte Einschreitung mit Rath oder Gewalt, so lange die
Sicherheit anderer Staaten von keiner irgend dringenden Gefahr
bedroht war, vor Allem gegen jede gemeinsame Wirksamkeit der
Allianz, die nie „als eine Verbindung zur Regierung der Welt oder
zur Oberaufsicht über die inneren Angelegenheiten anderer Staaten
gemeint gewesen sei." Diese Schrift bewirkte, daß Alexander seine
noch einmal[1] wiederholten Vorschläge zu gemeinsamer Handlung, '20. April.
daß Ludwig XVIII. seine Aufforderung zu gemeinschaftlichen Weisungen an die Madrider Diplomatie aufgaben, und daß auf die
Anzeigen des spanischen Königs von seiner freiwilligen Beschwörung der Verfassung lauter vereinzelte, verschieden lautende, laue
Antworten ergingen. Nur Rußland betonte in seiner Erwiederungs-
note[1] in stärkerer Weise die Gefahren der stattgehabten Staatsver- '2. Mai.
änderung; es sprach, wie im geflissentlichen Gegensatze zu Englands
Rathschlägen, den prinzipiellen Gesichtspunct der heiligen Bundespolitik aus: „daß Verfassungen die vom Throne ausflössen erhal-
tend wirkten; wenn sie aus Unruhen hervorgingen, das Chaos
erzeugten;" und in einem gleichzeitigen Rundschreiben fügte es die
Drohung bei: Spanien schulde den beiden Hemisphären einen
Sühnact für das Aergerniß seiner Revolution, und die Maaßregeln,
die seine Regierung zur Verwischung des Eindrucks der Märzereig-
nisse ergreifen werde, würden über die Natur der Beziehungen entscheiden, die der Kaiser zu ihr einhalten werde. Diese Schriftstücke[a]

---

4) Archives diplomatiques 3, 378. 384. Martens. supplement au
recueil etc. ad tom. IX. p. 237. 242. Miraflores und nach ihm die vida de
D. Fernando VII. haben keine kleine Verwirrung angestiftet, indem sie beide
Actenstücke in das Jahr 1821 zurückschoben.

bezeichneten die ersten Schritte jener verborgenen Einmischung, die
'vgl. 3, 303 f. den Sühnact der Auflösung des Heeres von S. Fernando' nach
sich zog, durch die das erste Gift in die spanische Revolution gestreut
ward. In England rief der Trotz in diesen Erklärungen die trotzigsten Widerreden hervor. Die Regierung selber wies gelegentlich
das aufgestellte Prinzip zurück, das eine Verurtheilung der englischen Staatsordnung in sich schloß. Die Whigs aber höhnten in
der nächsten Sitzung unter den gröbsten Ausfällen, daß unter diesen
Gesichtspuncten auch jener Revolution die Anerkennung zu weigern wäre, unter der Alexander über die Leiche seines Vaters auf
den Thron gestiegen, so lange kein Sühnopfer diesen Mord aus-
gebüßt habe; und daß der Ort, wo dergleichen geschehen war, der
wenigst geeignete sei, das Orakel politischer Moral zu spielen.

Oesterreich gegen Neapel. Unter diesem Zwiespalt der Mächte schien die spanische Staatsveränderung Zeit und Raum behalten zu sollen, ihren Weg sich
selbst überlassen fortzugehen, als um die Mitte des Jahres ihre
Fortwirkungen nach außen begannen. Dieser Moment, der nach
der Meinung eines M. Guerra den Horizont der spanischen Lage
aufhellen sollte, beschwor die ersten fernen Stürme wider sie herauf.
Als im Juli und August die zündenden Funken der Revolution über
die Grenzen nach Portugal, über die Berge nach Frankreich, über
das Meer nach Neapel flogen, nahm Metternich die Zügel der
Gegenrevolution unverzögert in die Hand. Es förderte ihn, daß
er bereits in Athem und Uebung und von dem Ereignisse nicht
überrascht war. Seitdem ihm und Genz jene zuversichtlichen in
Aachen gefaßten Hoffnungen auf lange, lockende Friedensgenüsse so
bitter getäuscht, so rasch und fortwährend von täglichen Hiobsposten
waren ausgetrieben worden, hatte man sich in Wien zusammenneh-
men müssen; die bloße Furcht lehrte Tapferkeit und Thätigkeit, und
nach dem ersten Siege in Karlsbad rühmte sich Metternich gegen

Marmont, seine Stellung gut genommen zu haben, um auch eine nächste Schlacht wieder zu gewinnen. Die Wiener Plane gegen Deutschland zwar brach er ab, als der Ausbruch der spanischen Revolution die Entwürfe dorthin lenkte. Diese Entwürfe wieder gab er auf, da sie England mit seinen abmahnenden Erklärungen kreuzte. Sobald aber die Reapolitanische Bewegung Oesterreichs Staatskörper in unmittelbarer Nähe berührte, ergriff er nach allen Seiten hin entschlossene Maasregeln. Er kündigte den italienischen Fürsten seines Kaisers Willen an, die bestehende Ordnung nicht nur in dem österreichischen sondern auch in dem ganzen übrigen Italien zu beschützen. Er ließ[1] den Eintritt in die „hochverrätheri- 'August. sche" Verbindung der Carbonari bei Todesstrafe verpönen[5], ließ sorgfältig ausgearbeitete Listen der „neuen Jacobiner" überallher einziehen und schrieb den Behörden den Ausschluß jeder unzeitigen Schonung vor. Wie bitter ernst dieß gemeint war, zeigte sich, als man dem Carbonarigesetze rückwirkende Kraft gab und es auf eine Anzahl Geheimbündler wie Munari, Foresti, Borchiega aus dem Polesinischen, wie Ant. Villa, Graf Droboni, Marco Fortini u. A. aus la Fratta anwandte, von denen die drei ersten schon seit 1818 verdächtig oder selbst eingezogen, die andern bereits Monate vor dem August-Erlasse festgenommen waren. Zugleich schritt man zur Unterdrückung des öffentlichen Geistes in dem österreichischen Italien, der seit geraumer Zeit die Literatur benutzt hatte, um freisinnige politische Grundsätze einzuschmuggeln und dem zähen Despotismus der österreichischen Regierung ein geeignetes System eines eben so zähen Rationalismus entgegenzusetzen. Die patriotische Gesellschaft in Mailand, die sich seit 1818 um den „Conciliatore" des Marquis de Breme und in dem Hause des Grafen Porro Lambertenghi versammelt hatte, verfolgte mit stetiger Consequenz die

---

5) Carte segrete I, 418.

Zwecke, mit dem scheinbar gefahrlosen Inhalte ihrer romantischen
Zeitschrift der Wiedergeburt Italiens vorzuarbeiten. Sie wurde
sofort unterdrückt, und von den Mitarbeitern der junge Silvio Pellico, ein Freund Foscolo's, dessen Francesca von Rimini (1815)

'13. Oct. das populärste Drama seit Alfieri war, verhaftet[1] und in S. Mar-
gherita eingesperrt, wo sein poetisch musikalischer Freund Maroncelli aus Forli schon festsaß. Sogleich waren ferner umfassende
militärische Maasnahmen getroffen worden. Ein starkes Truppen-

'seit Sept. corps wurde[1] zusammengezogen, die Besatzungen von Ferrara und
Comacchio auf den Kriegsfuß gesetzt und die Plätze für eine Belagerung vorgesehen. Diese raschen Schritte erfüllten ihren nächsten
Zweck. Obgleich Tausende von erhitzten Sectirern über ganz Italien hin auf die Fortschritte der Bewegung lauerten, obgleich in der
Romagna und den Marken die Carbonari die Köpfe hoch trugen
und die Grenznachbarn Neapels am Tronto durchwühlt waren, so
hielt doch die entfaltete österreichische Macht und Wachsamkeit die
verschwörungslustigen Geister in ganz Ober- und Mittelitalien im
Bann. So hätte Oesterreich das Feuer in Neapel vielleicht ruhig
mögen ausbrennen lassen; wenn nur nicht die selbstselige Stimmung gegen seine Herrschaft sich damals zuerst wie ein Lauffeuer
über ganz Italien gebreitet und in den Geheimbünden festgesetzt
hätte; wenn nur nicht zu befürchten gewesen wäre, daß der Brand
nach Frankreich überschlagen und von da das andere Ende Italiens,
das eifersüchtige Piemont, entzünden werde; und wenn aus solchen Zwischenfällen nur nicht die Möglichkeit hätte vorgesehen werden müssen, daß sich ganz Italien, trotz seiner von allen Klarsehen-
den behaupteten Unfähigkeit und Unbereitschaft, doch zu einer radicalen unitarischen Bewegung erheben möchte. Metternich glaubte
sich daher nicht mit der bloßen Vertheidigung begnügen zu sollen.
Aber an diesem Puncte, wo es gegolten hätte auf eigne Hand und
Verantwortung einen rüstigen Schlag zu führen, stand seine Ent-

schloffenheit zaudernd still. Er schrieb zwar später an den Herzog von Modena[6], wenn man im Juli nur 20,000 Mann verfügbar am Po gehabt hätte, so würde er sie gleich damals ohne jede Rücksicht nach Neapel geschickt haben; aber Alles was er nun that, nachdem ein doppelt so starkes Heer in Bereitschaft gesetzt war, widersprach dieser ersten tapfern Entschlossenheit. Immer geneigt, eine verwickelte Verhandlung einer kühnen Handlungsweise vorzuziehen, wäre er zu dem Kampfe mit der Neapolitanischen Revolution gern der Ermächtigung und der moralischen Hülfe von ganz Europa sicher gewesen. Er bereitete daher eine Denkschrift vor, die auf eine Ministerversammlung antrug und[7] den Zweck zu haben schien, durch ein Bündniß ohne bestimmte Ziele eine Vollmacht ohne bestimmte Grenzen für Oesterreich zu erhalten, Neapel und Italien das Gesetz machen zu dürfen. Das aber war nicht die Meinung des Gründers des heiligen Bundes, der auf einem Fürstencongreß bestand und eine gemeinsame Bundesexecution im Auge hatte. Dieß widerstrebte wieder England noch mehr als die Absichten Metternich's. Lord Castlereagh sprach sich daher an Lord Stewart, den Gesandten in Wien, über beide Entwürfe zeitig genug[1] aus, daß es eine Weisung für die Fürstenversammlung sein konnte, die nun, dem in Polen anwesenden russischen Kaiser zu Gefallen, in Troppau im österreichischen Schlesien Statt haben sollte[1]. Der Zweck des Actenstückes war, Oesterreich von Rußland zu trennen, um das gemeinsame Handeln des europäischen Bundes zu verhüten. Castlereagh verschloß daher ein für alle Mal jede Aussicht auf Englands Beitritt. Er betonte, daß die vorliegende Gefahr aus keiner Verletzung bestehender Verträge herrühre, daß mithin die Revolution in Neapel nicht unter die Vereinbarungen

---

6) N. Bianchi, storia della politica Austriaca etc. 1657. p. 457.
7) Nach Lord Castlereagh, der sie gelesen hatte.

der heiligen Allianz falle. Er warnte vor der beabsichtigten Erneuerung von Pillnitz. Dabei aber fand er es in Ordnung, daß
sich Oesterreich rüste, der angestrebten italienischen Einheit und der
Ausbreitung der Revolution vorzubauen, und wenn es das in seinem eigenen Namen, im bloßen Zwecke der Selbstvertheidigung,
ohne Absicht auf Vergrößerung thue, so werde es bei den Mächten
kein Hinderniß, vielmehr selbst moralische Unterstützung finden.

Haltung der
englischen
Regierung.

Diese Erklärung war wie das frühere Schriftstück vom Monat
Mai so sehr von wohl erwogenem Interesse eingegeben und aus so
traditionellen Regierungsgrundsätzen geflossen, daß sie selbst noch
für Castlereagh's Nachfolger, für Canning, der in so vielen Dingen
sein Widersacher war, die Richtschnur der englischen Politik in den
Händeln dieser Jahre zog. Eine Pflicht höherer politischer Moral
sah Lord Castlereagh in dem vorliegenden Falle der Regierung
Englands nicht auferlegt. Daß eine Gefährdung des europäischen
Besitz- und Gebietssystems aus der Einmischung Oesterreichs zu
befürchten sei, damit ließ er sich durch die leidenschaftlichen War-
nungen der Whigopposition, die selbst mehr vorgegeben als ernstlich
gemeint waren, nicht schrecken. Wohl war in früheren Zeiten die
Intervention ein sehr gewöhnliches Hausmittel für die Zwecke
eroberungssüchtiger Macht gewesen und durch politische Verwicklungen wie die gegenwärtige hatte man sonst wohl alle Mächte in
Hader verstrickt gesehen; aber in dieser Beziehung — darauf baute
Lord Castlereagh in sicherem Instincte — war die Natur der Zeiten
sehr verändert. Hatte die nordamericanische Revolution einst die
halbe Welt gegen einander gewaffnet, so hatte doch der zehnjährige
Kampf in Südamerica keine solche Folge mehr gehabt. Und jetzt
in dieser schwebenden Frage des Tages erkannte die englische Regierung ohne Kopfbrechen, daß hier alle Antriebe aus keiner Erobe-
rungs- und Vergrößerungsgier, sondern lediglich aus Furcht, aus

übertriebener Friedensjucht und aus der blinden Vorliebe für bestimmte politische Meinungen flossen. Den englischen Staatsleuten
mußte es von 1799 und früher her gänzlich unvergessen sein, daß
Oesterreich seit der Einbuße Belgiens bald mit Bescheidenheit bald
mit Unersättlichkeit darnach gestrebt hatte, sich seine Entschädigungen
in Italien zu nehmen; daß es bald Piemont, bald den Pabst, bald
die kleineren Staaten zu berauben gedacht, um sich nach der West-
küste Italiens auszudehnen; daß es diese Gelüste noch 1813 und
14 in einer* ungestümen Weise verrathen hatte; daß es in Italien
Plane verfolgte, wie sie Rußland auf die Türkei unterhielt, wie sie
Frankreich wiederholt gegen Spanien geschmiedet; und daß es die
kleinen seinen Nachstellungen nach mittelbarem Einflusse nie unterlassen hatte. Und trotz allem dem hätte Lord Castlereagh jetzt, in
dieser erschöpften Zeit, und nach der Natur der handelnden Fürsten
und Minister, eine Benutzung dieser Gelegenheit zu territorialen
Uebergriffen entfernt nicht gefürchtet. Er hätte daher im Nothfalle
selbst von einer gemeinsamen Einschreitung der verbündeten Festlandmächte keinen wesentlichen Schaden besorgt, wiewohl er vorsorg-
lich seine schärfsten Erklärungen immer gegen jene Allianz-Entwürfe
richtete, die neapolitanische oder spanische Frage zu „europäisiren"
und aus der Dazwischenkunft, die als Ausnahmefall nothwendig
werden konnte, eine Regel, ein Recht, oder gar eine Pflicht der
Bürgen der europäischen Ordnung zu machen, die sich gebieterisch
zu einer politischen Polizei des Welttheils schienen aufwerfen zu
wollen. So entschieden aber Lord Castlereagh eine Gefahr für die
Ordnung Europa's in den Neapolitanischen Verhältnissen bestritt,
so bereitwillig gab er die Gefahr für das nahe betheiligte Oesterreich zu, das er für voll berechtigt erklärte, nach eigener Beurtheilung seiner eigenthümlichen und schwierigen Lage in Italien seine

---

8) Mehr als man vor Farini storia d'Italia. tom. I. wußte.

Schritte zu bemessen. Sich aus einem zendeutiären Interesse an der demokratischen Staatsveränderung in Neapel der österreichischen Einmischung, wie die Gegenparthei im Parlamente es verlangte, zu widersetzen, dazu hätte die Torypregierung grade jetzt, nach ihren neuesten Erfahrungen zu Hause, begreiflich weniger Lust als je gehabt; sie hatte dazu eine allzu entschiedene Abneigung gegen alle Sectenverschwörung und Truppenmeuterei überhaupt; die Dinge in Neapel ohnehin lehrte sie die Scharfsicht des Interesses noch in ganz besonders üblem Lichte zu sehen. Der Madrider Kammer- diener-Regierung, die Englands Einflüssen stets verschlossen gewe- sen war, hatte sie die Revolution von Herzen gegönnt und hielt den Rückschlag dort daher sorglicher ab; aber mit der königlichen Regierung in Neapel, das Englands Handelsbeziehungen sehr wichtig war, hatte sie im besten Verhältnisse gestanden; sie glaubte daher die dortigen Vorgänge mit ganz anderen Augen betrachten zu sollen als die Revolution der Spanier, die eine eigene mit Blut erkaufte, von den Mächten selber anerkannte Verfassung nur her- gestellt hatten, während die Carbonari in Neapel ihre „väterliche Regierung" um einer fremden ganz unbekannten Staatsordnung willen umgestürzt hatten. Der vor Neapel liegende Admiral Sir Graham Moore hatte daher Befehl, augenblicklich Gewalt zu brau- chen, wenn die Person oder die Familie des Königs gefährdet werde. Diese eigensüchtigen Beweggründe zur Preisgebung der Neapolitanischen Sache versteckte dann Lord Liverpool[9], wie später Canning die der spanischen, hinter groß klingende Grundsätze, die aus der innersten Natur des englischen Staatswesens abgeleitet waren. Unerwogen, wie er auf Seiten des heiligen Bundes das Stabbrechen über alle Revolutionen ohne Rücksicht auf Zeit und Anlaß nannte, fand er doch auch eben so thöricht den Kitzel der

---

9) Oberhaussitzung 2. März 1821.

Freude über alle Revolutionen ohne Unterschied; rühme sich aber England, in seiner Verfassung gleich ferne von Despotismus und Revolutionsgrundsätzen zu stehen, so verlange dieses System, bei dem Zusammenstoße beider Extreme, die strengste Neutralität und die Erhaltung des Friedens für England. Und indem die Regierung so die Rolle ablehnte, sich wie eine Art Vorsehung in alle europäischen Ereignisse zu mischen, konnte sie sich allerdings auf alle Praxis der überlieferten Politik in England berufen, die immer vermied mit Unbedacht zu reden, ehe sie mit vollem Bedacht zu wohlverantwortlicher Handlung vorbereitet war. Sie zögerte daher jetzt mit billiger Mäßigung, die englische Macht, die sich vorzugsweise auf das Ruder stützte, in einen leichtfertigen Kampf mit den stärksten Kriegsmächten für eine sehr zweideutige Sache zu verwickeln; vollends in dieser Zeit, wo das Land sich mühselig aus Kriegsbürden und Friedensnoth erholte und kein dringenderes Interesse hatte, als seine Mittel und Kräfte haushälterisch zu sparen. Die Opposition selber hätte dieser Politik ihrer Regierung den Beifall nicht weigern können, wenn nur die Neutralität mit voller Partheilosigkeit behauptet, der Friede mit Ehren erhalten, den Vorstellungen Englands im Rathe der Mächte die gebührende Achtung gesichert wurde.

Lord Stewart war angewiesen[10], sich mit dem Wiener Hofe nach Troppau zu begeben, aber ohne sich an den Verhandlungen zu betheiligen. Es mochte erwartet werden, daß die geheime durch ihn mitgetheilte Vorstellung auch jetzt den Eifer der Verbündeten eben so erfolgreich dämpfen werde, wie zuvor die Abmahnung von der Einmischung in Spanien. Auch ließ sich in der That die französische Regierung dadurch bestimmen, ihren Gesandten in St. Pe-

Congreß von Troppau.

---

10) Hansard 4, 669.

tersburg, la Ferronays, der sie auch in Troppau vertrat, zu einer
ähnlichen abgesonderten, von allen Gewaltmaasregeln abmahnenden Haltung anzuweisen. Ja selbst der russische Kaiser schien anfangs den Wünschen Metternich's sich entziehen zu wollen und ließ
sich einnehmen für die französischen Vorschläge eines friedlichen
Austrags mittelst einer geeigneten Veränderung der Neapolitanischen Verfassung; ob nun bestimmt durch die englische Einsprache,
oder durch die Einflüsse des freisinnigen, den Oesterreichern stets
feindlichen Capodistria, der seinen Kaiser in der Ansicht zu befestigen suchte, daß nur freisinnige Gewährungen in Italien die demokratischen und sectirischen Aufregungen beschwichtigen könnten, und
der sich noch im October mit den besten Erwartungen trug, Alexander werde der gut russischen Politik der nebenbuhlerischen Ueberwachung Oesterreichs in Italien" nicht vergessen. Es ist oft erzählt worden, wie ein bloßer Zufall (an so kleinen Dingen scheinen
die großen Geschicke der Welt zuweilen zu hängen!) in diesen
Schwankungen Alexander's den Ausschlag und den Beschlüssen in
Troppau eine Wendung gab, die in London nicht vorgesehen war.
Fürst Metternich erhielt durch seinen Gesandten in St. Petersburg
die Nachricht von einer Widersetzlichkeit des Garderegiments Seme-
vgl. 2. 772. now' früher, als sie den russischen Kaiser selber erreichte; und es
gelang ihm, bei dieser Mittheilung dem Geiste Alexander's, der
mit düsteren Eindrücken von Hause nach Warschau und mit Ver-
vgl. 2. 790. stimmungen von da' nach Troppau gekommen war, die bange Besorgniß vor der Fortpflanzung der Revolutionsseuche und der Sol-
datenmeuterei in das Herz seiner eigenen Staaten einzuflößen.
Von diesem Augenblick an beobachteten die Diplomaten, daß Metternich mehr und mehr allen Einfluß über den Kaiser gewann,

---

11) Die neuerdings in Mitiuta's „Geschichte des Krieges Rußlands mit
Frankreich 1799" so viel Licht erhalten hat.

daß weiterhin Nesselrode und ihm angeschlossen Pozzo di Borgo die
Vermittler zwischen Beiden machten, daß sich nachher in Laibach
nach neuen Meinungsänderungen die Niederlage Capodistria's für
immer entschied, der dann im Gefühl seiner Verlassenheit bitter
enttäuscht beklagte, daß sein Kaiser all seine erhobenen Ansprüche
auf den Namen des Gerechtigkeitspenders verliere. Metternich war
es geglückt, den Monarchen in jener schwachen Stunde zu bestimmen, sich zur Erneuerung und zur thatsächlichen Anwendung der
Grundsätze des heiligen Bundes, wenn auch nur mit Oesterreich
und Preußen allein zu vereinigen. Im Rücken der Vertreter von
England und Frankreich, die von Anfang an in Troppau wie auf
der Gallerie des Verhandlungssaales gesessen hatten, wurde[1] ein '19. Nov
Protocoll aufgenommen und dann eine Erklärung der drei Souveräne von Rußland, Oesterreich und Preußen in Form einer Circulardepesche[1] an die Geschäftsträger der Mächte bei den deutschen '2. Dec.
und nordischen Höfen gerichtet. Die englische Regierung empfing
diese Erklärung erst spät in amtlicher Mittheilung, nachdem sie zuvor als von einem bloßen Entwurfe von ihr erfahren und dann
durch die Unverschwiegenheit eines Residenten in Hamburg die erste
Kenntniß davon erhalten hatte. Wie diese formelle Behandlung,
so zeugte der ganze Inhalt des Actenstückes von dem gereiztesten
Trotze gegen England und seine verneinende Haltung. Die Verbündeten nahmen darin prinzipmäßig die Stellung an, die der von
England gezogenen Richtschnur in allen Stücken entgegen war.
Wagten sie die bündische Gemeinsamkeit nicht in Werken, so poch-
ten sie desto stärker darauf in Worten. Unter dem neuen Namen
des „Centrums der Union der europäischen Staaten" erschien die
heilige Allianz wieder auf dem Plane und stellte den Congreß und
seine Acte als eine weitere Entwicklung dieses Bundes dar, welcher
sich England bisher auf allen Stadien widersetzt hatte. So ausdrücklich England vor einer Wiederholung der Pillnitzer Politik

IV. 11

gewarnt hatte, so ausdrücklich wurde in der Erklärung eine förmliche Erneuerung der Coalition, wie sie gegen die französische Revolution war geschlossen worden, gegen die eben so tyrannische Macht
der „Rebellion und des Lasters" angekündigt. Die Mächte, hieß
es, übten ein unbestrittenes Recht, wenn sie gemeinsame Vorsichts-
maasregeln gegen solche Staaten in Erwägung zögen, wo Aufruhr
den Umsturz der Regierung bewirkt habe und die Nachbarstaaten
mit der Ausbreitung gleichen Unheils bedrohe. Man habe sich daher über die Grundsätze des Verhaltens zunächst gegen Neapel geeinigt, wo die Revolution so nahe und augenscheinlich wie keine
andere die Ruhe der Nachbarstaaten gefährde und wie keine andere
rasch und unmittelbar bekämpft werden könne [12]. Die verbündeten
Monarchen hätten daher, da sie mit der revolutionären Regierung
in Neapel nicht verhandeln könnten, den König beider Sicilien zu
einer Zusammenkunft nach Laibach geladen, (wohin der Congreß
sich vertagte,) um ihn mit befreitem Willen in die Lage eines
Vermittlers zwischen seinem misleiteten Volke und den bedrohten
Nachbarstaaten zu setzen. Frankreich und England seien aufgefordert, sich bei diesen Schritten zu betheiligen, und ihr Mitwirken sei
nicht zu bezweifeln; denn das befolgte System der drei Mächte be-
ruhe auf denselben Grundsätzen, die die Unterlage der Verträge
waren, durch welche die Union der europäischen Staaten gegründet
worden. Auch dieser letzte Satz stieß geflissentlich gegen die
gegentheilige Behauptung Englands an. Auch mit dem Winke
einer ferneren Einmischung in Spanien war England Trotz geboten.
Vollends aber die ausgesprochene Voraussetzung des Beitritts der
englischen Regierung zu einem Systeme, das auf England ange-

---

12) Diese Stelle commentirt Genz in einem Briefe an A. Müller vom
December 1820. „Der Zustand von Spanien und Portugal, weit gräßlicher als
der von Neapel, macht uns zur doppelten Pflicht, das Unwesen in diesem letze-
ren Lande, da wir es zum Glücke erreichen können, nicht ungestraft zu lassen."

wandt die großen Freibriefe der Nation vernichten würde, diese
bloße Voraussetzung wurde in England als eine tiefe Beschimpfung
angesehen.

Es ist schwer zu sagen, ob die politischen oder die staats- und *Eindruck der Troppauer Erklärung.*
völkerrechtlichen, die praktischen oder die theoretischen Misgriffe in den
Aufstellungen und Ausführungen des Interventionssystems von
Troppau größer waren, das damals als ein Evangelium zur Erlösung von allem Revolutionsübel ausposaunt oder wie ein uner-
läßlicher Nothanker zur Rettung aller Staatsordnung ausgeworfen
ward, um nach wenigen Jahren in stumpfer Unmacht aufgegeben
zu werden, nachdem es die literarische und politische Welt in endlose
und nutzlose Streitigkeiten und in die tiefsten Zerrüttungen gestürzt.
Das Auftreten der neuen Amphiktyonie in Troppau erregte nach
allen Seiten und in allen Schichten der europäischen Gesellschaft
Bestürzung und Verbitterung. In den bedrohten Völkern begreift
sie sich von selbst. Aber auch die unbetheiligten Regierungen, alle
Fürsten kleiner Staaten fühlten sich lebhaft beunruhigt; in Mün-
chen, Stuttgart und Carlsruhe dachte man eine Weile sogar auf
einen Gegencongreß in Würzburg[13]; der König der Niederlande
sprach an Clancarty ausdrücklich seinen Dank aus gegen die
schützende Haltung Englands, die alle Staaten zweiter Ordnung
um seine Regierung versammeln müsse. In der scheuen Festland-
presse wagte sich die öffentliche Stimme, mäßig in den Formen,
scharf in den Gründen, gegen die Anmaßungen dieser neuen Politik
des heiligen Bundes heraus[14]. Noch gab es damals politische
Idealisten, die den Bestand eines europäischen Forums zur Hand-

---

13) Perthes' Leben. 2, 312.
14) Bignon, du congrès de Troppau. Paris 1921. S. v. N., Beleuchtung der Schrift du congrès de Tr. par Bignon. U. A.

11*

habung gewiffer gemeinfamer Grundfäße in der großen Staaten-
republik für etwas Wünfchenswerthes hielten, aber keiner von ihnen
hätte die vage heilige Bundesacte für eine gefeßlich vereinbarte
Verfaffung diefer europäifchen Gemeinfchaft, noch weniger den willkürlich zufammengetretenen Rath der drei Fürften für eine bündifche
Vertretung derfelben gelten laffen. Es gab damals eine Unzahl
loyaler Menfchen, die die Bewegungen in Italien und Spanien
mit aller monarchiftifchen, moraliftifchen und juriftifchen Strenge
beurtheilten; aber daß dieß eigenmächtige Tribunal in Troppau,
indem es fich zum Kläger und Richter in der italienifchen Sache
aufwarf, dem Volke von Neapel, der Einen betheiligten Parthei,
jedes Gehör verfagte, die Andere, den hochbejahrten König, unter
herabwürdigenden Formen zur perfönlichen Erfcheinung in Winters-
zeit nach Laibach citirte, ohne ihm nur eine Stellvertretung felbft
durch die Prinzen feines Haufes zu geftatten; daß man ihn für
unfrei in feinem Haufe erklärte und ihn in diefen Fürftenrath ent-
rückte, wo er nothwendig viel unfreier war; daß man auf diefe
Weife diefen Fürften, den man in ähnlichen Lagen fchon zwei Mal
Eide hatte fchwören und brechen fehen, vor den Augen Europa's
wiffentlich einem neuen Meineide entgegenführte, darin hätten nur
Wenige der Urtheilsfähigen geeignete Mittel gefehen, das monar-
chifche Anfehen zu feftigen, und Niemand konnte darin die humanen
Grundfäße jener Bundesacte wieder erkennen, die die Politik dem
Sittengefeße unterwerfen und das goldene Zeitalter der Gerechtigkeit zurückführen wollte. Die Mehrzahl der Menfchen, auch der
verftändigen Italiener, hätte damals den Fürften eine Rückführung
dauerhafter Ruhe gedankt; aber daß man, den König beider Sicilien für unfrei und feines Wortes ledig erklärend, das Volk von
Neapel lehrte, feinerfeits jede folgende Handlung deffelben für
eben fo gezwungen und zur gelegenen Stunde für eben fo ungültig

zu erklären, daß man so die herkömmlichen ordnungslosen Zustände
dieser Südlande zum Gesetz machte und die Herrschaft der jeweiligen
Gewalt gleichsam autorisirte, darin hätte Niemand eine Bürgschaft
der Ruhe und der Stetigkeit entdeckt. Jene alten Schäden und
Mißstände in ihren Tiefen zu ergründen, die die Revolution so begünstigten wie entschuldigten in dem Lande, wo die französische
Herrschaft eine neue Ordnung neben den alten Naturzustand geworfen hatte, wo der tägliche Kampf des verrotteten Alten mit dem
unbefestigten Neuen eine Ausgleichung unerläßlich machte, diese
Staatskrankheit zu erkennen und die Kraft und Gefahr der Ansteckung in ihr durch heilenden Rath zu brechen, dieß wäre in Wahrheit die Aufgabe eines heiligen Bundes gewesen, nicht aber in thö-
richter Generalisation die schüchternen Krawalle der Carbonari mit
der furchtbaren Erschütterung von Frankreich auf Eine Linie zu
rücken und um die „tyrannische Macht der Rebellion und des Lasters"
mit tyrannischer Macht danieberwerfen zu können, jeden mildern-
den Umstand, der die Bewegung begleitet hatte, zu erschwerender
Schuld zu stempeln. Man sah verstärkte Verbrechen der Revolution
von Neapel in ihrem Ausgange von Secten und Soldaten, wie in
der hastigen Annahme einer fremden unbekannten Verfassung; man
erwog nicht, daß diese letztere Maaßregel auch das Bestreben aus-
drückte, der Anarchie und Zersetzung so rasch wie möglich zu steuern;
man rechnete der „Prätorianerherrschaft" nicht an, daß sie die Ordnung erhalten und ihre Gewalt so bald nur thunlich in die Hände
der bürgerlichen Vertretung niedergelegt hatte; man erinnerte sich
nicht, daß man die Carbonari zu anderer Zeit gegen eine andere
Regierung begünstigt und hervorgerufen; und vorher und nachher,
als die Truppen Ferdinand's VII. in Spanien eine anerkannte
Verfassung umstießen und die apostolischen Secten und Banden das
Land mit Blut und Greueln füllten, da war gegen Prätorianer
und geheime Verbindungen keine Beschwerde; denn der König war

in diesen Fällen auf der Seite der Revolution. Und man sah aus
Allem: der legitimistische Eifer der Verbündeten galt nur der Revolution für die Sache volksthümlicher Freiheit, nicht der Revolution
für die Sache des Despotismus; er galt überhaupt nicht blos der
Revolution, er galt allen volksthümlichen Begriffen von Selbst-
verfassungs- und Selbstregierungsrecht, allen auch gemäßigten
Verfassungsformen, die man in Wien für verführerischer und daher
für übler als die Uebel der Revolution ansah; er galt jedem Vertrage, jedem gegenseitig berechtigenden und verpflichtenden Verhältnisse zwischen Volk und Fürst, durch das man die göttliche Fürsten-
würde beeinträchtigt dachte. Brauchte es dafür eine schlagendere
Beweisführung als sie vorlag? Der Satz war aufgestellt, der nur
die Verfassungseinrichtungen für zulässig und heilsam erklärte, die
von Gunst und Gnade des Thrones ausgingen: welch ein höhni-
scher Mißbrauch von Uebermacht und Uebermuth lag dann aber
darin, daß Oesterreich für solch ein Prinzip mit auftrat und es mit
aussprach, daß in jenem Vertrage vom 12. Juni 1815[1] dem König
von Neapel diese Gnadengewährung unterfagt hatte! Wie denn
auch Metternich in Laibach gradaus an Capodistria erklärte, daß
sein Kaiser den König von Neapel eher bekriegen, als die Einführung selbst einer ihm genehmen Verfassung dulden werde! Kein
Wunder denn, daß die englische Opposition, in der die Stimme
der Kritik ganz anderen Raum und Schallkraft hatte als in der
gedämpften Presse des Festlandes, in furchtbaren Ausfällen diese
legitimistische Propaganda angriff, die in einem monarchischen
Purismus aller Revolution den Krieg erklärte, aber alles Verfassungsrecht darunter mitbegriff, so wie vordem die französische Nationalversammlung in ihrem republicanischen Purismus die Despotie in Acht erklärt und jede Monarchie darunter verstanden hatte.
Gegen diese Uebergriffe hätten die Whigs gewollt, daß ihre Regierung sich in dem Geiste der einstigen freiheitschützenden Staatskunst

Englands mit öffentlichen, nicht mit geheimen Vorstellungen erklärt,
daß sie die Prinzipien der Mächte nicht blos verworfen hätte, sondern daß sie ihrer Ausführung entgegengetreten wäre, vertrauend
auf die Gewalt der öffentlichen Meinung, unbekümmert um die
innere Landeslage, die England weit nicht so viele Erschwernisse
bereitete, als den verbundenen Mächten ihre Geldverlegenheiten,
ihre Entfernung und die Zwiespältigkeit ihrer Interessen. Statt
dessen aber begnügte sich Lord Castlereagh, in einer Circulardepesche [19. Jan. 1821.]
öffentlich ungefähr das zu wiederholen [15], was er früher geheim
erklärt hatte, Englands Beitritt und Zustimmung zu versagen und
gegen die gegebene Auslegung der Verträge zu protestiren. Und
dabei ließ er der Reinheit der Absichten der verbundenen Höfe trotz
der obwaltenden Meinungsverschiedenheit eben so unverhohlen alle
Gerechtigkeit widerfahren, als er seine Mißbilligung der Entstehung
und Weise der Revolution in Neapel aussprach. Dieß Eine Actenstück, in dem die englische Regierung all den Trotz der Troppauer
Erklärung, den die Nation mit so viel Unmuth empfand, mit der
höflichsten Freundlichkeit in die Tasche steckte, zerstreute plötzlich alle
die Hoffnungen, die der sanguinische Liberalismus bis dahin auf
England gesetzt hatte. Ein lauter Sturm erhob sich im Parlamente
gegen die Mattherzigkeit und die volksfeindliche Partheistellung,
die sich in dem Documente zugleich verrieth. Im Geheimniß waren
die Vorstellungen gegen die Mächte vorgelegt worden, die die Neapolitaner hätten ermuthigen können; öffentlich war der Tadel der
Revolution ausgesprochen, der für die Mächte eine Zustimmung
war. Schonungslos rissen die Whigs die Maske der spöttischen
Neutralität herunter, die diese Partheinahme der Regierung gegen
den Schwachen, dieß gefällige Einverständniß mit dem Starken

15) Hansard 4, 253.

verhüllen sollte[16]. Sie sahen durch den stumpfen Kleinmuth, mit
dem die Minister den militärischen Maaßregeln der Mächte zu-
schauten, ohne einen Schritt zur Berathung Neapels, zur Beschwichtigung seiner Feinde, zur Vermittlung zwischen Beiden zu thun,
die Ehre Englands schimpflich bloßgestellt, und schöpften daraus
neuen Stoff, das wachsende Feuer der Verbitterung in England
gegen das herrschende System noch lebhafter aufzuschüren.

Neapel.   Die bewahrte Ruhe in Italien, der russische Rückhalt, der
englische Freibrief vom 19. Jan. gewährten Metternich allen er-
wünschten Spielraum gegen Neapel. Dort war man nur in den
ersten Wochen über die Gesinnungen der Mächte zweifelhaft geblie-
vgl. 3, 460. ben. Bei jener ersten Sendung des Fürsten Cariati[1] war Metternich, noch ungerüstet, jeder bestimmten Erklärung rücksichtsvoll aus-
gewichen; der russische Gesandte (Stackelberg) hatte durch seine
Freundlichkeit sogar Hoffnungen erweckt, und der Minister des
Auswärtigen, Herzog von Campochiaro, der aus früherer Zeit an
allen Höfen wohl bekannt war, unterhielt die Meinung, Metternich werde aus Furcht vor Rußland nicht wagen über den Po zu
gehen. Die Enttäuschungen kamen bald, und Schlag auf Schlag,
als der Herzog von Serracapriola, der Ueberbringer eines Briefes
August 1820. des Königs an seinen Schwiegersohn, Kaiser Franz, in Wien[1] nicht

16) Setzt den Fall, sagte Lord Holland im Oberhause, ich habe zwei
Freunde, der Eine ein kleines schüchternes Männchen, der Andere ein großer
grobknochiger Eisenfresser, der von dem Kleinen geschädigt sein wollte. Wohlan,
ich gehe zu meinem langen riesigen Freunde und sage ihm: bloß ist ein närrischer
vorwitziger Knirps, ich mag ihn nicht, ich mißbillige gänzlich sein Betragen.
Ich befehle dann meinem Thürsteher, den kleinen Kerl nie vorzulassen; ich ver-
melde ihm Gelegenheit zu geben sich zu erklären und tröste mich dann mit meiner
Unpartheilichkeit. Bald sehe ich ihn auf der Straße von dem Ungethüm mit
Füßen getreten und seinen Rücken jämmerlich zerarbeitet; und ich gehe vorbei
und halte höchstens eine Rede und sage allen meinen Freunden, wie übel sich
mein kleiner Freund benommen habe.

vorgelaffen warb; dann ber Herzog von Gallo, zum Erfatzmann
bes bisherigen Gefandten in Wien beftimmt, an ber Grenze abge=
wiefen, und einem britten Abgefandten, bem Fürften von Cimitile,
ber Zutritt zu bem Kaifer in Wien und bas Bifa zur Reife nach
St. Petersburg geweigert warb. Ihm fagte Metternich im priva=
ten Gefpräche[17] bereits ben Krieg förmlich an, wenn nicht bem
König bie Zügel ber Regierung zurückgegeben würben, und er bot
ben ehrbaren Leuten, bie zu biefem Zwecke gern handeln würben
aber nicht wagten, 80—100,000 Mann zur Hülfe an. Auf biefe
Kunbgebungen ber Gefinnungen ber öfterreichifchen Regierung fand
Campochiaro endlich nöthig', fich in einer Note[18] zu erklären, bie
ben einmüthig = nationalen Charafter und ben gemäßigten Berlauf
ber Staatsveränberung ins Licht, und felbft eine Durchficht ber
angefochtenen Verfaffung in Ausficht ftellte, zum Schluffe aber für
ben fchlimmften Fall ben Willen bes Königs und ber Nation aus=
fprach, bie Unabhängigkeit bes Reichs und bie Verfaffung, „ermu=
thigt an bem Beifpiel bes heroifchen Wiberftanbes ber Spanier
gegen Napoleon", aufs äußerfte zu vertheibigen. Und nach wenigen
Wochen, als bie Note ohne jebe Antwort geblieben war, forberte
ber Minifter' ben päbftlichen Hof auf, ben Defterreichern ben Durch=
zug zu verfagen, wibrigenfalls ber König feine Truppen in ben
Kirchenftaat würbe einrücken laffen. Wie bie Minifter für biefe
fräftigen Programme ihrer äußeren Politif einftehen würben, follte
fich nun zeigen, als bie Befchlüffe bes Troppauer Congreffes ein=
liefen, als bie gleichlautenben Einlabungen' ber brei Monarchen an
ben König gelangten, benen ein zufprechenber Brief bes franzöfi=
fchen Königs' noch Nachbruck gab. Der Minifterrath, unter bem
Einfluffe ber umgebenben Diplomaten und gemäßigten Abgeorbneten

'1. Dez.

'3. Nov.

'20. Nov.

'3. Dez.

17) Nach einer Depefche ber franzöfifchen Gefanbtfchaft in Wien: Capefigue hist. de la restauration. 8, 95.
18) Annual Register. 1820. p. 728.

und Militärs, war augenblicklich zu so furchtsamer Nachgiebigkeit
gestimmt, daß er selbst dem Volke, dem Parlamente, der Verfassung
gegenüber dreist zu werden wagte. Der König bedurfte nach den
Bestimmungen der Verfassung zu seiner Reise die Einwilligung der
Stände; die Minister aber entwarfen eine Botschaft, in der sie
nicht nur die Einholung dieser Genehmigung, nein selbst die ganze
Verfassung zu umgehen versuchten: sie kündigten blos die Willens-
meinung des Königs an, sich, von vier Parlamentsgliedern als
Zeugen und Räthen begleitet, nach Laibach zu begeben, wo er Alles
aufbieten werde, die politischen Einrichtungen des Reichs für immer
auf neun (angegebene) Artikel festzustellen, die die wesentlichen
Grundlagen einer Repräsentativverfassung enthielten. Diese Artikel sollen nach Carrascosa mit den fremden Gesandten gemein-
schaftlich entworfen worden sein; nach Colletta hätte Frankreich für
den Fall ihrer Annahme seine Vermittlung angeboten; W. Pepe
sah in Allem nur eine Arglist, um Volk und Vertretung zu spalten;
obwohl er selber damals gewußt haben muß, daß französische Einflüsterungen zu diesen Vorschlägen in Wahrheit mitgewirkt hatten.
Die Minister suchten ihren Anhang im Parlamente zu günstiger
Aufnahme ihrer Botschaft zu stimmen; auf den gemäßigteren Theil
der Oberofficiere aber, auf General Filangieri vor den Anderen,
wirkte die Aussicht auf eine Vermittlung mit solcher Gewalt, daß
sie auf einen neunten Thermidor dachten, falls das Parlament in
der Furcht vor den Carbonari seine Einwilligung versagen sollte.
Die Gerüchte von diesen Absichten einer Verfassungsänderung, von
diesen Plänen einer Gegenrevolution stürzten die Hauptstadt, die
schon all die letzten Monate zwischen den Aufregungen der Furcht
und der Hoffnung fieberhaft gespannt gewesen war, in die unsäg-
lichste Verwirrung. Als die Vorlagen¹ gemacht wurden, war das
Geschrei der um den Sitzungssaal versammelten Massen so gewal-
tig, daß man die Berathung auf den folgenden Tag verschieben

'7. Dec.

mußte. Nachts setzte sich die Secte in Bewegung; die Carbonari
strömten vom Lande herein; die Straßen widerhallten von dem
Rufe: die spanische Verfassung oder Tod. Das Unheil der Partheiregierung und Herrschaft (die, ohne Verantwortung, immer auch
ohne Maas und Besinnung, niederträchtig in der Stunde der Gefahr, sinnlos übermüthig in der Stunde der Widerstandslosigkeit ist)
sollte in diesem kritischen Augenblicke verderblich über Neapel hereinbrechen. Die Carbonari hatten ihre Lenker um die Parole befragt:
das Eine ihrer Orakel wagte oder verstand nicht, sie wohl zu berathen, das andere wagte und verstand sie schlecht zu berathen; Pepe
erklärte sich gegen jede Verfassungsänderung außer unter der lächerlichen Bedingung, daß Frankreich seine Waffenhülfe zusage; dieweil
die Werkzeuge des Polizeiministers Borrelli[1] die Secte auf alle [vgl. 3, 597.]
Weise für die Reise des Königs günstig zu stimmen suchten. Die
beiderseitigen Einwirkungen dieser Führer veranlaßten dann den
kläglichen Ausgang der Parlamentsberathung[1], den man sonst nicht [6. Dec.]
begreifen würde. Als die Botschaft des Königs verlesen wurde,
brach der ganze Saal und die Gallerie in das Looswort der Secte
aus: Verfassung oder Tod. Die Versammlung, um ihre Sicherheit besorgt, schickte nach W. Pepe. Befragt um seine Meinung
über die Reise des Königs, erklärte er die Royalisten für einen Ge-
neralstab ohne Heer, die Patrioten und Carbonari für seine füg-
samen Schüler, und er erbot sich, wenn das Parlament sein ver-
derbliches Mäßigungssystem aufgeben wolle, die königliche Familie
nach Caserta zu führen und die Garde aufzulösen. Bei diesem kühnen Vorschlage aber zeigte sich Alles bereits von Muthlosigkeit gelähmt, und die Schlacht der Berathung ging durch dieselbe Feig-
herzigkeit und Zwiespältigkeit verloren, die nachher den Waffenkampf
verdarb. Der tapfere Rathgeber selbst, der über all seiner Tribu-
nenkeckheit der Vorsicht nie vergaß, dessen demokratischer Ehrgeiz
so zweiseitiger Natur war, daß er zur Zeit Murat's unter Umständen

ebenso wohl ein Hofofficier geworden wäre, als er ein Verschwörer
ward, Pepe selbst, schon zuvor immer zu starken Maasregeln von
den Revolutionären angespornt, wagte gleichwohl früher und jetzt
nicht, seine Rathschläge auf eigene Faust und trotz dem Parlamente
auszuführen. Er fürchtete, ohne es zu gestehen, die Königlichen,
um die sich bei einem solchen Schritte eine gesetzliche Parthei für
den König gesammelt hätte. Die Königlichen wieder fürchteten,
um ihre gegenrevolutionären Plane durchzuführen, zu sehr die Carbonari, die ihrerseits durch ihre Zustimmung zu des Königs Reise
selbst ihre geheime Furcht verriethen. Das Parlament aber fürchtete alle Beide, und wagte auch mit Pepe den Schritt nicht, den
dieser nicht ohne das Parlament wagen wollte. Jetzt am Ende
wie ganz im Anfang der Revolution und während ihrer ganzen
Dauer, erkennt man leicht, war Niemand da, der den politischen
Boden, auf dem man zu kämpfen hatte, richtig zu beurtheilen verstand. Die königliche Familie hatte, aus welchen Gründen es sei,
die Macht des Königthums unterschätzt und so die Thätigkeit derer
gelähmt, nach deren Ueberzeugung der Staatsveränderung sogleich
aller revolutionäre Charakter hätte entzogen werden sollen. Diese
Gemäßigten unterschätzten die Treulosigkeit der regierenden Familie
und hatten durch ihr Vertrauen auch die Radicalen abgehalten,
nach den Vorschriften ihres Argwohns zu handeln. Diese Revolutionäre unterschätzten die Schwerkraft des allgemeinen Ruhe-
standes von Europa, den Willen und die Macht der äußeren Feinde,
und hatten auch viele Gemäßigte in diese prahlerische Selbstüber-
hebung mitgerissen. Eben sie, diese Ueberschätzung der Exaltirten
war daher das einzig Bewegende in den Ereignissen gewesen; jetzt
bei dem ersten Stoße den sie erlitt sank sie zu einer vorgespiegelten
Scheinkraft herab, unter deren Hülle die Feigheit sich barg. Der
Augenblick war gekommen, den Florestan Pepe, die Verderbtheit
und Schwäche dieser Geschlechter tief durchschauend, vorausgesagt

hatte, der Augenblick, wo die Diplomaten und die paglietti (Advocaten) die Stimme behielten, um den widersinnigsten aller Beschlüsse,
den kläglichen Compromiß zwischen Furcht und Keckheit, durchzu-
setzen. Der König sollte reisen, die Verfassung sollte unverändert
bleiben! Noch hatte der König von diesem Beschlusse nichts erfahren, als er schon eine zweite Botschaft schickte, in der er die spanische Verfassung in Laibach zu vertreten versprach: ihm galt es jetzt
nur, unter jeder Bedingung los zu kommen, um dann nach abge-
schüttelter Scham und Unfreiheit den Revolutionären jede Bedingung schreiben zu können. Am folgenden Tage[1] meldete das Parlament dem Fürsten das Ergebniß seiner Berathung. Es war mit
allen begleitenden Umständen das unselige Gegentheil von Allem
was hätte geschehen sollen. Statt den König als ein Pfand festzuhalten, ließ man ihn reisen, und in solcher Vertrauenseligkeit,
daß man sogar die verlangte Begleitung der vier Abgeordneten ablehnte, „da das Herz des Sohnes Karl's III. (hieß es in der Adresse)
natürlicherweise ein Tempel der Treue sei." Statt ein Statut von
ermäßigteren constitutionellen Grundsätzen anzunehmen, was an
sich verständig und wenigstens ein Versuch gewesen wäre, Frankreich
und England für eine Vermittlung zu stimmen, entfernte man sich
in den vorgenommenen Abänderungen der Verfassung von dem
monarchischen Princip noch weiter und arbeitete Metternich gradaus
in die Hand, der in Laibach[19] vor nichts besorgter schien, als daß
das Parlament zur Besinnung, d. h. zu einer ermäßigten Charte
nach den französischen Wünschen käme. Statt auf die möglichste
Ruhe und Würde zu halten, erhob das Parlament eine Anklage
gegen die Verwaltung, die die königlichen Vorlagen gemacht, und
veranlaßte dadurch so nutzlos wie unzeitig den Rücktritt des ganzen
bisherigen Ministeriums.

19) Nach Berichten St. Marsans. Farini, il conte Buol ed il Piemonte.
Vgl. Preuß. Jahrbb. 3, 199.

Ruhaq.   Der König war abgereist in der fortgesetzten Rolle eines vollendeten Heuchlers. Er hatte noch eine dritte Botschaft an das
'10. Dec. Parlament geschickt[1], worin er nachholend die Zustimmung zu seiner
Reise erbat und seine Zusage der Vertretung der Cortes-Verfassung
wiederholte; an seinen Sohn hinterließ er einen Brief desselben
'11. Dec. treuherzigen Inhaltes. Als ihn gleich nach seiner Einschiffung[1] eine
Beschädigung des Fahrzeugs, das ihn trug, zu einem Aufenthalte
vor Baiä nöthigte, wo ihn zwei auf dem Fort aufgepflanzte Kanonen ängstigten, fand ihn eine Abordnung des Parlaments, die sich
dahin begab, mit den Carbonarizeichen auf der Brust; und als ihn
sein Vertrauter Ascoli bat, ihm nun, da er frei und außer Gefahr
sei, zu sagen, wie er sich in seiner Abwesenheit zu verhalten habe,
antwortete ihm der Fürst mit Aerger und Vorwürfen über diese
Frage des Zweifels, und zwang dem alten Manne dadurch Freu-
denthränen ab, die ihm nachher die Verbannung zuzogen. Mit der
gleichen Fertigkeit in den gleichen Künsten nahm sich sein Sohn,
der Herzog von Calabrien, in seiner neuen Eigenschaft als Reichs-
regent. Während er mit Eiden und gleißnerischen Betheuerungen
Volk und Vertretung einwiegte, lähmte er alle Kriegsanstalten und
Rüstungen, ließ die täglichen Reibereien zwischen Garden und Milizen, „Getreuen und Rebellen", in Neapel gewähren, ließ dem verdächtigen Verkehre einzelner Generale mit den fremden Diplomaten
freien Lauf, ließ die höchste Geistlichkeit Hirtenbriefe verkünden,
worin die conftitutionelle Ordnung als ein Aufruhr gegen Gott
21. Jan. 1821. und König bezeichnet war. Als er die durchgesehene Verfassung[1]
bestätigte, sprach er in der gewinnendsten Weise seine aufrichtige
Ergebenheit für die neue Ordnung und die Hoffnung aus, in Kurzem das glückliche Ergebniß der Bemühungen seines Vaters mit-
theilen zu können; und als er das geschlossene Parlament entließ,
schmeichelte dessen Ausschuß dem Volke und dem Fürsten in einem
Aufrufe: die Monarchen würden der edlen ruhigen Haltung der

Neapolitaner den wohlverdienten Preis zuerkennen, dem der König in einem Freudenschauer lauschen werde! Nicht lange vorher war es gewesen, daß eben dieser König eben diesem Sohne den ersten Brief aus Laibach geschrieben hatte, worin er den eigentlichen Zweck seiner Reise nicht mit einer Silbe berührte, wohl aber von der Vorzüglichkeit seiner Jagdhunde vor denen des russischen Kaisers erzählte. Er war auf seiner Reise über Modena gegangen, wo er in Herzog Franz IV. mit dem rechten Manne zusammentraf, ihn für seine Rolle in Laibach, wenn es dessen noch bedurfte, vorzubereiten. Hier angekommen ward er damit empfangen, daß man seinen Begleiter, Herzog von Gallo, von ihm trennte und nach Görz wies; sein Fremder war in die Stadt zugelassen worden; die Berathungen umgab wie in Troppau das größte, bis heute undurchdrungene Geheimniß. Noch ehe die formellen Zusammenkünfte der bevollmächtigten Minister Statt hatten, war in den Vorberathungen der Fürsten selber bereits Alles und ohne alle Schwierigkeit erledigt. Was die Geschäfte so ungemein förderte, war in erster Linie die befestigte Einstimmigkeit zwischen Metternich und dem russischen Kaiser, die sich sogar auf die Gleichheit der Ansichten über die Nothwendigkeit demnächstiger Maasregeln gegen Spanien erstreckten. Eine weitere Erleichterung gewährte dann die Willigkeit der italienischen Fürsten, die im Gefühle der eigenen Gefahren, mit Erstickung jedes Argwohns, sich dem schützenden Arme der Mächte vertrauten. Zwar der Vorschlag des Herzogs von Modena zu einer Gesammtverpflichtung aller italienischen Regierungen, in ihren Staaten keine wichtigen Veränderungen in der Verwaltung ohne vorgängige Mittheilung zu machen, wurde von dem Minister St. Marsan abgelehnt, dem Bevollmächtigten der Piemontesischen Regierung, die damals ganz reformistischen Sinnes war [20]; allein auf die Erklärung

----

20) N. Bianchi p. 42.

des russischen Gesandten in Turin, daß sein Kaiser und dessen Ver-
bündete keine Regierungsveränderung in den italienischen Staaten dulden würden, mußte man die Vermeidung irgend einer Verfassungsänderung doch zusagen; und über die Schritte gegen Neapel
vollends wurde nirgends Einsprache erhoben. Dafür erndteten
dann die italienischen Fürsten das Lob, am meisten zur raschen
Ueberführung der Troppauer Prinzipien zu einmüthigen Handlungen beigetragen zu haben. Einen Hauptvorschub zu diesem Erfolge
hatte dann die stumpfe Treulosigkeit des Königs von Neapel gelei-
stet, der den Absichten der Monarchen nicht nur ohne jede Einrede
entgegenkam[21], sondern sich gegen sein Land und Volk so unabän-
derlich feindselig wie nur immer die österreichische Politik bezeigte;
er brach den Verfassungseid, den er Pepe versichert hatte „dieß Mal
aus dem Grunde des Herzens geschworen zu haben", mit fröhlicher
Miene, und suchte nur nachher den Meineid mit Gelübden und
Geschenken an die Annuntiata in Florenz loszukaufen. Die letzte
Schwierigkeit endlich hatte die stille Nachgiebigkeit der Westmächte
hinweggeräumt, deren hartnäckige, die gewünschte Gemeinsamkeit
störende Seitenstellung zwar Metternich in seiner Abneigung gegen
alle Verfassungen und ihre Hemmnisse bestärkte[22], im übrigen in
dem vorliegenden Geschäfte nicht aufhielt. Die englische Regierung
begnügte sich bei ihrer Depesche vom 19. Jan.; sie protestirte laut
gegen die Maasregeln, die sie heimlich billigte, während Frankreich
eventuell zustimmte zu dem, was es im Grunde mißbilligte. Es
ließ sich durch Englands Beispiel ermuthigen, sich nicht an den
Schritten der Monarchen zu betheiligen, aber auch einschüchtern,
die Rolle des Vertheidigers des Constitutionalismus gegen die
Mächte, die seine Verfassungsinteressen in ihren Landen kannten,

---

21) Nesselrode an Stackelberg. Comte D***, précis hist. sur les révo-
lutions de Naples et du Piémont. Paris 1824. p. 198 ff.

22) Brühes' Leben 2, 317.

in einer noch nichtigeren und unbedachteren Neutralität als England
zu verſäumen. Die kleinmüthige Pollitik Richelieu's oder des Königs, der bei dem Schickſale der beiden Bourbonlſchen Dynaſtien
nahe betheiligt war, fühlte wohl einen ſchwachen Ehrgeiz, die Gelegenheit zu ergreifen, um der weißen Cocarde neue Ehren nach
außen und ſelbſt bei den Freiſinnigen im Innern zu ſchaffen; allein
in Spanien ließ ſie ſich durch die demokratiſchen Ordnungen, in
Neapel durch den Einfluß der Muratiſten aus ihren blaſſen Sympathien herausſchrecken, und zog es vor, erſt gegen Neapel in einem
uneingeſtandenen Bunde als eine Art Nachhut im Gefolge der heil-
ligen Allianz zu bleiben, und dann im offenen Bunde gegen Spanien ihre Vorhut zu bilden. So kam es denn, daß man bei Eröffnung der eigentlichen Berathungen in Laibach[1] unbehindert über   '26. Jan.
abgemachte Dinge berieth und beſchloß. Der Herzog von Gallo,
aus Görz beſchieden, ward[1] zum Ueberbringer der gefaßten Be-   '30. Jan.
ſchlüſſe nach Neapel beſtimmt. Während er unterwegs war, wurde
die Uebereinkunft[1] unterzeichnet, die dem König von Neapel ein   '2. Febr.
öſterreichiſches Heer unter General Frimont zur Verfügung ſtellte,
das nur drei Tage ſpäter[1] den Po überſchritt. Ein kalter diploma-   '8. Febr.
tiſcher Brief des Königs an den Regenten, von Gallo[1] überbracht,   '2. Febr.
kündete den Entſchluß der Mächte an, den aus den Julereigniſſen
erwachſenen Zuſtänden in Neapel mit Waffengewalt ein Ende zu
machen; drei gleichlautende Noten, von den Geſandten der Oſtmächte an demſelben Tage übergeben, ſagten die Beſetzung des
Reiches auch für den Fall der friedlichen Unterwerfung an; die
eigentliche Kriegsanſage war in einer öffentlichen Erklärung gelegen,
die gleich darauf in deutſchen Blättern erſchien[23]. Gleichzeitig (hieß
es darin,' mit den Worten des Friedens, die der König an ſeinen
Sohn gerichtet habe, und mit den Noten der Botſchafter, deren

---

23) Carte segrete. 2, 176.

Aufnahme über das Schicksal des Reiches beider Sicilien entscheiden werde, überschreite das Heer, das die Laibacher Beschlüsse auszuführen bestimmt sei, den Po. Wenn gegen Erwarten diese Unternehmung zu einem förmlichen Kriege ausarte und der Widerstand der Aufruhrpartheien sich unbestimmt verlängern sollte, so werde der Kaiser von Rußland seine Krieger dem österreichischen Heere zugesellen. Dieser Zusatz wurde von den österreichischen Patrioten als eine arge Demüthigung empfunden. Von Preußen war nicht die Rede. Seine ganze Politik war hier wie nachher in Verona, sich auf Theilnahme an irgend etwas Thätlichem nicht einzulassen[24].

Die Kriegs-rüstung in Neapel.

Als nun jene verschiedenen Mittheilungen in Neapel bekannt wurden, schnellte der öffentliche Geist in einem stolzen Aufschwunge dagegen empor. Schon zuvor war dort Alles eine einzige Kriegsbegeisterung gewesen. Die Milizen glühten von Eifer. Als Pepe

Mitte Jan. in der Hauptstadt Heerschau über die Nationalgarden der Stadt und Provinz Neapel hielt, stolz auf die reichgekleideten Bataillone, die über 2 Mill. Ducati auf ihre Ausstaffirung verschwendet hatten, und auf die Reiterei, die er die Schwadronen Rinaldo's nannte, machte der prächtige Anblick selbst seinen Gegnern großen Eindruck; mit gehöriger Unterstützung von oben berühmte er sich seine 200,000 Milizen und Legionen in drei Monaten marschfertig haben zu wollen. Dieß Auffluten des Kriegseifers schwoll nun noch höher, als die Laibacher Neuigkeiten kamen. Der Regent berief in Eile das

13. Febr. Parlament wieder zusammen, das mit ihm und mit der Regierung, die sich selbst nach Spanien um Kriegshülfe wandte[25], in vaterländischer Begeisterung und kräftigen Erklärungen wetteiferte. Half doch, wo der Muth auch fehlte, die Furcht und der Schrecken nach.

24) Nach Privatbriefen des Ministers v. Rother.
25) Nach einer Mittheilung (von 1823) des spanischen Geschäftsträgers in London an Canning.

Ein königlich gesinnter, früherer Polizeidirector Gianpetro wurde
in diesen Tagen in seinem Hause[1] ermordet und seine Leiche mit '10. Febr.
No. 1. bezeichnet gefunden; und so war[20] die Stimmung im
Volke, daß irgend ein Eingehen auf die Anträge der Mächte die
Abgeordneten des Parlaments „der Gefahr ausgesetzt hätte, in
ihrem Sitzungssaale lebendig verbrannt zu werden!" Ging zwar
das Parlament nicht so weit, wie Pepe wollte, den König zum
meineidigen Verräther zu stempeln, so erklärte es ihn doch[1] unter '15. Febr.
unglaublicher Begeisterung, und fast mit Einstimmigkeit, für einen
Gefangenen und seinen Brief für erzwungen, und stellte, nach der
Vorschrift der Verfassung, den Regenten an die Spitze des Heeres,
„um den feindlichen Einfall der Fremden aufs äußerste zu bekämpfen." Alles brauste nun auf und brannte in Kampflust. Tapfrere
Schlagworte, als in jenen Tagen in Neapel fielen, waren in dem
alten Sparta nie gehört worden. Bei einem großen Verbrüderungs-
feste antwortete ein poetischer Redner auf die Frage: wer von den
Generalen Miltiades sein werde, mit der pomphaften Wendung:
Alle werden Miltiadesse sein! Das Volk in allen größeren Städten, in den Theatern, auf den Straßen der Hauptstadt verlangte
gegen den Feind geführt zu werden. Viele Mitglieder des Parlaments, viele zuströmende Fremde, der alte Ascoli, der junge Par-
ianna (der Sohn der zweiten Gemahlin des Königs), später auch
der Prinz von Salerno, des Regenten ächter Bruder, boten sich
zum Kriegsdienste an. Die besonnensten Leute, selbst die Diplomaten, sahen diesen kriegerischen Enthusiasmus in der nächsten
Nähe für ächt und verläßig an. In der Ferne vollends spannte
man sich auf die außerordentlichsten Ereignisse. Die Liberalen in
ganz Europa stimmten in ihren Erwartungen Alle in den Ton, den
Gabriel Roselti (der Erklärer Dante's) angeschlagen, als er den

---

26) Nach Pepe.

12*

König und die Verfassung besingend den Fremden ein schreckliches
Loos geweissagt, die den alten Löwen Italiens wecken würden; ein
Mann wie der General Foy sprach auf der Tribune in Paris die
Zuversicht aus, daß die Oesterreicher wohl in die Abruzzen hinein,
aber nicht wieder heraus kommen würden. Ward man doch selbst
'21. Febr. in Laibach, auf die ersten Nachrichten aus Neapel[1], stutzig und
zweifelhaft, ob nicht weitere Verstärkungen des Heeres sollten her-
angezogen werden. Es war der Herzog von Modena[27], der genaue
und schlaue Kenner der italienischen Volksnatur, der durch seine
fest entschiedene Gegenmeinung zum raschen Vorgehen bestimmte.
'25. Febr. Der König unterzeichnete sofort[1] den Aufruf, in dem er seine Rückkehr in seine Staaten ankündigte; von zwei Tagen später datirte
'27. Febr. die Proclamation des Baron Frimont[1], die seinem Einmarsch in
das Königreich vorausgehen sollte.

Unter all der lauten Kriegsbegeisterung in Neapel, die die
Reibung des verzweifelten Grolls mit der Prahl- und Ruhmsucht
im Volke herausgeschlagen hatte, flüsterte indessen, in Einzelnen
und in den Massen, die dämpfende Stimme des nüchternen Instinctes, die nichts Gutes verhieß. Es lag doch zu viel Entmuthigung in dem bloßen Gedanken an den ungleichen Kampf mit einer
weit überlegenen Großmacht und ihren Bundesgenossen; es lag
Entmuthigung in der eigenen Verlassenheit, in dem Stillliegen
Italiens, in der versagten Hülfe Spaniens; es lag Entmuthigung
in der Vorstellung, daß der Sohn gegen seinen Vater, das Volk
gegen seinen König stehen sollte, dessen früher erfahrene Rachsucht
Jedem in schreckender Erinnerung war; es lag Entmuthigung in
den schweren Bürden des Tags, bei der Aussicht auf die schwereren
Lasten und Leiden eines längeren Krieges; es lag Entmuthigung

27) Galvani, memorie storiche intorno la vita dell' Arciduca Francesco IV. 3, 20.

in der Beobachtung der Spaltungen, des Mistrauens Aller gegen
Alle; und die Ueberspanntesten begannen daher schon jetzt auf den
Rath der Matten und Feigherzigen zu hören, die sich und Anderen
einredeten, man habe keinen Krieg zu befürchten. So war die
Stimmung der Spießbürger und Advocaten im Parlamente schon
früher immer gewesen, das jeden starken Vorschlag zu Kriegsrüstun-
gen stets abgelehnt hatte, weil der Krieg nicht wahrscheinlich sei.
Diese Flauheit hatte den gemäßigten Oberofficieren, und selbst vielen der patriotischen darunter, die zu dem ganzen Stand der Dinge
kein Vertrauen hatten, nur allzusehr zugesagt; und als nun Bruch
und Krieg gewiß waren, lag es ganz in dem Interesse des abge-
feimten Henchlers, den die Verfassung an die Spitze des Heeres
stellte, sich an diese Männer zu halten. In ihrer Zahl waren fast
alle älteren und fähigeren Generale, die Colletta und Carrascosa,
die Filaugieri und Ambrosio, die das einzige noch übrige Heil darin
sahen und alle ihre Thätigkeit daran setzten, unter leidlichen Bedingungen einen Vergleich mit Oesterreich zu erhalten. Nirgends war
daher, weder früher noch jetzt, mit der Kriegsrüstung ein Ernst gemacht worden. Der jetzige Kriegsminister Parrisi war ein ehrenhafter, aber alter kränklicher Mann, der die Dinge hinschleppte wie
es der Wunsch des Regenten war. Durch das Aufgebot der Bürgerwehr hatte man den Rüstungen einen volksthümlichen Charakter
zu geben gesucht; aber noch als die Oesterreicher längst diesseits des
Po waren, hatten die Milizen in den Provinzen, von denen die
apulischen und calabrischen ferner vom Tronto waren als die Feinde,
noch keinen Befehl erhalten auszurücken. Vielen Milizofficieren
in Calabrien fehlten die Bataillone, vielen Bataillonen in anderen
Provinzen fehlten die Oberofficiere; die Ernennungen, die Pepe
dem Regenten zur Ausfertigung vorlegte, ließ dieser einen Monat
unbeachtet im Pulte liegen. Die Befestigungsanstalten und Feld-
werke, die an den Grenzen und in den Abruzzen waren aufgeworfen

worden, fand Pepe mit wenigen Ausnahmen vernachlässigt und werthlos. In dem schneebedeckten Gebirge fehlte es an Magazinen, an Lebensmitteln, an Torntstern, Mänteln und Schuhen, es fehlte an Maulefeln und Transportmitteln; es fehlte an Kriegsvorräthen; 100,000 Gewehre hatten in England gekauft werden sollen, der Prinz verzögerte die Abreise der damit beauftragten Officiere, und man mußte für die Milizen zu Piken und Jagdgewehren greifen. Das waren nicht Zustände, die Milizen zu Zucht und Ordnung, zu Muth und Anstrengungen zu stimmen. Bei allem Mangel an Geld und Waffen hatte es anfangs geschienen, daß es wenigstens an Menschen nicht fehlen werde. Auch dieß zeigte sich anders. Das eigentlich werkfähige regelmäßige Heer bestand aus nicht mehr als 25,000 Mann und 2000 Pferden, obgleich die öffentlichen Blätter wohl das Fünffache aufzählten. In dieser kleinen Armee, in der die besten Bataillone fehlten, die fern in Sicilien standen, war die Stimmung noch übler, das Vertrauen in sich und die Dinge weit schlechter als in dem fanatischen Heere der Carbonari, den Milizen. Durch die Secte und die verstimmten wieder eingereihten Verab- schiedeten gährte darin ein Geist der Zuchtlosigkeit, vor dem allen Verständigen graute. Das Ausreißen begann schon vor dem Kampfe, selbst in dem Heertheile des hoffnungstrunkenen Pepe. Die Garden drohten bei dem ersten Zusammenstoße sich zu des Königs Verbün- deten zu schlagen. Die nüchternen unter den Generalen fanden drei Monate nöthig, um diese Truppe zu gehöriger Ordnung zurückzu- führen; dazu fehlte die Zeit, dazu fehlten tüchtige Organisatoren und Führer. Der Oberfeldherr Prinz von Calabrien verstand von dem Kriegswesen Nichts. Als es sich um die Bestellung der befeh- lenden Generale handelte, beging man zu allen geschehenen Thor- heiten die sinnloseste von allen: man theilte, gegenüber dem ge- schlossenen Heere der Oesterreicher von 43,000 alten Soldaten, die halb so große Neapolitanische Armee in zwei Theile, wovon

das zweite Corps die Abruzzen besetzen sollte, das andere weit
zurück und gänzlich abgetrennt am Volturno bei Mignano und
S. Germano aufgestellt ward, um den Liri zu bewachen. Und diese
beiden Corps untergab man[1] zwei Generalen, die unabhängig von '12. Febr.
einander commandiren und von denen der, dessen Gebiet die Neben-
bühne des Kriegs sein würde, mit Seitenbewegungen, Gegenan-
griffen oder Verstärkungen den Anderen unterstützen sollte, der dem
Hauptangriffe ausgesetzt wäre[28]. Und zu diesen beiden Generalen
endlich wählte man die zwei verfeindeten Pepe und Carrascosa,
auf deren Zerwürfniß Metternich gleich in allem Anfang der Revolution schon gerechnet hatte, deren Haß sich noch nach Jahren in
der Verbannung in einem Zweikampfe entlud! Zwei Männer, von
denen jeder nach entgegengesetzten Seiten hin verdächtigt und ver-
leumdet war; von denen der Eine sein Commando nur mit Widerwillen, der Andere das seine mit Uebergebegierde angenommen hatte;
von denen Jener, ein nüchterner, kaltpraktischer, von Täuschungen
freier Mann, nur um seiner militärischen Pflichttreue genug zu
thun, in einer vertheidigenden festen Stellung den Krieg hinziehen
wollte zum Zwecke der Friedensverhandlung; Dieser, ein Enthusiast,
ein solbatischer Rhetoriker, der mit einer feurigen Marseillaise auf
und durch seine Milizen Wunder zu wirken dachte, jedes verzweifelte
Mittel zu ergreifen am geneigtesten schien und deßhalb als ein fie-
berkranker Friedensstörer von den bedächtigen alten Kriegsmännern
so weit voraus geschoben an die Spitze des zweiten Corps gestellt
ward, damit er sie in ihrer Friedensarbeit nicht stören sollte. Alle
diese widersinnigen Anordnungen schien der Prinz Regent in ver-
rätherischer Absicht getroffen zu haben, um Alles ins Verderben zu
treiben. Und doch waren sie ihm vielmehr von der öffentlichen
Stimme auferlegt worden. Er hätte Pepe nach dessen ganzer

---

28) Die Instructionen Pepe's im Annual Register 1821. p. 593.

189

Stellung unmöglich bei Seite lassen können; zu dem Oberbefehl
aber hatten die Carbonari[29] in ihrer Generalversammlung selbst
den vielgeschmähten Carrascosa vorgeschlagen, deffen Händen sie
doch die Ziehung der Kriegsloose lieber zu vertrauen schienen, als
ihrem luftigen Liebling. Das französische Sprichwort: Niemand
sei ein Heros bei seinen Hausgenossen, das sonst in exaltirten
Partheien nicht in Geltung ist, schien auf Pepe doch zutreffen zu
sollen.

Treffen bei Rieti. Dieser Mann hatte nach seiner Weise von Anfang an sich immer mit ausschweifenden Planen getragen, oft aber war er doch
auch im Augenblick des Handelns beim Planemachen stehen geblieben. Er selber gestand es später ehrlich: er habe bei seinen Landsleuten für einen äußerst verrannten Mann gegolten, und doch habe
er zwei, drei Mal in seinem Leben in einer nachher bereuten Mäßigung gehandelt. So hatte man ihn gleich im Beginne der Revolution getrieben an den Po voranzugehen, aber er hatte es abgewiesen, weil der Heerstand zu gering, der Unbedacht der Patrioten
zu Hause zu groß sei. Jetzt wieder stachelten ihn die fremden Carbonari die Grenze zu überschreiten und Italien aufzuwiegeln; aber
er lehnte es auch jetzt ab, da ihm Geist und Kräfte der anderen
Staaten nicht sicher schienen. In seiner anfänglichen Dictatur war
es ihm durch den Kopf gegangen, auch das Kriegsministerium an
sich zu reißen; auch das hatte er unterlassen und bereute es jetzt,
weil er damals auf eigene Hand hätte ausführen können, was nun
wieder sein Rath gewesen war: alle unverläffigen Oberofficiere zu
entfernen, Sicilien zu versöhnen, um die dortigen Truppen zur
Reserve bereit zu haben; 30,000 Milizen in ein festes Lager in
Calabrien zu versammeln, wohin die Regierung sich zurückziehen

---

29) Nach Carrascosa's Darstellung.

190

sollte und wo er einen Kleinkrieg anzuordnen hoffte, wie ihn vordem seine Calabresen gegen Massena geführt. Der Kriegsrath hatte
diese Vorschläge verworfen, selbst trotz seiner Ueberzeugung von
ihrer Richtigkeit auch für die Zwecke der Gemäßigten. Es wurde
jene Theilung der Armee verfügt; es wurde beschlossen einen bloßen
Vertheidigungskrieg zu führen, in dem der zweite Heertheil unter
Pepe (30 Milizbataillone, 11,000 Mann Linie und zwei Schwadronen,) die Abruzzengrenze halten und im Nothfalle auf den ersten
von Volturno zurückgehen sollte. Durch diese Bestimmungen setzte
man die Milizen bei der Nähe ihrer Heimat der Versuchung des
Ausreißens aus und, was mehr war, man gab das einzige Mittel
auf, das noch einen Erfolg versprechen konnte: die möglichst großen
Kräfte zu einem möglichst sicheren angreifenden Schlage zu versammeln, um dem übrigen Italien eine Hand entgegenzureichen. Auch
in dieser Lage nun schwankte Pepe wieder, als er an seinen Bestim-
mungsort abging, zwischen ahnungsvollen Besorgnissen, die ihm
sein grades Urtheil eingab, und tollkühnen Entwürfen, die ihm sein
bodenloser Ehrgeiz und sein eben neu gereizter Trotz einredeten. Er
schob es auf schwarze und verrätherische Ränke, daß man grade jetzt
in seinem Rücken Colletta zum Kriegsminister machte, obwohl er
selbst von dessen eifrigem Betriebe der ganzen Militärverwaltung
und der Kriegsrüstung zeugen mußte, die Colletta geflissentlich recht
zur Schau trug, um seinen und seiner Freunde geheimen Unterhandlungen mehr Nachdruck zu geben. In dieser Uebellaune drängten sich Pepe noch einmal die verzweifelten Rathschläge von innen
und außen auf. Er erhielt neue Anträge, die Dictatur zu ergreifen,
das Parlament zu sprengen, die königliche Familie nach Calabrien
zu führen; auch jetzt aber empfand er, daß dazu das Parlament
und der Regent nicht unpopulär genug waren. Er selbst, als er die
Oesterreicher[1] von Foligno und Narni her langsam, wie eines 'Ende Kehr.
gegenrevolutionären Umschlags gewärtig, den Grenzen sich annähern

und ihn und sein kleines Heer mit Umzingelung bedrohen sah, fiel
auf den Gedanken, mit 12,000 Mann am Kamme der Apenninen
hin sich nach Piemont zu schlagen und so den Krieg zu einer großen
Volkssache zu machen; aber er besann sich auch jetzt, daß es ihm an
Geld, an Transportmitteln, an genauer Kunde von der Aufstellung
des Feindes gebrach. So traf ihn noch einmal das Loos, daß er,
immer zu äußersten Maasregeln versucht und immer davon zurückgeschreckt, bei einer halbextremen stehen blieb, die Alles verdarb. Er
wollte nun die zähen Ränkemacher in seinem Rücken durch einen
kecken Streich kopfüber in den Krieg stürzen, dem sie so selbstbesorgt
und vaterlandsfeindlich aus dem Wege gingen[30]. Als die Vorhut
der Oesterreicher in Rieti zum ersten Male seinen Vorposten gegenüber kam, standen seine dünnen Linienbataillone von Tagliacozzo
bis Ascoli zerstreut; nur so konnte er einige Kunde von der Stärke
und Bewegung des Feindes erhalten, da die Milizen hierzu nicht
taugten und die guten Vettern in der Romagna keine Mittheilungen
zu machen wagten. Er beschloß nun, die Oesterreicher (unter Wal-
moden) in Rieti anzugreifen, um durch einen glücklichen Schlag
sein eigenes Ansehen und den Muth seiner Milizen und jungen
Truppen zu befestigen und dann unter dieser moralischen Aegide
sich nach Calabrien zurückzuwerfen. Am Tage vor seinem Angriffe
erhielt er die kriegsräthliche Aufforderung durch Carrascosa, sich nach
Aquila zurückzuziehen und aus dieser Stadt ein verschanztes Lager
zu bilden: er hielt auch dieß für einen tückischen Anschlag, ihn der
sicheren Gefangenschaft auszusetzen. Dieß erpichte ihn um so mehr
auf seinen Plan, von dem er erst so spät Mittheilung machte, daß
sie vor dem Abend des Kampftages nicht in Carrascosa's Hände
kommen konnte; der übrigens seinerseits für den vorauszusehenden

_____

30) Wir stellen die folgenden Vorgänge nach Pepe's eigenen Angaben dar,
um ihm sicher kein Unrecht zu thun.

Fall eines nächsten Zusammentreffens nicht das Geringste zu einem
Beisprung vorbereitet hatte. Ein Befehl des Regenten, unter keinen
nen Umständen die Feindseligkeiten zu beginnen, erreichte Pepe zu
spät; auch rechtzeitig eingetroffen hätte er keine Beachtung gefunden. Pepe versammelte bei Cittaducale 8 Linien- und 14 Milizbataillone mit einigen Reitern in drei Brigaden, um mit diesen unerfahrenen Truppen unter unverläßigen Führern[1] seinen Angriff auf *7. März
Rieti auszuführen. Die Eine Brigade unter General Montemaior,
die am linken Ufer des Belino hinziehen und mit Tagesanbruch
vor Rieti erscheinen sollte, traf erst um 10 Uhr ein; dieß gab dem
Feinde Zeit, seine Verstärkungen heranzuziehen, und Pepe sah sich
genöthigt, seinen Angriffsplan auf Rieti in eine starke Recognosci-
rung zu verwandeln. Die beiden anderen Brigaden unter General
Russo und Oberst Casella, die auf dem rechten Flügel standen,
die Milizen unter Pepe in der Mitte auf einem Hügel dem Capu-
zinerkloster von Rieti gegenüber, wie auch die Brigade Montemaior
an der Belinobrücke hielten das Feuer der Tiroler Schützen, dem
Angriff der leichten Truppen und der österreichischen Cavallerie in
ihrer vortheilhaften Stellung in einer von Weinpflanzungen durch-
zogenen Gegend eine Weile aus. Und ermuthigt durch diese Haltung, durch das Zaudern der in der That überraschten Oesterreicher,
die ihr Gepäck schon aus der Stadt entfernten, beschloß Pepe nun
doch seine Truppen in eine einzige Colonne zusammengezogen auf
Rieti zu werfen, als die von Vicenti her verstärkten Feinde mit
8 Bataillonen und einer starken Reiterei die von Casella auf der
äußersten rechten Flanke besetzten Hügel angriffen. Die schwache
Reserve, die beschäftigte Mitte konnte keine Hülfe gewähren; der
Rückzug mußte befohlen werden, der alsbald zur völligen Auflösung
führte. Plötzlich brachen die Leute, die Milizen voran, mit dem
Geschrei über Verrath aus ihren Reihen und rannten, unverfolgt
von dem Feinde, unachtsam auf die Stimme ihrer Führer, zu zwei

Drittheilen die Berge hinan. Vergebens hoffte Pepe die Flüchtigen
in Antrobocco und Aquila neu zu sammeln und zu ordnen; am folgenden Morgen waren, bis auf die wenigen Reiter und Pioniere,
von allen andern Milizen und Linientruppen nur noch 2000 Mann
beisammen. Die nachrückenden Milizen liefen auf die Nachricht von
dem Schlage bei Rieti aus einander. Bei seiner Ankunft in Castel
di Sangro sah Pepe selbst ein Bataillon seiner tapfern calabresi-
schen Bruttier sich auflösen und auch die treuen Pioniere auseinan-
andergehen. Nirgends fanden die Oesterreicher einen Widerstand,
als sie nun über die Grenzen gingen und nach einander Borghetto,
Antrobocco und Aquila besetzten.

In diesen Tagen, schrieb ein französischer Agent, feierten die
Bartscheerer in Neapel große Triumphe. Die Bevölkerung war
plötzlich wie vom Schlage gelähmt. Nur Wilhelm Pepe setzte seine
trotzigen Wühlereien immer noch fort. Er ließ noch jetzt seine
Freunde im Parlamente für den Rückzug nach Calabrien bearbeiten, da doch sein Unfall und seine Schuld den letzten Muth in Allen
vernichtet und die laute Begeisterung in Stadt und Provinzen in
düstres Schweigen verwandelt hatte. Im Parlamente zwar, das
inzwischen von den geheimen Unterhandlungen der Generale war
unterrichtet worden, fürchtete man noch immer die Studenten und
die Exaltirten so sehr, daß man in diese Schritte nicht einzutreten
wagte; doch nahm es Colletta schließlich auf sich, einen bezüglichen
Antrag zu stellen; auch dann schob man das Geschäft erst vorsichtig
der ausübenden Gewalt zu und genehmigte zuletzt eine Sendung
des Generals Jardella nach Florenz an den König. Die Adresse,
die er überbrachte, verrieth die ganze Furcht der Versammlung vor
dem Rachegeiste des Fürsten und vor der Wiederkehr der Schaffotte
von 1799. Sie suchte darin die unschuldige Miene anzunehmen,
als ob sie mit der ganzen Revolution, da sie von dem König erst

nach genehmigter Verfassung berufen war, nichts in der Welt zu
thun habe. Die gleiche Doppelangst vor der Exaltation und der
Reaction, die das Parlament verrieth, beherrschte auch die Regierung. Der Prinz Regent hatte Pepe, in der noch dauernden Furcht
vor seinem Einflusse, die Erlaubniß gegeben nach Neapel zu kommen; dort genehmigte man seinen Vorschlag, das zweite Armee-
corps in Salerno neu zu bilden; an demselben Tage aber, wo der
Kriegsminister das betreffende Decret[1] ausstellte, schrieb er an Car- '16. März.
rascosa, er solle auf dieß imaginäre Corps in keiner Weise rechnen.
Diese Männer dachten auch jetzt auf nichts, als den Unruhestifter
zu entfernen, um ungestört in den Verhandlungen ihre Rettung zu
suchen, die ihnen gleichwohl so wenig zu Theil wurde wie ihm.
So wie auch die militärische Schmach so wenig ihnen wie ihm erspart werden sollte. Wären die diplomatischen Generale selbst jetzt
noch geneigt gewesen, in dieser äußersten Lage einen verzweifelten
Kampf für das angefallene Land wenn nicht auf ihre politische und
constitutionelle, so doch auf ihre vaterländische und soldatische Ehre
zu nehmen, es wäre zu spät gewesen. Das erste Corps unter
Carrascosa hatte nach Pepe's Niederlage hinter den Volturno zurückgehen müssen. Die Aufrufe des Königs wurden seitdem bekannt
und begannen die Truppen zu entmuthigen; die Garden weigerten
sich zu fechten; bald folgte Nachricht auf Nachricht, daß die Besatzungen der Forts ausrissen, die Bataillone sich auflösten; die
angesehensten Generale, die Filangieri, Ambrosio und Carrascosa
geriethen in Gefahr durch ihre eigenen Leute; Niemand befahl mehr,
Niemand gehorchte; Alles stob aus einander; das Heer zerschmolz
in wenigen Tagen so völlig, daß die Oesterreicher selbst eine List
vermutheten. Pepe war genöthigt sich auf ein spanisches Schiff zu
flüchten, durch Papiere und angebotenes Geld von dem Regenten
selbst unterstützt, den er nur ganz auf sein Verderben bedacht geglaubt. Seines Vermögens beraubt trieb er sich nachher in aller

Welt um, um seine abenteuerliche Geschäftigkeit von neuem zu beginnen, ein Musterbild aller der Revolutionsenthusiasten, über die er selber oft Klage geführt, denen der Stachel der schärfsten Erfahrung nicht hauttiefe Wunden sticht, die aus keinem Schaden und keinem Schmerze Klugheit lernen. Aehnliche Charaktere begegnen auch noch in den letzten Handlungen des Parlaments. Es hatte

19. März seine letzte Versammlung nur noch 26 Mitglieder stark[1] gehalten und hinterließ auf den Betrieb Poerio's, eines der Patrioten die schon 1799 gelitten, und der gleichwohl auch jetzt noch nicht von dem unglücklichen Vertrauen auf den treulosesten aller Fürsten geheilt war, eine Verwahrung gegen die verletzten Völkerrechte, die dem Urheber lange Verbannung und Leiden zuziehen sollte. Wenige Tage nach der Auflösung des Parlaments zogen die Oesterreicher

21. 23. März in Capua und in der Hauptstadt[1] ein.

Das Zwischenspiel in Piemont. Es war ein Kampf von wenigen Tagen, der die Ketten, zu denen er die Neapolitaner zurückführete, häßlich beschmutzte; es war ein Sieg, den selbst gemeine österreichische Soldaten Scham fühlten sich zum Ruhme zu rechnen. Er brachte großen Schaden über Volk und Land, aber größere Schande. Die Begeisterung der Freiheitsfreunde in aller Welt schlug in verbitterten Grimm über diese ruhmredigen Freiheitshelden Italiens um. Wie hatte man aus Neapel der Schwäche des Despotismus gehöhnt, der von der Meuterei einer Handvoll Soldaten umgeworfen werden konnte! und jetzt, in welcher Blöße erschien die Revolution und ihre gekünstelte Kraft! Wie standen die französischen Liberalen beschämt vor dem giftigen Spotte der Royalisten! Wie brauste jetzt Foscolo auf über diese leeren Schwätzer und Prahler von Neapel! Wie fanden selbst die Lobredner der sonstigen Neapolitanischen Tapferkeit diese Schmach so arg, daß sie nur durch eine große Opferthat für Italien gesühnt werden könne! Wie geärgert wandten die englischen Whigs sich ab!

Wenn die Nachricht von dieser Niederlage ohne Kampf sich bestätigen wird, schrieb Moore, so ist keine Tugend in Maccaroni! Und
als sie sich bestätigte, rief er Schmach und Schande über die Neapolitaner[31], die nicht zu sterben gewußt in dieser Zeit, wo ein Geist
die Welt durchwehte, der die frische Luft des Alterthums athmete,
wo die halbentscheideten Schwerter der Italiener nur auf Einen
Siegesruf warteten, um herauszufahren! Das Neapolitanische
Heer von 1821 hatte nichts bewähret von dem militärischen Ehrgeiz
und Corpsgeiste, der selbst in der Niederlage den nationalen Waffen
wenigstens die Ehre zu sichern sucht; nichts von dem wilden Muth,
den ihre Räuberguerillas unter jenen Pezza und Mammone vor
nicht lange gegen die Franzosen bewiesen; nichts von dem Lands-
knechtgeiste, der einzelne ihrer Schaaren im spanischen Kriege durchdrang; nichts von der Anstelligkeit, die ihnen im Dienst der Franzosen so viele Anerkennung verdient hatte. Es war unter sich selbst
geblieben. In und nach dem Kampfe hatten die Ausreißer, wie es
die Art der Feigheit ist, über Verrath geschrien, wo sie doch nur sich
selber verriethen. Es entschuldigt sie gewiß nicht, wenn in diesem
Rufe gleichwohl ein leidiger Sinn gefunden werden kann. In
Wahrheit, die Neapolitaner waren verrathen von ihren Fürsten,
verrathen von ihren Führern, die in Mißgunst und Eifersucht sich
selbst statt des gemeinsamen Feindes bekämpften, und es ist begreiflich, daß das heimliche Gefühl von dieser innerlichen Zwietracht alle
Herzen und Hände lähmen mußte. Und was mehr war: obgleich
die Welt, wie wir den Dichter sagen hörten, an den mannichfaltigsten Ereignissen trächtig lag, die die Neapolitaner und ihre Bewegung zu begünstigen schienen, so war doch der große Zug der
Verhältnisse am meisten gegen sie verschworen; und wie es dann
zu geschehen pflegt: jede Wendung des Glücks schlug gegen sie aus.

---

31) Let their fate be a mockword!

Es schien damals an dem schwächsten Fädchen des Zufalls zu hängen, daß der schwachen Sache von Neapel dennoch wäre geholfen
worden; aber auch der Zufall verrieth sie! Eben hatte der Zusammenstoß bei Rieti Statt gehabt, so brach, nur drei Tage später, im
Rücken der Oesterreicher in dem gefürchteten Piemont ein Solda-
tenaufstand aus, der das Regiment in die Hand der italienischen
Einheitsfreunde gab. Die Nachricht schlug wie ein Blitz ein und
Niemand konnte in der ersten Bestürzung wissen, ob es ein kalter,
ob es ein zündender Schlag war. Hätte W. Pepe, als die Oesterreicher zaudernd an der Grenze standen, seinen Angriff auf Rieti
nur um 10 Tage verzögert, hätte er den Befehl sich nach Aquila zu
begeben ausgeführt, so stand er selbst in seinem ganzen Einflusse
und das Heer noch unversehrt, als[1] die Nachricht von der Turiner
Revolution nach Neapel kam; sie hätte dann schwerlich von der Regierung (wie es jetzt geschah) so lange verhehlt werden können, bis
der Vertrag mit dem österreichischen Herre abgeschlossen war; sie
hätte den Carbonari neuen Muth und der Revolution einen neuen
Aufschwung gegeben. Stachelte sie doch selbst jetzt noch, als sie
nach Messina kam, den dortigen Commandanten General Rossaroll,
die Fahne des Aufruhrs zu erheben und Sicilien zu den Waffen zu
rufen! Solch ein Aufschwung in Sicilien, zu besserer Stunde erfolgt, hätte Pepe's Plan, Calabrien zum Schauplatz des Kriegs zu
machen, erleichtert; das österreichische Heer wäre aufgehalten, der
König von Furcht geschlagen worden. Warf doch das Ereigniß an
den viceköniglichen Hof in Mailand, ja selbst in das europäische
Lager nach Laibach einen lächerlichen Schrecken! Auf die erste Kunde
ward die Besatzung von Mailand mit Zurücklassung von nur 2000
Mann an den Ticino geschickt, alle Verbindung mit Piemont abzusperren; der Hof ließ seine Kostbarkeiten, seine Wagen, die kleine
Prinzessin aus Mailand entfernen; die Zahlungen an die Beamten,
die monatliche Bezüge machen konnten, wurden eingehalten; als

'17. März.

Straffolbo die Verhaftung einer Anzahl Verdächtiger vorschlug, verwarf der geängstete Vicekönig diesen „verderblichen" Rath. Bald zwar legte sich diese erste Furcht; doch sahen selbst die Tapferen, die sich über diese ärgerliche Bangigkeit am meisten aufgehalten hatten, so trüb in die Zukunft[32], daß sie besorgten, in wenigen Monaten würden Russen, Deutsche, Franzosen und Spanier dem armen Italien zugleich auf dem Nacken sitzen. Denn in der That beorderte Kaiser Franz auf das Anrufen des sardinischen Hofes neue Truppen nach Italien und der russische Kaiser ertheilte dem volhynischen Corps den Befehl, an die Grenze zu rücken. Der verabredete Fall der russischen Hülfeleistung schien ihm gekommen, während sein Gesandter in Turin sogar gerathen fand, sich in Verhandlungen mit den Aufständischen einzulassen. Von dieser Ueberforglichkeit lenkte der Herzog von Modena ab, der sogleich' wieder nach Laibach '16. März gegangen war, um den Fürsten etwas von seiner blinden Entschlossenheit einzuflößen. Er verwarf die „unwürdige Unterhandlung mit Verräthern"; ihm schien die schnelle Unterstützung des treu gebliebenen Theils der piemontesischen Truppen durch Oesterreichs wenige vorhandene Kräfte wirksam genug, und wirksamer als die verzögerte Hülfe nachrückender Massen, um den Aufstand niederzuwerfen und seine Ausbreitung zu hindern. Wie anders aber hätte dieser Rath wohl aufgenommen werden mögen, wenn damals die neapolitanische Armee noch heil an Zahl und Ehre war, wenn Neapel und Piemont zusammenstehend Sicilien in thätige Mitwirkung gerissen hätten, wenn die Befürchtung eines Ueberschlags der Bewegung nach Frankreich wieder dringender ward, eben jetzt, wo auf den Tod des Hospodars Suzzos' der Aufstand der Walla- '11. Febr. chei ausbrach; wo nun nicht allein die gemeinfame Besorgniß vor dieser neuen Ausbreitung des Revolutionsgeistes die Monarchen

---

32) Carte segrete 2, 195.

IV. 13

ergriff, sondern auch Oesterreichs Argwohn über die Haltung Alexander's in dieser griechischen Bewegung rege ward, wie Alexan- der's Eifersucht auf die österreichischen Erfolge in Italien schon wach geworden war!

Es ist aber Zeit, die Ereignisse von Piemont des Näheren kennen zu lernen.

b. Piemont.

Gährungen in Piemont.

Die Bewegung in Neapel hatte an den Grenzen gestockt. Sie war vor dem Heiligenschein der kirchlichen Gewalt in Rom, vor dem behaglichen Ruhestand in Toscana, vor dem Druck der öster- reichischen Uebermacht stille gestanden. Auch daß sie nach Piemont[33] überschlagen werde, dazu hatte es keinerlei Anschein gehabt: so sehr lag dieß Land außerhalb des großen Luftzuges der italienischen Nationalideen, die sich vorzugsweise in den Gebieten festgesetzt hatten, wo man im 18. Jahrhundert durch literarische Bildung vor- geschult und dann unter französischer Zucht einer freieren staatlichen Bewegung theilhaftig geblieben war, in Neapel und dem Königreich Italien. Zwar war das savoyische Fürstenhaus seines nationalen Berufes, die Naturfestung des piemontesischen Landes zu einem Bollwerk Italiens gegen fremde Eingriffe und Herrschaft zu bilden, schon seit jenem Emanuel Philibert († 1580) inne geworden, der

---

33) Neben den royalistischen Darstellungen der piemontesischen Bewegung: Simple récit des évènemens arrivés en Piémont. 1821. Les 30 jours de la révol. piémontaise. Lyon 1821. Beauchamp, hist. de la révol. de Piémont. Comte D***, précis hist. sur les révoll. de Naples et de Pié- mont u. a. hat sich die Erzählung des Grafen Santarosa: de la révol. piém. Paris 1822. auch trotz der Widerlegung Beauchamp's: la révol. du Piémont. Paris 1823. weitaus als die glaubwürdigere bewährt, wenn man (von Brofferio abzusehen) die späteren Darstellungen vergleicht bei Gualterio (3, 45 ff.), der die Denkschrift eines höheren Staatsbeamten benutzt, und bei Pinelli, Piemonts Militärgeschichte; Deutsch von R. Riese. Leipzig 1856. 2, 352 ff., die Beide nichts weniger als partheiisch für die Revolutionäre sind.

sich ganz als italienischen Fürsten eines italienischen Landes fühlend seinen Sitz nach Turin gelegt, das Italienische zur Regierungs- sprache gemacht, seine Militärmacht nach Machiavellischer Vorschrift ganz aus eigenen nationalen Mitteln gebildet hatte. Allein später hatte sich dieser italienische Zug wieder verloren. Hof, Regierung, Bildung und Sprache hatten ihre amphibische Natur zurückgenom- men; in den höheren Gesellschaftskreisen war Alles französisch ge- worden; im 18. Jahrhundert war das geistige Band zwischen Pie- mont und Italien und zuletzt auch das politische zerrissen. So ge- schah es, daß auch in den letzten Reactionsjahren die Sympathien der Piemontesen und ihre Verbindungen mit den italienischen Be- wegungsmännern sehr geringfügig waren. Wie machtlos sich 1820 hier die Secten fühlten, hatte W. Pepe ausdrücklich aus den Be- richten seines Freundes Pisa¹ erfahren. Der Constitutionalismus 'vgl. 3, 197. hatte hier zu Lande einige Wurzel gefaßt; die Kämpfe in Frankreich hatten das Interesse daran geweckt; die Verleihung der Verfassung in Baiern, mit dessen Hofe der Turiner stets sehr freundliche Be- ziehungen unterhielt, hatte lebhaften Eindruck gemacht; allein die freieren politischen Einrichtungen, die wohl ein welthin unterhalte- ner Wunsch waren, dem alten Victor Emanuel mit Gewalt abzu- trotzen, das widerstrebte dem monarchischen Sinne dieses Volkes; und seit hier die altfränkische Parthei in vollem Rückzuge war, hatten auch alle Verständigen den triftigsten Grund, das Beste von dem besonnenen Fortgange der begonnenen Verbesserungen zu er- warten. So war Cäsar Balbo, der Sohn des Ministers, besonders geschäftig³⁴, den ungeduldigeren Brauseköpfen vorzustellen, wie friedlichen Weges man in Piemont zu größerer politischer Freiheit gelangen könne, weil in zehn Jahren die jungen dem Fortschritt gewogenen Männer, die wie sein eigenes Beispiel zeigte schon jetzt

---

34) Gius. Martini, storia d'Italia. 4, 179.

13*

alle Aemter zweiten Ranges besaßen, in den höchsten Stellen sein
würden, wo voraussichtlich zugleich ein junger, neuer, freisinniger
Fürst, der Prinz von Carignan den Thron besteigen werde. Zogen
aber diese inneren Verhältnisse die Piemontesen ab von der lebhaf-
teren Theilnahme an den Sectenverbindungen, den Verschwörungen, den Bewegungen dieser Jahre, so lag doch auf der anderen
Seite auch das Land den Ansteckungen aus Spanien und den an-
regenden Einflüssen aus Frankreich außerordentlich ausgesetzt. Vor
dem Ausbruch der spanischen Revolution schon war die Lage der
hiesigen Freisinnigen mit der der französischen Unabhängigen zu
ähnlich, als daß sich nicht die beiderseitigen Bestrebungen an einander
hätten schärfen sollen. Waren es doch dieselben Leute Napoleoni-
scher Zeit und Schule, die sich da und dort aus ihrer Zurücksetzung
emporzuarbeiten hatten! Das Haus des französischen Gesandten
Herzogs von Dalberg war daher schon damals ein Vereinigungs-
punct der freisinnigen Jugend der höheren Stände gewesen, die die
Regierung so viel zu bekritteln pflegte, daß sie sich allmälig selbst
überredete, die Nation sei zu einer Bewegung für eine freiere Staatsordnung völlig bereit. Als hierauf die Staatsveränderung in Spanien Statt hatte, ward der spanische Gesandte Barbaji ein weiterer
Mittelpunct für diese begeisterte Jugend, deren brennende Köpfe
dann die Bewegung in Neapel noch heftiger entzündete. Gleichwohl war auch jetzt noch zu einer ähnlichen Erhebung in Piemont
nur sehr wenig Anschein. Die Reformisten abligen Standes, wohl
auch die Minister selber hofften höchstens auf eine raschere, festere
Begründung des Reformsystems unter der Gunst dieser aufgeregten
Zeit. Selbst die Kühneren aus dieser Klasse zögerten hier, weil sie
das Vertrauen zu dem König hatten, er werde seine Lande unge-
zwungen mit freieren Einrichtungen bedenken, und eben dadurch
zum Bruch und Kriege mit Oesterreich getrieben werden. Aber
freilich die einzelnen Feuerköpfe gab es denn doch, die mistrauischer

blickend so friedlich nicht abzukommen hofften mit dem heiligen
Bunde und seinem Einflusse auf den schwachen König, den sie nur
auf den Wegen seiner Unverbesserlichkeit fortgehen sahen, als er die
diplomatischen Verbindungen mit Neapel abbrach und nachher[1] den
Minister St. Marsan nach Laibach schickte und dem österreichischen
Heere einen Commissar beiordnete. Es waren dieß die plutarchisiren-
den Jünglinge des neuen tantalischen Schlages, die von Alfieri's
Geist entzündet dem roheren Geschlechte der früheren „Macedonier"
in Piemont gefolgt waren, die nun auch hier, wie gering immer
an Zahl, in Geheimbünde zusammentraten, mit den lombardischen
und französischen Carbonari Beziehungen anknüpften, mit Einheits-
und Bundesideen sich anfüllten, und in den Täuschungen leichtgläubiger Selbstliebe sich für den Gedanken erhitzten, diesen günstigen Augenblick zu der Abwerfung der inneren Despotie und der
äußeren Fremdherrschaft zu benutzen, die alle Anstrengungen der
früheren und frischeren Geschlechter Italiens durch ein Jahrtausend
nicht bewerkstelligen konnten. Die Unabhängigkeit war das eigentliche Ziel, auf das die Geheimbündler in Italien Alle und überall
aussahen und so auch diese; die freien Einrichtungen, die sie be-
gehrten, die spanische Verfassung, die sie zum Looswort nahmen,
war mehr nur Vorwand und Mittel, um zum Bruch mit Oesterreich zu kommen. Diese Losung schlang ein inneres Band zwischen
ihnen und jenen gemäßigteren Reformisten der vornehmeren Stände
und im Militär; sie mußte bald auch ein äußeres knüpfen. War
doch in den Letzteren der Haß gegen Oesterreichs Fremdherrschaft,
die Verachtung der österreichischen Kriegsmacht von den französischen Zeiten her ganz eben so tief gewurzelt! War doch die Feindseligkeit gegen Oesterreich in allen Piemontesen so gleich und so
stark, daß selbst jener unversöhnliche Gegner der Revolution, de
Maistre, da des Kaisers offen bekanntes System auf die Austil-
gung aller Verfassungsideen, aller Einheitsgedanken, aller Reste

'Dec. 1820.

der Revolution in Italien ausging, als eine Haupt- und Lebens-
maasregel gleich seit 1815 empfohlen hatte, grade den „aus der Revolution geborenen" italienischen Geist ebenso systematisch zu hegen
und zu pflegen und die Revolutionäre ohne Unterschied, selbst wenn
zum Nachtheil des Adels, in alle Ehren und Stellen zu befördern!
Hatten doch Rußlands Einflüsterungen seit eben jener Zeit schon
alle piemontesischen Staatsleute mit der Vorspiegelung geködert,
wie aus der geschickten Erweckung der Ideen italienischer Unabhängigkeit so viel Nutzen für Piemont, so viel Schaden für Oesterreich
erwachsen könne! Wiegten sich doch die loyalsten Soldaten sogar
in dem Glauben, daß der König selber den Haß gegen Oesterreich
ganz gleich mit ihnen theile, weil er die Begegnungen mit dem
Kaiser vermied, weil er dessen Uebergriffen immer eifersüchtig begegnet war, weil er bei seinen Heerschauen wohl einmal einem
Veteranen die Hand auf die Schulter legte und ihn fragte: Sestu
pront à andè contra ai Alman? Mit dergleichen Geschichten war
selbst der gemeine Mann, der von den Verfassungsgedanken der
Wühler nichts verstand, zu bestimmen, an der dumpfen Bewegung
Theil zu nehmen, die den König zum Kriege mit den Oesterreichern
hinreißen sollte. Als diese nun wirklich rüsteten, sich sammelten,
marschirten, wurde die unbestimmte Erwartung neuer Dinge unge-
duldiger und die Vorzeichen eines Sturmes von Tag zu Tag häu-
figer. Schon zu Anfang des Jahres hatte es Studententumulte
in Turin gegeben, die[1] zu blutigen Scenen führten. Einige Wochen
später[1] erhielt die Polizei Anzeige aus Paris, daß dort der Fürst
della Cisterna mit den verdächtigsten Liberalen verkehre; bei seiner
Rückkunft wurde Er und andere Edle, der Marquis Priero und der
Cavalier Perrone[1] verhaftet und ihre Papiere weggenommen. Die
Wirkung dieser versuchten Unterdrückungen aber wurde von Seiten
der Liberalen gelähmt, die überall im Heer und in den Amtsstuben
ihren Fuß hatten. Die Briefe Priero's verschwanden aus seinem

'12. Jan.
'Ende Febr.
'2. März.

verfiegelten Zimmer, die Papiere Cifterna's vom Schreibtische des
Polizeiminifters. Man vermuthete, die Minifter felber hätten der
Bewegung der Geifter gern einigen Lauf gelaffen, um den König
zur Gewährung neuer Zugeftändniffe oder zu einer etwas unab-
hängigeren Haltung gegen Oefterreich zu drängen. In einem Mi-
nifterrathe hatte man zu Anfang des Jahres ernftlich darüber verhandelt, die drohende Bewegung durch wichtige Veränderungen in
der Gefetzgebung zu befchwichtigen; eine Denkfchrift des Grafen
Cotti de Brufasco' an St. Marfan rieth nachdrücklich, das einzige '14. Febr.
Mittel gegen das moralifche Fieber der Aufftände zu ergreifen, das
in zeitgemäßen Inftitutionen gelegen fei; felbft der alte de Maiftre,
der (nur kurze Zeit vor feinem Tode) in jener Berathung gegen-
wärtig war, fand die angeregten Veränderungen zuträglich, vielleicht felbft nothwendig, nur daß er vorfichtig warnte, nicht in dem
Augenblicke des Erdbebens bauen zu wollen[35]. Denn das gemüth-
liche Spielen mit der Bewegung begann nachgerade täglich gefährlicher zu werden. Eine geheime Preffe bearbeitete die öffentliche
Meinung, gegen die nichts auszurichten war. Erft lief eine Adreffe
an den König[36] voll monarchifcher Ergebenheit um, die von der
reformiftifchen Parthei ausging; bald folgte ihr eine andere[37] von
carbonarifcher Färbung nach, die fchon die fpanifche Verfaffung begehrte. Diefer Uebergang war fehr bezeichnend für die Weife, wie
jetzt die revolutionären Gedanken fich fteigerten und immer weitere
Kreife mit fich riffen. Denn als nun die Oefterreicher gegen Neapel
vorgingen, nun fchien die große Stunde der Gelegenheit gekommen,
die felbft den Ruhigften nicht ganz zu verfäumen fchien. Den
fchwungvollen Geiftern fchien im Rücken der Oefterreicher auf einen

---

35) Lettres et opuscules inédits du Comte J. de Maistre. Paris
1851. I, XXV.
36) Gualterio 3, 305.
37) Ib. 3, 309.

Wink aus Piemont Alles zusammenbrechen zu müssen; sie waren
wie in einem Taumel, der alle ruhige Ueberlegung tilgte. Mit
welchen Täuschungen lockten die Gerüchte von der Bereitheit der
Lombarden, von der Kriegsbegeisterung in Neapel! Hielt man
dort nur einigen Stand, so konnte die piemontesische Armee in die
wenig besetzte Lombardei ohne Schwierigkeit einrücken, vor der Ankunft einer Hülfe die Etschlinie nehmen, ganz Italien zum Aufstand
rufen, vielleicht zu einem Ausbruch in Lyon und dem Dauphiné
den Anstoß geben. Selbst die bisher so zurückgehaltenen Jünglinge
des Adels wurden nun mitgerissen. Die Regierung wies[1] den
Ritter Wilh. Moffa di Lisio und den Marquis Caraglio di S.
Marzano (den Sohn des Ministers St. Marsan) aus Turin; es
waren Officiere, die wie ihre Freunde Collegno, Santorre Santarosa u. A. früher in französischen Diensten gestanden hatten; sie
waren der Regierung, die sie stets als Anhänger der Reform, nie
als Feinde des Thrones gekannt hatte, jetzt als Anhänger der Verschwörung bezeichnet worden. Und sie waren es geworden. Der
ausgezeichnetste unter ihnen, Graf Santarosa hatte[20] früher alle
Verbindung mit den geheimen Gesellschaften, die er für die Pest
Italiens ansah, grundsätzlich vermieden; in dieser kritischen Zeit
aber, als er den König in seiner Stillstandspolitik beharren, die
älteren Staatsmänner der Bewegung widerstreben sah, trat er mit
den Sectirern zusammen und opferte ihnen um der Einigkeit willen
seine Abneigung und selbst seine Ueberzeugung: er erklärte sich mit
ihnen für die spanische Verfassung, deren Annahme er so hier wie
in Neapel, wo man die verständige sicilische Constitution zur Hand
gehabt, für eine Thorheit ansah. Von edler Abkunft und von feinen
nen Formen, wohlgelitten am Hofe, von beweglichem muskelkräf-

_____

20) Nach den Angaben seines Freundes Consta, in dessen Fragments
littéraires.

tigem Körper, wohlredend, im Militär- und Civildienste erfahren, bei seinen Gegnern selbst im Rufe unbescholtener Rechtschaffenheit, bei dem Könige selbst im Ansehen eines „fähigen Schelmes", war dieser Mann vor einer großen Laufbahn gestanden, die er frei von eigennützigem Ehrgeize dahingab, als er der Sache der Bewegung sich anschloß. Auf tiefe und gründliche Kenntnisse erhob Santarosa selber keinen Anspruch; er war, und dafür galt er sich selbst, ein Mann der Praxis, von gradem Geiste, von politischen Ueberspannungen fern. Darum war er doch nicht frei von den mancherlei Schwächen, die unter den jungen Bewunderern der Foscolo und Alfieri so gewöhnlich waren; eine Art Religionsschwärmerei, selbst ein gewisser Aberglaube, und daneben wieder die sinnlichen Aufregungen waren ein Bedürfniß für sein gefühliges, leidenschaftliches Herz und seine lebhafte Einbildnng; von Kindheit auf zwar im Kriegslager erwachsen, bekannte er sich doch später wie ein Epikuräer für das Glük geschaffen und bereute es verscherzt zu haben. In einem so angelegten Manne begreift es sich, daß er in dieser Zeit der patriotischen Begeisterung, wo die Vermessensten, die bisher im hintersten Gliede gestanden, jetzt die gemäßigten, monarchischen, reformistischen Urheber der ganzen Bewegung über den Haufen gerannt hatten, seine früheren nüchternen Bestrebungen aufgab, die zur Beglückung seines engeren Vaterlandes führen sollten, und dafür die großitalienischen Einheitsentwürfe der Schwärmer eintauschte, zu deren Ausführung in der Lage von Piemont sein Mittel vorhanden, in der Lage des zu befreienden Italiens kein Entgegenkommen möglich, in der Lage der Weltverhältnisse nicht die geringste Aussicht war.

Die jungen verschwörenden Soldaten suchten nach einem Führer, nach einem sichtbaren hoch erhobenen Zeichen, das in dem Volke, in dem treuergebenen Heere Vertrauen erwecken könne. Sie

hatten zuerst an den Fürsten Cisterna gedacht; seine Verhaftung
wies sie auf eine andere Wahl. In dem Heere gab es zwei vor-
tragende Persönlichkeiten, die Generale Graf Sallier de la Tour
(la Torre) und Gifflenga. Allein der Letztere sah die Dinge um sich
her in Neapel, in Italien, in der Welt zu kaltblütig an, um sich
den Täuschungen der überspannten Jugend hinzugeben; der Andere
vollends, ein Mann von starkem fest entschiedenem Charakter, war
ganz der absolutistisch österreichischen Parthei ergeben. So entschloß
man sich noch höher zu greifen und richtete die Augen auf den jungen Prinzen Carl Albert von Carignan. Ein Sproß der jüngeren
savoyischen Linie, die sich von Carl Emanuel's († 1630) zweitem
Sohne Thomas ableitete, war er (1798) an den Stufen eines zu-
sammenbrechenden Thrones geboren, nur zwei Monate ehe das
Königthum in Piemont den Schlägen der französischen Republik
erlag. Während die regierende Familie damals aus dem Lande
wich, war der Vater des Prinzen, der diesen Schicksalsfall nur
zwei Jahre überlebte, in die Stellung eines einfachen Bürgers zurückgetreten und hatte die Uniform der demokratischen Nationalgarde
angelegt, vor der die Mutter, sagt man, wohl einmal die Car-
magnole um den Freiheitsbaum tanzte. Der Sohn war dann in
Paris, in Dijon und Genf erzogen worden, wo er unter den bürgerlichen Schülern der Lehranstalten als ein Gleicher gesessen war;
in seinem 15. Jahre war er in den kaiserlichen Militärdienst getreten. Aus diesen gedrückten Verhältnissen riß ihn die Herstellung
1814 plötzlich in eine sehr veränderte Lage. Da der König und
sein Bruder, der Herzog del Genevese[39], kinderlos geblieben, so
war er der voraussichtliche Thronerbe, und auch als solcher, trotz
den Versuchen die schon damals[1] zu seiner Ausschließung gemacht

‘vgl. 2, 73.

---

39) Nicht, wie man selbst in genealogischen Werken findet, Herzog von Genf
oder Genua, sondern von Genevois, dem ducatus Gebennensis in Saveyen.

sein sollten, auf dem Wiener Congresse in einem Vertrage vom
20. Mai 1815 anerkannt worden. Durch seine ungewöhnlichen
Schicksale, durch seine unfürstliche Erziehung, durch die praktische
Schule im Napoleonischen Dienste, die ihn an die weiten Gesichts-
kreise jener Zeiten gewöhnte, schien der Prinz wie auserkoren zu
sein, dem savoyischen Hause eine so nothwendige wie erwünschte
Verjüngung zu bringen. Er wurde daher durch seine bloße Stellung das Merkziel aller vorwärts Strebenden, und seine Gaben,
seine Ausbildung, seine Richtungen schienen sie in ihren Hoffnungen auf ihn nur bestärken zu müssen. Er war in der Blüte der
Jugend, groß von Gestalt, eine ritterliche Erscheinung von gewin-
nenden Gaben, von nicht gemeinen Geistesanlagen, in dem Rufe
die Studien zu lieben, arbeitsam zu sein von Natur, die äußeren
Dinge höheren Anforderungen nachzusehen. Der König hatte ihm
einen allgemein geachteten Mann, den Grafen Grimaldi, zum Er-
zieher gegeben, um ihn zu den Regierungsgeschäften heranzubilden;
sein Privatsekretär war der Dramatiker Nota, der eine intime Stellung zu ihm einnahm, die dem Prinzen sehr wohl gedeutet ward;
und man sagte sich, daß diese Männer Gemüth und Einbildung
bei ihm offen gefunden für großherzige Regungen, seinen Geist
zugänglich für die Interessen der Kunst und Literatur in allen italienischen Landen, seinen politischen Sinn geweckt für die herrschenden Begriffe und Bedürfnisse der Menschen und Völker. Es war
klar, daß ihn alle die militärischen, politischen, nationalen Ideen
berührten, die auch die strebsamen piemontesischen Adelssöhne aus
der gleichen Napoleonischen Schule bewegten, mit denen er zum
Theil zu die engsten dienstlichen und persönlichen Berührungen kam,
seit er 1817 Generalmajor und 1820 Generallieutnant und Groß-
meister der Artillerie geworden war und, mit einer Toscanischen
Prinzessin vermählt, ein eigenes Haus zu machen begann. In
diesen Kreisen kritisirte der Prinz, dem die Natur einen Stachel zu

Scherz und Satire gegeben hatte, in jugendlicher Unbedachtsamkeit
die lächerlichen Irrungen der Reaction; namentlich im Militär-
wesen, das seines Amtes und Faches war, gehörte er ganz zu der
Fortschrittsparthei wie seine Vertrauten Caraglio, Collegno u. A.,
und er zerwarf sich darüber ganz offen (1819) mit dem Herzog des
Genevese, ohne selbst nur (1820) die gebotene Gelegenheit (bei der
Geburt seines ersten Sohnes, des jetzigen Königs) zu benutzen, sich
mit ihm auszusöhnen. Von den militärischen und administrativen
Dingen glitt die Unterhaltung begreiflich auch auf die politischen
Fragen über. War von den constitutionellen Wünschen der Piemontesen die Rede, wurde das Bedauern geäußert, daß der König
sein Land nicht wie Ludwig XVIII. mit einer Charte beglückt und
dadurch die Brücke zur Beherrschung, zur Unabhängigkeit von Italien geschlagen habe, so verstand der Prinz nicht oder verschmähte
es zu schweigen; die jungen Leute lauschten auf jede Aeußerung, in
der sich seine Vaterlandsliebe, sein Vertrauen auf die Zukunft verrieth; es entging ihnen nicht, welche Sorgsamkeit er anwandte, in
den Kreisen der Militärs und Beamten ein reines Italienisch zu
sprechen; sie vergaßen es nie, wie er einmal sagte: das schöne Blau
der piemontesischen Fahne könne mit fröhlicheren Farben vertauscht
werden; sie sahen ihm schon jetzt seine leidenschaftliche Ruhmbe-
gierde ab, und gaben ihr die patriotischen Ziele, die späterhin sein
berühmter Denkspruch: J'atans mon astre andeuten sollte. Der
Groll gegen Oesterreich zog das Band zwischen ihm und jenen jungen
Männern noch enger. Seine Gespräche über diesen Gegenstand
ließen bei aller Rückhaltung wohl merken, daß er die Wiener Anschläge zu seinem Ausschlusse von der Thronfolge nie vergessen
werde und daß er den Haß aller Italiener gegen die Barbaren
theilte; der savoyische Dynast und der italienische Patriot gingen
in dieser Beziehung Hand in Hand in ihm. So war es denn gleich
natürlich, daß der Prinz in allem Anfange den constitutionellen

Reformisten als ihr selbstverstandener Führer galt, auf dessen Thronfolge alle ihre Hoffnungen standen, wie daß er den italienischen
Patrioten, den Unabhängigkeitsfreunden, schon vor den Revolutionen in Spanien und Neapel zum allgemeinen Augenmerk wurde;
jene sahen in ihm das natürliche Werkzeug zur Wiedergeburt Piemonts, und diese zur Wiedergeburt Italiens. Die Literaten und
Dichter, die Monti u. A. priesen ihn als eine verheißungsvolle
Sonne, die am Himmel Italiens aufgegangen sei; Giordani drang
in Rota, den Prinzen mit Elcognara's, mit Sismondi's Werken
bekannt zu machen; der Römer Angeloni ließ ihm (1818) ein Werk
über den Zustand Italiens überreichen und nannte ihn bei der
Gelegenheit bestimmt, Italien zu großen Dingen zu erheben; und
wie wichtig es dem Prinzen selber war, diese Aufmerksamkeit der
Literaten auf sich gerichtet zu halten, geht schon daraus hervor, daß
er Foscolo brieflich zur Rückkehr nach Italien aufforderte. Und
nachdem sein Name auf diese Weise schon zu einer Standarte der
italienischen Unabhängigkeit geworden war, so war es schließlich
nicht minder natürlich, daß nach dem Ausbruche der Revolution in
Neapel, und später vollends bei der herrschenden Gährung über die
österreichische Invasion auch die zur Revolution Entschlossenen, die
am Ende doch immer nur ihrem Fürstenhause einen Dienst zu erweisen dachten, sich geradezu an ihn wandten, um ihn an die Spitze
der beabsichtigten Bewegung zu stellen. Munterte doch all seine
Haltung dazu auf, in der er nun so lange und geflissentlich den
Schein der volksthümlichen Gesinnung zur Schau getragen hatte;
und stärker seit dem Ausbruche des neapolitanischen Aufstandes.
Nicht Jeder wußte, daß er nach diesem Ereigniß, von dem er zuvor
unterrichtet gewesen sein soll, sich mit Barbasi berieth, der ihm die
Hoffnungen der um ihn versammelten Liberalen mittheilte; aber
Jeder konnte wissen, daß er bei dem Feste der heiligen Barbara[1], ¹4. Dec. 1820.
der Schutzpatronin der Artillerie, und beim Neujahrsfeste am Hofe

unter seinen Officieren sprach und sich benahm als Einer, der seine
Entschlüsse ihren Wünschen gemäß gefaßt habe. Trotz allen diesen
Verständnissen und Annäherungen aber war es doch immer, als ob
ein scharf witternder Instinct der Herzen selbst in den ergebensten
Verehrern des Prinzen das Vertrauen in einer gewissen Schranke
zurückhielte. Und dieser Argwohn hatte mancherlei bestimmte Anhalte. So hatte es allen Patrioten als eine Rückdrängung der italienischen Hoffnungen sehr mißfallen, daß des Prinzen Schwester
ganz neuerlich sich dem Erzherzog Rainer vermählt hatte. So hatte
es allgemein sehr befremdet, daß jene Männer, unter deren geistigen, moralischen, politischen Einflüssen man den Prinzen so gern
gesehen hatte, die Rota und Grimaldi, sehr bald aus seiner Umgebung entfernt worden waren. Es war unfehlbar, daß seitdem die
Urtheile eben dieser Männer über den Prinzen in vertrauten Kreisen
bekannt wurden; und sie waren geeignet, die öffentliche Vorstellung
von ihm sehr abzukühlen. Nach Rota's Aussage[40] war sein früherer Unterricht in Genf und Paris, wie sein späterer in Turin
keineswegs auf so fruchtbaren Boden gefallen; die Liebeshändel,
die Eitelkeit, mit der der Prinz seiner äußeren Erscheinung oblag,
das Reiten, der Zeitvertreib, die Hoffeste hatten immer seine beste
Muße hinweggenommen. Grimaldi aber sollte sich schon damals
in besorglicher Klage über den Fall geäußert haben, wenn dieser
Prinz einmal mit unbeschränkter Gewalt über Piemont herrschen
sollte; er beurtheilte den Prinzen vor seiner öffentlichen Laufbahn,
wie ihn Solche[41], die ihn am tiefsten zu durchschauen glaubten, am
Schlusse seiner Laufbahn beurtheilten, deren volle Ueberzeugung es
war, daß Carl Albert, wenn er sich 1848 mit Hülfe der Liberalen
zum Herrn von Italien gemacht hätte, jene Werkzeuge alsbald zur

---

40) Martini 4, 101.
41) Solaro Margarita memorandum p. 544. 549.

Seite geworfen hätte. Denn zwischen all der Menschlichkeit und all dem Freisinn des Prinzen hatte man doch auch immer die Züge einer ganz anderen Art, einer Härte, einer großen Befangenheit, einer unoffenen Verstellung hindurchgespürt. Er war (und ward später immer mehr) ein blinder Beobachter der religiösen Gebräuche, so sehr daß er zuletzt, in Ascetismus und Mysticismus versunken, sich selber seines Köhlerglaubens rühmte; diese Seite (die bei ihm theils in einer tückischen Kränklichkeit wurzelte, von der ihm seit jungen Jahren Brust und Unterleib gefährdet war, theils in den romantischen Hängen der Zeit und den guelfischen Grundsätzen, zu deren gewappnetem Vorsechter er später werden sollte,) mochte doch viele der freien Geister um ihn her an ihm irre machen, die nicht Santarosa's ähnliche Neigungen theilten. Andere beargwohnten einen Charakter vollendeter Doppelzüngigkeit und Unbeständigkeit in ihm und schöpften dazu den Grund aus seinen Geschicken und seiner Geschichte. Als ein Fürst aufgewachsen unter republicanischem Druck, als ein Italiener in französischem Dienst, von einer Mutter erzogen, die ihn nicht liebte, hatte er eine Schule durchgemacht, in der seine rückhaltende Natur von früh auf lernte zu dulden, zu mißtrauen, zu lauschen und sich zu verstellen. Geschickt die Gedanken Anderer herauszulocken, verstand er die eigenen Geheimnisse wohl zu bergen und Gesinnung und Miene mit einer Gewalt zu meistern, schon in einem Alter, dem man so viele Kunst der Selbstbeherrschung nicht zugetraut hätte. Noch war in dieser gesünderen Jugend das grelle Schwanken zwischen Ehrgeiz und Bedenklichkeit, zwischen Patriotismus und Despotismus, zwischen Soldatenthum und Jesuitismus in Carl Albert nicht ausgebildet, das ihm später Giusti's Satire vom König Tentenna zuzog; allerdings aber bemerkte man schon die seltsame Mischung von jugendlichem Uebermuth und Unbedacht mit Schlauheit, Unschlüssigkeit und der Kunst, sich auf den verschiedensten Wegen durchzuwinden.

Wohl durften daher die schärferen Beobachter um ihn her, als sie
ihm mit ihren Zumuthungen nahten, mißtrauisch zweifeln, zu welcher Wahl ihn die wankelmüthige Natur zwischen Ruhmgier und
Furcht, zwischen dem gefährlichen fremden Nachbar und den tollkühnen heimischen Bundesgenossen, zwischen der fernen Hoffnung,
den Thron Italiens zu gewinnen, und der nahen Gefahr, die Thronfolge Sardiniens zu verlieren, antreiben werde.

Dreißig Tage der
Revolution in
Piemont.

Es war in den Tagen des österreichischen Anzugs an die
Grenzen Neapels, als die Vertrauten des Prinzen, der Major Pro-
rana di Collegno und Oberst San Marzano in Gesellschaft von

'6. März. Lisio und Graf Santarosa' den Prinzen aufsuchten, um ihn zum
Mithandeln in der Bewegung des Heeres zu stimmen, das nach
ihren Absichten Victor Emanuel zum König von Oberitalien aus-
rufen und den Krieg mit Oesterreich erzwingen sollte. Man ließ
aus Santarosa's eigner Erzählung heraus, daß, obgleich der Prinz
seine Einwilligung gab, obgleich der Graf versichert, voll von dem
Gedanken an den gekommenen Tag der Erfüllung seiner patriotischen Hoffnungen aus dem Palaste gegangen zu sein, die Freunde
doch voll Mißtrauen in ihn waren. Auch hatte Carl Albert schon
Monate vor dem März den Kriegsminister vor den Carbonari unter
den Officieren gewarnt, und jetzt wieder machte er ihm am folgen-

'7. März. den Tage' Anzeige von den letzigen Anschlägen, und mahnte den
König selbst, den er nach Moncalieri begleitete, auf der Hut zu
sein. Den Verschworenen gegenüber zeigte er sich an diesem und

'8. März. dem nächsten Tage', der anfangs zum Ausbruch des Aufstandes
bestimmt war, in seiner ganzen Unverläßigkeit: er nahm einmal
sein gegebenes Wort vor seinen Vertrautesten muthlos zurück, dann
schien er wieder williger, der Bewegung wenigstens ihren Lauf zu
lassen; seine Absicht schien, die Verschworenen zurückzuhalten oder
ihre Pläne genau zu erfahren, um sie desto sicherer vereiteln zu

können. Augenblicklich war ihr Vertrauen zu ihm verschwunden; sie verhehlten ihm nun die Zeit des Losschlags, die sie um zwei Tage verschoben; auch beschlossen sie, nicht Turin, sondern Alessandria zum Ausgangspunct der Bewegung zu machen, wo die Carbonari am Ruder waren. Der Prinz, dem die verschiedenen Veranstaltungen der Aufständischen nicht entgingen, schickte Gifflenga und Cäsar Balbo, sie in Güte abzumahnen, ließ durch den Kriegsminister Saluzzo den König unterrichten und traf im Einverständniß mit den übrigen Ministern militärische Vorkehrungen, der Bewegung entgegenzutreten. Die Verschworenen fühlten, wie entmuthigend der Abfall des Prinzen bei den Soldaten wirken würde, die wohl bereit waren sich mit dem König aber nicht gegen ihn zu erheben; sie gaben daher eilige Weisungen, von den verabredeten Schritten noch abzustehen. Aber es war zu spät. In Alessandria hatten sich Nachts nach einer vorabendlichen Besprechung mit den bürgerlichen Carbonari der Obristlieutnant Ansaldi und der Hauptmann Graf Palma der Citadelle bemächtigt und am nächsten Morgen[1] wurde eine provisorische Giunta gebildet, die, bis zur Errichtung einer Nationalgiunta der italienischen Föderation, die Regierung führen sollte. Gleich am folgenden Tage[2] erließ sie ein Edict, worin sie die Nation in Kriegsstand erklärte; oben prangte die Ueberschrift „Reich Italien", zwei Worte, die möglichst lakonisch Oesterreich mit Krieg und die italienischen Staaten mit Einziehung bedrohten. Zu dieser prahlerischen Donquijoterie stand indessen alles Andere, was gleichzeitig geschah, in dem lächerlichsten Gegensatze. In Alessandria selbst blieb das Regiment Savoyen, obgleich seine Oberofficiere zu den thätigsten Revolutionären gehörten, unerschütterlich gegen die Aufforderungen der Verschworenen. In Vercelli fand S. Marzano die Truppen im entgegengesetzten Sinne bearbeitet. In Pinerolo hatten Lisio und Santarosa nur mit Mühe und Täuschungen 300 Dragoner zu Pferd bringen können. Hätte

[1] 10. März.

[2] 11. März.

IV.   14

bei diesen getheilten Stimmungen im Heere und der völligen Flauheit des Volks der König oder der Prinz mit festem Willen gehandelt, so wäre die Bewegung in ihrem ersten Schritte gehemmt
und beendet gewesen. Statt dessen suchte der König, von Moncalieri zurückgeeilt, nur mit einem Aufrufe[1], einer Amnestie, einer
Soldverhöhung das Volk zu beschwichtigen, die Soldaten zu ködern.
Auf diese Schwachheit antwortete die Keckheit eines Hauptmanns
Ferrero, der sich[1] mit einer Compagnie vor den Thoren Turins bei
der Kirche S. Salvario aufstellte, um der Hauptstadt ein Zeichen
des Aufstandes zu geben. Nun wollte der König in einer Anwandlung von Muth zu Pferde, aber die Minister hielten ihn von diesem
rettenden Schritte zurück. In seiner Umgebung hätte man auch
jetzt gern die erhöhte Stimmung des Augenblickes je nach den verschiedenen Wünschen ausgebeutet: der Prinz hätte gern gesehen,
daß der König die Verantwortung auf sich nehmend ihn mit dem
Heere an die Grenze geschickt hätte, während Thaon Revel die
treuen Truppen gegen die Aufständischen bei S. Salvario zusam-
menziehen ließ; die reformistisch Gesinnten sollen den König um die
französische Charte angegangen haben, während Er selbst, um die
Absichten der Aufrührer zu erkundigen, Ferrero die bairische Verfassung habe anbieten lassen[4], was der Carbonarische Unverstand
abgewiesen hätte. Diese stumme Verschwörung um den König her
sollte dem lauten Aufstande, als er bereits verzweifelt und wie gescheitert war, zu einem kurzen Siege helfen. Das gegen S. Salvario aufgestellte Militär zeigte keine Lust auf die Empörer loszu-
schlagen, allein das Volk eben so wenig Neigung sich zu ihnen zu
schlagen. Ferrero sah zu seinem Verdruß, wie die Turiner in Masse
aus dem neuen Thore herausströmten und seine Schaar mit stumpfer Neugierde betrachteten, ohne sich zu regen. Nur ein Hause

'10. März.

'11. März.

42) Pinelli 2, 397.

Studenten schloß sich ihm an, mit denen er Abends nach Aleßandria sich zurückzog[43]. Gleich darauf in der Nacht kam St. Marsan aus Laibach zurück, der dort die Verpflichtung, keine Veränderungen der Regierungsform vorzunehmen, gemäß dem unabänderlichen Verlangen der verbündeten Monarchen, im Namen des Königs aufs förmlichste übernommen hatte. Dieß machte Victor Emanuel wieder entschlossen zum Widerstande. Noch in der Nacht[1] ließ er [12. März.] zwei Bekanntmachungen drucken, worin die Verfassung offen geweigert ward, weil sie die Fremden über den Po rufen würde; zugleich befahl er dem Kriegsminister, Truppen bei Asti zusammenzuziehen und berief den populären Obersten Clavegna, um ihn nach Alessandria zu schicken. Aber alle diese Mittel versagten jetzt. Das Volk war allmälig in Bewegung gekommen; es riß die Anschläge ab und begann nach der spanischen Verfassung zu schreien; Clavegna erklärte im Namen vieler Officiere, was einige auf dem Schloßplatz Versammelte wirklich erklärt hatten, daß sie das Blut ihrer Mitbürger nicht vergießen wollten, so lange sie sich auf die Forderung einer Veränderung der Regierungsform beschränkten; der Polizeiminister, "Betrüger oder betrogen", kündigte den Aufstand aller Provinzen an; die Citadelle von Turin pflanzte Mittags die dreifarbige italienische Fahne auf. In dieser Bedrängniß griff Victor Emanuel zu dem Auskunftsmittel, das in diesem Hause eine Art Familienüberlieferung ist: er dankte in der Nacht[1] zu Gunsten [12—13. März.] seines Bruders Carl Felix ab, und begab sich nach Nizza, nachdem er dem Prinzen die Regentschaft auf die Zeit der Abwesenheit des neuen Königs übertragen, der grade in Modena war, um den König Ferdinand auf seiner Rückreise aus Laibach zu begrüßen. Es war ein Schritt, der von Freunden eingegeben war, unter denen,

43) Con tanta intrepidità, ohe per verità il paragono cho di essa facevasi coi 300 dello Termopili non era nè esagerato nè intempestivo! Brofferio I, 147.

14*

wie der König später selber klagte, wohl auch einige Feinde waren;
er gab der österreichischen Parthei gewonnenes Spiel, welcher der
neue König völlig ergeben war, ein rauh stolzer Mann von stren-
gem Willen und zähem Wesen, Ein Herz und Eine Seele mit dem
bigotten Herzog von Modena, von dessen Rathschlag und Leitung
er ganz abhängig war. Wie sehr verschieden der Ausweg des ehrlichen Victor Emanuel von dem treulosen Verhalten des Königs
von Neapel war, so gewährte er doch der österreichischen Staatskunst ganz dieselben Vortheile, die ihr die Reise Ferdinand's nach
Laibach gebracht hatte: man hatte jetzt den sardinischen König im
eigenen Lager und warf Spaltung und Entmuthigung in das Lager
der Revolution.

Haltung des
Prinzen von
Carignan.

Zwar in dem ersten Augenblicke, wo diese Staatsveränderung
vollendet war, ohne daß sie, wie der englische Gesandte scherzte,
nur eine Scheibe gekostet hatte, war nun Alles (wie in Spanien
nach der Annahme der Verfassung durch den König,) voll Revolu-
tionseifer und scheinbar voller Eintracht; die schwelgsamen Behörden, Beamten und Oberofficiere kamen aus ihrem Verstecke hervor
und wetteiferten in Bezeugungen ihres Muthes und ihres Frei-
sinnes. Der Mann aber, der diesem neuen Zustande allein, und
auch Er nur bei der vollsten und kühnsten Entschlossenheit, und auch
dann nur auf eine allerkürzeste Zeit, einige Festigkeit hätte verleihen
können, hatte sich nun von der Sache der Bewegung geschieden.
Vor dem Prinzen von Carignan, der sich in den kühnen Entwürfen
der Patrioten wohlgefallen, so lange sie nur Entwürfe waren,
schwanden die verführerischen Blendwerke, sobald ihn der Ernst der
Thatsachen zur Besinnung rief. Dieser Abfall von seinen bisherigen Richtungen und Freunden ist in den Kreisen der freisinnigen
Italiener mit jedem Schimpfe und Fluche belegt worden. Auch ist
des Prinzen Haltung und Benehmen von sittlicher Seite in keiner

Weise zu rechtfertigen. Er war nicht ehrlich gegen seine Freunde in dem leichtfertigen Spiele mit ihren Bestrebungen vor der Verschwörung; er war nicht treu und offen gegen sie während ihres Betriebes und Verlaufes; er war nicht entschieden und gradaus den Anmuthungen der vollendeten Revolution gegenüber, wie es der abtretende, wie es der eintretende König war, zwischen denen er sich bewegte; er hatte, als er aus eitlem Ehrgeize das frühere Verhältniß mit den Genossen pflegte, sie im Ungewissen gelassen, wie weit er mit ihnen vorgehen werde, und jetzt ließ er sie aus Zaghaftigkeit, umringt von persönlichen Gefahren wie er sich glaubte, im Ungewissen, wie weit er hinter ihnen zurückbleiben, ja wie weit er gegen sie vorgehen werde. Wie viel moralischer Makel aber an diesem Wie seiner Handlungsweise haften mag, politisch betrachtet kann man auf das Was seiner Entscheidung in seiner, durch den überraschenden Entschluß des Königs ganz unerwartet verwickelten Lage keinen Tadel werfen. Besser im Stande als seine Freunde, die Geringfügigkeit der vorhandenen Mittel für ihre großen Anschläge zu berechnen, war es von ihm nur weise, wenn er in dem unerfahrenen Alter von nur 22 Jahren, in seiner höchst verantwortlichen und höchst unbefestigten, nirgendhin Muth und Vertrauen einflößenden Stellung zwischen den beiden Königen, vor dem Wagniß zurückschrak, dem Winde der Gelegenheit zum Ruhme gleich jetzt die vollen Segel zu geben. Er sah klüglich ein, daß jetzt die Oesterreicher bekriegen nichts anderes heiße, als sie nach Turin ziehen; daß der Tag des Heils, den seine Freunde für Italien gekommen sahen, der Tag des Unheils für Sardinien sein möchte, der zugleich seine eigene persönliche Zukunft auf das gefährlichste Spiel setze; und es wäre keine unedle Erwägung gewesen, wenn er sich bedacht hätte, daß er seine Thronfolge bewahrend einst mit einer Volkskraft für Italien wirken könne, daß ihm dagegen, wenn er sein Nachfolgerecht jetzt durch leichtsinnige Verwegenheit einbüße,

nur die Stärke eines machtlosen Einzelnen übrig bleibe. Er sah,
wie er später selber sagte, einen dunklen Schleier sich über das Vaterland legen, als die bisherigen Minister in Masse zurücktraten
und ihn rathlos allein der Carbonari-Revolution gegenüber ließen.
Von diesem Augenblicke an beschloß er sich nur als das Organ des
königlichen Willens zu betrachten und dem neuen Fürsten zu gehorchen, was auch seine Befehle wären. Er erklärte sich freilich nicht
mit muthvoller Entschlossenheit gegen die Sache der Revolution,
wohl vermied er aber jede freiwillige Kundgebung, aus der seine
Uebereinstimmung mit ihr gedeutet werden konnte. Alles was jetzt
noch als schwankende Unsicherheit in ihm erschien, floß aus der
Nothwendigkeit, sich mit Vorsicht aus den Schlingen der Aufständischen herauszuziehen. Während man auf die Verleihung der
'13. März. Verfassung wartete, versprach er nur in einem Erlasse[¹], seine „den
allgemeinen Wünschen entsprechenden Absichten" am folgenden Tage
kund zu thun. Ueber diese Zögerungen kam das Volk von neuem
in Bewegung. Eine Abordnung aus dem Stadthause verlangte
die spanische Verfassung. Der Prinz erklärte ihr mit Bestimmtheit,
daß er dazu keine Vollmacht habe und eine Dazwischenkunft Oesterreichs nicht verschulden wolle. Dem folgten wiederholte geschärfte
Forderungen; das Volk drang Abends in den Palast Carianan;
die Citadelle drohte mit Beschließung; die Officiere erklärten, daß
kein Verlaß mehr auf die Soldaten sei. Der Prinz berief nun eine
Versammlung von 30 Notabeln, durch deren schriftliche Erklärung[⁴⁴]
gedeckt er die spanische Verfassung annahm, eine provisorische Giunta
anordnete und ein neues Ministerium bildete, dessen Seele Ferdinand dal Pozzo war, jener freisinnige aber den Verschworenen nicht
zugehörige Rechtsgelehrte, der uns von früher bekannt ist. Auch
jetzt übrigens waren des Prinzen Schritte der Art, daß sie im

---

44) Pinelli 2, 180.

Grunde Niemanden über seine eigentliche Denkart täuschen konnten. Er schrieb eigenhändig⁴⁵ an die Gouverneure in Savoyen, Genua und Novara, daß er die Verkündigung der spanischen Verfassung für rechtlich nichtig halte, bis der Wille des Königs bekannt sei. Er ging, um Oesterreich den Vorwand der Einmischung zu nehmen, so weit, in einem neuen Erlasse¹, der zum Anschluß an die beste hende Obrigkeit aufforderte und den zur Ordnung rückkehrenden Truppen Amnestie zusagte, alle nicht piemontesischen Zeichen zu verbieten. Die in Alessandria, die sich Bürgerkronen verdient zu haben meinten, sandten voll Entrüstung einen Protest gegen die unbegehrte Amnestie dieses Erlasses ein, der ihnen in dem Prinzen den erklärten Feind der Erhebung enthüllte. Unter den Revolutio nären wurden nun wiederholte Anschläge gemacht¹⁶, sich seiner durch Festnehmung als eines Geißels zu versichern oder sich durch Mord des Mannes zu entledigen, dessen Thun und Lassen sie nur noch auf die Erstickung des Aufstandes gerichtet sahen. Man hatte die energischsten militärischen Vorkehrungen erwartet, sie wurden nicht getroffen. Man hatte die Kriegserklärung gegen Oesterreich ge wollt, statt dessen wurde fortwährend der Gesandte dieser Macht in Turin geduldet, bis ihn ein Ausbruch des Volkshasses¹ zur Ent fernung zwang. Aus Mailand erschienen¹ Abgeordnete, der Mar quis Pallavicini und Dr. Gaetano Castillia; sie entzückten die Auf ständischen mit den großartigen Schwindeleien ihrer Anerbietungen: das alte Heer Eugen's auferstehen zu machen und mit 30,000 Na tionalgarden zu vermehren; der Prinz aber ließ sie nicht vor sich. Wäre noch irgend ein Zweifel in ihm zurückgewesen, so entschied ihn der Tag, an welchem der Ritter Costa¹ zurückkehrte, der an den König in Modena war abgeschickt worden, ihm über den Stand der

(Marginalien rechts:) '14. März. '19. März. '16. März. '15. März.

45) Bianchi p. 46.
46) Nach Carl Albert's eigner Angabe, Cibrario missione p. 203.

Dinge zu berichten. Der neue Herrscher sollte den Boten mit Erbitterung empfangen und ihm des Prinzen Brief vor die Füße geworfen haben; er war voll Unzufriedenheit über die Handlungen
des Regenten, voll Mistrauen gegen den verfeindeten Verwandten,
der in Grundsätzen aufgezogen war, die den seinigen so ganz entgegen standen. Sofort schmiedete er mit dem Herzog von Modena

'16. März. ein Edict[1], dessen schroffe Härte selbst den Kaiserlichen in der Lombardei mishagte. Es erklärte alle Anhänger des Aufstandes und
der Verfassung zu Rebellen, für ungültig alle Neuerungen, die der
königlichen Machtvollkommenheit Eintrag thun wollten. Der König sprach darin offen die Ueberzeugung aus, daß die verbundenen
Fürsten sofort zu seiner Unterstützung handeln würden; mittlerweile
ernannte er die Generale la Torre in Novara; Andezeuo in Cham-
bery und Desgeneys in Genua zu Generalgouverneuren und be-
kleidete sie mit den weitesten Vollmachten. Dem Prinzen hatte

21. März. Costa mündlich zu bestellen[47], was ihm gleich darauf[1] der König
brieflich bestätigte, daß er sich mit den treuen Truppen nach Novara
zu General la Torre begeben solle, der ihn die weiteren königlichen

i · Entschließungen wissen lassen werde. Wollte der Prinz den gefährlichen Anschlägen, die nach seiner Ueberzeugung in Modena gegen
ihn und sein Thronfolgerecht gemacht wurden, wirksam vorbauen,
wollte er Piemont nicht in die Hände der Verwandten des österreichischen Hauses überliefern, so blieb ihm nichts als blinde Unterwerfung. Während er zum Scheine, in Uebereinstimmung mit
seinen Räthen, den Cardinal Marozzo nach Modena schickte, um
dem König Vorstellungen zu machen, bereitete er heimlich und mit
Auslegung all seines Verstellungsgeschicks seine Abreise vor und
gab die nöthigen Befehle zu dem Marsch der Truppen nach Novara.
Vor den alten Freunden, die auf die Nachricht von dem königlichen

47) Nach Bianchi p. 47. gegen Gualterio 3, 77.

Edlete aus Aleffandria herzueilten, um den Prinzen zur Kriegserklärung zu treiben, ließ er sich krank sagen. Gegen Santarosa, den
er, um noch beffer zu täuschen, zum Kriegsminister gemacht hatte,
erklärte er eines Abends die Gerüchte von seiner Abreise scherzend
für ein Mährchen; gleich darauf war er auf dem Wege nach Novara.
Dort protestirte er gegen die ihm angethane Gewalt, legte seine
Regentschaft' nieder'' und erneute seine Aufforderung' an die Trup- 21. März.
pen, unter die Fahnen des Königs zurückzukehren. Diese Erklä- 23. März.
rungen und Handlungen wurden gleich damals wie später mit
furchtbaren Verwünschungen aufgenommen und verurtheilt von
Allen, die den Prinzen mit diesen Schritten unwürdig in das Nichts
versinken sahen, die ihn dagegen an die Seite eines Washington
treten zu sehen gehofft, wenn er sich kühn zu den entgegengesetzten
Entschlüffen ermannt hätte. Zu Entschlüffen, die ihn doch unfehlbar wie einen Pepe in eine lächerliche Niederlage geriffen und völlig machtlos in das Privatleben gestürzt hätten! Denn es war eine
Raserei, zu glauben, daß Piemont bei der Getheiltheit der politischen Neigungen in Volk und Heer, bei dem Widerwillen der
Reichstheile gegen einander, bei der Spaltung unter allen Gliedern
der regierenden Familie, bei der Eiferfucht der übrigen italienischen
Staaten, nur Einen Monat gegen eine Macht wie Oesterreich hätte
bestehen können, das damals ganz Europa in seinem Rücken hatte.

Die Flucht des Prinzen gab den Bewegungsmännern alle Ge- Ausgang der
walt in die Hände; der Kriegsminister Santarosa war im Besitze Revolution.
einer Art Dictatur; der Versuch konnte also gemacht werden, was
die verzweifelte Energie der Revolutionäre, was ihre Treue bei der
ergriffenen Sache, was ihre Beharrlichkeit bei dem gefaßten Ent-

_____

19) An demselben Tag, an dem er nach 27 Jahren den Krieg gegen Oesterreich erklärte und nach 28 Jahren nach der Schlacht bei Novara abdankte.

schluffe unter den widerstrebenden Stimmungen der Gesammtheit
vermöchte. Schon hatte die Proclamation des neuen Königs, die
man vergebens zu verheimlichen gesucht, die Entmuthigung in die
Bevölkerung der Hauptstadt geworfen, die Abreise des Prinzen
vollendete sie. Viele Mitglieder der in Turin gebildeten Giunta
verlangten sofort ihre Entlassung, und nur das Pozzo's kräftige
Vorstellungen bewogen sie noch, zur Vermeidung der Anarchie die
Zügel nicht ganz aus der Hand zu geben. Selbst Männer wie
jener Fürst Cisterna und Marquis Priero, die die Revolution aus
dem Gefängniß befreit hatte, verließen das Land und gingen nach
Genf. Truppen und Bürger in Turin waren feindlich gespalten;
die Garde, die besten Truppen, wie das dort eingetroffene Regiment Savoyen, waren der Bewegung entgegen; der Chef der
Carabinlere war in offener Verbindung mit Novara; ein Theil der
Garnison war dem Prinzen auf dem Fuße dorthin gefolgt. Santarosa stand schon auf dem Puncte, die Hauptstadt aufzugeben und
mit der Garnison der Citadelle nach Alessandria zu gehen, als sich
noch einmal einige der Zwischenfälle einstellten, die bereits mehr-
mals die Bewegung wieder in Flammen geblasen, da sie im Er-
löschen war. Erst kam die Nachricht, daß das Regiment Königin
Dragoner, bisher königlich, von Novara, mitten aus la Torre's
Lager, unter dem Ruf: Es lebe die Verfassung! nach Alessandria
aufgebrochen war. Santarosa faßte neue Hoffnung und blieb. Er
21. März las nun¹ einen kräftigen Aufruf in der Giunta, worin er, obzwar
aufgefordert durch Carl Felir seine Stelle niederzulegen, sich eine
gesetzlich bestellte Behörde nannte, im Trotz gegen das Edict des
unfreien Königs die Piemontesen zu Einigkeit und zur Vertheidigung gegen die fremden Waffen rief, und ihnen, in absichtlicher
Täuschung oder in unabsichtlicher Selbsttäuschung, die Handreichung der Lombardei und die Hülfe Frankreichs in Aussicht stellte.
Das Glück schien seinen Muth zu begünstigen. An demselben Tag

erhob sich ein Theil der Garnison in Genua gegen den würdigen Gouverneur Grafen Desgeneys, dessen Leben kaum vor der Volks- wuth gerettet ward; und dieses Ereigniß durchbrach vorerst noch die Plane der Gouverneure, die von den Provinzen aus die Be- wegung niederzuwerfen arbeiteten. Santarosa gab nun allen wil- ligen Truppentheilen Befehl, sich nach Alessandria zusammenzu- ziehen, um dann das royalistische Nest in Novara auszuheben und in die Lombardei zu rücken. Von seinen Hoffnungen auf die Hülfe der Lombarden freilich mußte er, wenn er je ernstlich an sie ge- glaubt, jetzt schon geheilt sein. Ein Blatt Confalonieri's, das durch die Gräfin Frecavalli besorgt an S. Marzano gelangt war, rieth in aller Dringlichkeit von der Ueberschreitung des Ticino ab, da die Lombardei in keiner Weise zum Empfange der Piemontesen bereit sei. Diese entmuthigende Nachricht mochte Santarosa dazu stimmen, andern Vorschlägen zu einer ruhigern Lösung des Knotens zu lauschen, den er geschürzt hatte. Der russische Gesandte Graf Mocenigo bot eine Vermittlung an, wenn man sich auf die Be- dingungen einer Amnestie und eines Statuts mit einigen Beschrän- kungen der Absolutie unterwerfen wolle; die Giunta, die sich von dem aufrichtigen Ernste des Anerbietens überzeugt hatte, nahm es an und auch Santarosa widersetzte sich nicht. Diese friedliche Lösung scheiterte aber sogleich an dem Wahnwitz der Carbonari in Alessandria, die ihre Sache auf Alles oder Nichts gesetzt hatten, alle Vermittlung daher weit wegwarfen und die Unterhändler als Vaterlandsverräther verschrieen [49]; sie wäre übrigens auch ohne dieß an dem Eigensinn des Königs gescheitert, wenn nicht ein an- derer unglücklicherer Ausgang des Dramas dazwischen getreten wäre. Die Revolution in Piemont hatte die Abdankung Victor Emanuel's und die Protestation Carl's Felix' und, Dank der Festig-

---

[49] Dal Pozzo, della felicità etc. p. 44.

seit Santarosa's, auch die Flucht Carl Albert's überstanden, aber
die Niederlage der Revolution in Neapel konnte sie nicht überleben.
Gleich als die Nachricht davon sich verbreitete, hatte die Gegenrevolution in allen Provinzen das Haupt erhoben. Den Truppen
der Bewegungspartei aber sank plötzlich aller Muth und alles
Vertrauen. Mehrere von ihren Generalen, denen Santarosa Oberbe-
fehle vertraut hatte, eilten ihren Frieden mit la Torre zu machen, der,
'4. April. über die Sesia' gegangen, aus seinem Hauptquartiere Bercelli
seine Colonnen gegen Turin richtete und, wenn er den Muth faßte,
der Revolution mit Piemonts eignen Mitteln ein rasches Ende bereiten konnte. Die letzten Hoffnungen der Patrioten waren noch
darauf gestellt, daß die königlich Gesinnten bei Annäherung ihrer
constitutionellen Brüder sich zu diesen schlagen würden. La Torre
war in der That so mißtrauisch gegen die eignen, von den Aufständischen stets bearbeiteten Truppen, daß er bei Annäherung der
Constitutionellen unter Oberst Regis wieder hinter die Sesia zurückging, um die Oesterreicher zu erwarten, die nach Novara zu seiner
Unterstützung rückten und zugleich den Ticino bei Vigevano überschritten, um die Aufständischen über Casale und von Pavia aus
über Gravellone im Rücken zu fassen. In dieser Lage wäre den
Constitutionellen geboten gewesen, sich nach Alessandria oder Genua
zu werfen; statt dessen verbrachten sie die Zeit mit eitlen Unterhandlungen, in leichtgläubiger Erwartung, daß die gehoffte Meuterei in la Torre's Lager ausbrechen werde, wo doch fortwährend
ihre eignen Reihen durch allnächtliche Desertionen zusammenschmol-
zen. Als das kleine muthlose Corps von nur 7 Bataillonen, nicht
'8. April. 3000 Mann, sich der Stadt Novara' näherte, und die getäuschten
Leute statt von brüderlichen Kameraden von dem Geschütz der Wälle
begrüßt wurden und die Oesterreicher, verbunden mit den Königlichen, auf ihrer rechten Flanke erscheinen sahen, ergriff plötzlich
panischer Schrecken und Verwirrung die jungen Soldaten, und kein

Muth der einzelnen Führer war im Stande, der Auflösung des Revolutionsheers Einhalt zu thun, das in weniger als zwölf Stunden aufhörte zu existiren. Was folgte, lohnt kaum die Mühe der Erzählung. Die Giunta löste sich auf; die Decurionen von Turin unterwarfen sich la Torre, dessen Einzug[1] mit eben solchen ¹⁰·ᵃᵖʳⁱˡ Freudenbezeugungen gefeiert ward, wie zuvor die Verkündigung der Verfassung. Alessandria mußte von Ansaldi geräumt werden, weil das Regiment Genua abgefallen war. In Genua wurde der verhaftete Graf Desgeneys wieder befreit, und dieser edle Mann war es, der den Insurgenten, als sie vor den geschlossenen Thoren der Seestadt anlangten, gestattete, sich unter seinen Augen in S. Pier d'Arena unbelästigt einzuschiffen. In wenigen Tagen blieb keine Spur von ihnen im Lande zurück. Die Ausnahmsgerichte und Militärcommissionen sprachen eine Menge schwerer Verurtheilungen aus, aber nur an zwei Officieren, Garelli und Laneri, konnte die Todesstrafe vollzogen werden. Alle die andern irgend namhaften Führer zerstreuten sich in alle Welt und suchten zum Theil, wie Santarosa und Collegno, in Spanien und Griechenland in neuen Kämpfen ihre Kräfte für ihre Grundsätze einzusetzen.

Wie anders war die Stimmung in Laibach beim Schlusse des ᴬᵘˢᵍᵃⁿᵍ ᵈᵉˢ Congresses[1], als bei der ersten Nachricht von dem Zwischenspiele in ᶜᵒⁿᵍʳᵉˢˢᵉˢ ⁱⁿ Piemont! Wenn nicht wahr, so ist es gut erfunden, daß Metternich nach dem raschen Ende desselben dem russischen Kaiser die triumphirenden Worte gesagt habe: Da sehen Sie, was eine Revolution ist, die bei Zeiten gefaßt wird! Die Schmeichler der Macht konnten Oesterreich preisen, daß es ohne eine Hülfe seiner Bundesgenossen in Italien mit wenigen Schiffen vollbracht habe, was ganz Europa gegen Frankreich nach den unermeßlichsten Anstrengungen mißglückt war. Die Revolution war gebändigt; um die Ruhe der Halbinsel zu befestigen, wurde Piemont[50] von 12,000

'16. Oct. Oesterreichern, beide Sicilien vertragsmäßig[l] mit 42,000 Mann
besetzt, die eine monatliche Last von Fl. 570,000 auferlegten. Schon
konnte man jetzt auch die verhaßten Zustände in Spanien näher ins
Auge fassen; denn in Frankreich drängten sich nun die Royalisten
immer näher zur Herrschaft; in Deutschland war Stille; kaum daß
einigen verbrannten Köpfen eingefallen war, den piemontesischen
Aufstand unterstützen oder die Schauspiele der Soldatenaufstände
in Thüringen nachahmen zu wollen, was nachher die berüchtigten
Untersuchungen über den Männer- und Jünglingsbund hervorrief.
So erklärt es sich, daß die Actenstücke, die von diesem Congresse bei
seinem Schlusse ausgingen, um vieles hochmüthiger klangen als

12. Mai. die früheren. Die Laibacher Erklärung[l] der drei Monarchen, aus
Pozzo's Feder, kündigte in einem verachtenden Tone der Einfachheit die Besetzung der beiden Staaten an nach dem Siege über die
Revolution, dessen Leichtigkeit nicht dem Zufalle, nicht der Feigheit
der Gegner, sondern der Vorsehung zugeschrieben ward, die das
Gewissen der Schuldigen mit Schreck geschlagen habe. Die österreichische Circulardepesche des gleichen Datums verweilte mit
breiterem Wohlgefallen auf der Gebrechlichkeit dieser Revolutionen,
die bei der ersten Berührung in Staub zerfallen waren. Mit größerer Zuversicht als zuvor wird hier der Beruf der Mächte betont,
Europa vor Anarchie zu bewahren; den sie zu entweihen glauben
würden, wenn sie sich nur durch die „engen Berechnungen einer
vulgaren Staatskunst" leiten ließen; mit viel bestimmterem Trotze
ist der von England verworfene Grundsatz hier in viel größerer
Oeffentlichkeit wiederholt: daß nützliche Aenderungen in Gesetzgebung und Verwaltung der Staaten nur von dem freien Willen
derer ausgehen sollten, die Gott für ihre Gewalt verantwortlich

---

50) Convention vom 24. Juli 1821. Neumann, recueil etc. 3, 640.

gemacht habe. Es ist in ausdrücklicher Hinweisung auf die drohenden Erschütterungen im Osten ausgesprochen, daß auch diese unter
verschiedenen Umständen entstandenen aber nicht weniger ver-
brecherischen Vorgänge nach demselben monarchischen Prinzipe würden behandelt werden. Unter schweigendem Hinblick auf Spanien
ist die Versammlung eines neuen Congresses für das folgende Jahr
angekündigt. Wenige Tage nach dem Schlusse des Congresses 24. Mai.
wurde diese Erklärung dem deutschen Bundestage im Auftrage
Oesterreichs und der russischen Gesandtschaft vorgelegt, wobei der
Vorsitzende in einer Stilprobe, die nicht übel den Stelzengang des
österreichischen Uebermuthes kennzeichnete, seine Ueberzeugung aussprach, die hohe Bundesversammlung werde hiernach den Fürsten
Metternich und Herrn von Anstett ersuchen: „Ihren k. k. Majestä-
ten die Huldigung unseres ehrfurchtvollsten Dankes für diese Mittheilung mit der ehrerbietigsten Versicherung angenehm zu machen,
daß wir einhelligst in ihren Inhalten das schönste Denkmal tief
verehren, welches diese erhabensten Souveräne Ihrer Gerechtigkeits-
und Ordnungsliebe zum verbleibenden Trost aller rechtlich Gesinnten setzen konnten!"

Sofort sollten sich nun nach diesen Worten die Werke des Neapel.
heiligen Bundes bethätigen. In Neapel war schon vor der erfolgten Herstellung Alles mit banger Furcht erfüllt worden, als man
vernahm, der rachsüchtige König habe den verbannten Fürsten
Canosa, den er vor Jahren um der Schande willen auf Betrieb der
Fremden entfernt hatte, wieder zum Werkzeuge seines neuen Regimentes erkoren. Zwar anfangs waren in Laibach milde Maasregeln empfohlen worden: nachsichtige Bestrafung nur weniger der
Häupter von Monteforte, im übrigen Vergessenheit für das Vergangene, Strenge für die Zukunft. Dieß war Canosa zu gelinde
erschienen, der dem Könige nach Laibach Vorstellungen machen ließ,

die auch jetzt noch die wohlwollenden Gesinnungen nicht ändern
konnten. Seit dem Ausbruch der Revolution in Piemont aber und
dem nachgefolgten Aufstandsversuche Rossaroll's in Messina ließ
der Congreß dem Könige größere Freiheit und nun rüstete sich Canosa, die Ruhe des Reichs und die Sicherheit der königlichen Herrschaft auf die schonungslose Verfolgung der Rebellen zu bauen.
In einer langen Reihe von Decreten begann man die Gesetze der
constitutionellen Zeit zu tilgen, unter denen das Eine genügt hätte,
das alles seit dem 15. Juli Geschehene für nichtig erklärte. Alle
Vereine, selbst Universitäten und Schulen wurden geschlossen. Die
österreichische Achterklärung gegen die Carbonari wurde, wie vom
'13. Ort. Pabste', so auch von Sardinien und Neapel nachgeahmt. Ein
Kriegsgericht wurde niedergesetzt; die Pepe und Rossaroll zum
Tode zu verurtheilen, wurden bloße Polizeidecrete genügend gefunden. Neue entehrende Strafen wurden eingeführt; die zur Ga-
leere verurtheilten Carbonari wurden erst mit ihren Zeichen behängt
durch die Straßen gepeitscht. Anfangs waren es nur niedere Leute
'20-21. April. gewesen, mit deren Verfolgung man begonnen; plötzlich wurden'
die Generale Colletta, Arcovito, Pedrinelli u. A. und dann eine
Menge Beamte, Abgeordnete und Officiere der gemäßigtsten Gesinnung verhaftet; auch Carrascosa entzog sich dem Haftbefehle
nur durch schleunige Flucht nach Malta. Verschiedene Unter-
suchungscommissionen wurden niedergesetzt, unter deren Wirksamkeit das Geschwür der faulen Volksmoral ekelhaft aufbrach. Die
Angeber, Priester zum großen Theile im Spähdienst der Polizei,
hatten jetzt ihre Lese; falsche Anzeigen und ungerechte Urtheile folgten in Masse; einer der Denuncianten wurde beim Ausgang aus
der Kirche ermordet und beichtete sterbend die Namen der fälschlich
Beschuldigten, ohne daß sein Geständniß diesen zu gut gekommen
wäre. Angst und Furcht bemächtigte sich aller Menschen. Sie
trieb die Federgewandten, gegen Carbonari und constitutionelle Re-

gierung zu schreiben, denen sie beiden angehört; sie trieb die höchsten Körperschaften zu niederträchtiger Unterwürfigkeit und Schmeichelei gegen den König; sie trieb die Bürger zu religiöser Heuchelei
und in die alte Willfährigkeit gegen die neue Sclaverei; sie trieb
das Landvolk in den Provinzen in die gewohnten anarchischen Leidenschaften, und Carbonari und andere Betheiligte an dem Aufstande sammelten Gefolge um sich und warfen sich in die Wälder
oder brachen in die Ortschaften ein, um ihre gefangenen Genossen
dem Tode zu entreißen. Denn im Laufe des nächsten Jahres 1822
erfolgten hundertweise die Todesurtheile „wegen Freiheitsachen",
und viele Menschen bestanden den Tod auf dem Schaffote mit
einem Muthe, den sie zuvor auf dem Schlachtfelde nicht hatten bewähren wollen. So trieb Canosa fein Wesen fort, bis die bittere
Nothwendigkeit den König zwang, den grausigen Helfershelfer doch
wieder zu entlassen. Den berüchtigten Prozeß von Monteforte, den er
eingeleitet, konnte er zum Schlusse führen. Er endete mit 30 Todes-
und 13 Galeerenurtheilen, und nur auf Frimont's Ermahnung verwandelte der König die Todesstrafen, bis auf die der beiden Anstifter
Morelli und Silvati, in lebenslängliche Kerkerhaft. Während des
Verlaufs des Prozesses waren die Muratistischen Officiere in Masse
entlassen, eine Anzahl Generale und Abgeordnete, die Colletta,
Arcovito, Poerio, Borelli u. A. nach Gratz, Prag und Brünn verwiesen worden; nach seinem Schlusse noch wurden 700 Bürger bedeutet, sich freiwillig vor Gericht zu stellen oder das Land zu verlassen; 560, die das letztere wählten, wurden an den Grenzen des
Kirchenstaats abgewiesen und mußten in den Barbaresken die Zuflucht suchen, die der Papst ihnen weigerte. All dieß Verfahren
stellte sich die österreichische Regierung an zu mißbilligen; der König
aber berief sich zu seiner Entschuldigung auf sie. Auf dem Congresse von Verona, den er besuchte, hätte man ihn bedeuten
können; als er aber von da zurückkam, fuhr er fort wie zuvor.

So wurde in Neapel Alles auf österreichischen Fuß gesetzt, in
Piemont kam es nicht anders. Unter dem neuen Könige zog dort
(bis 1830) das Ruhe- und Stillleben ein, wie es Oesterreich in
diesem Lande gerade, das Metternich (an Baron Vincent) für das
eigentliche Rest der Revolutionssecte erklärte, am genehmsten war.
Der Fürst war faul und unthätig; er lebte, an den steifen Hof-
feierlichkeiten verekelt und aller Quälerei des Königshandwerks abgeneigt, in der Umgebung von Günstlingen geringer Abkunft seinen
privaten Vergnügungen und Kunstliebhabereien; er mochte Priester
und Soldaten nicht leiden, ließ aber doch die Jesuiten sich im Lande
aufs neue verbreiten und den Adel seinen alten Einfluß wieder
nehmen. Diesen bequemen Mann auf dem vorzeitig bestiegenen
Throne zu befestigen, die Entsagung Victor Emanuel's aufrecht zu
erhalten und durch einen endgültigen Act[1] zu bestätigen, war daher
nach dem Sturze der Revolution Oesterreichs erste Sorge gewesen.
Und noch in einem wichtigeren schon früher berührten Puncte versuchte es die Gewalt seines Einflusses geltend zu machen, um im
Versteck hinter dem Könige den Prinzen von Carignan aus der
Nachfolge zu verdrängen und sie, unter Aufhebung des salischen
Gesetzes, dem erzherzoglichen Verwandten in Modena, dem Gemahl einer Tochter Victor Emanuel's, zuzuwenden. Bis jetzt liegen
keine Mittel vor, völlig ins Klare zu kommen über diese Ränke,
die hart an die Versuchung drängten, aus der Politik der Legitimität herauszutreten und mit rechtlosen Uebergriffen den Frieden selbst
zu gefährden, den man immer im Munde führte. Gewiß ist, daß
der Prinz von Carignan fest an die Intrigue glaubte und an sie zu
glauben allen Grund hatte. Die tiefsten Demüthigungen hatten
ihn betroffen, seit er nach dem Willen des Königs Novara verlassen. In Mailand hatte sich General Bubna fast ihm ins Angesicht lustig gemacht über den „König von Italien". In Modena
hatte sich Carl Felix, der ihm nach Toscana zu gehen aufgetragen,

geweigert ihn zu sehen. Der Prinz war dann nach Florenz gegangen, wo sich seine Verwandten über seine Behandlung ärgerten, ohne etwas für ihn aus Furcht vor Oesterreich zu wagen, dessen außerordentlicher Gesandter Ficquelmont sich hier geradaus das Wort entfahren ließ, daß man dem Prinzen sein Erbrecht entziehen werde[51]. Dann ward in Lucca[1] ein Familiencongreß gehalten; den Prinzen hatte man dazu nicht berufen, noch auch nur seine Briefe angenommen. Jetzt und später hatte er Ursache sich über ein fortgesetztes System von Verleumbungen zu verbittern, die ihn noch immer in Verbindung mit den Aufständischen darstellten; er hatte daher in Florenz die Anwandlung, nach Turin zu gehen und ein Kriegsgericht zu verlangen. Davon hielt ihn der französische Gesandte in Florenz zurück, Marquis Maisonfort, der darauf sann, einen Theil des gehässigen Einflusses Oesterreichs in Italien auf Frankreich herüberzulenken; was dann die ersten Fäden knüpfte, die das als Bollwerk gegen den Westen errichtete Sardinien mit der Zeit vollständig in Frankreichs Arme zogen. Dem Prinzen ward dadurch leicht gemacht, die französische Regierung für sich und seine legitimen Rechte zu interessiren, und dieses Verhältniß knüpfte sich nachher so fest, daß Carl Albert sogar den Feldzug in Spanien unter dem Herzog von Angouleme mitmachte, wo er sich einem Theil der einstigen Jugendfreunde gegenüber sah, die ihm auch diesen Schritt niemals verziehen wollten. An Frankreich hatte der Prinz dann auch einen seiner gewichtigsten Fürsprecher, als diese Intrigue, in Modena angezettelt, in Laibach fortgewoben, zuletzt bis nach Verona getragen ward. Nach den Vertheidigern[52] des Herzogs

(Randnotiz rechts: 'Jun.)

51) Aus Gesandtschaftspapieren des Mq. Maisonfort bei Gualterio 3, 297 ff.

52) Galvani, memorie storiche intorno la vita di Francesco IV. Eine hofpriesterliche Lobhudelei, der es nicht gelingt, selbst wo sie aus urkundlichen

15*

von Modena schob dieser selbst in Laibach den ganzen Gedanken
auf die leidenschaftliche Abneigung des Königs Carl Felix gegen
den Prinzen, was selbst Anhänger[53] des savoyischen Hauses für
wohlbegründet annahmen; obgleich Andere[54] eben so bestimmt
Modena als den eigentlichen Aufhetzer darstellen, wobei nur im
Zweifel bleibt, ob Modena ob Oesterreich mehr Hand oder Hebel
in diesem Geschäfte war. Gewiß ist, daß Erzherzog Franz in Laibach mit beiden Kaisern und mit Metternich eingängliche Gespräche
über diese Angelegenheit hatte[53], von der man nach einer eigenen
Aufzeichnung des frommen Herzogs dießmal abgestanden wäre,
weil der Ausschluß des Prinzen, „abgesehen davon, daß er eine
Verletzung der Prinzipien und daher ein schlechtes Beispiel vor der
Welt wäre, auch eine Quelle von Kriegen werden müßte, da sich
der Prinz sofort unter den Schutz Frankreichs oder einer andern
Macht stellen würde, die seine Rechte unterstützte." Diese Aussage,
die zur Entlastung des Herzogs angeführt wird, beschuldigt aber
den Mann geradezu, der diese Ränke nachher noch bis 1829 fort-
spann[56], der sie nie begonnen hätte, wenn ihn Erwägungen der
Prinzipien geleitet hätten, der sie nur aufgab und nicht aufgab,
sondern nur verlagte, als sich zu mächtige, als sich kriegdrohende
Einsprache dagegen erhob. Der russische Kaiser verschob in Laibach
die Entscheidung bis zum nächsten Congresse; bis dahin hatten ihn
Mocenigo und der Marquis Paulucci zu Gunsten des Prinzen
unterrichtet; und auch Toscana und Frankreich erhoben sich in
Verona zu seinem Schutze und für seine Rechte gegen die öster-

---

Quellen mittheilt, irgend einen Eindruck der ehrlichen, geschweige der ganzen
Wahrheit zu machen.

53) Soloro-Margarito, im Anhang zu seinem Memorandum.
54) Bianchi.
55) Galvani 2, 47 ff.
56) Chateaubriand, mémoires d'outre-tombe 9, 21.

reichischen Nachstellungen, die sich gleichfalls noch durch das ganze
Jahrzehnt hinzogen. [67] Daß der Herzog von Modena so tief in
dieß Spiel verwickelt sein sollte, dem scheint wohl das Bild, das
sein Biograph von ihm entworfen hat, sehr zu widersprechen. Aber
es scheint auch nur. Der Erzherzog Franz, aufgewachsen unter den
düsteren Eindrücken, die durch die französische Revolution, das Unglück Oesterreichs und seiner besonderen Familie unauslöschlich in
sein Gemüth geprägt wurden, hatte von früh auf der Religion,
d. h. dem dumpfen Glauben, den er mit dem bigottesten seiner
Apenninenbewohner theilte, die vollständigste Herrschaft über alle
andern Gefühle eingeräumt. Der Anstrich seiner ganzen Erscheinung, seine mühselige Pflichterfüllung, der er sich wie einem Mar-
tyrium unterzog, seine Sorge für Wohlthätigkeitsanstalten und
Krankenpflege, der er wie ein barmherziger Bruder oblag, seine
Zärtlichkeit für Kirche und Klöster, in der er wie ein Mönch erscheint, sein patriarchalischer Despotismus, in dem er die Rolle
des Don Quirote der Restauration und des heiligen Bundes
spielte, Alles war von dieser Hauptrichtung seiner Natur bestimmt.
Es war seine Ueberzeugung, daß alles Unheil in der Welt von der
Freimaurerei herrühre, dem festen Bau der Freigeisterei, aus deren
Statuten er die höllischsten Absichten herauslas. Diese fixe Idee
hatte bewirkt, daß er in all dem Selbstvertrauen, der Zähigkeit,
der Folgerichtigkeit, der Beschränktheit und zugleich der Schlauheit
eines engen positiven Kopfes nicht nur die Theorie der restaura-
tiven Erhaltungsprinzipien, sondern auch ihre Praxis, den Auf-
wand für Herstellung und Entschädigung von Hierarchie und Adel,
und gelegentlich die Willkür und Grausamkeit wider deren Gegner,
weiter getrieben als irgend ein anderer Fürst; sie hatte ihn ganz in

---

67) Depesche Pozzo di Borgo's vom 28. Nov. 1828. im Portfolio. 1,
448. Vergl. Hermann Reuchlin, Gesch. Italiens von Gründung der regierenden Dynastien bis zur Gegenwart I, 198.

die Hände der Jesuiten gestoßen, die ihn dankbar als den „Beschützer
und Vater ihrer Gesellschaft" verehrten. In solch einem Charakter
liegt nichts, was ihn gegen die Verdächtigungen, von denen wir
handeln, decken könnte. Die Menschen dieses Schlages führen
dem guten Gott in seinen Verfügungen nur gar zu gern die Hand
zu ihrem Vortheile, der ja doch wieder allein zu seinen Ehren
dienen soll.

Oesterreich's
Italien.

Die Italiener finden einen weiteren Beweis von Oesterreich's
Umtrieben gegen den Prinzen von Carignan in dem Verfahren,
das es nach besiegter Revolution in seinen eigenen Staaten einhielt. Es hatte im Anfang geschienen, als ob man von Wien aus
den italienischen Regierungen mit dem Beispiele einer großmüthi-
gen, machtbewußten Milde vorangehen wolle. Als aber sechs Monate nach Bellegung der piemontesischen Unruhen die dortige Regierung den Rückzug der Oesterreicher verlangte, begann man nun
auch der lombardischen Verschwörung nachzuspüren, und dazu behauptete man um der eigenen Sicherheit willen einer verlängerten
Besetzung zu bedürfen. Eine außerordentliche Commission zur
Untersuchung der Beziehungen zwischen den lombardischen und pie-
'Nov. montesischen Verschwörern wurde[1] in Mailand errichtet, die mit der
Verhaftung des Einen jener Sendboten nach Turin, des Dr. Castilla
begann, worauf dessen reizbarer Gefährte Pallavicini sich selbst und
was er wußte freiwillig angab. Confalonieri, von Frau und
Freunden, darunter selbst Bubna, zur Flucht getrieben, zögerte hin
bis es zu spät war; die Blüte der Mailänder Gesellschaft, die
Borsieri, Tonelli, Arese u. A. folgten ihm in den Kerker, oder
wandten sich wie Pecchio, Bossi, Arconati, Porro, Berchet zu
Flucht und Auswanderung, in der der Letztere nachher den Grimm
gegen die Deutschen in seinen Gesängen aushauchte. Die Jahre
kamen, wo sich jene Polizisten und Untersuchungsrichter mit ihren

seinen Folterkünsten ihren schrecklichen Ruf gründeten, jene Salvotti und Bolza, Geschöpfe von unerröthender Stirn und roher
Anmaßung, von denen der Letztere seiner Regierung selbst als einer
der verdorbensten Menschen bekannt war. Was auch unter den
vielen Anecdoten von ihrer Barbarei übertrieben und erfunden sein
möchte, so haben doch die Enthüllungen aus Spielberg später nur
zu viel Klarheit über dieß System kaltherziger Quälerei verbreitet,
das durch die Gutherzigkeit milder Beamten, die seine Vorschriften
nicht selten auszuführen hatten, nur in so häßlicheres Licht gestellt
wird. Wie wenig die Verhafteten auf Schonung würden zu rechnen
haben, schien man ihnen gleich anfangs anzudeuten, als die Venetianer Specialcommission[1] das Urtheil über 34 jener schon 1820 '22. Dec.
festgenommenen Bürger aus Polesine, la Fratta u. A. veröffentlichte,
von denen 13, darunter die Oroboni, Soleta, Fortini, Felice Foresti
u. A.[1] von der Todesstrafe zu 6—20jährigem Kerker begnadigt '15. Mai 1822.
wurden. Zwischen dem Verlaufe der neuen Processe wurden Einzelne der Entwichenen, wie Graf Porro, in Abwesenheit zum Tode
verurtheilt unter Formen, die in Mailand tief empörten. Der Adel
nahm so offene Parthei für die Betroffenen seines Standes, und
richtete so starke Ausfälle gegen die ganze brutale und absichtlich
hingezogene Procedur, daß man sich allgemein wunderte, warum
nicht mehrere der bekannten Begünstiger und Unterstützer der ge-
flüchteten und der rückgebliebenen Liberalen eingezogen wurden,
warum nicht der Rath eines Salvotti Gehör fand, der die Verhaftung von noch 300 Personen, meist Mailändern und Adligen, verlangt hatte. Was leider dieser Absicht einer noch größeren Strenge
der Verfolgung, was der Hinzögerung der Untersuchung, der Härte
der Urtheilssprüche stets neuen Antrieb und Vorwand gab, das
waren die fortwährenden Wühlereien der italienischen Secten, die
das Wohl dieser Gefangenen wenig kümmerte. Kaum waren die
Bewegungen in Neapel und Piemont beschwichtigt, so schien es zu

drohen, daß nun noch Mittelitalien nachfolgen wollte. Im Kirchenstaate gährte vor und nach der Niederwerfung der Revolution in
Neapel eine ziellose Aufregung; in der napoleonisch gesinnten, blut-
lustigen Bevölkerung der Legationen, besonders in Forli und Faenza,
hörten in der ersten Hälfte des Jahres 1821 die Gewalt- und
Mordthaten nicht auf; in Ravenna und Bologna hielten Guelfen
und andere Verbindungen Zusammenkünfte, in denen eine neue Organisation Italiens besprochen ward; diesen Wühlereien setzte nur[1]
die Besetzung der Gegenden durch die Oesterreicher und ein kräf-
tiges Einschreiten gegen die Carbonari ein Ziel, und auch sie nur
für eine kurze Weile. Schon im Herbste hörte man von neuen
Secten in der Romagna, in denen sich die Carbonari seit der Aech-
tung dieses Bundes unter neuen Namen der „americanischen Jäger",
der Marssöhne u. a. maskirten, wie man in Modena und Parma
auf eine neue in „Kirchen" getheilte Verbindung der sublimi maestri
perfetti gestoßen war. Im Anfang des folgenden Jahres 1822
war die Manie und die Keckheit der geheimen Gesellschaften im
Kirchenstaate so im Steigen, daß die aus der Romagna nach Ferrara
verwiesenen Sectirer hier unter den Augen der Oesterreicher ihre
Berebungen hatten, denen die römische Polizei fahrlässig zusah.
In allen Provinzen dauerten unter der gräulichen Mißverwaltung der
kleinen Despoten, der Legaten, die Ungesetzlichkeiten, die Errichtung
von Freiheitsbäumen, die Schmähschriften, die Mordthaten fort;
ein Geist der wilden Unruhe unterwühlte das Land, den nur in
Bologna die freisinnigen Formen des Cardinal Spina etwas
dämpften, überall sonst nur die Anwesenheit österreichischer Truppen niederhalten sonnte, die sich hier und in Toscana mehr und
länger, als den Regierungen lieb war, eingerichtet hatten. Was
dem aufrührerischen Geiste stets neue Nahrung gab, das waren die
Umtriebe der Flüchtlinge, die die Hoffnung auf die Bewegungen
im Ausland schürten, auf die Verschwörungen in dem französischen

Heere und den Bürgerkrieg in Spanien. In London arbeiteten
die Ausgewanderten fort an Entwürfen zu neuen Erhebungen;
W. Pepe, mit Wilson und allen Radicalen im Verkehr, bildete
als Gegenbund gegen die heilige Allianz einen Bund europäischer
Patrioten, in den er auch Lafayette hineinzog, und sann (1822—23)
auf Mittel und Wege bald zur Aufwieglung der französischen Truppen an der spanischen Grenze, bald auf eine Landung in Calabrien. Daneben kam man in Neapel[1] einer neuen Verbindung von 'Mitte 1822.
„Hemdlosen" auf die Spur und in Sicilien drang nun noch so spät
der Carbonarismus erst ein. Um eben diese Zeit faßte die Polizei
in Mailand den Pariser Andryane, der mit carbonarischen Briefen
und Diplomen ankam, den Freund des Meister-Verschwörers Buo-
narotti, der in Italien neue Fäden der Verschwörung von der
Schweiz aus zu knüpfen suchte, dem großen Sammelplatze aller
Flüchtigen und Verbannten Europas. Um die Mitte 1822 war es
in Bologna, in Imola und Forli zu neuen Verhaftungen gekom-
men; und später noch[1] wurde der Gonfaloniere von Medola und 'Frühling 1822.
in Cesena der Graf Baldi ermordet und der bischöfliche Palast mit
Einäscherung bedroht. All dem schaute Oesterreich wartend oder
selbst aufstiftend, wie die Italiener wollen, zu: ob ihm nicht ein
heftiger Ausbruch den Anlaß böte, auch im Kirchenstaate seine
Hand kräftiger aufzulegen. Und wohl sah es wie ein System politischer Provocation ganz im Großen aus, wie seine Agenten im
stärksten Stile des Josephinismus aus allen Theilen des Kirchenstaats von Oesterreichs steigender Gunst in der römischen Bevölkerung und von der Richtswürdigkeit der Regierung in Rom berichteten, das sie als den Sitz der Entsittlichung im Geistlichen, der
Verderbtheit im Weltlichen, der Unordnung in der Verwaltung,
der Willkür im Rechtswesen, des schaukelnden Spiels zwischen
Pharisäismus und Machiavellismus in der ganzen Staatskunst
darstellten.

Fortſetzung.

Erſt in der Zeit, wo alle dieſe Gährungen ſich ſeit dem franzöſiſchen Einmarſch in Spanien zu legen begannen, wagte man in
Oeſterreich mit den Urtheilsſprüchen über die ſeit zwei Jahren Verhafteten hervorzutreten, von denen 25 zum Tod verurtheilte Maila-
neſen[1] zu hartem Gefängniß von verſchiedener Dauer auf Spielberg, 13 andere aus Breſcia und Chiari[1] zu eben ſolcher Kerkerhaft in Laibach und Spielberg begnadigt wurden. Vor ihrer Ab-
führung wurden ſie öffentlich auf einer Bühne wie am Pranger
ausgeſtellt. Dieſer Schimpf tilgte in dem größten Theil des lom-
bardiſchen Adels, der ſich eifrig um die Begnadigung der zum Tode
Verurtheilten bemüht hatte, alle Anhänglichkeit an Oeſterreich, ge-
ſchweige den Dank für die grauſame Wohlthat des lebendigen Be-
gräbniſſes aus, die noch mit jener Bosheit des großmuthloſen
Siegers gewährt wurde, welche Gerechtigkeit wie Gnade mit den
Zügen des Hohns und der Schadenfreude entſtellt. Als die Verwandten des Grafen Confalonieri, der greiſe Vater, die Gattin,
der Bruder, unterſtützt von den Wünſchen der angeſehenſten Hofleute und Militärs in Wien, ja der Kaiſerin ſelber, des Kaiſers
Gnade erflehten, fanden ſie in dem ſtarren Manne nichts als das
erfrorene Herz, das ſich erſt weidete, ſeine Unbarmherzigkeit hinter
der Maske der Gerechtigkeitspflicht zu verſtecken, und dann bei dem
endlich doch gewährten Acte der Begnadigung den gedemüthigten,
mit dem ſchmerzvollen Geſchenke abreiſenden Verwandten nicht einmal die Freude gönnte, die erſten Ueberbringer der Botſchaft zu
ſein[56]! Auf dem Wege nach dem Spielberg wurde Confalonieri nach
Wien gebracht und im Polizeilocale von Metternich perſönlich auf-
geſucht, der ihm eine Aenderung ſeines Schickſals in Ausſicht ſtellte,
wenn er die Hauptfäden der Revolution und die Mitverſchworenen
enthüllen wolle. Dieſen Schritt und die langen Verzögerungen

---

56) Brief des Grafen Gabrio Caſati. Gualterio 2, 242.

und Verhörqualen des Prozeſſes legen alle Italiener dahin aus,
daß man in Wien nichts ſo ſehr wünſchte, als jene Fäden der Revolution auf den Prinzen von Carignan zurückführen zu können.
Aber in der Kunſt des Schweigens waren die Italiener Meiſter.
Ihr Stolz war, daß durch die öſterreichiſche Verfolgung der „Koh-
lenſack zwar geſchüttelt aber nicht geöffnet wurde.“ Confalonieri ins-
beſondere, der ſelbſt bei vielen Geſinnungsgenoſſen als ein un-
ſteter, leichtfertig ſchwacher Charakter in zweideutigem Licht geſtan-
den, erwarb ſich den beſten Namen durch die Unbeugſamkeit und
Würde, mit der er die Leiden des Kerkers und ſpäter auch ihre Erinnerung trug; ſein Weib, die immer ſein beſſerer Genius geweſen
war und während ſeiner Haft ſelbſt einen vergeblichen Befreiungs-
verſuch machte, ward in den Augen der Italiener als eine Heilige,
er ſelbſt als einer der edelſten ihrer Märtyrer verehrt. Und auch in
den Augen der Welt rückten dieſe Männer in ſolch ein Anſehen, als
ſpäter die herberen Beiſpiele ihrer Schickſale und die Einzelheiten
des Haftſyſtems bekannt wurden, unter dem ſie auf Spielberg,
unter der perſönlichen Wachſamkeit des herzloſen Kaiſers ſelber,
gehalten wurden. Eine ganze Reihe der unglücklichen Opfer einer
ſchönen Hingebung, einer traurigen aber nicht unedlen Täuſchung,
die Moretti, Roſſi, Ant. Villa ſtarben in dem Gefängniſſe weg;
Andere kamen, verkrüppelt an Körper oder verkrüppelt an Geiſt
nach ihrer ſpäten Freilaſſung in zerrüttete Familien zurück. Confalonieri, erſt nach Kaiſer Franzens Tode (1836) entlaſſen, fand
ſeinen Bruder und ſeine Gattin nicht wieder, die den Erſchütterun-
gen dieſer Jahre erlegen waren; der alte Vater Caſtillia ward wahn-
ſinnig; der 60jährige Vater des jungen Grafen Oroboni erlebte,
daß ſein Sohn im Kerker ſtarb. Der Geiſt Pallavicini's, der trotz
ſeinen freiwilligen Geſtändniſſen auf 20 Jahre verurtheilt war,
ward wie Ant. Villa's zeitweilig geſtört; Maroncelli verlor ein
Bein und ſeine Geſundheit und ſtarb nachher, ausgewandert, in

Verrücktheil in Neu-York. Nur von Felice Foresti, dem erstverhaf-
teten und letztbefreiten, rühmen die Italiener, daß er nach helden-
müthiger Duldung und trotziger Ausdauer gegen die verfeinerte
Strenge ungebrochen aus dem Kerker trat. Die Fügsamkeit und
Weichheit, die Silvio Pellico im Gefängniß lernte und die ihn
nachher in die Hände der Jesuiten warf, galt für feige Dummheit
bei seinen Landsleuten, die ihm verziehen hätten, daß er seine Leiden, nicht aber daß er Italiens Leiden verzieh. Sein berühmtes
Buch über seine Gefangenschaft (1832) hat gleichwohl, und eben
um dieses Charakters seines Verfassers willen, weit tiefere Wirkungen und dem politischen Systeme Oesterreichs weit üblern Namen gemacht, als die Zugaben, die Maroncelli dazu schrieb, und
die Denkwürdigkeiten eines Andryane (1837), der, ein Tadler von
Pellico's weiblicher Sanftmuth, nichts ungesagt ließ, wo Confalonieri das Schweigen für das allein Würdige hielt. Keine andere
Feder hätte wie Pellico's in so grelles Licht stellen können, wie
schrecklich die Unnatur dieser Prozesse und dieser Urtheile war, die
mit gleicher Härte wie den fremden Abenteurer, der aus der Rebellion ein Gewerbe machte, auch den Patrioten trafen, der in unrei-
fen Jahren einen unausführbaren (wie er später einmal schrieb),
aber schönen, edlen, reinen Traum gehabt, der den natürlichsten
Verlockungen des gefühligen Herzens nachgegeben hatte, das heftig für die Dinge schlug, die dem Menschen die heiligsten sind.
Dieß Buch hat den betheiligten landsgenössischen Secirern nicht
gefallen können, die Alle zu wenig vor- und nachbedenken, daß
jeder Aufrührer sich in einen Kampf begibt, dessen üblen Ausgang
er eben ertragen muß, und die jede Selbstvertheidigung des ange-
griffenen Regiments in kindischer Reizbarkeit als Barbarei verschreien; aber es hat in aller Welt zahllose empfindende Seelen
auf die Seite der italienischen Verfolgten gestellt und mehr das politische System verabscheuen gelehrt, das durch unnatürlichen Druck

und Mißregierung stets neue Angriffe gegen sich herausfordert, als
diese unerwogenen Auflehnungsversuche, die es umstürzen wollen.
War doch solch ein Gefühl schon damals im Augenblicke der Urtheile, in dem erschreckten österreichischen Italien sogar, ja in den
Geschöpfen der Metternich'schen Polizeianstalten selber rege über
die ganzen Gründe, die Weise, die Zwecke dieser großen Verfolgung. Die Regierung veröffentlichte[1] eine Darstellung der Ver- 'Jan' 1824.
schwörung aus den prozessualischen Quellen. Von Mißtrauen in
sich wie in ihre Untergebenen gequält, verlangte sie von ihren
Agenten Berichte über den Eindruck, den die Schrift machte, und
Einer dieser eingeforderten Berichte[59] setzte mit mehr Offenheit und
Schärfe, als man glauben sollte, der Regierung auseinander, daß
und warum in der öffentlichen Meinung der Glaube an die Gerechtigkeit der gefällten und vollzogenen Urtheile von Grund aus erschüttert war. Die amtliche Darstellung an sich rechtfertige diesen
Unglauben, die voll von rednerischer Partheinahme, leer an histo-
rischer Begründung, arm an sichern Thatsachen, reich an unerhär-
teten Versicherungen war. Die Schrift behaupte eine fest organisirte Verschwörung, wo doch nur eine kleine Anzahl Betheiligter
konnte aufgefunden werden. Sie stelle als deren Haupt den Grafen Consalonieri auf, von dem es allgemein bekannt war, daß er
gerade die Ausbreitung der piemontesischen Bewegung in der Lombardei abgehalten hatte. Sie nenne den demokratischen Zweck der
Verschwörung die Unabhängigkeit Italiens, und als eines der
Hauptmittel die Anlockung des untersten Volkes durch Versprechen
der Plünderung der reichen Häuser, da doch Jeder wußte, wie
stockaristokratisch die Consalonieri und Arconati noch jetzt wie 1814
gesinnt waren! Die Schrift behaupte frühere und fortbestehende
Verbindungen der Verschwörung mit dem Auslande, wo doch

---

59) Vom 28. Januar 1824. In den carte segrete.

grade bei der Erhebung Piemonts die gefährlichen Symptome in
Frankreich verschwunden waren; wo nachher die Flüchtlinge in der
Schweiz den über sie verhängten, von den Mächten geforderten
Maaßregeln ohne eine Spur von widersetzlichem Geiste sich ge-
duldig gefügt hatten. Die Schrift fehle, indem sie alle die Aufstandsversuche in Italien als eine historische Kette darstelle, die
von Einem gemeinsamen Ursprunge auslaufe, wo doch alle die nach
dem Ausgang der Revolution in Neapel aufgesprühten Funken nur
Irrlichter waren, die z. B. in Modena mit einem einzigen Straf-
beispiele (an dem Professor Andreoli) ausgelöscht wurden. Die
Schrift fehle endlich, indem sie die Maaßregel der Begnadigung
der zum Tode Verurtheilten hauptsächlich auf die Stärke des
Staates schiebe, statt auf die Verwendung des Mailänder Adels,
(auf die man sie freilich nicht schieben wollte,) und auf das Mit-
leid des Monarchen, (auf das man sie freilich nicht schieben
konnte).

Rückblick auf die
constitutionellen
und antibarischen
Bestrebungen
Italiens in dieser
Zeit.
So endete der erste Act, mit dem das große Spiel der neueren
Freiheits-, Einheits- und Unabhängigkeitskämpfe Italiens begann,
dessen entscheidende Katastrophe noch aussteht. Die Sieger mochten den Ausgang der damals abgespielten Scene schon für einen
letzten Abschluß ansehen; unter den Besiegten gab es solche, die sie
nur als das tragische Vorspiel glücklicherer Entwicklungen betrachteten, trotz all den Demüthigungen, die die Beendigung des 30tägi-
gen piemontesischen Rausches eben so sehr entstellten, wie die Tod-
geburt der 9monatlichen Revolution von Neapel. W. Pepe tröstete
sich über die militärische Schmach seiner Landsleute mit der Beobachtung, daß auch die Americaner, die Spanier, die Belgier in
Zaghaftigkeit, unter Fahnenflucht, durch Unübung im Kriege ihre
ersten Mühen und Schlachten verloren hatten, ohne darum ihre
Sache verloren zu haben. Er konnte sich einen noch näheren Trost

suchen. Die Kriege jener Völker waren Unabhängigkeitskämpfe gegen fremde Unterdrücker. Diese Sache, um die es galt, gab ihnen die gemeinsame zuversichtliche Ueberzeugung von ihrem Recht, die Zähigkeit des Hasses und Entschlusses, die Eintracht, aus der sie den vertrauenden Muth, die elastische Kraft der Ausdauer bis zu ihren endlichen Erfolgen schöpften. Der Kampf der Neapolitaner aber war wesentlich nur um ein neues Verfassungsstatut, um politische Ideen, um bürgerliche Freiheiten und Rechte. Für dergleichen sind wohl zu allen Zeiten innere Parthei- und Bürgerkriege geführt worden, sehr selten aber ist ein Volk (wenn nicht andere große Verhältnisse hinzutraten) auf die Probe gestellt worden, für solche Zwecke seine Tapferkeit in äußeren Kriegen beweisen zu sollen; und schwer nur würde diese Probe je glücklich bestanden werden, weil solch ein Zweck fast nothwendig jene Einmüthigkeit ausschließt, die die beste Bürgschaft für das Gelingen der Unabhängigkeitskriege scheint. Diese Eintracht und die moralische Kraft, die sie verleiht, kann nur aus einer Sache fließen, die die Vielen ergriffen hat und von den Vielen begriffen ist. Nicht so war es mit der Sache des Constitutionalismus in Italien. In Spanien selbst, wo die Cortesverfassung eine nationale Schöpfung war, an der ein europäischer Ruf hing, wo sie als ein Symbol des Befreiungskrieges in Ehren stand und als ein Heilmittel für lebensgefährliche Uebel gelten konnte, in Spanien selbst zerwarf sich die ganze Nation in Haß und Zwietracht über diese Standarte der Freiheit, wie sollten Neapel und Piemont darüber einig sein, die das Statut kaum kannten? wie sollte das übrige Italien in seinen constitutionellen Bedürfnissen und Begehrnissen einig sein? Mitten in dem Lärm der Rebellion, wo Furcht die Einen und Enthusiasmus die Andern in die Bewegung mitriß, hatte man erlebt, daß in Sicilien der ruhige Bürgerstand dem aufständischen Pöbel entgegen war, daß er in Alessandria und Turin sich rückhaltend ernst und kalt be-

wies; und später geschah es, daß in der Lombardei die untern
Klassen schadenfroh dem Unglück der Adligen zusahen, denen „Fränz-
chen" zeige, daß er sie nicht fürchte! Von Volk und Heer in allen
Theilen der pyrenäischen und apenninischen Halbinseln, wo die
spanische Verfassung damals ihren flüchtigen Fuß aufsetzte, war
gleichmäßig zu sagen, daß sie sich im besten Falle gleichgültig zu der
neuen Ordnung verhielten, die sie begründete. Sie hatten überall,
als es sich um die erste Einführung der Regierungsveränderung
handelte, nicht für den König gestanden und nicht gegen die Verfassung; und als es sich um ihre Verfechtung handelte, wollten sie
nicht für die Verfassung und nicht gegen den König Stand halten.
In allen diesen Landen, wo politische Bildung zu dem Hausrath
der Wenigsten gehörte, war die Wucht der Mißstände der absolutistischen Regierung nicht so schwer empfunden, daß die Masse der
Bevölkerung — in ihrer materiellen Lage nicht gestört, gewohnt
der Gewalt zu gehorchen — die Unzufriedenheit der reizbareren,
einsichtigen gebildeten Klassen getheilt hätte; der Monarchismus
war noch in Allen, so leicht er erschüttert schien, doch so fest gewurzelt, daß die constitutionelle Sache verloren war, sobald sich der
König offen davon trennte; daß sie daher nur in Portugal erhalten blieb, weil das launische Glück es fügte, daß seines Königs
Laune für eine Verfassung war. Nur wenn die neuen Einrichtungen lange Zeit, volle Ruhe, gute Lenkung gefunden hätten, um
die Summe der politischen Bildung wie der bürgerlichen Interessen
allmälig zu heben und ihre wohlthätige Einwirkung auf beide zu
bewahren, so hätten sie das Verständniß, das Vertrauen, die Liebe
erwecken können, aus der die Einigkeit sowohl wie die politische
Leidenschaft hätte erwachsen mögen, die sich einem Angriffe auf die
neue Freiheit so entgegengeworfen hätte, wie es 1808 in Spanien
wider den Angriff auf seine Unabhängigkeit geschah. So aber war
die Zahl derer, die in der ganzen Veränderung irgend eine Zukunft,

irgend etwas anderes als die unmittelbaren Wirkungen des Augen-
blicks zu berechnen verstanden, derer, die zwischen den Lasten und
Gefahren des neuen Systems und ihren Interessen eine kittende
Verbindung erkannt, die einen eigentlichen Begriff von dem Werthe
bürgerlicher Freiheiten gehabt hätten, außerordentlich gering, eine
dünne Schicht auf der Fläche der Gesellschaft. Die Staatsveränderung war, wie die Confidenti der österreichischen Regierung
sagten, das Werk „der wenigen Illuminaten des Jahrhunderts",
der verschwörenden Secten, die wir überall als die Triebfedern der
Bewegungen gefunden haben. Die Idee politischer Reform, im
18. Jahrh. nur das Eigenthum der Fürsten und ihrer Cabinette,
war jetzt in den Besitz einer Minderheit der gebildeten Stände über-
gegangen, die in Zeiten der Bewegung die Massen mit sich hinriß,
aber nur so mechanisch, wie die Minderheit der aus Grundsatz
königlich Gesinnten sie in Zeiten der Ruhe oder Ermüdung in die
alten Gewohnheiten zurückzog. Beurtheilte man Spanien nicht
nach den Zeitungen und nach dem Schaum der Erscheinungen in
den größeren Städten, so gab es dort, obwohl die Constitutionellen
im Vergleich mit ihrer Zahl von 1814 sehr zugenommen hatten,
nicht mehr als etwa 200,000 Menschen, die durch die Ayuntami-
entos und die Miliz in den Strudel des Verfassungslebens gerathen waren; und es wäre wohl noch eine Ueberschätzung, wenn
man alle diese darum für grundsätzliche Verfassungsfreunde halten
wollte. Es war eine größere Ueberschätzung, wenn San Miguel
die denkenden Constitutionellen auf ein Zehntheil der spanischen
Bevölkerung anschlug, der zwar voll Kleinmuth selbst über diese
Minorität war, da er sich gestehen mußte, daß, ehe die Allgemeinheit der Verfassungssache gewonnen sei, Alles auf Sand gebaut
war. So gab es in Italien damals Männer, die die Zahl der politischen Feuerköpfe durchschnittlich auf 2—300 in jeder der 20—30
größeren Städte, zusammen also auf allerhöchstens 9000 Menschen

IV. 16

unter 20 Millionen berechneten; und diese Zahl fand das Pozzo
für Turin wenigstens noch viel zu hoch gegriffen. „Sie sind, sagte
er, wie getrennte und unter sich entfernte Canäle aus einem großen
Flusse abgeleitet, während es, um Revolutionen zu machen, der
Ströme und Ueberschwemmungen bedarf." An dieser Machtlosig-
keit, der natürlichen Folge der natürlichen Zwietracht in allen
neuen Verfassungsverhältnissen, mußten die Kämpfe in Neapel
und Piemont noch rascher scheitern, als sie nachher in Spanien
scheiterten.

Zwietracht.   Allein die italienischen Bewegungen sollten ja auch zugleich
eine Erhebung für die Einheit Italiens, ein Kampf für die Unabhängigkeit (von der Fremdherrschaft Oesterreichs) sein, für jene
einigende Sache, der die Erfolge so viel günstiger zu sein pflegen —
wo doch hier die Ideen des Unitarismus offenbar noch in eine weit
geringere Minorität eingeschränkt waren, als die des Constitutionalismus? Diese Schwäche war sogar unter den Bewegungsmännern selber unmittelbar nach dem Ausgang der Revolution von
Neapel so empfunden und eingestanden, daß die neuen Secten seit
1821, besonders die in den Legationen, die in dem Kreise eines
Ferraresen Battista Graziadei ihren Mittelpunct hatten, ausdrücklich sich „auf demokratisch" zu organisiren, d. h. Menschen jedes
Standes und Charakters aufzunehmen beschlossen, um, wie die
österreichischen Späher berichteten, den Genius der Unabhängigkeit
in den Geist der niederen Klassen allgemeiner einzupflanzen. Denn
wie standen doch auch die Aussichten italienischer Gemeinsamkeit
und einträchtigen Zusammenstehens für die Unabhängigkeit damals,
wo in Sicilien Provinz mit Provinz zerworfen war; wo die Sici-
lianer gegen Neapel solchen Haß unterhielten, daß einer ihrer Edlen
einem neapolitanischen Minister ins Angesicht sagte, sie würden
lieber unter Tunis als unter ihnen stehen; wo in Piemont die

248

Giunten in Alessandria und Turin sich befeindeten und die Aufständischen an einem Orte die Carbonarifarben, am andern die italienischen aufpflanzten, während die Regierung an Beider Stelle die
sardinische zu setzen befahl; wo sich bei der Erhebung der beiden
Grenzstaaten in den mittelitalischen Landen keine Hand regte,
die Secten selber so flau waren, daß die Neapolitaner an der
Grenze nicht einmal treue Späher gegen den gemeinsamen Feind
hatten finden können; wo die sogenannten Italianissimi, die eigentlichen Anreger des Unabhängigkeitsgedankens, in Piemont nur
eine Handvoll vereinzelter Leute waren; wo die Revolutionäre
Neapels, unter denen fast Pepe allein diesen Gedanken zu hegen
schien, ihrer Erhebung nicht einmal den Anschein einer national
italienischen Sache zu geben gewagt hatten! Dieser Gedanke und
Begriff zündete eben in dieser Zeit zum ersten Male in diesem Volke,
das ihm durch physikalische und geschichtliche Verhältnisse von un-
widerstehlicher Macht und Jahrtausende alten Einflüssen vollkommen unzugänglich geworden schien. In diesem Lande uralter Thei-
lungen, wo die lange Herrschaft Roms den Unterschied der Stämme,
die vor ihm bestanden, nicht ausgetilgt hatte; wo die Centralstelle
des katholischen Kirchenthums die im Mittelalter durch Einwan-
derer und Eroberer erneuerten Spaltungen nicht hat überwinden
können; wo die lange Ausdehnung, die Küstenlage, die Gebirgs-
trennung der Halbinsel die Autarkie der einzelnen Gebiete begünstigt und erhalten hat, in denen sich die kleinländische Eifersucht
durch ihre Concentration in den altberühmten, einst freien republi-
kanischen Hauptstädten zu municipalem Hasse verdichtet hat; wo
die überschauenden Kenner das seltsame Schauspiel betrachteten,
wie Stämme gegen Stämme sich ihrer unausgleichbaren Verschie-
denheiten tief bewußt waren; wie der arbeitsame Florentiner höhnte
über des Römers Faulheit, Armuth und Hochmuth, und der spott-
süchtige Römer wieder über des Toscaners nüchternen Pedantis-

16*

mus und habsüchtige Sparsamkeit; wie unter einerlei Herrschaft
der furchtsame, schlaue, lebhafte Venetianer sich lustig machte über
den Böotismus des schwerfälligen, wohllebenden Lombarden, und
der gewandte unternehmende Genuese über den Ernst, die Düster-
heit, die Arglosigkeit des Piemontesen; wie alle diese zusammen
wieder die Verschwendung, den Schmutz, die Veränderlichkeit des
Neapolitauers gleich fremdartig empfanden wie die gute Einfalt der
unterwürfigen, haushälterischen Parmesanen und Modenesen: in
diesem Lande schien der Versuch, die Fahne der Einheit oder der
Verbündung gegen den Beherrscher Norditaliens aufzurichten, ein
Misgedanke zu sein, den ein Herzog von Modena nur aus der
leichtsinnigen Verderbtheit einer nicht nationalen, sondern vielmehr
entnationalisirten, französirten Jugend erklären zu müssen glaubte,
den aber auch ein freisinniger Mann wie dal Pozzo, der nur eine
geistige Einheit Italiens möglich glaubte, für eine kaum verzeih-
liche Irrung hielt. So dachten Italiener selber damals über die
Einheit Italiens, die auch in der That, im strengen Wortsinne verstanden, für Italien noch weit unerreichbarer als für Deutschland
ist. Und am wenigsten hätten die Pozzo, die Florestau Pepe und
Aehnliche so große Zwecke, wo es die Erschütterung aller geschichtlichen Ueberlieferungen in einem Volke von der hartnäckigsten Trägheit gilt, durch die Meutereien und Verschwörungen geheimer Secten und enthusiastischer Waghälse erreichbar gedacht, von denen sich
das gebildete Italien damals so zurückgeschreckt fühlte, daß das
Bestreben der nächsten Folgezeit ein ganz entgegengesetztes war:
die Gemeinsamkeit der Bildung, die geistige Einheit der Kirche,
der Sprache, der Wissenschaft, die Italien besaß, in einem großen
Zusammenwirken zur friedlichen allmäligen Vorbereitung der politischen zu benutzen. Man lernte die Wahrheit der großen Lehre
Machiavelli's begreifen (die der Praxis der neuern Alfierischen
Schule gradans entgegengesetzt ist), daß Revolutionen, die auf

Anlaß unerträglich gewordener Leiden wie eine unwillkürliche Verschwörung Aller ausbrechen, gedeihliche Verjüngungen des Staats-
lebens bringen können, daß dagegen das Schicksal jeder Verschwörung, der willkürlichen Revolution der Wenigen, erfolgloses Scheitern ist. Diese Lehre aber war freilich gesprochen zu einer Zeit, wo
Italien, unabgestumpft durch systematischen Despotismus, noch im
Besitze einer gleichmäßigen Bildung, eines lebhaften Verkehrs,
eines bürgerlichen Geistes war, wo es daher denkbar war, daß aus
gleichen Bedürfnissen öffentliche Forderungen sich mit Erfolg konnten geltend machen, ohne daß es der Gewaltthaten oligarchischer
Coterien bedurft hätte, die den allgemeinen Interessen zuvorliefen.
Dieß war jetzt weit anders, wo die verbundene einheimische und
fremde Fürstengewalt die Entstehung eines bürgerlichen Gemein-
geistes, einer Gemeinbildung, eines Gemeinbedürfnisses, einer
gemeinen Meinung unmöglich machte. Diesem übermächtigen
Drucke gegenüber, der das nationale Eigenleben, Gleichgewicht und
Gleichberechtigung der Staaten und Stämme in Italien zu hohlen
Namen gemacht, wo gerade der innerste Geist der Zeiten auf die
größere Pflege dieser edelsten Volksgüter dringt; diesem Drucke
gegenüber, der (selbst nach eines de Maistre's Ausspruch) allen Le-
benssaft, alle moralischen Kräfte, alle politische Entwicklung und
selbst alle freiere geistige Entwicklung Italiens zu ersticken bestimmt
war, diesem Drucke gegenüber war es die laut verfochtene Ueberzeugung der Männer von Pepe's Gesinnungsweise geworden, daß
Verschwörung und Aufstand gegen diese unnatürliche Gewältigung
das natürliche weil das einzig mögliche Hülfsmittel, daher eine
Nothwendigkeit, daher ein Recht, daher eine Pflicht sei. Denn dieß
in Trägheit versunkene und absichtlich versenkte Volk, das nicht
hören wollte und sollte, fühlen zu lehren, es aufzurütteln zu dem
Bewußtsein einer höheren menschlichen und staatlichen Existenz,
dazu gab es in der Ansicht von Alfieri's Anhang kein besseres Mittel

als die verzweifelten Thaten der einzelnen Märtyrer, die durch ihre
selbstlose Aufopferung die erhabenen Beispiele aufstellen, welche
der trägen Masse eine Ahnung einflößen können von dem Werthe
der Güter, für die sie kämpfend sich verbluten oder ins Elend gehen.
Daher begreift man wohl, warum selbst so edle unbescholtene verständige Naturen, wie sich in Piemont die Santarosa und Collegno
und ihre Freunde bewiesen, sich in diese kühnen Wagnisse haben
stürzen mögen; warum die Völker des Südens die Namen dieser
Feuergeister, die ihrem verfrühten Eifer zum Opfer fallen, so theuer
und heilig halten; warum sie selbst die gemeinen, von schlechten
Motiven getriebenen Vorfechter einer guten Sache so hoch wie die
Sache selber zu schätzen geneigt sind; man begreift, warum selbst
der kalte geschichtliche Beobachter das Fruchtbare, das diese ver-
eitelten Wagespiele in sich bergen, die Saat der künftigen Erfolge
mitten in der gegenwärtigen Niederlage selbst dann nicht verkennen
kann, wenn er sich in der Betrachtung des einzelnen Verlaufs dieser
Unternehmungen wie in einem chaotischen Zusammenspiel von Un-
sinn, gemeinen Leidenschaften und Schwindeleien bis zum Widerwillen umgetrieben fühlt. Denn trotz all den traurigen Enttäuschungen jener Tage und ihren militärischen, moralischen, politischen
Niederlagen ist es doch greiflich und gänzlich unverkennbar, daß
damals der Gedanke der Unabhängigkeit, die die erste Vorbedingung
zu irgend einer einheitlichen Verbindung der italischen Völker
wäre, kaum eben in diese Völker hineingeworfen, selbst mitten in
dem Schiffbruch der ersten Bestrebungen, jene mächtig einigende
Kraft, die wir ihm zuschreiben, auch hier bewährt hat. Damals
suchte noch jener dal Pozzo die guten Seiten der österreichischen
Herrschaft seinen Landsleuten begreiflich zu machen; aber wie lange
dauerte es, so sagte man, daß in dem Hasse Oesterreichs in Italien
Alles einig sei, die Märtyrer der Schaffotte, aber auch die Henker,
die sie dem Tod überantworten müssen. Damals war, wie Met-

ternich wollte, Italien nur ein bloßer geographischer Begriff, aber
heute ist es ein nationaler Begriff geworden. Es war von einer
eigenen historischen Bedeutsamkeit, daß damals zuerst das wenigst
italienische Land in das italienische Gemeinleben eintrat, und nicht
von den Zielpuncten dynastischen Ehrgeizes aus; daß in den folgenden Stadien der Bewegung, in einer ganz normalen Fortschrei-
tung der Einheitsideen im 4. Jahrzehnt der Kirchenstaat, Modena
und Parma, die jetzt im dritten zurückgeblieben waren, die dreifarbige Fahne aufpflanzten; daß im fünften das am längsten wider-
standene Toscana und das österreichische Italien, wo die Fremdherrschaft am unmittelbarsten lastete, mitgerissen wurden; daß dann
schon der ganze Mittelstand Italiens (was die besten Kenner des
Landes kaum für möglich gehalten hätten) in die politischen Interessen und Handlungen hineingezogen wurde; und daß derselbe
Fürst, der dieses Mal die Bewegung Piemonts vereitelt hatte, dann
an der Spitze der italienischen Erhebung stand. Das waren die
innern Fortschritte der freisinnigen und einheitlichen Bestrebungen
unter den damals Besiegten, während die damalige Allmacht ihrer
Sieger gleichzeitig in denselben Graben von ihrer moralischen Kraft
immer mehr einbüßte: nach zehn Jahren konnte Oesterreich die
Verfechtung der in Frankreich viel greller verletzten Legitimität nicht
mehr wagen, die es jetzt dem schwachen Italien gegenüber als eine
so heilige Pflicht rühmte; nach weitern achtzehn Jahren mußte es
seine antirevolutionären Panaceen ganz fahren lassen und an dem
eigenen Staatskörper erleben, daß das Ausbrennen der Revolutionen in sich selbst ein viel gründlicheres Mittel der Heilung
ihrer Excesse ist, als gewaltsame Einmischungen; und heute kehrt
die Intervention, damals von Oesterreich für Oesterreichs Absolutismus geübt, sich rächend gegen dieß verhaßte System für die
Interessen der Freiheit, und Europa rief die Großmacht vor
neue Congresse, um gegen eben den unnatürlichen Druck auf die

italienische Entwicklung zu protestiren, den sie auf ihren damaligen
Congressen organisirte. Jene steigenden Erfolge in den inneren
Verhältnissen Italiens schrieben die verschwörungslustigen Geister,
die Sturm zu laufen pflegen ehe Bresche geschossen ist, gerade ihren
kühnen Wagnissen zu. Die Besonnenen schieben auf eben diese
voreiligen Ueberstürzungen die Fehlschläge, die bisher noch immer
das Gelingen jeder Bestrebung für Italiens Freiheit vereitelt
haben. Die Gegensätze dieser Ansichten bewegen sich in einem natürlichen Cirkel der Erwägungen der Wechselwirkung des freien
einzelnen Willens und der zwingenden großen Verhältnisse, die allen Inhalt der Geschichte ausfüllt. Daß sich diese Gegensätze in
Italien mehr als sonstwo vertragen und dulden, und daß die Thaten und Thatsachen, die sich aus beiderlei Ansicht und Menschen-
natur entwickeln, sich einander ergänzen und ablösen, dieß ist ein
weiteres versprechendes Zeichen von der wachsenden Einmüthigkeit
in jenen Bestrebungen. Dieß Zusammen- und Widerspiel jener
Gegensätze kann man wie in einer plastischen Verkörperung in den
Brüdern Wilhelm und Florestan Pepe beobachten, zwei Männern,
die, einig in ihren Zwecken, immer verschieden in ihren Mitteln,
gegenseitig an einander Freude hatten, obwohl sie sich ewig tadelnd
und mißbilligend entgegengesetzt waren. Wo der Eine überall
eitel, vorlaut vorstrebte zu heftigen Katastrophen, war der Andere
bescheiden, rückhaltend, besonnen, nur für eine stille Wirksamkeit
geschaffen; dieser Letztere ganz darauf gestellt, scheinlos für seines
Volkes wahres Wohl zu arbeiten, der Andere in ächt romanischer
Natur immer bedacht (was selbst einem Napoleon eine Hauptrücksicht
in allem Handeln war), vor Allem stark auf die Einbildungskraft
der Menschen zu wirken; eine tragische dieser und jener eine epische
Natur, auf den ein Biograph[60] die Perikleischen Worte anwandte,

---

60) Carrano, vita del Generale Florestano Pepe. Genova 1851.

daß durch seine Schuld keiner seiner Landsleute je Trauer getragen;
wo der Andere selber gestehen mußte, daß er sich selbst ins Unglück
stürzend zugleich viele Andere in Trauer gestürzt, sich aber damit
tröstete, daß das Vaterland gleichwohl um Niemand innigere Trauer
trage, als eben um die trauerstiftenden Bewegungsmänner seines
Schlages. Dem Einen mißfiel an diesem ungeduldigen Geschlechte,
daß sie in ihrem gierigen Greifen nach den Gegenständen ihrer
Wünsche wie Kinder sich in der Entfernung ewig täuschten; der
Andere hätte jenes j'atans mon astre für das Zögern seiger
Schwäche erklärt, obgleich Carl Albert selber, so viel später handelnd, noch immer am verfrühten Eifer zu Grunde ging. Florestan
hätte zu beklagen gehabt, daß in diesem heutigen Geschlechte der
Begriff der Opportunität (καιρός), der Erfassung des rechten Zeit-
punctes (der Inbegriff aller sichern und erfolgreichen Staatskunst),
ganz verloren gegangen ist; den Bruder aber langweilte es, den
ruhigen Weg der Entwicklung abzuwarten und aus praktischen Erwägungen die Phantasien zügeln zu lernen. Der Eine vertraute[61],
Freiheit und Ruhm Italiens gesichert zu sehen, „wenn die Zeit sich
erfüllen werde", der Andere nannte die Zeit das Werk der Menschen.
Wenn er auf Florestan hörte, sagte Wilhelm, so würde er für
Italien nichts gethan haben; worauf jener: er werde auch besser
gethan haben nichts zu thun, als der Zeit abgewinnen was sie zu
geben vermochte. Später, als sich unter Pius IX., nach den Fort-
wirkungen der friedlichen geistigen Arbeit einiger Jahrzehnte, die
Zeiten wirklich wie von selbst zu erfüllen schienen, ward W. Pepe
selber stutzig und versöhnte sich mehr mit dieser, gegen alle zu starke
Leidenschaft mißtrauische, Ansicht der Dinge, die (in so unseligen
Verhältnissen wie die italienischen sind) nicht ganz und gar alles
Recht, aber immer die Vernunft auf ihrer Seite hat. Denn wäh-

---

61) Mariano d'Ayala, Florestano Pepe. Firenze 1851.

rend ein W. Pepe, der mit seinem Sallust stets geneigt war den
Zufall in den menschlichen Dingen walten zu sehen, und die Helf-
sporne seiner Art auch das Volk so leicht in der Täuschung erhalten, es könne sein Heil irgend einmal durch einen Maschinengott,
durch einen glücklichen Schlag, wie sie ihn zu führen liebten, entschieden werden, lag es in Florestan's Ansichten, daß eine endliche
Frucht nur von der Heranbildung des Volkes zu erwarten, daß alle
Staatsreform ein Wahn sei, wenn ihr nicht die Reform der
Menschen und der Gesellschaft vorausginge. Es war eine Zeit,
wo Fox den Ruin Italiens für unrettbar erklärte, und seine Gründe
für diesen Glauben hauptsächlich aus der Allmäligkeit und Lang-
samkeit seines tiefen Verfalles schöpfte. Der Enthusiasmus, mit
dem Burke dieser trostlosen Ansicht widersprach, würde den Italienern
besser gefallen. Aber heilsamer ist ihnen, auf die strengere Meinung zu achten: daß ihre Erhebung langsam und allmälig sein
wird wie der Verfall war, und sein muß wenn sie von Dauer sein
soll. Sah doch selbst ihr Foscolo dieß Land unter einer Gewalt
von Verhältnissen schmachten, die nur von der Zeit überwunden
werden könne, durch eine geistige, sittliche, religiöse Umschmelzung
des Nationalcharakters, in der das Volk zu der Ausdauer in den
harten Prüfungen und schweren Anstrengungen gestählt werde,
die ihm zur Erlangung seiner inneren und äußeren Freiheit unerläßlich sind. Die Beispiele der Aufopferung sind ihm genug gegeben, der Einmuth der Gesinnung für die Unabhängigkeit ist weit
genug ausgebreitet, ein neues Selbstgefühl ist dem Volke trotz
allen bisherigen Vereitlungen seiner Hoffnungen eingeflößt worden;
und wie hoch man die Macht der Beherrscher, die Kraft des Bestandes
und die Stärke der Verträge, wie gering man die Fähigkeit der
Italiener sich freizukämpfen anschlagen möge: die Unabhängigkeit
wird früher oder später, nachdem so starke Triebfedern seit so langer
Zeit für sie in Bewegung gesetzt und so unabgenutzt thätig ge-

blieben sind, unfehlbar erreicht werden. Wie unabhängig sich aber
Italien dann erhalten wird, wie einheitlich es sich einrichten,
wie glückbringend seine Wiedergeburt sein wird, das wird wesentlich davon abhängen, ob dem besonnenen Theile der Volks-
leiter die Muße und der Einfluß gestattet wird, dem jungen Selbstgefühle eine wohlthätige Reife und einen tauglichen Inhalt zu geben.

---

4. Französische Invasion in Spanien.

a. Spaniens innere Lage.

Während dieser Ereignisse in Italien begannen auch die Dinge
in Spanien den Interventionsabsichten der Mächte mehr und mehr
entgegenzureifen. Wir haben schon früher bemerken können, daß
die auswärtigen Verhältnisse, die Haltung und Handlung der fremden Mächte nicht das Wenigste dazu beitrugen, in Spanien die
Verwirrung erst zu schaffen, die man zum Anlaß der Einmischung
wünschte; und auch fernerhin mögen uns diese Wechselwirkungen
zwischen den innern und äußern Vorgängen zum Hauptfaden unserer Erzählung dienen. Wir sahen, daß die Auflösung des Heers
von S. Fernando, veranlaßt durch die drohende Mal-Note Rußlands, die Ursache der ersten Spaltung der Liberalen und der ersten
Ermuthigung der Reaction ward; wir haben beobachtet[1], daß aus
der Zeit der Fürstenvereinigung in Troppau sich die ersten Versuche
des Königs zu Verfassungswidrigkeiten herschrieben, deren Folge
die offene Zwietracht zwischen den großen Staatsgewalten, dem
Monarchen und seinen Ministern, war. Im heimlichen Verlasse
auf die Mächte, deren Grundsätze ihn gegen die ihm auferlegte neue
Ordnung öffentlich unterstützten, fuhr der tückische König in seiner
eingeschlagenen Taktik fort, in dem Zwiespalt der Partheien sorglich jeden Vortheil auszuspähen, den Groll der Geistlichkeit und

(Randnotiz:) Fall des ersten Moderado-Ministeriums Riquelleos.

(Randnotiz:) vgl. 3, 414 f.

seines engern Anhangs auszubeuten, die jeweilige Lage der äußeren
Dinge achtsam zu Rathe zu ziehen und, wie früher, die Augenblicke
des Schlusses und des Beginnes der Cortesversammlungen zu
wiederholten Versuchen thätlicher Eingriffe sich auszusehen[1]. Zu
solchen neuen Schritten hatte ihm die Abhaltung des Congresses in Laibach, wo man von Worten zu Thaten kam, ein neues
Zeichen gegeben. Grade in den Tagen der dortigen Verhandlungen
verrieth ein Buchdruckerjunge in Madrid verdächtige Arbeiten seiner
Werkstätte; man ergriff den Satz zu verschiedenen Aufrufen, die[1]
zur Verhaftung des Ehrenkaplans des Königs, Vinuesa, Anlaß
gaben; bei dem man dann den ausführlichen Entwurf einer Gegenrevolution vorfand[2], wonach der König um die Zeit der Corteseröff-
nung alle constitutionellen Behörden in das Schloß berufen, festnehmen und zugleich die Besatzung der Hauptstadt für die Herstellung seiner Unbeschränktheit in Pflicht nehmen sollte. Von diesem
Augenblick an war es selbst der französischen und englischen Diplomatie unzweifelhaft, daß der König, unfähig in guter Treue gegen
die verfassungsmäßige Ordnung zu handeln, an den steigenden
innern Zerrüttungen Spaniens die einzige Schuld trage. In den
Cortes wurde selbem von den gemäßigsten Männern wiederholt
der Eine Centralpunct bezeichnet, von wo aus ein geheimer Plan
zum Sturz der Verfassung in Bewegung gesetzt und gehalten werde;
und die allgemeine Meinung witterte, suchte, ertappte nun immer
bestimmter die Häupter und die Handlanger des königlichen Ver-
schwörers in allen Unruhen, Wühlereien und Gewaltsamkeiten der
königlichen nicht nur, sondern selbst der freisinnigen Partheien.

21. Jan. 1821.

---

1) Selbst in einem Commissionsbericht der Cortes vom 20. März 1621
findet sich diese Taktik breit dargelegt. Diarios 13, 11 ff.
2) Er ist in den Diarios 13, 26. gedruckt, zugleich mit einem andern Actenstücke, das die Grundzüge der neu einzuführenden Ordnung und den Rache-
plan gegen die Liberalen angibt.

Riß sich jetzt von den Freimaurern ein noch überspannterer Kreis, die Comuneros, los, so fand sich, daß ihr Gesetzgeber der Arzt Regato war, der allgemein für einen verrätherischen Agenten des Königs galt. Gab es einen Straßenlärm, der die Wohnungen der Gesandten der Ostmächte bedrohte, so verhaftete man unter den bezahlten Ruhestörern solche, die zuvor schon wegen Verschwörung gegen die Verfassung in Untersuchung waren. Wurde der König bei einer Spazierfahrt[1] mit Verwünschungen empfangen und mit '4. Febr. Steinen geworfen, so sollte man später erleben, daß einem der damals ergriffenen Schleuderer „zur Belohnung seiner dem König geleisteten Dienste" ein Ruhegehalt zu Theil ward. An den letzt angedeuteten Vorfall knüpfte sich ein offener Schritt des Königs an, der seine Feindseligkeit gegen die bestehende Ordnung aufs neue bethätigte. Er hatte über die Unbilden des 4. Febr. eine Beschwerde an den Stadtrath gerichtet, und am folgenden Tage hatte ein Trupp Gardisten die Schreier der Straßen mit Säbelhieben angefallen; darauf hatten sich die Gesellschaften, die Bürgerwehr, die Besatzung erhoben; die Leibwachen waren in ihrem Quartiere eingeschlossen, die Minister durch den Stadtrath gedrängt worden, das Corps seines Dienstes zu 'entheben[2]. Bei diesem Anlasse kam es im Palaste zu heftigen Scenen; der König bedrohte seine Räthe mit Entlassung und selbst mit Verhaftung; der Hof aber bestimmte ihn seinen Zorn zurückzuhalten; und nun rüstete er für die Eröffnung der Cortes einen Racheftreich, der von nichts weniger als von der Unfreiheit und Gefangenschaft zeugte, aus der er nachher seine mächtigen Freunde ihn zu erlösen anrief. Seine Minister, die er immer gehaßt hatte, waren ihm mit der Zeit um vieles lästiger geworden, weil sie die neue Ordnung, während sie sich im Inneren durch die theilweise Ausführung des Klostergesetzes befestigte, auch

---

3) Exposicion sencilla de los sentimientos y conducta del cuerpo de Guardias etc. Madr. 1421.

nach außen sichtlich in einem gewissen Ansehen erhielten. Sich ihrer zu entledigen, war daher ein begreifliches Verlangen in ihm; sie gegen ihn mit aller Macht zu stützen, hätte daher das Gegenbestreben aller Freisinnigen in Spanien sein müssen. Aber diesen festen Fuß hatten die Minister in der Nation nicht mehr, und das wußte der schlaue Fürst. Langeher und von allen Seiten war gegen sie wie eine systematische Verleumdung und Anfeindung im Gange. Die Josephinos machten ihnen den offenen Krieg. Der Adel, die hohen Beamten der früheren Zeit, vornehme Wichtigthuer, hatten bei jeder Gelegenheit über ihre Unerfahrenheit zu sticheln. Die Radicalen

v. s. 3, 418. waren durch die Aussöhnung im November[1] nicht gewonnen. Die geheimen Gesellschaften, diese unnahbare Macht ohne Namen, ohne Formen, ohne Controlle, ohne Scham, führten gleich einer Inquisition aus dem Dunkel der Verborgenheit einen so giftigen Kampf gegen sie, daß selbst die Cortes, ihre natürliche Stütze, sie nicht

1. März. mehr zu halten wagten. Als der König die ständische Versammlung[1] eröffnete, las er die von den Ministern entworfene Thronrede mit einigen Veränderungen, die seine Verfassungstreue stärker betonten; am Schlusse aber ließ er sich zur Versteinerung seiner Räthe in einem eigenen Zusatze über die unwürdigen erlittenen Insulten aus, denen die Regierung nicht die Kraft gehabt zu begegnen, und forderte die Cortes auf, sich mit der Abstellung solcher Mißbräuche zu beschäftigen. Am folgenden Tage verabschiedete er die Minister, und wie um ein Pfand seiner constitutionellen Gesinnung zu geben, forderte er die Cortes auf, ihm selbst die Personen ihres Vertrauens zu empfehlen. Alle Welt sah in diesem kleinen Staatsstreich einen Hinterhalt fremder Anstiftung; der Graf Toreno behauptete öffentlich in den Cortes den Zusammenhang des Sturzes dieses Ministeriums mit dem Marsch der Oesterreicher auf Neapel und wagte zu sagen, daß der Streich von derselben Hand herrühre, die gleicherweise jene Insulte gegen den König wie die Entwürfe

zum Umsturz der Verfassung anzettle. Jeder hatte im Gefühle,
daß der Bestand des Ministeriums mit dem der Freiheit aufs engste
verknüpft sei, und doch fruchtete dieß Alles nicht so viel, um die
Schadenfreude der Radicalen wie der Serviilen über den Fall der
Regierung zu dämpfen, geschweige die Cortes fest um ihre ersten
Führer geschaart zu halten. In einer kläglichen Halbheit lehnten
sie auf der einen Seite die Zumuthung ab, selbst eine neue Verwaltung zu bezeichnen, was ihnen eine Verantwortlichkeit für deren
Handlungen zugeschoben hätte; auf der andern Seite aber wagten
sie auch nicht, die Minister mit einem Vertrauensvotum zu stützen,
was sie in deren feindselige Stellung zu dem König mitversetzt
hätte. Indem sie zu gleicher Zeit diesen Männern einzeln durch den
Beschluß einer lebenslänglichen Gehaltsanweisung eine große Aus-
zeichnung gewährten, ließen sie es zweifelhaft, ob jene Ablehnung
in Verbindung mit dieser Ehrenerklärung ein schonender Wink für
den König sein solle, die Verwaltung beizubehalten; der König
aber handelte in diesem Zweifel begreiflich nach seiner Neigung.
Er ernannte ein neues Ministerium aus constitutionell gesinnten,
in den Ereignissen vor 1814 wenig betheiligten, überhaupt wenig
genannten und vor Allem wenig bedeutenden Männern[4]. Seine
Absichten lagen dabei so offen, daß Toreno gleich jetzt voraus-
sagte, diese Regierung sei nur der Uebergang zu einer verfassungsfeindlichen, zu der man am Schlusse der Cortes den Versuch
wagen werde.

Das neue Ministerium galt bei den wohlwollenden Fremden Zweites Mode-
für gemäßigt, besonnen und achtungswerth, seine Stellung war rado-Ministerium
aber ungleich schwieriger, als die des früheren. Durch die eigene (Felin-Bardoji.)

4) Den Namen gab dem Ministerium Namen Felin, anfangs für die Co-
loulen bestimmt, bald (an Balvemaro's Stelle) Minister des Innern. Der bisherige Gesandte in Turin, Bardoji, führte die äußeren Geschäfte.

Wahl des Königs berufen, stand es darum in dessen Gunst nicht
wesentlich besser, in der der Partheien aber verdächtiger und schlimmer; es hatte dieselben Gegner wie seine Vorgänger und deren
Anhang dazu. Zwischen den verschwörenden Hof und die wühlen-
den Geheimbünde eingekeilt war daher diese Regierung noch un-
mächtiger als die frühere. Ihr Einfluß reichte kaum über die
Hauptstadt hinaus; wo sich jetzt in allen Provinzen eine fieberhafte
Bewegung in den Partheien zu regen begann, war das Land wie
ohne eine Leitung, die Minister kraftlos zu wirken, sei es als ausübende Gewalt, sei es als Lenker des gesetzgebenden Körpers, zu
dessen Arbeiten sie schweigend und unthätig zusahen. Wenn die
Cortes das im vorigen Jahre umgangene Gesetz über die grund-
'vgl. 3, 408. herrlichen Rechte' aufs neue beriethen und zuletzt im radicalen
Sinne entschieden, saßen die Minister stumm, obgleich sie persönlich
entgegen waren und den König unversöhnlich dagegen wußten;
wenn die Versammlung über das Steuerwesen berathend auf das
System der directen Steuer zurückkam, blieben sie wieder ohne Antheil, obgleich sie wußten, daß dieß wie 1818 an allen alten Gewohnheiten aufs neue anstoßen werde; kaum daß der Kriegsminister
'Artil. einmal in die Berathung der neuen Heerbildung' ein paar Worte
hineinsprach. So ohne Führung von Seiten der Verwaltung unterlagen die Gemäßigten in den Cortes, als nun die verhängnißvollen Ereignisse in Italien anfingen die Leidenschaften aufzustür-
men, nothwendig dem Andrang des Radicalismus und zogen, selbst
dahin gerissen, die rathlosen Minister in dessen Wege mit. Noch
im November v. J. hatten sich selbst die Wüthendsten unter den
Abgeordneten in ihren Aeußerungen gegen die Fremden zurückge-
halten, um sich nicht unnöthig Feinde zu machen; jetzt aber führte
die Reizbarkeit über die Einmischungen des heiligen Bundes, im Verhältniß zu deren steigenden Erfolgen, zu wachsenden Ausbrüchen
des Grimmes in und außer dem Ständehause, unter deren Ein-

wirkung die bisher friedliche Revolution immer mehr in die Bahn
der Gewaltsamkeit hineingetrieben wurde. Während des Marsches
der Oesterreicher gegen Neapel trieb[1] Moreno Guerra unter furcht- [1. März.
baren Ausfällen gegen die Monarchen, deren „Spione und Agenten" er fortzujagen hieß, zu einem Bündnisse mit allen revoltirten
Staaten: da Spanien in Neapel angegriffen sei, so müsse dort gehandelt werden, wo die Vorhut des spanischen Centrums stehe, zu
dem Portugal die Nachhut bilde. Als die Minister[1] Anzeige von [22. März.
dem Aufstand in Piemont machten, stellten sich die Cortes bereits
in offenen Trotz gegen die Mächte, da sie einen Antrag Guerra's
auf Erleuchtung der Hauptstadt annahmen. Kaum hatte der Wort-
held bei dieser Gelegenheiten recht ausgeprahlt: nicht nur an dem
Ausgang des Kampfes in Italien könne kein Zweifel sein, und
kämen auch zehn Oesterreicher auf Einen Neapolitaner, und bis zur
Newa nicht nur, auch bis Constantinopel werde das neue politische
Licht vordringen, so folgten sich nun Schlag auf Schlag die
Nachrichten von dem Falle Neapels und Piemonts; und dieß war
der große Wendepunct in den spanischen Dingen, der auf der einen
Seite die Servilen zu systematischen Anstrengungen für die Herstellung des reinen Königs, auf der andern die Ueberspannten zu
den Versuchen einer Art Schreckensherrschaft aufstachelte, während
die Königlichen in Frankreich, schon in der Anwartschaft des Steuers,
von außen her den Bürgerkrieg anfachten. Zwischen diesem Zusammenstoße leidenschaftlich entzügelter Massen standen die schwachen
Staatslenker im Ministerium so kraftlos wie rathlos, da sie aus
Rücksicht auf den König vor jeder kräftigen Handhabung der Gerechtigkeit gegen die Servilen, und aus Rücksicht auf die Exaltirten
vor jeder strengen Unterdrückung der Ausschreitungen auf dieser
Seite zurückbebten. Zunächst häuften und steigerten sich die Widersetzlichkeiten des Klerus. Eine Menge Klagen von Mönchen liefen[1] [März. Ncnd.
bei den Cortes ein, daß ihnen der Nuntius den Austritt aus den

IV.   17

Klöstern, die Annahme von Pfründen nicht gestatte; der Regierung machte die Curie Schwierigkeiten, mit den Säcularisations-Indulten für die Regularen auf längere Zeit fortzufahren; eine Anzahl besonders catalonischer Bischöffe weigerten sich hierauf, ohne besondern Auftrag des Papstes sich in die Reform der Klostergeistlichen zu mischen und trotzten selbst der königlichen Mißbilligung dieser Schritte[5]. Es war um dieselbe Zeit, als die Cortes in einem

17. April. (von Rom verworfenen) Gesetze[1] durch eine dargebotene jährliche Pauschsumme dem übermäßigen Abfluß des Goldes Einhalt thun wollten, das für das Blei der Dispense und Gnadenbullen aller Art nach Rom ging, dessen Belauf in den letzten 70 Jahren Canga Arguelles genau auf die Summe berechnete, die der große Canal von Aragon gekostet. Von diesem Augenblick an[6]) gürtete sich die Geistlichkeit, um „mit dem Schwerte St. Paul's zu behaupten, was der Schlüssel St. Peter's nicht bewahren konnte." Sie gab dem Bürgerkriege den ersten Anstoß, indem sie die Glaubensguerillas losließ, an deren Spitze Mönche und Pfarrer erschienen. Das erste Zeichen gab der Pfarrer Merino, ein gewesener Guerillaoberst, der nach den Freiheitskriegen in seine Pfarre (Villoviado in Altcastillen) zurückgekehrt war und jetzt auf dem Schauplatz seiner frühern Thaten, von Burgos aus, den Partheikrieg eröffnete. Die Regierung eilte, ihm in dem Empecinado (dem Gouverneur von Zamora)

April 1821. einen überlegenen Kämpfer aus derselben Schule des Kleinkriegs[1] gegenüberzustellen, gegen den es der Empörung schwer war in diesen Gegenden Stand zu halten, wo die Hauptstadt zu nah, das Volk gleichgültig, die Truppe ergeben war[7]. Zugleich bemühten sich die

5) La España bajo el poder arbitrario de la congregacion apostolica. Paris 1833. p. 346.

6) Ib. p. 46.

7) Marliani I, 270. Vergl. Quintana's Briefe an Lord Holland, eine ruhige Uebersicht der Geschichte der drei Jahre der Verfassungsherrschaft; am Schlusse seiner Werke in der bibl. de autores esp. XIX. Madrid 1852.

Cortes, unterrichtet, daß sich die Präfecten bei Verfolgung der Leitfäden dieser Bewegungen stets auf die höchsten Kirchenhäupter selber zurückgeführt fanden, die ersten Quellen dieser Widerstände abzugraben. Gegen die Bischöffe und Vorsteher der Klöster entfesselte Alpuente all seine Wuth, der diese „Diener des Satans" aus ihren Stellen zu treiben mahnte, in denen sie mit dem Geld der Armen- und Krankenhäuser den Krieg gegen die Verfassung führten; die Cortes machten sie[1] für ihre Untergebenen verantwortlich ‘29. April. und verlangten Rechenschaft von ihnen über die Maasregeln, die sie gegen die geistlichen Aufrührer ergriffen. Alle Uebertreter und Gefährder der Verfassung wurden durch ein Schreckensgesetz[1] mit ‘17 April. Tod oder Bann bedroht; durch ein anderes wurden Kriegsgerichte gegen die Verschwörer niedergesetzt; eine Verordnung über die politischen Gesellschaften war berechnet, dem öffentlichen Geiste den Gefahren aus der Fremde gegenüber einen neuen Schwung, der terroristischen Strenge der Cortes außerhalb des Hauses eine Hülfsmacht zu geben. Dieser Aufruf an die Geheimbünde war, obgleich der König[1] dem Gesetze die Bestätigung weigerte, von einer ‘Anfang Mai. gefährlichen Wirkung. Die Clubs nahmen ihre Thätigkeit in verstärktem Eifer wieder auf; die Manrerei, seit dem Aufstande der Jsla über ganz Spanien hin außerordentlich ausgebreitet, war schon seit dem November wieder in lebhaftem Aufschwung. Seit Anfang des Jahres hatte sich ein jüngerer Zweig von ihr abgerissen, die Comuneros, die die hierarchische Ordnung beibehaltend nur Formen und Mysterien änderten, soldatische Zeichen annahmen, statt Logen Schlösser und Thürme bildeten und wie die deutschen Burschen die Trachten der alten Zeit hervorsuchten. In die Schlösser dieser „Söhne Padilla's" strömte es nun besonders aus den unteren Klassen hinein; ein Mann wie Ballesteros, von einer riesigen Eitelkeit, sieh sich der neuen Secte zum Haupte; die aufgeblasenste Jugend band sich in ihr mit pomphaften Eiden, überspannte in ge-

17*

steigerter Selbstsucht und Unduldsamkeit die Doctrinen der Maurer
und überschürte immer stärker die politische Erhitzung. Und in diese
verderbliche Gluth sollten nun noch die Stürme von außen hinein-
blasen. Eine Menge italienischer Flüchtlinge erschienen[1] in Catalonien, verbreiteten sich von da über das Land und drängten mitten in den Schooß der Gesellschaften. Unter den Eindrücken ihrer
wuthgetränkten Erzählungen entflammte sich der öffentliche und
private Haß der Liberalen zunächst in Barcelona, wo sie die Aus-
weisung der Servilen verlangten; eine Anzahl willkürlich bezeich-
neter Verdächtiger, darunter der Baron d'Eroles, die Generale
Earsfield und Journal u. A. wurden nach den Balearen gebracht;
dann fanden diese Gewaltthätigkeiten Nachahmung in Cartagena,
Algeciras, Malaga, Cadix, Sevilla und Cordova. Und ein Schlag,
der zum ersten Male, häßlicher als alles dieses, die Revolution ent-
stellte, fiel in der Hauptstadt selber. Dort verbreitete sich die Nachricht, daß der Verschwörer Vinuesa, gegen den nach der Aussage
seines Richters selbst eine ganze Reihe todeswürdiger Verschuldun-
gen vorlagen, von eben diesem Richter (auf drohende Winke aus
dem Palaste, sagte man) nur zu 10 Jahren Haft verurtheilt werden sollte. Wüthend über diese Milde, wurde Nachts in den Kreisen der Ueberspanuten beschlossen, den Priester zu ermorden und am
folgenden Tage[1] Nachmittags drangen wilde Volkshaufen in sein
Gefängniß, wo sie ihn mit einem Hammer erschlugen. Wie der
öffentliche Geist jetzt plötzlich verwilderte, zeigte sich in der Art und
Weise, wie sich Regierende und Regierte zu diesem scheußlichen
Ereignisse verhielten: Gassenhauer besangen den Tod des „Pfarrers
von Tamajon"; man sprach von der That ohne Entrüstung und
ohne Berühmung; die Minister hatten von dem Urtheil, das den
Anlaß zu dem Morde gegeben, keine Kenntniß gehabt; die Gerüchte
von der beabsichtigten Lynchjustiz waren einen halben Tag umge-
laufen, ohne daß eine Gegenanstalt getroffen ward; keine gericht-

liche Nachsuchung nach den Mördern wurde verhängt. Gleichwohl mußte sich das Ministerium auf die starken Ausbrüche hin, womit der Anhang der vorigen Verwaltung seine Sorglosigkeit angriff, etwas zusammenraffen. Der König hatte sich bei der Nachricht von dem Morde in Generalsuniform seinen Garden gezeigt und sie an= geredet, als ob er bei ihnen Schutz vor den Dolchen der Mörder suchen müsse. Sie hatten ihm mit viva geantwortet, die Officiere ihm Betheurungen gegeben; Er aber hatte unstreitig mehr erwartet als dieses. Es schien nun wie ein Trotz von seiner Seite, als er in den obersten Behörden der Hauptstadt einige Veränderungen traf, die die Ruhestörer nur ermuthigen, nur Oel in das Feuer gießen konnten. Er ernannte zum Präfecten von Madrid den Gene= ral Copons, der in den Clubs ganz offen den Ministern entgegen arbeitete; dann ersetzte er, wie zur Verhöhnung der Regierung, den Militärcommandanten der Hauptstadt und den Kriegsminister Moreno, den er für einen Förderer der Mordthat hielt, durch zwei alte Militärs, von denen der Eine 84 Jahre alt, der Andere seit einer Verwundung 1813 geisteskrank war. Dawider sprangen nun die Minister mit Entschlossenheit ein. Beide Ernannte lehnten auf ihren Widerspruch ab, und es wurden nun drei verständige Ernen= nungen durchgesetzt. Das Kriegsministerium erhielt der geschickte General Salvador, der sich 1820 der Bewegung in Andalusien aus Gewissenhaftigkeit versagt hatte und daher den Ueberspannten ver= haßt war; Brigadier Martinez de San Martin ersetzte Copons in der Präfectur, und Generalcapitän wurde Morillo, der jetzt nach seinem Ausgang in Venezuela (den wir später nachholen müssen) aus America zurückgekehrt war. Alle Drei hielten sich zu den Ge= mäßigten und, wenn auch vielleicht ohne Liebe und Neigung für die Verfassung, standen sie doch mit desto größerer Energie für die Sache der Ordnung ein.

Sturz der Rode-
gadepartei.

In diesen Männern erhielt das Ministerium Felin die Stützen,
die ihm noch einmal eine Stärke versprachen, wie sie sich im vorigen
Herbste der Verwaltung Arguelles dargeboten hatte; und es fand
sich sogar aus sehr ähnlichem Anlasse eine sehr ähnliche Gelegenheit, dieses Ansehen mit ähnlichen Erfolgen, wie sie Arguelles damals hatte, auch zu befestigen. Den Anlaß gab (wie damals die
russische Note) eine neue Einmischung der Fremde, die die Regierung zu Schritten trieb, durch welche sie (wie damals durch die Auflösung des Heeres von S. Fernando) noch einmal mit dem Helden
der überspannten Parthei, mit Riego unmittelbar zusammenstieß.
In Zaragoza trieb sich seit einiger Zeit ein Cuguet de Montarlot
um, ein französischer Abenteurer, ein Poet, der mit den geheimen
Gesellschaften in Frankreich in genauer Verbindung stehen wollte, und
der den spanischen Liberalen, mit denen er im eifrigen Verkehr war,
einbildete, daß um Frankreich in die Revolution mitzureißen, ein bloßer Aufruf genüge, den er daher fertig und in Bereitschaft hatte,
und in dem er sich den Titel eines Präsidenten des großen Reiches
beilegte. Die französische Gesandtschaft ließ ihn genau beobachten;
in Paris wollte man wissen[8], daß er mit Riego (Generalcapitän von Aragon) verständigt gewesen sei, eine Doppelrepublik
in beiden Nachbarreichen zu errichten; woran nur so viel wahr
war, daß sich der Schwindler gelegentlich der (gänzlich unerwie-
senen) Mitwirkung Riego's zu seinen Planen berühmte[9]. Die
französische Regierung wandte sich wegen dieser Umtriebe nach
Madrid, wo der König die Anklage wider Riego gern für begründet annahm. Der Mann hatte sich grade in Zaragoza durch
Eigenmächtigkeit und Uebergriffe in die Befugnisse der bürgerlichen
Oberbehörde mit dem Präfecten Moreda zerworfen; und dieser,

---

8) Wie noch Chateaubriand congrès de Vérone I, 48 behauptete.

9) G. G. D. V. (Général Guill. de Vaudoncourt), letters on the
internal pol. state of Spain during the years 1521—23. Lond. 1524.

der von der Zeit der ersten Unternehmungen Riego's auf Malaga her dessen persönlicher Feind war, fand sich daher eben so willig, als er sich kräftig genug erwies, die Befehle der Madrider Regierung zu vollziehen, die Riego's Absetzung und Verweisung nach Lerida verfügte. Sogleich ward nun der Name Riego's wie im vorigen Herbste das Banner aller Mißvergnügten. Der Fontana-Club in Madrid kam in Bewegung und kündigte einen großen Festzug[1] an, bei dem Riego's Bildniß im Triumph sollte aufgeführt werden. Der Präfect San Martin löste sofort die Fontana auf und Morillo, im besten Einverständniß mit ihm, ließ die Truppen aufstellen den Zug zu verhindern, der Abends in der Silberschmiedstraße durch einen Bajonettangriff zerstreut wurde. Morillo und San Martin standen in diesem Augenblick, wie zu Zeiten Lafayette an der Spitze des Pariser Bürgerthumes, siegreich den Ruhestörern gegenüber; die Regierung schien wie Argüelles im vorigen Herbste in der Lage, den erstrittenen Erfolg zu einer großen Kraftentfaltung zu benutzen. Da gerade sollte es sich in erschreckender Weise bewähren, wie jenseits des Weichbildes von Madrid ihre Gewalt so gut wie nichtig war. Der Anhang Riego's hatte rasch durch die geheimen Gesellschaften seine Parole gegeben. In allen Provinzen wurden Proteste und Kundgebungen zu Gunsten des verletzten Lieblings hervorgerufen. In Cadix wurde am Raphaelstage[1] das Bild Riego's im Aufzug getragen, wie es in Madrid beabsichtigt gewesen war. Die Regierung[10] entließ hierauf den Militärcommandanten Romarete und ersetzte ihn vorübergehend durch Jaureguy (el pastor), einen bekannten Guerillero der Freiheitskriege, der ein unbescholtener Mann und frommer Christ war, aber schwach und von jeder Parthei abhängig, die ihn grade umdrängte; und Er wieder sollte seine interimistische Stelle an den

---

[10] Das Folgende meist nach Corleevrelocollen.

General Venegas abtreten, der von Galizien her[1] als ein Feind der Verfassung bekannt war. Als diese Ernennung in Cadiz[1] kund wurde, regte es sich in dem Volke, in den Milizen und unter den Freimaurern. Moreno Guerra trieb in seiner anarchischen Wuth zum äußersten Widerstande, „und wenn man der Suazobrücke einen Fußtritt geben", d. h. Cadir von Spanien abreißen müsse! Eine Junta aus achtbaren und wohlhabenden Bürgern wurde ge- bildet, die, in ernster und ehrlicher Besorgniß vor verfassungs- feindlichen Anschlägen, in einer Vorstellung[1] an den König um die Erhaltung Jaureguy's auf seinem Posten bat und auf Ent- fernung der Minister drang. Es war umsonst, daß Venegas frei- willig zurücktrat und die Regierung einen freisinnigen Soldaten, den Baron Aubilla zu seinem Ersatz wählte. Der beschränkte Jau- reguy, der diese Ernennungen als persönliche Kränkungen ansah, benahm sich mit seiner Gaditaner Umgebung, als ob es Gesetz, Regierung und Unterordnung für sie nicht weiter gebe. Sie mel- deten[1] die Erhebung von Cadiz nach Sevilla, das ihnen beitrat. Die Männer, die die Regierung zum Ersatz der rebellischen Be- hörden von Cadiz und Sevilla schickte, wurden zurückgewiesen; neue Eingaben, die aus Cadiz nach Madrid gingen, strotzten von plumpen Schmähungen auf die Minister und von Erklärungen, die jedem Gesetze den Gehorsam versagten, das der Sicherheit und dem Heile des Volkes zuwider liefe. All diesen Schlägen gegen- über fühlte sich die Regierung wie gelähmt. Die Maurer in Madrid, von der alten gemäßigteren Fraction, billigten die Er- hebung ihrer Brüder in Cadiz nicht, ohne ihr grade feindselig entgegentreten zu wollen; die Minister waren nicht energisch genug, den hauptstädtischen Gegensatz, der immer sehr fühlbar unter ihnen war, zu ihren Gunsten zu schärfen. Statt ihre aus- übende Gewalt mit jeder Anstrengung kräftig zu gebrauchen, brachten sie die schwebende Sache[1] vor die (außerordentlich" ver-

Marginal notes: vgl. 3, 351. · 19. Oct. · 20. Oct. · 29. Oct. · 29. Oct. · 26. Nov. "jetzt 24. Sept."

sammelten) Cortes. Seit lange mit ihrem Credit im Sinken begriffen, sind diese, in ihren Ursprüngen so gemäßigte Versammlung
jetzt in ihren Entscheidungen über diese Dinge, in den letzten
Wochen ihres Bestandes, durch ihren Mangel an Urtheil und
Muth in den Augen aller Verständigen eine unauslöschliche
Schmach auf sich". In dem Ausschusse, der über die Botschaft
der Regierung berichten sollte, führte jener Calatrava das Wort¹, ˙vgl. 3. Dec.
der vordem schon in den Cortes von Cadiz logische und rednerische
Begabung bewiesen hatte, aber von Vorurtheilen und übler Ge-
lehrsamkeit beengt und beschränkt, von Eitelkeit, von Haß gegen
das Ueberlegene, von dem Ehrgeiz nach einer Ministerstellung
bewegt war, dem er später selbst in der Stunde des Untergangs
der ganzen constitutionellen Ordnung nicht widerstehen konnte.
Er war es, der, zu schwach dem Strom der radicalen Bewegung
um ihn her sich entgegen zu werfen, mit advocatischem Kniffe die
Anträge des Ausschusses entwarf, die der Versammlung¹ in zwei ˙9. Dec.
Theilen vorgelegt wurden, von denen der Eine erst nach voraus-
gegangener Annahme des Andern eröffnet werden sollte. Der
erste Theil trat der Gaditaner Erhebung mit einem milden Tadel
entgegen, der die ganze Strafe dieser sinnlosen Auflehnung sein
sollte; der zweite Theil aber, als¹ nach Annahme des ersten der ˙11. Dec.
Inhalt dieser „Pandorabüchse" erschlossen wurde, trat der Rebellion in der Hauptsache geradezu bei, indem er nach einer vagen,
und völlig begründungslosen Anklage der Minister ein Gesuch an
den König um Veränderung der Verwaltung beantragte. Es war
vergebens, was die Minister zu ihrer Vertheidigung sagten; selbst
ein Martinez de la Rosa schwieg über dieß eben so form- und ord-
nungswidrige als unvernünftige Verfahren; selbst ein Toreno

---

11) Brief des englischen Gesandten vom 18. Dec. 1821 in Castlereagh's
memoirs.

stimmte sogar auf der Seite der Radicalen, obgleich er der Regierung seine Unterstützung sollte zugesagt haben; die Cortes machten sich zu Mitschuldigen an dieser schwachen Schaukelei, die es mit keiner Parthei verderben wollte, die nach beiden Seiten schlagend und schonend beiden Recht und Unrecht gab, die Aufrührer begünstigte, die sie eben getadelt, die Minister beseitigen wollte, die sie eben gerechtfertigt hatte. Sie nahmen nach einer '13. Dec. stürmischen Sitzung den Antrag in einer gedubberten Fassung[1] an, indem sie erklärten, daß die Minister die moralische Kraft verloren hätten. Es war so gut wie die Auflösung aller Ordnung zu beschließen, da es sich hier nicht um die Personen der Minister, sondern um alles Ansehen und Prinzip der ausübenden Gewalt handelte. Die Schwäche, die die Cortes bei dieser Gelegenheit bewiesen, erscheint noch verächtlicher durch das was unmittelbar folgte. Als der Tadelsbeschluß vom 11. Dec. in Cadiz und Sevilla bekannt wurde, rüstete man sich dort zum Widerstande und in Sevilla '22. Dec. erhob die Junta Beschwerde in einer neuen Vorstellung[1], die in ihren Formen harmlos zu nennen war gegen die früheren beleidigenden Eingaben wider die Minister. Und nun nahmen sich die Cortes der Regierung gegenüber genau wie das Ministerium Arguelles sich ein Jahr zuvor gegen den König genommen: die gemäßigten Leute, die alle die schamlosesten Verhöhnungen gegen die Regierung hatten durchgehen lassen, machten die kleinste Antastung ihrer Körperschaft zu einem Verbrechen und beschlossen, gegen die Unterzeichner der Seviller Vorstellung eine Untersuchung zu verhängen. Inzwischen aber hatte die anarchische Auflehnung weiter gegriffen. In Cartagena schwuren die Meuterer auf öffentlichem Platze Haß den Ministern; in Coruña unterstützte Mina offen die Forderungen von Cadiz; in Murcia und Valencia fanden die Gaditaner Hergänge widerliche Nachahmungen unter dem Vorgang von Schmugglern und anderem Gesindel. Dem Allen stand die Regierung gegenüber ohne Stütze in der Vertretung, ohne Rückhalt im Volke, ohne Hülfe an dem König, der auf das Gutachten seines Staatsraths die Minister zu entlassen bereit war. Der Fall des verurtheilten, im Todeskampf sich abringenden Ministeriums war so gut wie vollendet und der Untergang aller Ordnung schien mit seinem Sturze zugleich hereinbrechen zu müssen. Da plötzlich änderte sich wie durch einen Maschinengott die ganze Scene! In Coruña gelang es Manuel Latre, mit großer Thätigkeit und Festigkeit den mächtigen Mina zur Unterwerfung zu nöthigen. In Valencia befestigte der Präfect Plasencia die Ordnung mit ähnlicher Entschlossenheit. Der Marquis Campoverde, nach Andalusien geschickt um die widerspenstigen Besatzungen zu wechseln, zog[1] ganz ruhig in die Provinz ein und schaffte an den '9—10. Jan. 1822. Heerden der Bewegung, in Cadiz und Sevilla, den neu ernannten Behörden Zugang, von den Freimaurern selber unterstützt, deren Macht und Einfluß nie deutlicher hervortrat als in diesem Falle. Das Ministerium erhielt mitten in seinem Versinken Handhaben um wieder emporzutauchen. In den ersten Tagen des Jahres[1] hatte '9. Jan. 1823. der König, ganz nach der Voraussage Toreno's, vier neue Minister aus seinem vertrautesten Anhange zu ernennen vorgeschlagen, ohne den Gedanken ausführen zu können; kurz nachher[1] erhielten die '16. Jan. Cortes die Mittheilung, er habe den Marquis Santa Cruz zum auswärtigen, Luis Lopez Ballesteros zum Finanzminister, den General Cienfuegos zum Kriegsminister gemacht; schon nach vier Tagen mußte er die zwei ersten Ernennungen gleichfalls zurücknehmen. Das alte Ministerium, zwar auf drei Mitglieder zurückgebracht, schien in diesen Trümmern fester als zuvor fortbestehen zu sollen. In der Hauptstadt rafften sich die Feinde der Zügellosigkeit ganz unerwartet zusammen. Unter dem Fürsten von Anglona bildete sich eine „Gesellschaft der Volksfreunde", in der jener Calatrava neben den Häuptern der Moderados gesehen wurde; und in

den Cortes selbst wagte die Regierung kurz vor dem Schlusse der
Legislatur drei Gesetze über Presse, Bittschriften und Gesellschaften
vorzulegen, die aus der Ueberzeugung hervorgegangen waren, daß
in der bisherigen Weise unter der Herrschaft der Geheimbünde und
der Licenz der Clubs und der Zeitungen nicht weiter zu regieren sei.
Alles erschien jetzt wie eine Parallelgeschichte zu den Anfängen der
Revolution vor zwei Jahren: Aufstand in Andalusien gegen die
Regierung der Gemäßigten wie damals gegen die der Königlichen;
drohende Rundreise der Bewegung durch die Provinzen; Sieg der
Regierung an dem Heerde der Revolution durch Campoverde wie
damals durch Freire; scheinbarer Fortbestand der Moderadoregie-
rung wie damals der königlichen Gewalt, obgleich ein völliger
Wechsel der Dinge jetzt wie damals im Augenblicke der Regierungs-
erfolge durchschlug.   Denn plötzlich wandelte sich nun der letzte
Windhauch der Mäßigung wieder in brausende Stürme einer ganz
entgegengesetzten Richtung um, obwohl auch diese noch keine rechte
Dauer behielt.   Die Gesellschaft der Volksfreunde, die Ringträger
(anilleros), (wie sie wegen ihres beabsichtigten Abzeichens hießen)
wurde, kaum entstanden, eine Zielscheibe alles Geifers der serti-
rischen Presse und Versammlungen, daß die Gründer alsbald an
aller Gesetzherrschaft verzweifelnd zurücktraten.   Dieselbe plötzliche
Veränderung griff in die Cortes über.   Als die angeführten
2 Febr. Repressivgesetze[1] zur Berathung standen, spie derselbe Calatrava,
der sich eben mit den Toreno und Martinez de la Rosa versöhnt
und in jenem gemäßigten Club verbunden hatte, voll Mißtrauen
gegen den zweideutigen König Feuer und Flamme gegen eben diese
Vorlagen, die von eben diesen Freunden als unerläßlich verfochten
wurden; und er fiel in die Ränke des Decembers zurück, als er auf
eine Erklärung der Cortes antrug, daß sie sich nicht in der Lage be-
fänden solche Gesetze zu beschließen, so lange die Hauptursache der
bestehenden Anarchie, das Ministerium, nicht beseitigt sei.   Dann

aber, als nach Abweisung dieses Antrags[1] am folgenden Tage [3. Febr.] Toreno und Martinez de la Rosa auf den Straßen angefallen, in ihren Häusern von den Rieguisten mit Dolchen bedroht und kaum von dem Militär unter Morillo's kräftiger Hand geschützt wurden, sprach sich Calatrava scharf gegen diese Schandthaten aus und stimmte nun wieder für die Repressivgesetze. In umgekehrter Richtung wechselten die Minister in diesen Tagen dem König gegenüber die Farbe. Sie, die sich durch eben jene Gesetze ein Verdienst um Ruhe und Mäßigung machen wollten, aber freilich ihre Stellen einmal verwirkt wußten, setzten gleich darauf, als es sich um die Thronrede zum Schlusse der Cortes[1] handelte, alle Rücksicht gegen [14. Febr.] den König so zur Seite, daß sie, eine spätere Maasregel der äußersten Noth schon jetzt ins Auge fassend, eine Andeutung auf seine mögliche Entfernung aus Madrid machten. Der König sagte sie im heftigsten Zorn auffahrend mit der Aeußerung weg, sie sollten bald erfahren ob er Muth habe oder nicht; und er bekräftigte diese Worte durch eine Anspielung im Stile seiner Camarilla, die die Berichter dieser Scene nicht würdig fanden nachzusprechen[12]. Die Minister gaben ihre Entlassung ein, der König aber durfte auch jetzt nicht wagen, sie nach seinen Wünschen zu ersetzen, da Madrid aufs neue in Bewegung kam.

Was war das Lösewort dieser seltsam verschlungenen Räthsel, die damals von Bewegungsmännern selber in der Nähe und in der Mitte der Ereignisse eingestandenermaßen nicht begriffen wurden? die fast in allen geschichtlichen Darstellungen als ungelöste Räthsel vorgetragen werden, obgleich die bloße Vergleichung der Daten gleichzeitiger Vorgänge im Auslande den einfachsten Schlüssel entgegenbot? Er lag in den Verhältnissen des Nachbarreiches. Nur vier Tage nach der Regierungsbotschaft über die Gaditaner Er-

---

12) Stapleton, life of Canning.

eigniffe an die Cortes war Villèle an der Spitze der Ultras in
Frankreich zur Regierung gekommen und zwar grade in Folge einer
parlamentarischen Verurtheilung der äußeren Politik des Herzogs
• von Richelieu. Da zog ein Sturm auf, bei dem auch die verzwei-
felsten Radicalen begriffen und in den geheimen Gesellschaften die
Losung dahin gaben: daß es nun ganz und nur um einträchtiges
Zusammenstehen gegen den König gelte, dem jener Ministerwechsel
in Frankreich eben so entschieden ein Zeichen zur Zerstörung der Verfassungsordnung war, wie vor zwei Jahren die Ermordung des
Herzogs von Berri ihm ein Wink zur Nachgiebigkeit gewesen war.
Gleich darauf aber verbreiteten sich dann wieder die Nachrichten,
wie das royalistische Ministerium damit begrüßt wurde, daß die
französischen Unabhängigen ihr Vaterland gleich am Neujahrstag
und später in wiederholten Versuchen mit Pronunciamentos im
Stile des Inselaufstandes von 1820 aufzuwiegeln strebten. Die

'vgl. 3. 511.   Eine Neuigkeit, deren Geschichte uns bereits[1] bekannt ist, hatte die
Schleußen der Mäßigung und Einigung, um die Scheide der
Jahre, so plötzlich vorzuziehen gestattet; die andere, über die wir
später noch zu berichten haben, brach sie in kürzester Zeit wieder
durch, und dieses Mal für immer.

**Die Thätigkeit
der Cortes und
ihre Folgen.**
'15. Febr.   Als die Vorbereitungssitzungen der ordentlichen Cortes von
1822[1] eröffnet wurden, datirte Calatrava von diesem Tage eine
neue Epoche in der Geschichte der politischen Wiedergeburt des
Landes. Und darin lag eine traurige Wahrheit. Die zweijährige
Legislatur der Cortes, die in ihrer Mehrheit die Grundsätze der
Mäßigung bekannt hatte, war nun zu Ende. Die Versammlung,
die jetzt an ihre Stelle trat, beherrschten die Exaltirten. Ihre Zusammensetzung erinnerte nur allzu grell daran, daß sie mitten in
den letzten Wirren unter den siegreichen Einflüssen der Rieguisten
gewählt worden war. Kaum daß drei bis vier Mitglieder des

Adels und der hohen Geistlichkeit in ihren Reihen saßen; die bittersten Feinde der Regierung, Riego, Escobedo, der in den Sevillaner Unruhen obenan gestanden, Beltran de Lis, Alcala Gallano
u. A. erschienen als leitende Häupter, die den großen Haufen der
erfahrungslosesten und unfähigsten aller Gesetzgeber zu ihrem blinden Gefolge hatten. Diese Gestalt der neuen Cortes ließ keine
Saat einer vernünftig besonnenen Gesetzgebung für die Zukunft
voraussehen; und was diese trübe Aussicht noch trüber machte, das
war, daß selbst die legislatorische Saat der abtretenden Gemäßigten, so weit sie zur Erndte stand, nur Früchte wie aus Drachen-
zähnen zu tragen drohte. Eine danklosere Rolle als diese scheiden-
den Cortes hat kaum je eine andere Versammlung achtbarer, wohl-
meinender Männer zu spielen gehabt. Die krampfhafte Unruhe,
von der das spanische Volk mehr und mehr nun erfaßt ward, war
in einer Reihe von Beziehungen durch ihre gesetzgeberischen Neuerungen veranlaßt. Kein Stand, keine Klasse, die nicht in ihrem
gewohnten Schlendrian durch sie war aufgestört worden, die nicht
durch ihre Reformen von augenblicklicher Schädigung betroffen, der
künftigen Entschädigung aber ungewiß war. Kaum ein Beispiel,
ein Zweig, ein Act ihrer Thätigkeit, der nicht dem Tadel, und
selbst wohl verdientem Tadel wäre ausgesetzt gewesen, kaum einer,
der nicht verderbliche Folgen gehabt, und doch kaum einer darunter,
der unzeitig, unnöthig, zweckwidrig wäre ergriffen worden, oder
von irgend einer anderen Versammlung unter den obwaltenden
Verhältnissen wesentlich anders hätte ausgeführt werden können,
und selbst besser ausgeführt weniger schädlich ausgeschlagen wäre.
Als Wächter der Verfassung hatten die Gemäßigten immer den
Wahlspruch der französischen Constituante im Munde geführt: die
Verfassung, nichts mehr nichts minder; sie hatten sich aber von
verschiedenen Seiten die verschiedenen Vorwürfe zugezogen, daß sie
insgeheim doch allerdings etwas weniger wollten, öffentlich sich

dagegen jeden Augenblick zu etwas mehr, zu so vielen so viel ge-
schmähten Uebergriffen in die ausübende Gewalt, dahinreißen
ließen; und doch wären, in der unnatürlichen Stellung zwischen
einem treulosen König und einer überreizten Gegenparthei, diese
Abweichungen von einem gesunden Grundsatze unmöglich ganz zu
vermeiden gewesen. — Die zeitverschwenderische Vielgeschäftigkeit
der Versammlung, die oft wie eine Verwaltungsbehörde, ja wie
eine Stelle für die kleinsten Oertlichkeitsinteressen erschien, hatte
dem Spotte so mancherlei Stoff geboten; und doch entsprach sie
dem Bedürfnisse des unberathenen Landes so sehr, daß aus all
seinen Theilen die Bitten und Beschwerden nie aufhörten den Cortes zuzuströmen, die aus ihrer letzten außerordentlichen Sitzung der
folgenden Legislatur nicht weniger als 500 begutachtete und 1600
unbegutachtete Einläufe hinterließen. — Eben so überfruchtbar
und doch eben so unerläßlich und doch eben so schädlich durch viel-
gestaltige aufstörende Eingriffe in alle denkbaren Verhältnisse, wie
diese regierende und verwaltende Thätigkeit der Cortes, so war
auch ihre eigentliche gesetzgeberische Thätigkeit gewesen, und sie besonders je ergiebiger an Beschlüssen, desto trächtiger an Unheil.
Glücklich noch, wo ihre Gesetzarbeiten aus Mangel an Vorbereitung erfolglos und dadurch unschädlich blieben: wie es mit der
prachtvollen Unterrichtsordnung[1] geschah, zu deren Ausführung das
Geld wie das geistige Capital gemangelt hätte; wie es mit dem
Strafgesetzbuch[1] der Fall war, dem von den Spaniern höchstgeach-
teten Denkmal der Thätigkeit dieser Cortes, in dem selbst ein Niebuhr moralische Ideen fand, wie sie die französische Gesetzgebung
nicht kannte, während es Bentham's harte Kritik wegen seiner viel-
fachen Härten und dem mit Blut geschriebenen Artikel über Reli-
gionsvergehen einen Todtentanz nannte. Das eigentliche Verderben lag in den Reformgesetzen, die in alte Rechte und Besitze
verletzend eingriffen und dadurch die gefährlichste Gährung in alle

Schichten dieses Volkes warfen, das seine leicht erregte Unzufriedenheit so gern in Selbsthülfe, in Widersetzlichkeit, in Gewaltsamkeiten auszutoben liebte. Dem 1820 verschobenen Gesetz über die grundherrlichen Rechte, das in der ordentlichen Sitzung von 1821[1] erlassen wurde, versagte zwar der König die Bestätigung; die bloße Kenntnißnahme von den Beschlüssen der Cortes war aber hinreichend gewesen, die Gutsunterthanen zur Versagung ihrer streitigen Leistungen aufzureizen und die Behörden von der strengen Anwendung der Gesetze abzuschrecken. Der Groll, den die Gutsherren und der Adel über diese Beschädigungen einsogen, war groß; nicht zu vergleichen war er mit dem Ingrimm, der sich in der Geistlichkeit über die Veränderungen in ihrer Lage ansammelte. Seit dem Erlaß des Klostergesetzes hatten sich die Beschwerden darüber von Tag zu Tag gehäuft; statt der öffentlichen Meinung etwas zu weichen, trotzten ihr die Cortes von 1822 noch mehr und verfügten, unter gewaltigen Ausbrüchen ihres Hasses gegen Rom und den verfassungsfeindlichen Klerus, daß in den Gemeinden unter 450 Einwohnern alle Klöster sollten aufgehoben und ihr Vermögen eingezogen werden: das deckte der Geistlichkeit den letzten Gedanken der Neuerer, die Unversöhnlichkeit gegen ihren ganzen Stand, auf, und in den Cortes sammelte sich nun mitten im Schooße der Exaltation eine geistliche Parthei, die unter dem Schilde einer geheuchelten Uebereinstimmung mit den allgemeinen Grundsätzen der Radicalen sie in allen einzelnen Fällen anfing zu bekämpfen. Die 1820 in Aussicht genommene[1] Herabsetzung des säcularisirten Zehnten[2] (um die Hälfte) wurde jetzt[1] ausgeführt. Die Cortes schlugen die[3] Bedürfnisse des Klerus auf 250 Mill. an; den Zehnten (um 1808 noch 620 Mill. werth) schätzten die Minister jetzt nur auf 335 Mill.; diesen Ueberschlag hielten dagegen die Cortes für zu gering gegriffen und nahmen bei ihrer Herabsetzung 500 Mill. an, mit deren

IV.   18

Hälfte also die Bedürfnisse der Geistlichkeit gedeckt sein sollten. Aber diesen Berechnungen fehlte durchaus aller Boden; man wußte nicht was man wissen mußte, um hier sichere Entscheidung und Fürsorge treffen zu können. Bald zeigte sich, daß die Geistlichen von dem überwiesenen halben Zehnten nicht leben konnten, während auf der andern Seite die äußerste Noth der Gemeinden ebenso gewiß war; die Bedrängniß schrie gegen die Maaßregel von allen Seiten. Durch die Herabsetzung des Zehnten sollte, nach der Schätzung des Cortes-Ausschusses, der Grundbesitz um 250 Mill. erleichtert werden, damit er dann die directe Grundsteuer um so 27. Jan. 1821. leichter ertragen könne, die[1] auf 150 Mill. festgestellt ward. Für die Vertheilung dieser und anderer Steuern aber gestanden die Minister abermals durchaus keine festen Grundlagen gehabt zu haben, und sie wünschten dringend, daß man an ihren Vorschlägen nichts ändere, weil irgend eine Begünstigung irgend einer Provinz das Verlangen der gleichen Erleichterung von allen andern nach sich ziehen und überall die Unzufriedenheit steigern werde, die wie alle Klassen und Stände so auch, wieder aus anderen Gründen, alle Provinzen und Oertlichkeiten durchwühlte. Die Cortes hatten eine 11. Jan. 1822. neue Landeseintheilung[1] in 51 Provinzen beschlossen. Es war auch dieß ein unabweisliches Bedürfniß gewesen, weil unter der zuvor bestandenen die Deputationen der großen Provinzen wie Aragon erdrückt von Arbeitslast waren; aber auch zu diesem Werke fehlte jede statistische Unterlage, und man sah voraus, daß man die unvollkommene Arbeit demnächst wieder beginnen müsse, dieweil man inzwischen allen provinziellen Hader und Neid zwischen Districten und Gemeinden aufregte, in denen die Verfassungsfeinde dann breiten Raum fanden sich einzunisten. Zahllose ähnliche Handhaben gab es für diese Handlanger der Gegenrevolution in den Eifersüchteleien und den Widersetzlichkeiten der Provinzen. Die Regierung

hatte[1] Befehl zur Einrichtung der Grenzzölle in Biscaya und Na- [*10. Dec. 1820.]
varra und zur Nachverzollung der 1820 noch unversteuert einge-
führten Waaren gegeben; die Provinzen weigerten die verlangten
Angaben über diese Waaren zu machen, worauf die Regierung die
Anschläge für die einzelnen Provinzen und Seestädte selber aufstellte; darüber gab es Streit zwischen den Provinzen unter einander
und mit der Regierung; und auch diese Leidenschaften beuteten
dann die Royalisten zu ihrem Vortheile aus. Der Zolltarif war[1] [*27. Oct. 1821.]
zu erneuter Berathung gekommen; die Erhaltung des Verbot-
systems hatte auch den Schmuggel aufrecht erhalten, gegen den man
jetzt[1] ein strenges Gesetz erließ; da zeigte es sich, daß selbst die Ge- [*21. Nov. 1821.]
setzgeber von Moreno Guerra's Schlage mit diesem Gewerbe sym-
pathisirten, in dem sie kaum ein Vergehen erkannten: was Wunder
dann, wenn auch diese Volksklasse der „Handelsleute" mehr wie je
ein bereites Material darbot für die gewaltthätigen Entwürfe der
Absolutisten. Für dieses Gewerbe war von jeher Catalonien durch
seinen Bergcharakter, die Schlechtigkeit der inneren Wege und die
Nähe der Marseiller Depots der klassische Boden gewesen: wo es
kein Thier und keinen Kahn gab, das nicht diesem Handwerk dienen
mußte, keine Bucht und Schlucht, die nicht Zeuge der Contraban-
distenthaten gewesen, von denen die Namen und Lieder den Weg
nach der Hauptstadt, dem Hof und der Bühne fanden. Grade hier
nun wirkten örtliche Ursachen und zufällige Verhängnisse hinzu,
dieß waghalsige Geschlecht jetzt wieder in die Versuchung zu treiben,
den Schleichhandel mit der Guerilla, mit dem Bürgerkriege zu ver-
tauschen. Fahrzeuge aus der Havana schleppten in den Hafen von
Barcelona[1] das gelbe Fieber ein. Die klimatischen, städtischen, ge- [*Juli 1821.]
sellschaftlichen Eigenthümlichkeiten und Mißstände an diesem Orte,
die Sommerglut, die Lässigkeit der Polizei, die Unfähigkeit der Ge-
sundheitsbehörde, die Gierigkeit des Handels, eine Art fanatischer
Sorglosigkeit der Einwohner, die bis zum Irrsinn ging, gaben der

18*

Seuche rasch eine furchtbare Nahrung [13], so daß nach drei Monaten, wo schon 10,000 Menschen der durch die Flucht gelichteten
Bevölkerung gestorben waren, die tägliche Sterbeliste bis über 400
stieg, während zugleich der allzulang offen gelassene Verkehr mit
dem Hafen die Ausbreitung der Seuche nach außen, an der Küste
und dem Ebroufer hin, veranlaßt hatte. Unter dem Einbruch dieses
schrecklichen Unglücks wurde die Provinzialregierung völlig gelockert
und der ordnungslose Zustand, der dadurch für ein volles halbes
Jahr erwuchs, arbeitete mit Anderem zusammen, der glimmenden
Rebellion hier den nachhaltigsten Brennstoff zu bereiten. Hier
waren die Bischöffe unter den ersten und offenen Gegnern des neuen
Systems gewesen. Hier waren die Königlichen durch die neuer-
lichen Verfolgungen [1] zu einer gereizten Faction geworden, bereit
von Worten zu Streichen zu kommen. Hier war die Gelegenheit
zu der Handreichung mit den französischen Royalisten gegeben, was
nachher dem Aufstand grade hier einen Halt und eine Stärke gab,
die er sonst nirgends zuvor erlangen konnte. Hier war unter der
Sperrung und Störung alles Verkehrs der Nothstand des unbe-
schäftigten Volkes so gesteigert, daß nun die Schmuggler mit so
vielen Abgesetzten und Aufgehetzten, Reformirten und Pensionirten
zu den königlichen Banden zusammenströmten, die sich auf beiden
Enden der Pyrenäenlinie sammelten und zu Vertheidigern von
Thron und Altar aufwarfen. Leider beschränkte sich dieser Nothstand nicht auf Catalonien. Der Mangel war in Folge der Dürre
und Mißernbte von 1821 auch über viele andere Provinzen verbreitet, der Verfall von Handel und Industrie in Folge der innern
Unruhen und des Abfalls von America ganz allgemein. Die
schrecklichen Uebelstände seit 1820 hatten nicht aufgehört; das Un-

13) J. Henry, relation hist. des malheurs de la Catalogne en 1821.
Paris 1922.

heil der Steuerrückstände dauerte aus einer Reihe zusammenarbei-
tender Ursachen fort: aus wirklicher Noth, aus üblem Willen, aus
mangelhafter Ordnung der Erhebung, aus Trägheit und Macht-
losigkeit der Intendanten. Trotz aller redlichen Bestrebung kam daher die Regierung aus ihrer frühern Mittellosigkeit nicht heraus.
Alle Steuer- und Zollanschläge hatten sich zu hoch erwiesen; der
neu aufgestellte Finanzplan hatte nach sechs Monaten die Wirkung, daß alle Berechnungen getäuscht, daß die öffentlichen Verpflichtungen gegen das Heer, gegen das Beamtenthum zu einem
großen Theile, wie früher immer, unerfüllt blieben, daß der Schatz
leer, das Land in der peinlichsten Lage war. Diese allgemeine Noth
gab dann überall die vielen Brodlosen in dem verwilderten Volke
den Verführungen der Uebelgesinnten Preis, den schleichenden Entwürfen des Hofes, den offenen Feindseligkeiten der Aufrührer,
zwischen denen sich jetzt ein fast offenes Bündniß knüpfte.

Den König zerquälte alle die Zeit her die Ungeduld über seine *Der König und die Gegen-rebellion.*
Unmacht, sich der verhaßten Verfassung zu entledigen. Er mochte
erwartet haben, daß ihm die Congresse der Ostmächte irgendwie
eine baldige Erlösung brächten; sie erfolgte aber nicht, weil in
Bezug auf das Ob und Wie der Dazwischenkunft in Spanien
weit nicht die Dringlichkeit, Klarheit und Entschlossenheit waltete,
wie in der neapolitanischen Frage. Es lag hier in dem Verzuge
keine nahe Gefahr. Man wollte doch in Italien seine Kräfte erst
ausprüfen und die Erfolge des Sieges nachwirken lassen. An
manchen höchsten Stellen, unter den einflußreichsten Klassen, bei
so vielen Tories in England, in den Kreisen der revolutionsfeind-
lichsten Männer wie Stein und Niebuhr in Deutschland stand
man doch grade zu dieser Revolution ausnahmsweise sehr versöhnlich. Man stutzte doch über die anfängliche Mäßigung und
Einigkeit der spanischen Nation und scheute wohl auch bei der

Erinnerung an ihre Empfindlichkeit gegen alle fremde Einmischung
etwas zurück. Man wartete daher gerne zu, bis die Dinge in sich
selber reifer würden und im Inneren vielleicht zu einer Selbsthülfe
führten. Einige Rücksicht hatte man immerhin auf England zu
nehmen; ganz besonders kitzlich aber war das Verhältniß zu
Frankreich, das den Ostmächten eine Invasion in Spanien nicht
hätte gestatten können, denn hinwieder die Ostmächte eine Einschreitung auf eigne Hand nicht gönnten; zu der sich übrigens
auch die französische Regierung, so lange Richelieu am Ruder war,
nie hergegeben hätte. Der friedliche Mann suchte fortwährend in
Madrid eine besonnene Parthei zu bilden, zu dem Zwecke, die
Cortesverfassung in eine Art französischer Charte umzubilden, ein
Plan, zu dem jetzt selbst England, um nur ja einen französischen
Einmarsch zu verhüten, beifälliger hinsah. Der französische Gesandte in Madrid, Herzog Laval von Montmorency, hatte das
Geständniß von Arguelles, daß die Gemäßigten alle solch eine
Verfassungsänderung wünschten, wenn sie nur dem König gegenüber
sicher ausführbar wäre; noch mehr hatte er das Ministerium Feliu
für sich, von dessen auswärtigem Minister er rühmte, daß er du
drapeau blanc sei[14]. In der Aussicht nun, zu solch einem friedlichen Ziele zu kommen, hatte Richelieu bei König Ferdinand
immer alle unsinnigen Versuche gewaltsamer Gegenrevolution verbeten, deren üble Folgen Frankreich wohl mitbetreffen konnten;
und er hatte zur Zeit der Maaßregeln gegen Neapel, als die spanische Regierung Erklärungen über die Absichten der Mächte verlangte, von dem Gesandten, mündlich wenigstens, die Versicherung
geben lassen, daß sein Hof an keinerlei Einmischung denke. Die
eingeschrittene Macht dagegen, Oesterreich, hatte auf dieselbe Frage,

---

14) Niebuhr an Stein. Perz' Leben Steins 5, 618.

als sie¹ an sie gerichtet ward, gar keine Antwort gegeben. So 'Febr. 1521. zeigte man der spanischen Regierung das Damoklesschwert der Intervention aus der Ferne; aber auch dem König schien man sich nicht zu beeilen das Damoklesschwert der Revolution über dem Haupte weg zu nehmen. Dem stellte sich nun der König in ähnlicher Weise gegenüber. Er hätte sich die Demüthigung fremder Einmischung am liebsten gespart; aus den Papieren Vinuesa's ist zu ersehen, daß man sich in seiner Umgebung gern mit eigner Kraft geholfen hätte. Die Entwürfe dieses Ehrenkaplanes selbst (im Januar), der Ministerwechsel (im März), die Versuche die Garden aufzustiften (im Mai) und die Oberbehörden von Madrid zu demoralisiren, waren lauter Schritte zu diesem Ziele; da es mit allem sehr ging, so griff der König nun, nachdem auch die Schlußerklärung aus Laibach ihn ohne jede Aussicht auf nahe Hülfe ließ, zu schärferen Mitteln: er ging von der Verschwörung zum Aufstand, von der Palastintrigue zum Bürgerkrieg über und suchte zu der inneren entschiedner die äußere Hülfe. Er wollte nun Frankreich zu bewaffneter Dazwischenkunst bestimmen und dazu galt es, eine spanische Schilderhebung für seine Zwecke zu erlangen, über diese Zwecke aber die französische Regierung zu täuschen. Ihm selber war kein Rathschlag genehm, der nicht, wie die der österreichischen oder russischen Agenten von Buturlins Schlage, auf Herstellung des Absolutismus einschließlich der Inquisition hinausliese: wollte er aber des nahen Frankreichs baldige Hülfe, so mußte er dessen Regierung den Glauben an seine Bereitwilligkeit zu einer bloßen Verfassungsänderung beibringen. Dieses Spiel ward so geschickt gespielt, daß die allerergebensten Hofleute seiner nächsten Umgebung unsicher über des Königs eigentlichen Willen und theils für eine Charte, theils für die Unumschränktheit partheit waren, daß General Cordova z. B. später selber gestand, für eine spanische Charte arbeitend wider Willen zum Werkzeug der Despotie ge-

worden zu sein[13]. Der König schickte also Mitte 1521 den 70jäh-
'vgl. 2, 156. rigen General Eguia[1] und einen Beamten des Kriegsministeriums,
Morejon, nach Frankreich, um eine Centraljunta für eine royalistische Gegenbewegung zu bilden. Die schriftliche Ermächtigung,
die er Eguia gab, ging ganz auf den französischen Plan einer
veränderten Verfassung ein. Die gänzliche Unfähigkeit des alters-
schwachen Bevollmächtigten aber, der, umgeben von anrüchigen
Leuten, die seine spärlichen Mittel durchbringen halfen, in Bayonne
bei einer Pastetenbäckerin wohnte, die die Vertraute und Ausplau-
derin all seiner Geschäfte ward, machte diese diplomatische Einleitung zu einem lächerlichen Scandal; und bald lenkte sich die
Aufmerksamkeit der spanischen Flüchtlinge wie ihrer royalistischen
':gl 2,154.3,359. Gönner in Frankreich von Eguia ab auf den Marq. Mataflorida[1],
der in Toulouse seit lange auf Errichtung einer Regentschaft als
Mittelpunct der Agitation für den neuen König sann[16], und in
diesem Sinne Darstellungen, Vorstellungen und Gesuche um die
'Rev. Dec. 1821. Rettung seines Fürsten[1] an alle Höfe sandte, unermächtigt, nicht
achtend der Person Eguia's noch seiner königlichen Weisungen:
denn er glaubte Ferdinand's eigentliche Meinung besser zu wissen,
wie die kundigen Geistlichen Alle, wie der Großinquisitor that,
der Eguia's Papier später einen „Wisch" nannte, auf den es
kindisch sei Schlösser bauen zu wollen. Unfruchtbar aber wie
dieses heimliche Treiben der rachsüchtigen Flüchtlinge war, blieb
zur Zeit auch noch die offene Empörung in den Bergen. So lange
Catalonien gesperrt war, war der Hauptheerd des Aufstandes in
Navarra, wo D. Santos Ladron, ein reicher Gutsbesitzer und

---

15) Memoria justificativa que dirige a sus concludadanos el General Cordova. Madr. 1837.

16) Man hat von Mataflorida selbst einen Auszug aus den Original-
papieren der Regentschaft von Urgel, aus denen das Folgende entnommen ist.
Bei Miraflores, apuntes. Doc. 2, 32 ff.

einstiger Kriegsgenosse Mina's, seine Bauern ins Feld stellte, und in Biscaya, wo J. Villanueva (Juanito) aus Flüchtlingen, Mönchen, Studenten, Ausreißern und Schleichhändlern den ersten Kern der späteren „Glaubensarmee" bildete. Mit der Abnahme der Seuche zog sich dann der Aufstand nach Catalonien über, wo der Räuber Tomas Costa (Misas) neben den A. Coll, Montaner u. A. an der Spitze ähnlicher Schaaren den frommen Royalisten spielte. All das aber blieb ohne Bedeutung und in Spanien selbst ohne ernstere Beachtung, so lange das Ministerium Richelieu bestand. Sobald es fiel, änderte sich Alles. Der Aufruhr nahm nun eine ganz anders trotzige Gestalt an; die Einverständnisse der Royalisten beider Länder, die Rührigkeit der Flüchtlinge, das kecke Selbstvertrauen der Aufrührer, der Zuzug zu ihren Fahnen ward stärker. Es war der Wendepunct, wo sich das Glück nach der königlichen Seite zu kehren anfing; und es ist (im Gegensatz zu der angelsächsischen Natur) der Genius der Romanen, scharf auszuwittern, wohin Macht und Gewalt sich neigen und sich auf deren Seite zu stellen. Es war grade um die Zeit dieses Ministerwechsels, daß sich die letzten Spuren der Seuche[1] verloren. Sie [1 Jan. 1822.] von Frankreich abzusperren, war im Herbst ein Cordon von 8000 Mann, auf 340 Posten vertheilt, an der Grenze aufgestellt worden. Die Maasregel, während der Seuche unerläßlich gegen die Verwegenheiten spanischer Schmuggler und selbst Zollbeamten, war jetzt überflüssig geworden, aber nun wurde sie darum nicht aufgehoben. Bald sah man vielmehr den Cordon sich verstärken, bald hörte man, daß Pontonniers und Artillerietrains dazu stießen, die zur Gesundheitswache nicht dienten. Die Sympathieen der royalistischen Grenzbehörden wurden erklärter. Es war schon früher geschehen, daß wenn die „Christen" (die Aufrührer) von den Constitutionellen, die sie die „Spanier" schimpften, über die Grenze geworfen wurden, die Gunst der Königlichen ihnen den

fremden Boden zur Zufluchtsstätte und zur Rüststätte neuer Angriffe machte. Jetzt gestattete man auch Waffenniederlagen und
öffentliche Sammlungen und Kirchenspenden zur Beschaffung von
Kriegsvorräthen. Bald konnte man merken, wie den Flüchtlingen
an der Grenze, wie ihren Freunden im innern Spanien zu einzelnen
Wagnissen, zu größeren Unternehmungen der Kamm schwoll. In
Madrid selbst, wo Riego's Anhang im Militär in steten Händeln
*März. mit den Garden lag, wurde schon[1] das Geschrei für den reinen König
*17. März. erhoben. In Valencia kam es gleichzeitig[1] zu blutigen Raufereien
zwischen dem Volk und der königlich gesinnten Artillerie, und in
*19. März. Pamplona zu einem Zusammenstoß der Truppen[1] mit der roya-
listischen Miliz und bewaffneten Bauern. Um eben diese Zeit ließ
Mataflorida seine Regentschaftsplane bis zu Billèle gelangen;
*April. zugleich setzte er sich mit den catalonischen Freischaaren[1] in Ver-
bindung, die er sofort mit Geld aus seinem eigenen Vermögen
unterstützte und mit dem Beistande des Bischofs von Urgel mehr
und mehr zu leiten begann. Alsbald schwollen ihre Unternehmungen zu größerer Ausdehnung an und drangen aus dem furcht-
samen Grenzversteck mehr in das Innere vor. In all diesem
Spiele, das Schreck und Wuth in die Hauptstadt und die Cortes
warf, sahen die Feuerköpfe unter den Volksvertretern die fördernde
Hand der französischen Regierung, die aufstiftende Hand König
Ferdinand's aus dem Versteck die Steine schieben. Von dem König
berichtete der englische Gesandte gleich um die Zeit des französischen Regierungswechsels als eine offenkundigste Sache, daß er an
dem Aufruhr unmittelbaren ermuthigenden Antheil habe.

Fortsetzung. Drittes Moderado-Ministerium Martinez de la Rosa. 1. März. Es war unter den ersten bedrohlichen Gestaltungen der Grenz-
aufstände gewesen, als die ordentliche Sitzung der neuen Cortes[1]
eröffnet wurde. Sie legten in ihrer ersten Handlung ihr ganzes
Partheibekenntniß ab, indem sie zu ihrem Präsidenten, so untaug-

lich er für den Posten war, Riego erwählten. Der König zitterte
vor Furcht und Zorn über diesen Schritt, der ihm für die Sitzungs-
zeit eine scharfe Ueberwachung ankündigte und jeden Gedanken
abschnitt, mit einem reactionären oder auch nur unbedeutenden
Ministerium vor dieser Versammlung zu erscheinen. Erst in Folge
dieser Wahl übertrug er daher die Bildung einer neuen Verwaltung an Martinez de la Rosa. Der Ausersehene sträubte sich anfangs; aber der König zog ihn wie früher Arguelles in die Falle,
indem er ihn bei Gemüth und Ehre faßte: was aus ihm werden
solle, wenn ihn in solcher Zeit die Ehrenhaftesten verließen! Martinez trat mit der Zierde der gemäßigten Parthei, die immer verfolgt und herabgewürdigt doch stets die einzig regierungsfähige
schien, mit Moscoso (Inneres), Gatell (Justiz) u. A. in die neue
Regierung ein, die ungefähr die Stellung der Feuillans einnahm
und den Beinamen der anilleros erhielt. In dem genau unter sich
verbundenen Kreise fehlte nur Toreno, der sich lieber auswärts (in
Paris) verwenden ließ, als sich in so ungemein erschwerter Lage
noch einmal in die gequetschte Stellung aller bisherigen Moderado-
Regierungen zu begeben zwischen dem jetzt ungleich verbitterteren
König und der überreizten Cortesversammlung, die von keiner gemäßigten Mehrheit länger gezügelt war. Des Königs Ergebene
hatten ihn vor dem überlegenen Talente des Ministerchefs gewarnt; er aber kannte seine Leute besser als sie. Martinez de la
Rosa war an Bildung und Redegabe, an Unbescholtenheit, an
Milde und Wohlwollen des Charakters einer der ersten Männer in
Spanien. Er hatte in jüngeren Jahren an der schneidenden Schärfe
der Beschlüsse und Handlungsweise der Radicalen nicht selten Theil
gehabt, war aber doch, an Englands Staatsverhältnissen frühe geschult, aus Kenntniß und Ueberzeugung ein Freund gemischter,
minder demokratischer Verfassung und hatte durch sein aufrichtiges
Bekenntniß gemäßigter Grundsätze selbst einen Theil des Adels für

sich einzunehmen gewußt; die Exaltirten freilich hatte er eben dadurch um so mehr gegen sich gereizt, die nun nicht Spott genug zu
ergießen wußten über die „Pastetenbäckerin Röschen" und sein
pastelero Ministerium, dessen Bildung all ihre Erwartungen betrogen hatte. Oft hatte Martinez de la Rosa den moralischen Muth
bewährt, der Ueberspannung in aller Offenheit sich entgegenzu-
werfen; er hatte zu den heftigsten Tadlern der lässigen Säumniß
gehört, die das Ministerium Feliu bei den Unordnungen der Ueber-
schwänglichen bewies, und hatte den Untergang der Freiheit prophe-
zeiht, wenn das Gesetz nicht zur Herrschaft kommen könne; trotz
dem sollte er nun selbst diese Weissagung wahr machen helfen durch
seine eigene Säumniß bei den Gesetzwidrigkeiten der Servilen.
Denn Niemand war weniger zu einem wirklichen Partheihaupt geschaffen, weniger geschickt, in solchen Zeiten unter solchen Gegnern
mit Scharfsichtigkeit in dem Spiele der Ränke und der Leidenschaften immer das Schlimmste ins Auge zu fassen und ihm mit rück-
sichtsloser Energie zu begegnen. Martinez de la Rosa war ein
Mann des Kopfs, dessen politisch historische Schriften überall mehr
einen Theoretiker als einen praktischen Geschäftsmann verrathen;
ein Schöngeist, der früher und später mitten im Drange des Staats-
lebens oratorische Schauspiele und flaue Lustspiele schrieb, die selbst
trotz ihren vaterländischen Tendenzen nicht einmal auf dem Papier
den Eindruck eines starken Charakters oder eines starken Geistes
machen. In seiner neuen Würde, umgeben von einsichtigen, ord-
nungsliebenden, des Gangs der Revolutionen wohl kundigen
Männern, wiegte er sich selbstgefällig in die Hoffnung ein, die
einem Mirabeau verunglückte Rolle in Spanien geschickter hinaus-
zuführen und mit einer Verfassungsänderung die Anarchie im
Innern und den fernbrohenden Sturm der Intervention von Außen
zugleich zu beschwören. Er wollte unter französischer Vermittlung,
um die Toreno in Paris bemüht war, zu einer spanischen Charte

(wie es ihm erst viel später 1834 in dem I. Statute gelang) hin-
überleiten; er dachte so den König mit der Verfassungsordnung zu
versöhnen, indem er die monarchischen Grundsätze mehr betonte, dem
Throne mehr Achtung sicherte, der Anarchie den Krieg machte, die
Revolution eindämmte und bandeverhielt; die Exaltirten aber meinte
er zu beschwichtigen, wenn ihm gelinge den König zu gewinnen
und die Gegenrevolution zu unterdrücken. Statt nun aber an diesen letzten Zweck seine ganze Kraft und die regste Thätigkeit zu
setzen und dadurch der französischen Regierung, dem König und den
Exaltirten zugleich Achtung abzuzwingen, behandelte er die royalistischen Aufstände ganz in der Fahrlässigkeit des vorigen Ministeriums, das einst am ersten Tage seines Auftretens alle Verschwörungen für „Dummheiten" erklärt hatte; er spottete mit ironischer
Sicherheit der Straßenschreie der Madrider Serwilen, saß zu den
Tumulten in Valencia und Pamplona gleichgültig stille, spottete
über die Fortschritte jenes Mißas, dessen Triumphe auf eine
„Todtenmesse" hinauslaufen würden, und ließ in Paris nur flaue
Vorstellungen über die Fortdauer des Cordons und seine Unzuträg-
lichkeiten machen, die von dem dortigen Gesandten, Casa Irujo,
der dem Systeme ungünstig war, noch mehr verflaut wurden. Ueber
dieser Haltung verlor das Ministerium sogleich das Uebergewicht,
das ihm im Anfang der Sitzung, trotz dem erklärtesten bösen Willen der Cortes, seine geistige Ueberlegenheit in der That über die
Unerfahrenheit der herrschsüchtigen Neulinge in der Versammlung
gegeben hatte. Es war ihm gelungen, eine vorgeschlagene Adresse
an den König über die Vorgänge an und über der Grenze lange
in einem Ausschuß zu begraben; als sich aber die Dinge immer
mehr verschlimmerten, die Aufständischen jetzt schon Stärke genug
hatten, größere Orte wie Campredon[1] und Olot hinwegzunehmen, [1] 15. April.
nun wurde die Adresse hervorgezogen und[1] fast einstimmig selbst [1] 23. Mai.
von Gemäßigten wie Arguelles gebilligt. Das Actenstück klagte

die Verwegenheit an, mit der eine fremde Regierung auf die Unruhen in Spanien einwirke, und drang in den König, der Fremde
gegenüber zu erklären, daß Spanien nicht in der Lage sei Geſetze
anzunehmen, daß es seine Freiheit mit größerer Kraft vertheidigen
werde als früher seine Unabhängigkeit. Der König gab erst spät
eine lahme Antwort; er brütete über Antworten in Thaten. Er
war in Aranjuez, umgeben von seinen Getreuesten, von denen

'30. Mai. aufgestiftet am Ferdinandstage[1] die Umwohner ein viva dem abſo-
luten König brachten, in das die Palaſtleute und ein trunkner
Theil der Gardeinfanterie einſtimmten. Was den Vorfall ver-
dächtiger machte, war, daß an demselben Tage jene royaliſtiſchen
Artilleriſten in Valencia gleichfalls den reinen König und den ver-
haßten Elio hochleben ließen und dadurch die Rache des treuen
Militärs und einen gefährlichen Prozeß auf sich herabbeſchworen.
Beide Ereigniſſe entzügelten gegen die Miniſter alle Leidenschaften

'3. Jun. in den Cortes[1], wo der wüthende Beltran de Lis das Blut des
Kriegsminiſters verlangte, den er in die Aufstandsplane der Provinzen verwickelt nannte. Diesen Stürmen wäre die Regierung erlegen, wenn nicht die Sitzung ihrem Schluſſe zugegangen wäre,
wenn der Argwohn gegen den König nicht dem Haß gegen die
Miniſter die Wage gehalten und die Cortes in Unſchlüſſigkeit ge-
bannt hätte. Während viele Mitglieder der Opposition, selbſt ein

'22. Jun. Iſturiz und Canga Arguelles, zuletzt der Regierung geradezu ihr
Vertrauen ausſprachen, stellten Andere[1] im Mißtrauen gegen die
ausübende Gewalt den verfaſſungswidrigen Antrag auf die Bildung einer Commiſſion, die die Ausführung aller Decrete über die
Miliz überwachen sollte; und nur 71 Stimmen gegen 68 lehnten
ihn ab. Zwei Tage vorher war es geschehen, daß die Inſurrection
einen neuen ſtärkeren Schlag als je zuvor geführt hatte. Sie war

'9. Mai. seit dem Frühling immer im Steigen. Die Stadt Cervera hatte[1]
das conſtitutionelle Joch abgeworfen und blieb ſeitdem ein Spiel-

ball zwischen den kämpfenden Theilen; die zwistigen Behörden in Taragona und ihre Provinzialmilizen hatten täglich schwereren Stand; an der Spitze neuer Banden erschienen neue Häuptlinge, ein Jep dels Estañs, der[1] Solsona bedrängte, ein Romagosa und 'Ritte Juni. der barocke „Trappist" Ant. Marañon, die zusammen[1] die Forts '21. Jun. von Seu d'Urgel einnahmen, hier eine Junta errichteten und so dem Aufstand einen starken Mittelpunct für weitere Operationen gewannen. Hinter diesen Erfolgen wollte der König nicht zurückbleiben. Grade stand der Schluß der Cortes bevor. Dieß war noch immer ein Moment gewesen, wo man sich auf Reuigkeiten vom Hofe gefaßt machen konnte.

Als der König[1] aus der geschlossenen Versammlung nach dem Fortſetzung. Palaste zurückkehrte, erhob sich aus unsichern Ursachen Lärm und Die Juliiage. Auflauf in den Straßen; unter den Leibwachen wurden Rufe für '30. Jun. den reinen König gehört, und es kam zu einem Zusammenstoße mit dem Volke. Obgleich die Garden jetzt nichts weiter unternahmen, so sah man doch bald, daß ihrer Aufregung eine bestimmte Richtung gegeben war: als der Lieutnant Landaburu, ein freisinniger Gardeofficier, den Leibwachen im Schloße Vorwürfe über das Geschehene machte, wurde er von ihnen insultirt und tödtlich verwundet. Nach einem bangen Tage brach[1] in den Casernen der Garden '1. Juli. aufs neue ein dumpfer Aufruhr aus, der aber auch jetzt zu Handlungen nicht vorschritt. Morillo, dem man rasch den Oberbefehl über die Leibwachen noch zu seiner Generalcapitäne übertragen hatte, erwarb sich das Verdienst, an beiden Tagen die Ordnung erhalten und die Garden beschwichtigt zu haben, die ihn zu den Begünstigern des Absolutismus zählten. Inzwischen hatten die Constitutionellen Zeit behalten sich zu sammeln. Es fügte sich, daß eine Anzahl Bürger, Abgeordneter, Officiere und bald Bewaffnete aller Art zu der nahe beim Schloße gelegenen Caserne der berittenen

Artillerie zusammengeströmt waren, die dadurch wie zu einem Bollwerke, ja zum Regierungssitze der Verfassungstreuen ward. Diesem
Zufalle schien es zuzuschreiben, daß, wahrscheinlich auf einen Wink
des Königs, den die gegen das Schloß gerichteten Kanonen ängstigten, vier Bataillone der Garden mit Zurücklassung zweier Bataillone, die auf dem Schloßplatz gelagert waren, nach dem zwei
Leguas entfernten königlichen Landhause al Pardo aufbrachen. Die
Stadt Madrid, schon zwei Tage in Bestürzung und Furcht, war
am folgenden Morgen[1] in der seltsamsten Lage peinlicher Spannung und Unthätigkeit. Im Pardo und auf dem Schloßplatze
lagerten die rebellischen Leibwachen; in dem Schlosse waren Gal-
lerien und Gänge von lärmenden Aufständischen erfüllt, denen
das Schloßpersonal Geld und Cigarren vertheilte; auf dem Verfassungsplatze hatten Milizen und Constitutionelle ihr Standquar-
tier; auf dem St. Domingoplatze lag unter dem Befehle San
Miguel's, jenes Stabschefs Riego's, ein aus Patrioten gebilde-
tes „heiliges Bataillon", das Morillo und der Regierung mehr
Sorgen machte als selbst die Garden. Der Bürgerkrieg war ausgebrochen aber nicht begonnen; auf beiden Seiten Haß und Grimm
so groß wie Besorgniß und Furcht; auf keiner Seite Vertrauen zu
der eigenen Sache, für die man auf keiner Seite etwas wagte, wo
auf jeder Seite ein kühner Entschluß den entscheidendsten Sieg erfochten hätte. Man erfaßt gleichsam den Augenblick, wo die Kräfte
der königlichen und constitutionellen Gegner sich gleich gewogen
gegenüber standen; das Zünglein der Wage bildete Morillo, der
in beiden Lagern befehligte, in beiden ab und zu ging, wüthend
über die Aufständischen und wüthend über die Exaltirten zugleich
war, jeder Entscheidung aber so unschlüssig auswich wie der König
und sein Anhang, wie die Regierung und alle Behörden. Der
Stadtrath bot den Ministern[1] ein Asyl in dem Stadthause an, um
sie den Einflüssen des Königs zu entziehen; sie aber weigerten sich

'2. Juli.

'1. Juli.

und statt die großen vorhandenen Hülfsmittel anzuwenden um auf die Feinde einen Hauptschlag zu führen, schienen sie es ihres Amts zu halten, an diesen kritischen Tagen kaum ein Zeichen ihres Daseins zu geben. Die in Madrid anwesenden Cortesglieder drangen in den ständigen Ausschuß, den König zur Lossagung von seiner verschwörenden Umgebung aufzufordern und im andern Falle eine Regentschaft zu ernennen; selbst diese Körperschaft aber (so sehr erlosch hier das Feuer auch der Exaltirtesten, sobald der König persönlich in Frage kam) war zu versöhnlich, um so grell mit dem Fürsten zu brechen. Die Royalisten, die Garden handelten nicht weniger kraft- und planlos: sie hätten den König in Aranjuez halten, oder sie hätten statt abzuziehen die Stadt überrumpeln, oder sie hätten abziehend den König mit sich nehmen sollen; statt dessen erklärten sie sich im Pardo gegen den unterhandelnden Morillo bereit zum Abzuge, um die Garnisonen von Toledo und Talavera zu bilden; nur daß General Cordova, sei es auf eigene Hand, sei es auf Befehl des Königs, von diesem Schritte noch zurückhielt. Denn der König allein arbeitete zähe an seinen Zwecken weiter, aber auch Er ohne festen Plan und Entschluß. Gleich am ersten Tage des Aufruhrs waren die Gesandten in das Schloß geeilt; der französische Graf Lagarde, jetzt an Montmorency's Stelle, suchte sich des Dranges der Gelegenheit zu bedienen, um die lange verhandelte Abänderung der Verfassung zu erwirken; der König ließ die in seiner Umgebung, die sich die Finger verbrennen wollten, einstimmen; hinter ihren Rücken erklärte er seinen Vertrautesten offen, daß sein Wunsch auf Wiedererlangung der vollen Gewalt stehe [17]. Tags darauf hieß er den Staatsrath erwägen, ob nicht jetzt, wo sein Leben nicht gesichert sei, der Gesellschaftsvertrag vom März aufgelöst und Er in seine Rechte vor jener Zeit zurückgetreten wäre;

---

[17] Vida 2, 325.

IV.   19

und als der Staatsrath seinen Verfassungseid vorschützend erinnerte, daß, wenn jener Vertrag gebrochen sei, nicht die Nation es
'3. Juli. verschuldet habe, so richtete der König' einen Befehl an den Kriegsminister, die Staatsräthe, Militärcommandanten und die Minister
in einer Junta im Schlosse zu versammeln, um ihr dieselbe Frage
vorzulegen: In dem elenden Fürsten, vor dessen Charakter jede
sittliche Betrachtung verstummt, stieg der Gedanke des unglücklichen
Minueſa wieder auf, die so versammelten Behörden festnehmen zu
laſſen. Die Minister lehnten ab, auf die gestellte Frage einzugehen,
den Verfassungsartikel anziehend; der den Staatsrath zum einzigen
Rathe des Königs bestimmte. Indessen blieb die Bewegung im
Volke, auf die der selge König immer zu rechnen und zu warten
ſchien, aus; die Plane des franzöſiſchen Geſandten ſchienen eine
Weile wieder mehr Gehör zu finden; ſchon am Abend aber war
wieder Alles geändert; der König antwortete in Umſchweifen und
ließ merken, daß er andere Gedanken gefaßt. Als nach einer Be-
'4. Juli. rathung mit dem Staatsrath die Minister' ihre Entlaſſung ein-
'5. Juli. gaben, nahm ſie der König' nicht an, weil, wie er eigenhändig
ſchrieb [18], die kritiſchen Zuſtände des Reichs ihren Urſprung in
ihren Regierungshandlungen haben könnten, für die ſie verantwortlich ſeien! Und als ſich die ſchwachen Leute, denen er ſo ſchon
eine peinliche Anklage vorbereitete, nun in ihre Häuſer zurückziehen
wollten, ließ er vor ihnen die Thore ſchließen und gab ſie im Pa-
laſte den ſchmählichſten Beleidigungen und Entbehrungen Preis.
Der Grund zu dieser veränderten Haltung des Königs wurde bald
bekannt: es war ſchon früher die Nachricht gekommen, daß in
'25. Juni. Caſtro bei Rio (Andaluſien) eine Abtheilung Carabiniers' die königliche Fahne aufgepflanzt und ein Regiment Cordovaner Milizen
ſich ihnen angeſchloſſen hatte; jetzt war ein falſches Gerücht ver-

---

18) Vida 2, 349.

breitet, diese Rebellen seien bereits in die Mancha eingerückt; und
darauf hin zeigte sich der König wieder entschlossener, sich des aufrührerischen Geistes im Militär zu bedienen, um die Gegenrevolution mit derselben Kraft zu bewerkstelligen, die die Revolution
bewirkt hatte. Abends am 6. Juli erhielt man Mittheilungen über
Angriffsplane der Garden im Pardo; sie wurden ohne Glauben
gehört. Um Mitternacht aber setzten sich wirklich die vier Bataillone dort in Bewegung, um die Hauptstadt zu überfallen, vor der
sie um Tagesanbruch[1] erschienen. In drei Colonnen rückten sie, '7. Juli.
den reinen König ausrufend, nach der Artilleriecaserne, der Puerta
del Sol und dem Verfassungsplatze. Die erste Colonne stieß in der
Mondstraße auf eine Patrouille des heiligen Bataillons und zerstreute sich bei dem ersten Schusse. Die Nachricht von dem Eindrang der Garden verbreitete sich auf dieß Zusammentreffen mit
Blitzesschnelle durch die Stadt. Morillo erboste sich erst über die
Mittheilung, als sei es eine Erfindung der Exaltirten, da er sich
von ihrer Wahrheit überzeugen mußte, traf er rasche und geschickte
Gegenanstalten. Der Colonne, die nach der Puerta del Sol vorgerückt war, warf er die constitutionellen Truppen unter Ballesteros
entgegen; die dritte Colonne, die aus verschiedenen Straßen auf
den Verfassungsplatz und die dort stehenden Milizen eindrang und
die Flucht der Madrider Spießbürger für unzweifelhaft gehalten
hatte, ward durch den zufälligen Erfolg eines Kanonenschusses in
augenblickliche Bestürzung gebracht, was den betäubten Milizen
Zeit gab sich zu fassen, Feuer auf die stolzen Veteranen zu geben
und sie zum Rückzug nach der Puerta del Sol zu nöthigen. Dorthin strömten nun alle verfassungstreuen Waffen zusammen, vor
denen sich die Garden zum Schutze des Königs nach dem Schlosse
hinzogen. So waren sie für den Fall einer Niederlage angewiesen;
während im andern Fall der König und Hof sich auf die gesattel-
ten Pferde geworfen hätte, um mit ihnen die Herstellung des Ab-

19*

solutismus zu vollziehen. Die ganze Niederträchtigkeit des königlichen Haufens hatte sich inzwischen im Palaste entrollt, als auf
ein günstiges Gerücht von dem Stand der Dinge die Absolutisten
sich keck entlarvt und unter dem sichtlichen Beifall des Königs die
Chartisten ausgehöhnt hatten: auf diesen kurzen Uebermuth folgte
tiefer Kleinmuth, wie nun die Garden geschlagen nach dem Schlosse
gedrängt wurden und die Flintenkugeln schon das Innere erreich-
ten. Jetzt ließ der König den Ministerchef Martinez de la Rosa,
dem man kurz zuvor ein Glas Wasser im Schlosse versagt hatte,
durch Don Carlos auffordern ihn zu retten; jetzt ersuchte er Ballesteros, zwischen Bitten und Befehlen, vom Blutvergießen abzustehen; und der Mann, geschmeichelt durch diese Berufung an seine
Großmuth, nahm eine Haltung an „als ob er verzeihe indem er
gehorche." Man wandte sich dann an den ständigen Cortesausschuß, der an diesen Tagen eigentlich regierte, und jetzt zum großen
Verdruß der Exaltirten, die ihn bisher immer an die Spitze der
Dinge geschoben, in eine Capitulation willigte, die zwischen dem
Hofe und einer in den Palast gesandten Militärcommission verhandelt wurde. Noch bei diesen Berathungen beanstandete der König den oder jenen Artikel über die Entwaffnung seiner Garden;
der Kriegsminister General Salvador aber erklärte ihm: „Ew.
Maj. Truppen sind besiegt worden und müssen sich dem Gesetze
unterwerfen, das die Nation ihnen auferlegt". In dem Augenblick übrigens, wo zu der Entwaffnung geschritten werden sollte,
feuerten die Garden noch einmal ihre Gewehre auf die Milizen ab,
stürzten sich dann in Flucht die Steintreppe hinab, die von dem
Schloßplatze zum Campo del Moro hinabgeht, und nahmen durch
das Thor de la Bega den Weg nach Alcorron, auf dem sie eingeholt und niedergehauen oder gefangen wurden. Es wird erzählt,
der König habe, enttäuscht von dem Ausgang seiner Entwürfe, von
dem Balcon herab mit persönlichem Zuruf zur eifrigern Verfolgung

seiner Opfer ermahnt. Es war eine boshafte Erfindung, aber so
charakteristisch wie sie boshaft war.

Während dieser verhängnißvollen Tage war in Madrit auf
Seiten des Volks nicht die geringste Unordnung vorgefallen. In
der Diplomatie glaubte man schon den Moment der Schreckensherrschaft, der Gefährdung der königlichen Familie gekommen; die Gesandten der festländischen Großmächte und einige andere verwarnten
daher die Minister, daß von dem Verfahren gegen die königliche
Familie die Natur der Beziehungen Spaniens zu Europa abhängen würde. Allein nirgends zeigte sich eine Spur von Rache-
gelüsten gegen den Fürsten; Milizen und Truppen beharrten in
strengster Zucht und bewachten das Schloß mit so viel monarchischer
Ergebenheit wie die Garden. Aber der Tag der Herrschaft der
Eraltirten war allerdings mit diesem Siege gekommen; die gemäßigte Regierung folgte nun dem Sturze ihrer Parthei in den
Cortes nach. Seltsamerweise wurden die Moderadoministerien alle
drei in Augenblicken untergraben und zum Falle reif, wo sie scheinbar grade durch Siege über die eraltirten und servilen Gegner ge-
festigt waren, die sie nur leider nie mit ungebrochener Partheimacht
erfochten hatten oder behaupten konnten: Arguelles hatte im Sep-
tember und November 1820 Riego und den König besiegt, aber
durch seine halbe Verbrüderung mit den Ueberspannten zugleich
seine natürliche Stütze verloren; das Ministerium Feliu hatte im
December 1821 Riego und den König wieder geschlagen, aber
nachdem es von den Cortes schon zuvor verurtheilt war; unter
Martinez de la Rosa wurde der König noch ein Mal in ganz offenem
Kampfe besiegt und die eraltirte Parthei dabei ganz in Ordnung
und Fügsamkeit erhalten, allein das Ministerium selbst war leider
an diesem Kampfe und diesem Siege ohne allen Antheil und Verdienst. Der Stadtrath, das Organ der Eraltirten, that die nöthi-

Eraltirte-
Ministerium.

17. Juli.

gen Schritte zur Beseitigung der verhaßten Moderados; er nahm
den kräftigen Präfecten San Martin nicht mehr in seine Mitte auf
und zwang ihn so seine Entlassung einzugeben; er ging den König
um die Aenderung seiner Regierung und seines Hofhaltes an, der
aus lauter Verschwörern zusammengesetzt sei. Nie hatte dieser Meister
der Verstellungskunst verschiedenartigere Rollen zu spielen gehabt
als in diesen Zeiten und sie nie mit schamloserer Kunst gespielt.
Noch unter den Vorbereitungen zu dem Juliattentate hatte er dem
'1. Juni. Marq. Matafloriba[1] Ermächtigung zu seinen rein absolutisti-
'4. Juli. schen Entwürfen gesandt und dieser hatte darauf[1] die Einleitungen
getroffen, die lange betriebene Regentschaft zu bilden und in dem
'14. Aug. eroberten Urgel[1] einzurichten. Damals also, auf die Eigenhülfe
vertrauend, hatte der König seinen Eguia und dessen chartistische
Aufträge verleugnet; jetzt, wo er geschlagen und rathlos war,
'23. Juli. mußte er sich demüthigen, eigenhändig[1] an Ludwig XVIII. zu
schreiben und um seinen Schutz zu bitten, indem er wieder die
Absicht heuchelte, verfassungsmäßige Einrichtungen zu gewähren.
Dieweile fügte er sich zu Hause, so niederträchtig unterwürfig nun,
als er zuvor fühllos hochmüthig war, in Alles. Er flehte erst den
mißhandelten Martinez de la Rosa mit Küssen und Bitten an zu
bleiben; da dieß nicht geschehen konnte, ergab er sich den Eraltirten. Er ließ Riego zu sich kommen und berauschte den eitlen
Mann mit einer Versöhnungsfarce. Er übertrug die Einleitung
des Prozesses gegen seine Garden an Evaristo S. Miguel, den
Verfasser der Riegohymne. Er verbannte seine absolutistischen
Höflinge, die Castelar, Casa Sarria, Longa, Aymerich in die Provinzen; er beauftragte Riego's Aufstandsgenossen Lopez Baños
mit der Bildung eines Ministeriums (dessen Mitglieder er später
die 7 Kinder Ecija's nannte); in der Liste, die der Club vorschrieb,
war der antipapistische Navarro (Justiz) und der gewesene Advocat
Vadillo aus Cadiz, einer der heftigsten Führer der Eraltirten; zum

Haupte des Ministeriums ließ sich der König San Miguel auferlegen, vielleicht um ihn zu bestimmen, den Prozeß gegen die Garden nicht zu seinem Schimpf und Schaden zu mißbrauchen. Die Bestellung dieses Ministeriums drohte nun zu vollenden, was die Wahlen zu dieser Cortessitzung begonnen hatten. Man erwartete, daß sich die Dinge jetzt unter dieser Regierung der spanischen Girondisten entwickeln würden wie in Frankreich nach dem Fluchtversuche Ludwig's XVI.; im Volke nicht anders als in der Diplomatie war man auf ein förmliches Schreckenssystem gefaßt, und dieß um so mehr, als sich über des Königs Umtriebe täglich mehr Licht verbreitete. Bald erfuhr man, daß an denselben Julitagen die gleichen Reactionsversuche in Lissabon gemacht worden waren, und daß gleichzeitig jene neuen Schritte zur Befestigung der Grenzanstände von der Emigration ausgegangen waren. Gleichwohl nahm es anfangs durchaus nicht den Anschein, als ob die neue Regierung die Allmacht der Parthei so terroristisch ausüben wollte, wie diese selbst erwartet. Die Minister zeigten sich wohl als lästige Verfolger, die viele Erbitterung aber keine Furcht erregten; sie betrieben, wie es Sitte war, die Absetzung und Fernhaltung aller partheifeindlichen Beamten und luden sich dadurch zu dem Haß der gemäßigten Factionen noch den der Comuneros auf, die sich bei der Bildung dieses Freimaurer-Ministeriums um jeden Antheil geprellt sahen; im Uebrigen schienen sie so flau fortfahren zu wollen, wie ihre Vorgänger; Partheieifer, Ueberspannung, Revolution schienen eben als sie zum Besitze der äußeren Macht gelangten an innerer Unmacht zu erlahmen. So hatte Jeder auf eine imponirende Haltung der neuen Regierung gegen die von außen befürchtete Einmischung gehofft, aber ganz umsonst. So hatte Jeder erwartet, daß das Schwert einer scharfen Rache auf die Juligefangenen fallen werde; allein San Miguel hatte von Anfang an den raschen Betrieb des Prozesses versäumt, und Minister geworden hinterließ er

ihn in einem absichtlich verwickelten Zustande, um ihn nach Gut-
dünken hinauszuhalten. Nur in Valencia wurde General Elio,
der, wegen todwürdiger früherer Unthaten lange verschont, zuletzt
unschuldig in den Prozeß der aufständischen Artilleristen verwickelt
'1. Sept. worden war, zur Erdrosselung verurtheilt, aber er fiel[1] mehr dem
Hasse der Valencianer zum Opfer als dem der Regierung und
kaum fand sich ein Generalcapitän, der sich zur Vollziehung des
'1. Oct. Urtheils hergeben wollte. Als daher die außerordentlichen Cortes[1] zu-
'9. Oct. sammentraten, trug eine Anzahl Abgeordneter[1] in einer Darlegung[19],
die in strafendem und beziehungsvollem Rückblick an die unselige Katastrophe der regierungslosen Julitage erinnerte, förmlich auf das
vermißte Schreckenssystem gegen alle Feinde der Verfassung an und
auf Ausstattung der Regierung mit einer hinlänglichen Macht, um
die Anschläge, die der heilige Bund schmiede, in ihr Nichts zu ver-
'12. Oct. weisen! Hierauf schlug nun[1] die Regierung selber 18 Beschlüsse
vor, die ihr außerordentliche Vollmachten übertrugen, die persönliche Freiheit einschränkten und den patriotischen Gesellschaften er-
leichterten Einfluß gewährten. Diese Gesetze aber, bereitwilligst
gewährt um die Regierung, „die Gegner des größten Gegners der
hergestellten Freiheit", zu stärken, brachten ihr nur neue Verlegenheiten. Die Clubs wurden nun zu ärgern Aufruhrschulen als je
zuvor. Im St. Thomaskloster hatte sich ein Landaburu-Club gebildet, wo die Riego und Galiano auf die rechte Seite rückten, die
Alpuente und Morales aber gegen die Monarchen des heiligen
Bundes wütheten und Maasregeln empfahlen, die Spanien von
allen Servilen und Neutralen mit Einem Schlage befreien sollten[20]). Das Toben dieser Versammlungen wirkte dann auf den
einschlafenden Juli-Prozeß zurück. In einem Cortesausschuß, der

---

19) Exposicion hecha à las Cortes extr. por 66 diputados sobre las
causas de los males que afligen la nacion. Madr. 1822.
20) Quin, a visit to Spain. Lond. 1824.

das Geeignete zur Rettung des Vaterlandes vorzuschlagen hatte,
fielen die Anträge auf die Verhaftung der Minister und Staatsräthe jener Tage[21]; der jetzige Fiscal Paredes, ein Comunero ohne
Scham und Gewissen, ging auf den Anschlag ein, dem Handel
diese Wendung im Sinne der Clubs zu geben; er suchte San Martin in das Netz des Prozesses zu verwickeln, erließ den Haftbefehl
gegen Martinez de la Rosa und seine Genossen, und auf den ent-
stehenden Lärm gab er zu hören, daß dieß noch nichts sei gegen das
was kommen müsse: er hatte schon die Haftbriefe gegen des Königs
Brüder ausgefertigt, was nachher von Seiten der russischen Regierung zu einem Hauptverbrechen der Revolutionäre gemacht ward.
Unter diesen Einflüssen der Clubs hätte man sich nun allerdings
des Aeußersten eines französischen Einschreckungssystems versehen sollen; wenn nur nicht die Lähmung und der innere Zerfall bereits die
Gesellschaften und Partheien selber erreicht hätte. In den alten
Verbindungen war Alles in Auflösung begriffen; viele der Ge-
mäßigten fanden sich jetzt den Königlichen zugeschoben, viele der
Freimaurer den Gemäßigten, viele der Comuneros den Freimaurern, da sich auf dieser äußersten Seite wieder eine extremste
Aufruhrparthei, die Zurriaguisten (um das Schandblatt „die
Geißel“ versammelt), abgespalten hatte. So ward dieß Unheil der
Gesellschaften, das Hauptwerkzeug der Revolution, jetzt ein Hauptmittel zu ihrer Untergrabung. In den Cortes aber beobachtete
man um diese Zeit die Erschlaffung aller revolutionären Kräfte
wieder an andern Anzeichen: an dem Mangel der leidenschaftlichen Zwischenfälle, an den unwichtigen Verhandlungen, an dem
schlechten Besuche, der kurzen Dauer, dem stillen Verlaufe der
Sitzungen.

21) Galiano 7, 208.

Mina in Cata-
lonien.

In Einer einzigen Beziehung übrigens, in der Bekämpfung
des Aufstandes an der Pyrenäengrenze, waren von dem Ministerium
gleich von Anfang an die schneidenden Maasregeln ergriffen worden, die von einer neuen Kraft im Regimente zeugten; denn dort
galt es, dem König das Werkzeug der Gegenrevolution und seinen
heimlichen Bundesgenossen den Vorwand der Einmischung zu entziehen. An demselben Tage[1], wo der König an Ludwig XVIII.
um seinen Beistand geschrieben, hatten ihn die Minister eine Erklärung unterzeichnen lassen, die Catalonien in Belagerungsstand
versetzte; er hatte Truppensendungen anordnen und Mina zum
Oberbefehlshaber der constitutionellen Streitkräfte in dem Fürsten-
thume ernennen müssen. Viele, die an Mina's Bildungslosigkeit
Anstand nahmen und ihm nicht zutrauten, daß im Kriegswesen sein
grader Instinct so weit wie im Alltagsleben sein Mutterwitz
(gramatica parda) reichte, bezweifelten, ob man in ihm die rechte
Wahl getroffen habe; aber Er allein unter allen spanischen Führern
ging aus seiner nächsten Aufgabe mit vollständigem Erfolge, wie
nachher aus dem französischen Kriege mit unbefleckter Ehre heraus.
Es war schon ehrenhaft, daß er sich dem undankbaren Auftrage
„grade deswegen weil er gefährlich war" unterzog. Es fehlte der Regierung an Geld und an Soldaten und je mehr dem letzteren
Mangel abgeholfen ward, desto mehr stieg der andre; dort in den
Bergen aber hatten sich die Dinge unter der Hand sehr zum
Schlimmen verändert. Die in Urgel eingerichtete Regentschaft
hatte inzwischen förmlich die Haltung einer royalistischen Regierung angenommen. Sie hatte[1] einen Aufruf erlassen, der der Nation als das Ziel der neu beginnenden Ordnung die Herstellung
des Zustandes vor dem März 1820 ankündigte. Sie hatte dann
ein Ministerium an ihre Seite gestellt, diplomatische Beziehungen
angeknüpft, in Frankreich um Anlehen und um Waffenhülfe verhandelt. Sie war gebildet aus Mataflorida selbst, aus dem prä-

'23. Juli.

'13. Aug.

confifirten Erzbischof von Taragona, Jaime Creus, deffen Ein-
fezung die Cortes verhindert hatten, weil er ein gefährlicher Feind
der Verfaffung und fein Leben feit 1814 eine Kette von Trulofig-
keiten gewefen war; und aus dem Baron d'Eroles aus Talarn,
einem einflußreichen Edelmann und Militär, dem man den Oberbefehl der Glaubensarmee übertrug. Alle drei waren Verfolgte
und Abtrünnige, unter denen nur Eroles au feinen früheren freieren Grundfäzen fefthing und dadurch denfelben Zwiefpalt, der
unter den Königlichen am Hofe und in der Auswanderung beftand,
auch gleich in den Schooß diefer Regentfchaft trug: am gleichen
Tage des Regentfchaftsaufrufs richtete er in feiner Eigenfchaft als
Generallieutnant eine befondere Anfprache an feine Catalanen,
worin er fich für eine Verfaffung nach den Zeitbedürfniffen erklärte.
Dieß Zerwürfniß hinderte indeffen nicht, daß nach Urgel von allen
Seiten her die Huldigungen der Guerilleros, der Gemeinden, der
bisherigen Junta von Urgel u. f. einftrömten, und daß der Kampf
jezt unter angefeheneren Führern, hier unter Eroles, in Navarra
unter General Quefada eine geordnetere Geftalt annahm. Die
Stärke der royaliftischen Haufen wurde jezt zu 16000 Mann an-
gefchlagen. Zieht man eine Linie von Balaguer über Cervera,
Manrefa, Vich und Gerona nach Figueras, fo umfchreibt man
das Gebiet, innerhalb deffen fie Meifter waren; von größern Orten waren Balaguer, Ripoll und Berga in ihrem Befize, Manrefa eingefchloffen, Vich bedroht, und Eroles begann feine Führung mit der ftrengeren Blocade von Cardona, während der Trap-
pift in flüchtigen Streifzügen die Stimmung von Aragon verfuchte.
Unter diefen Verhältniffen[23] kam[1] Mina nach Lerida, von wo er '9. Sept.
einen Aufruf erließ[1], der bei Todesftrafe die Waffen niederzulegen '10. Sept.

23) Ueber den catalonifchen Bürgerkrieg hat man zwei Darftellungen der
entgegengefezten Partheien: Galli, mémoires sur la dernière guerre de Catalogne. Paris 1828. und Mémoires pour servir à l'hist. de la guerre civile

befahl, alle dem Aufstand behülflichen Orte mit Niederbrennung
und die Einwohner mit Decimation bedrohte. Dann wies er
seinen Divisionsgeneralen die Bezirke ihrer Mitwirkung an: die
Corregimientos von Vich und Gerona an Milans, Mauresa und
Cardona an Rotten, Taragona an Manso. Noch ehe die Unternehmungen begannen, schien die französische Regierung die bevor-
stehende Veränderung der Lage vorauszusehen und verwandelte
jetzt ihren Cordon[1] in ein Beobachtungscorps. Mina hatte sein
Hauptquartier in Calaf genommen, von wo er sich zuerst auf
Castelfullit warf, damals ein Hauptpunct des Widerstandes, den
Fr. Babals (Romanillos), einer der rohesten Häuptlinge, der in
dem Orte selbst geboren war, befestigt hatte und Eroles mit seiner
Armee zu decken suchte. Der Ort hatte die Aufforderung zur Uebergabe und die angebotene Gnade auf Anstiften seiner Priesterschaft
ausgeschlagen und Mina, als er nun[1] die Besatzung zum Abzuge
zwang, ließ mit kaltem Bedachte die furchtbare vorangedrohte
Strafe nach dem Wortlaute an ihm vollziehen[23]. Wenn irgend
etwas solche Barbareien rechtfertigen kann, so that es hier der
Erfolg. Die Entmuthigung der Königlichen war augenblicklich.
Die Navarresen, die unter Quesada zugezogen waren, kehrten
wieder heim. Die Leichtigkeit, mit der Mina vier unter Eroles
vereinigte Häuptlinge bei Tora[1] schlug und zersprengte und hierauf Balaguer[1] ohne Widerstand einnahm, spornte ihn, sogleich sich
gegen den Hauptsitz und das Bollwerk der Feinde, auf Urgel, zu
wenden. Eroles selbst mußte von der Regentschaft erst angefeuert
werden, bis er dem Siegeszuge Mina's in Puebla einen neuen,

'27. Sept.

23. Oct.

'20. Oct.

'2. Nov.

---

d'Espagne, par J. M. y. R. traduit de l'espagnol per M. Laffon-Saint-
Marc. Paris 1537.

23) Ein Denkstein inmitten der Verwüstung erhielt die Inschrift: Aqui
existió Castel-Fullit. Pueblos, tomad ejemblo! no abrigueis à los
enemigos de la Patria.

aber vergeblichen Widerstand zu leisten suchte. Mina begann[1] die '21. Nov.
Belagerung der Forts von Urgel, die unter Romagosa sich durch
zwei Monate aufs tapferste vertheidigten. Die Regentschaft aber
war bereits nach Puigcerda zuerst und dann über Leiria nach
Frankreich entwichen. Und auch Eroles wurde bei Puigcerda erreicht und[1] aufs Haupt geschlagen, von Mina ihr nach über die '28. Nov.
Grenze geworfen. Die Regentschaft ging erst nach Bayonne, in
der Absicht in Navarra wieder zu erscheinen; da aber die Königlichen auf französischem Gebiete entwaffnet wurden, mußte sich
Mataflorida, der „König", wie ihn das arme geflüchtete Volk
nannte, unthätig nach Toulouse setzen. Mina's Rastlosigkeit und
Schärfe hatte den fanatischen Eifer der Königlichen überwunden.
Während seine Generale, Manso mit Milde, Milans mit geschickter Planmäßigkeit der Operation, Rotten mit noch roherer Grausamkeit als sein Chef, in ihren Bezirken Ruhe geschafft, stand Er
selbst um die Scheibe der Jahre an der Grenze der Pyrenäen, in
deren Bergen sich nur die Miralles und Jep dels Estañs noch mit
elenden Trümmern um Salsona und Berga herumtrieben. Es war
dem König und der Fremde bewiesen, daß die Gegenrevolution
ohne auswärtige Hülfe in Spanien keine Hoffnung habe, und bließ
sogar in eben dem Augenblicke, wo wir beobachteten, daß die Revolution grade anfing ihre Energie und ihr Vertrauen in sich selbst
zu verlieren.

b. Verhältnisse zum Ausland.

Es liegt in der Natur aller Revolutionsverläufe, daß auf   Portugal.
ihrer kritischen Höhe die Krämpfe am heftigsten auftreten, die wie   Constituirende
   Cortes.
Aeußerungen einer gespannten Kraft aussehen und nur die An-
kündiger des nahenden Todes sind. So gab es für den Bestand
der neuen Ordnung in Spanien kein verhängnißvolleres Sympo-
tom, als das Zusammentreffen der inneren Kraftabnahme der Re-

volution mit jenen einzelnen Gewaltsamkeiten der Exaltado-Regie-
rung, die doch ohne gleichförmigen Nachdruck waren; mit jener ge-
drohten und doch nicht ausgeführten Antastung der königlichen
Familie, die von der fremden Diplomatie im voraus nachdrücklichst
verpönt war; mit jenen öffentlichen Beleidigungen und Heraus-
forderungen des heiligen Bundes im Schooße der Cortes, die doch
ohne jeden Rückhalt der Macht waren; und endlich mit einem fort-
dauernden Ausströmen des radicalen revolutionären Geistes nach
den Nachbarlanden, nach Portugal und Frankreich, das doch nirgends ernstlich bedrohende Folgen hatte; einer Ueberwirkung also,
die die fremden Gewalthaber, welche auf eine Einmischung in die
spanischen Wirren lauerten, doppelt anreizen mußte durch die
schweren Vorwände die sie gab und die leichten Erfolge die sie
versprach.

Der geschichtliche Verlauf der „Regeneration" in Portugal
war in diesen Jahren sehr viel einfacher gewesen, als die Vorgänge in
Spanien, weil unter der faulen Gleichgültigkeit der Bevölkerung
der thätlichen Theilnahme und Gegenwirkung an allem Geschehen-
den viel weniger war. Während in Spanien seit der Mitte des
Jahres 1820 drei ordentliche und zwei außerordentliche Cortes-
sitzungen sich abgelöst hatten, waren die Portugiesen mit einer Constituante beglückt, die nach der Weise all dieser Versammlungen,
noch gieriger nach Tagegeldern als nach Macht und Regiment, ihr
Verfassungsgeschäft durch fast zwei Jahre hinausschob und sich in
der Zeit eine Art unwiderstrechlicher Factionsherrschaft begründete.
In dieser Versammlung war nicht ein einziger wahrhaft bedeuten-
der Mann, der allgemeines Vertrauen genoß oder verdient hätte.
Ihre ersten Führer (die Moura, Borges-Carneiro, Fern. Thomas[1]) waren vielleicht begeisterte, aber eben so unwissende als un-
praktische und in Wahrheit selbst energielose Schreier, die, von der
Abwesenheit des Fürsten begünstigt, allen Schritten der Cortes

'vgl. 3, 440.

von Anfang an' den Charakter eines weitest getriebenen Radica- 'Febr. 1821.
lismus einzuprägen suchten. Als daher' die vorläufigen Grund- '9. März
lagen der künftigen Verfassung veröffentlicht wurden, war darin
das Prinzip der Volkshoheitlichkeit in fast republikanischer Weite zu
Grunde gelegt, Einkammersystem, Suspensivveto, alleinige Initiative der Cortes zu Gesetzvorschlägen, Selbstversammlungsrecht,
und alles Stärkste aus den Bestimmungen der spanischen Verfassung darin aufgestellt. Ueber der Ausarbeitung dieser Unterlagen
zu der eigentlichen Verfassung aber verbrachten die Cortes nun
eine bedauerliche Zeit, so daß am ersten Jahrestage der Revolution' noch kaum einige Paragraphen berathen waren. Die '24. Aug
Zwischenzeit verging mit einer Verwaltungsthätigkeit, die oft theoretisch so verkehrt wie praktisch nutzlos oder verderblich ausschlug.
Wohl wären hier Verbesserungen in der Verwaltung unendlich
viel dankenswerther gewesen, als die musterhafteste Verfassung;
aber eben diesen in den elementarsten Entwicklungen meist zurück-
gebliebenen Völkern ist ja stets die stärkste Neigung eigen, sich
durch schneidende Lösungen politischer Prinzipienfragen, durch Aufstellung der einfach rationellsten Formen, durch die eitlen Sprünge
nach dem Bentham'schen Idealstaate an den Schäden ihrer wirklichen Zustände rächen zu wollen, die eben dadurch unverändert beharren. Nach zwei Jahren bekannten portugiesische Blätter, daß
die Regeneration nur auf dem Papiere bestehe, und Graf Pecchio[24],
der sonst alle Revolutionen optimistisch beurtheilte, gestand nach
einer Umreise im Lande, daß er das ganze Gebäude der alten Zustände unverändert finde, gerade so wie es 1812 nach den furchtbarsten kriegerischen Erschütterungen Halliday gefunden hatte,
grade so wie es in den 30er Jahren v. Eschwege nach 15jährigen
politischen Stürmen wieder fand. Den Charakter der anfänglichen

24) Trois mois en Portugal. Paris 1822.

Cortesthätigkeit hatte Carneiro eines Tages in einem klassischen
Ausdrucke bezeichnet: „Wenn wir, sagte er, nicht täglich 300 Gesetze aufheben, 60 Aemter abschaffen und 20 Beamte absetzen, so
erreichen wir nichts." Durch ein ähnliches Verfahren wurde nun
freilich erreicht, daß man in Rechtssachen einen sehr beschleunigten
Prozeßgang rühmte, daß viele Beamte bestraft und viele wider
Willen in Ruhestand versetzt wurden, aber mit Allem fand man
nicht die fehlenden Geschäftsleute, die in den alten Schlendrian
einen kräftigen Zug gebracht hätten. Als von den zunehmenden
Mord- und Raubthaten die Rede war, gegen die es nirgends Abhülfe gab, verlangte Carneiro, daß die Minister alle Monate gewechselt würden, bis sich ein Pombal finde, der 1755 durch zwei
Verordnungen alle Räubereien abgestellt habe. Aber es fand sich
kein Pombal nur für diese rohe Aufgabe; viel weniger einer, der die
verfallenen Finanzen und Finanzkräfte des Landes gemehrt oder die
Deficits (7 Mill. Cruz.) von 1821 und 22 und die auf 112¼ Mill. [25]
gestiegene Schuld gemindert, oder die Thätigkeit des unter Herren-
und Pfaffenthum in Faulheit erstarrten Volkes wieder belebt hätte.
Vielerlei Beschlüsse zur Hebung von Industrie und Landbau wurden freilich verkündet; wie oft aber waren sie so fehl gegriffen,
daß sie trotz der besten Absicht die schlechtesten Erfolge hatten!
Man wollte den Landbau heben durch Korngesetze im englischen
Stile; aber indem man das Maximum des inländischen Getreide-
preises, bei dem die Einfuhr gestattet wurde, zu hoch nahm, begünstigte man nur die vermögenden Unternehmer; die kleinen
Pächter waren gewöhnlich schon während der Erndte genöthigt,
ihr Korn an die Händler billig zu verkaufen, im Frühjahr aber
vielleicht dasselbe Korn um 50% höher wieder einzukaufen, ein
Satz, um den alles Getreide seit dieser Maasregel durchschnittlich

---

25) Balbl.

stieg[26]. Brachte die neue Ordnung nicht einmal wohlfeiles Brod,
so begreift es sich, daß die Masse des Volks, wie es portugiesische
Liberale selber gestehen[27], völlig gleichgültig blieb gegen die neue
Verfassungsfaçade ohne Schirm und Dach; wogegen die Geschäftigkeit der Cortes hier wie in Spanien hinlänglich ausgereicht
hatte, alle Klassen der höheren Gesellschaft durch ihre Neuerungen
zu verletzen und aufzubringen. Sie brachten das Beamtenthum
auf durch die Art und Weise, wie sie sich in alle Zweige der Verwaltung einmischten und den alten Stock der Geschäftsmänner nach
Partheirücksichten durch Neulinge austrieben. Sie verbitterten
durch große Einschränkungen das Militär, das sich doch als die
Stütze der Revolution ansah; das ganze Heerwesen kam durch
massenhafte Desertion in Verfall; viele der älteren Officiere hatten
scheel zu blicken auf die rasch empor gestiegenen Söhne der Revolution, besonders auf den portugiesischen Riego, den vergötterten
Sepulveda. Der ganze Adel ward zum bittersten Feinde der neuen
Ordnung, der unter der' beschlossenen Aufhebung der Frohnden '20. März.
und Kopfsteuern litt und den früheren Alleinbesitz so vieler Sine-
curen, Ordenspfründen und Gesandtschaftsposten verlor. Die
ganze Geistlichkeit war dem Verfassungssysteme unversöhnlich entgegen, trotz allen den Schonungen, die man ihr in den Preßge-
setzen, in den Beschlüssen über die bäuerlichen Lasten, selbst bei dem
einstimmig votirten Gesetze' über die Aufhebung der Inquisition '24. März
bewiesen hatte; sobald man die Klosterreformen angriff und die
Besteuerung der geistlichen Einkünfte' einführte, gar als man die '23. Juni.
Anträge stellte, den Cölibat aufzuheben, die Stolgebühren zu
schmälern, die 139 Feiertage auf 13 zu beschränken, da war bald
wie in Spanien die ganze Körperschaft mit der neuen Ordnung

---

26) Brown p. 69 ff. der seit 1820 selber Landwirthschaft in Portugal betrieb.
27) Der Fortsetzer von Vecchio.

IV.   20

und diese mit ihr im offenen Kriege. Verdarben es so die Cortes
nach innen mit allen einzelnen Klassen, so auch (worauf wir später
zurückkommen müssen) mit ihren Colonialen in Brasilien; dieses
Land sollte für Portugal verloren gehen, als die Constituante ihre
lange Sitzung eben schloß. Auch dem Ausland stellten die Cortes
sich in der schnödesten Weise entgegen: und wie unschädlich zwar
die inneren Zerrüttungen dieses entlegenen Landes für die übrige
Welt erschienen, so wurden doch auf keins die Blicke der Mächte
so nachdrucksvoll gelenkt. Wenn die so viel näher betroffene spanische Regierung zu der österreichischen Einmischung in Neapel, zu
der Errichtung des französischen Pyrendencorps, zu den bedrohlichen
Prinzipien, die der heilige Bund verkündete, vorsichtig und rückhaltend
schwieg, so beschlossen die Cortes[1] in Lissabon, bei Oesterreich feierliche
Verwahrung einzulegen, bei Frankreich im Sommer 1822, förmliche Erklärungen zu verlangen und gegen die Alleinberechtigung der
octroyirten Verfassungen zu protestiren. Ihre Diplomatie freilich
befleißigte sich inzwischen einer ganz anderen Thätigkeit. Gleich im
Anfange der aus Spanien drohenden Verlegenheiten hatte sich die
frühere Regentschaft[1] an Rußland gewandt; die portugiesischen
Diplomaten aber wühlten auch während des constitutionellen
Reglments in Troppau und Laibach gegen die neue Ordnung
fort; sie thaten ihr Land wie in Bann, indem sie Schiffern die
Pässe weigerten und den portugiesischen Consuln jede Gemeinschaft
mit Portugal untersagten; zuletzt hielten sie in Paris einen förmlichen anticonstitutionellen Congreß. Die Cortes dagegen brachen
mit dem Auslande alle Verbindung ab, indem sie sämmtliche
Agenten absetzten; und nicht durch diese Maasregel allein. Es
war geschehen, daß[1] bei der Beschwörung der Verfassungsgrundlagen der Nuntius und der österreichische Gesandte sich von der allgemeinen Beleuchtung der Hauptstadt ausschlossen; beiden Diplomaten wurden die Fenster eingeworfen und dann die verlangte Ge-

nugthuung geweigert; dieß hatte die Entfernung der österreichischen
und russischen[1] und etwas später auch der preußischen Gesandtschaft [August.]
zur Folge. Bei diesem Bruche mit den Ostmächten hätte man sich
um jeden Preis das Wohlwollen Englands wenigstens erhalten
sollen. Statt dessen reizten die Cortes auch diesen Verbündeten,
indem sie einseitig die verhaßten Handelsverträge von 1810 einer
Durchsicht unterwarfen und den Einfuhrzoll von englischen Tüchern[1] [vgl. 3, 127.]
von 15 auf 30% erhöhten. Die englische Regierung indessen
strafte den portugiesischen Bonvoß, wie auch die übrigen Mächte
thaten, mit vornehmer Großmuth. So empfindlich es für den
Lissaboner Hochmuth war, daß nachher in Verona der Name Portugal nicht einmal genannt wurde, so ärgerlich mußte ihm der Ton
seyn, in dem die englischen Minister[26] ihre Schonung rühmten, mit
der sie über die „unwürdige Leichtfertigkeit" weggesehen hätten, in
der Portugal die Verdienste Englands vergeße. Sie ergriffen mit
Begierde den Anlaß, den europäischen Mächten ein großes that-
sächliches Beispiel ihrer Mäßigung zu geben, in dem Lande grade,
wo seine alten Verbindungen die Dazwischenkunft England immerhin so nahe legten, wie sie Oesterreich in Neapel lag.

Schnöder aber als alles dieses Verhalten der demokratischen [Das Königshaus.]
Herrscher in Portugal waren ihre Anmaßungen gegen ihren Monarchen, die sie um so weiter ins Schamlose trieben, je weiter
der gute schwache Mann seine Unterwürfigkeit trieb. Noch während seiner Abwesenheit in Brasilien verfuhren sie gegen ihn, wie
die Spanier 1808—14 kaum gegen ihren Ferdinand verfahren
waren, der in feindlichen Händen gegen des Landes Heil und
Wohl mißbraucht werden konnte. Noch ehe nur etwas von der beabsichtigten Heimkehr des Königs in Lissabon bekannt war, hatten

---

26) State of the nation p. 89.

20*

die Cortes beschlossen, sich bei der Rückkunft des Fürsten perma-
nent zu erklären und ihm die Landung nicht vor Beschwörung der
Verfassungsgrundlagen zu gestatten. Dann als die Nachrichten
kamen, die jeden Argwohn zerstreuen mußten: daß der König den
Wünschen des Volkes beigetreten sei und im Voraus die künftige
*vgl. 3. 481. Verfassung genehmigt habe[1], protestirten die Cortes gegen die
Fassung der betreffenden Schriftstücke, gegen das bloße Wort Genehmigung, deren der von der souveränen Nation entworfene
Grundvertrag nicht erst bedürfe. Andere königliche Decrete folgten
nach, die des Fürsten Rückkehr verkündigten, die die Preßfreiheit
einführten, das Benehmen einiger portugiesischen Gesandten tadel-
ten, jede Einmischung der Fremde als einen Angriff auf die Krone
zurückzuweisen versprachen. Das Alles konnte die Cortes nicht bewegen, ihre verletzenden Anordnungen für die Ankunft des Königs
zurückzunehmen, der auf der Reise allen aufreizenden Vorschlägen
Palmella's und seiner übrigen Umgebung (von den Azoren aus die
Revolution zu bekämpfen oder von Terceira aus[29] Verfassungsänderungen zu verlangen) wenn nicht aus Ehrlichkeit, wenn nicht
aus Adelshaß, so doch aus Furcht und Bequemlichkeit abgeschlagen
*3. Juli. hatte. Als er im Tejo[1] einlief, mußte er die vorbeschlossenen Be-
dingungen eingehen und dazu einem Theile seines Gefolges, darunter Palmella, die Landung verweigert sehen. Dennoch that er
selbst mehr als verlangt war; er ließ auf eine Anrede des Cortes-
präsidenten erwiedern: daß wenn die Portugiesen darauf denken
könnten, die monarchische Regierungsform abzuschaffen, der König
in seinem eigenen Herzen keinen Entschluß finden würde, als die
Nation zwar nicht ohne Schmerz aber doch mit Unterdrückung jedes
sträflichen Rachegefühls den Leitungen der Vorsehung zu überlassen! Selbst in dieser Antwort wollten die Cortes eine verfas-

---

29) Constancio 2, 265.

fungswidrige Phrase entdecken! In England ließen sogar alle
Whigs sich im größesten Ekel aus über dieß Herabziehen der königs
lichen Würde, über diesen unpolitischen Mangel an aller Achtung
vor dem Staatshaupte, einem Manne, der zwar im Herzen den
alten monarchischen Ordnungen anhing, dem man aber zutraute [30],
daß er schon aus Gegensatz gegen seine despotische Gemahlin seine
Abneigung gegen das constitutionelle System gemindert habe, der
auf alle Fälle der neuen Ordnung sich ruhig fügte und sich allen
Vorschriften der Cortes mit einer mechanischen Willigkeit unterwarf, die Langmuth scheinen konnte und mehr Stumpfsinn war.
Im Herbste fiel in den Cortes ein Antrag: wenn sich der König
ihren Beschlüssen irgend wie zu widersetzen suche, solle dieß unter
die Fälle zählen, die den Verlust der Krone nach sich ziehen; das
ward zwar verworfen, aber nur, weil es sich von selbst verstehe,
daß der König der Krone entsage, sobald er die Volksherrlichkeit
antaste. Bei diesen fortgesetzten Beleidigungen des Fürsten begreift
es sich nun leicht, daß die vorhandene Unzufriedenheit aller heimlichen Anhänger am Alten sich seit der Heimkehr des Fürstenhauses
am Hof einen Mittelpunct suchte. Die Cortes waren nach dieser
Seite hin im Ganzen sorglos und lässig. Sie schienen zu glauben,
dem Anhange des Königs wie dem Könige selber Alles bieten zu
dürfen, der mit Allem zufrieden galt, wenn man ihm nur die steife
Hofetikette und die Paar Narren ließ, die ihn umgaben. Die
Königin schienen sie nicht zu beachten; und in ihr lag die Gefahr.
Sie war des spanischen Ferdinand ächte Schwester. Von ihrem Ge-
mahle, mit dem sie nichts gemein hatte als die Häßlichkeit und die
Linkischkeit des Benehmens, lebte sie durch Grundsätze, Charakter
und Lebensweise in natürlichem Abscheu getrennt; von Jugend auf
gewöhnt jede Schranke anständiger Sitte zu durchbrechen, war sie

<hr>

30) Lord Holland, foreign reminiscences.

leidenschaftlich, selbstisch, ehrgeizig, rachsüchtig, voll Hang zu politischen und erotischen Intriguen, frühe (wie wir wissen) in herrsch-
süchtige ausschweifende Plane verstrickt, so daß man sie selbst für
fähig hielt, dem König nach dem Leben zu trachten, das sie ihm auf
alle Weise verleidete. Diese Frau war nicht geschaffen, die Demüthigungen des königlichen Hauses mit der Unempfindlichkeit
ihres Gemahls zu ertragen. Aber sie verhüllte ihren Sinn im
Anfang, so lange sie den Boden noch nicht kannte, mit all der
Meisterschaft in der Verstellungskunst, die ihrem Bruder eigen war.
Als sie den Palast Quelus bezog, in dem sie einen getrennten Hof-
halt führte, erklärte sie, daß sie Niemanden im Hause dulden werde,
der nicht der beschworenen Verfassung Folge leiste. Den überspannten Carnerzo wußte sie im Gespräche durch ihre freisinnigen
Aeußerungen zu entzücken. Heimlich ward inzwischen ihr Haus
der Mittelpunct der Gebückten (corcundas), wie hier die Reactio-
näre hießen, aller grollenden Diplomaten, aller fanatischen Geistlichen, aller beleidigten Abligen und Soldaten. Dieser Sammelplatz bildete sich zu einer Zeit, als sich die Liberalen noch in der
größten Sicherheit wiegten; sie dachten die letzten Hoffnungen der
Gebückten vernichtet, als¹ Olivetra in London als Geschäftsträger
Zulaß fand; sie nahmen sie noch später¹ für gänzlich machtlos, eben
weil es ihnen an einem Mittelpuncte fehle. In den Cortes waren
sie so gut wie stumm. „Aber nicht taub", sagte Jemand. Außer
den Cortes arbeiteten sie um so eifriger. Von jenem Centrum am
Hofe aus wurden die Verbindungen mit den Apostolischen in
Spanien, mit den Absolutisten in Europa geknüpft; von hier erhielten die Geistlichen ihre Weisungen, die Cortes durch Verleumdungen und Uebertreibungen verhaßt zu machen. Die Königin,
sobald sie merkte daß Macht und Achtung der Cortes doch nicht so
unerschütterlich stand wie es ihr anfangs schien, zog nun andere
Saiten auf. Sie lebte in größter Rückgezogenheit und erschien den

¹ Anf. 1822.
¹ Mai.

wenigen Besuchern ihres Palastes, um die Erniedrigung des Kö-
nigthums darzustellen, in schäbiger schmutziger Tracht, im alten
Kattunkleid, mit einem Biberhut und zwei großen mit Reliquien
gefüllten Taschen[31]. Kam sie ja einmal in die Oeffentlichkeit, so
war dieß nicht weniger ausstudirt. Ein Bauernjunge fand bei
Verfolgung eines Kaninchens in einer Höhle ein Marienbild,
Hund und Kaninchen auf den Knieen anbetend davor. Zahllose
Wallfahrer strömen sofort aus Lissabon zu der Höhle, aus der das
Bild plötzlich verschwindet, um neue Wunder zu üben. Ein Bauer
kann beim Pflügen seine Ochsen nicht aus der Stelle bringen, bis
er über sich das Bild in einem Baume entdeckt, vor dem nun auch
die Stiere auf die Kniee fallen. Sofort kriecht nun alle Welt in
die Höhle zu unserer lieben Frau da Barrocca, und auch die Königin erscheint in großem Pompe, um ihr eine silberne Lampe und
Anderes zum Opfer zu bringen. Es war schon geraume Zeit vor
diesem Zwischenspiele gewesen, daß die Aussichten der Gebückten
in Portugal sich wesentlich zu bessern, die Actien der Cortes zu
fallen begonnen. Schlimme Nachrichten über den bevorstehenden
Abfall Brasiliens waren schon vorlängst gekommen, und die Absolutisten gaben sich alle Mühe, die ganze Schuld daran der neuen
Regierung beizumessen. Täglich ward der öffentliche Zustand be-
unruhigender; bei der Armee gewahrte man die Anzeichen zuneh-
mender Unzufriedenheit; die Maske des Patriotismus ward immer
mehr abgeworfen; die Revolution verlor wie in Spanien in sich
selbst ihre Spannkraft und das Volk begann zu ahnen, daß sie wie
eine Posse endigen werde. Von den Exaltirtesten ward jetzt den Cortes Mangel an Energie, träge Mäßigung, schwächliche Schonung
der Misbräuche, schläfrige Unthätigkeit vorgeworfen; der Wunsch
nach Berufung der ordentlichen Cortes ward allgemein; die Reac-

---

31) Baillie.

tion lernte wie in Spanien jetzt die Waffen der Revolution, zunächst die Presse, für sich selbst zu gebrauchen. Den Cortes entgingen diese bedrohlichen Anzeichen nicht; sie gaben der Regierung
erweiterte Vollmachten, gegen die Verdächtigen und die Ruhestörer
einzuschreiten. Nicht lange, so entdeckte man[1] eine erste Verschwörung, als deren Zweck die amtliche Zeitung die Herstellung der
alten Cortes angab, unter einer Regentschaft, mit Dom Miguel,
dem zweiten Sohne des Königs, an der Spitze. Jetzt hörte man
sogar von Aeußerungen des Königs, die selbst bei ihm auf großes
Mißvergnügen schließen ließen, und in seiner Umgebung fiel gelegentlich die Anwesenheit mehrerer Personen der alten Regentschaft
auf. An den Tagen des Aufstands der Madrider Garden[1] versuchte
die Besatzung des Castells St. Georg einen Aufstand. Die Truppen, erbost über die Wiedereinführung der Prügelstrafe, hielten die
königliche Cocarde in Bereitschaft; hätte der Hof nur einigen Muth
gehabt, sie wären geneigt und stark genug gewesen, die reine Gewalt des Königs herzustellen. Dieser Muth aber fehlte hier wie
in Madrid. Die Verschwörung scheiterte an Sepulveda's Festigkeit. Die Fäden der Untersuchung führten auf die Mitwissenschaft
hoher Personen; aber man bedeckte die Sache mit Stillschweigen;
die Sieger hatten im Gefühl des unsicheren Bodens unter ihren
Füßen so wenig hier wie in Madrid den Muth, ihren Vortheil zu
nutzen; obgleich hier wie dort der Radicalismus eben jetzt zur
rechtmäßigen Herrschaft kam. Die Vollendung des neuen „Gesell-
schaftsvertrags" fiel mit diesem Ereignisse grade zusammen. In
dieser „zeitgemäßen" Zurichtung der spanischen Verfassung für Portugal waren die Grundlagen vom März 1821 nicht nur beibehal-
ten, sondern noch maaßlos erweitert: die hyperdemokratischsten
Einrichtungen sollten dieß rückgebliebenste aller Völker auf Einen
Schlag beglücken. Als die von den Cortes[1] unterschriebene Verfassung dem König überbracht wurde, beschwur er sie, wie er aus

*Mai.
*1—2. Juli.
*22. 23. Sept.

freien Stücken versicherte, mit dem größten Vergnügen und von
ganzem Herzen. Er ließ an Dom Pedro die Forderung ergehen, sie
gleichfalls zu beschwören, und setzte durch, daß auch Dom Miguel,
der längst in die gegenrevolutionären Anschläge seiner Mutter verwickelt war, am Tage vor dem Schluß der Constituante[1] vor allen **[1. Nov.**
Behörden seinen Verfassungseid ablegte. Die Königin aber hatte
bei diesem Schlußacte die Geduld der Verstellung verloren; sie
weigerte den Eid und ward des Landes verwiesen, zunächst aber
aus Rücksicht auf ihren vorgeschützten Gesundheitstand im Palast
Ramalhao unter strenge Aufsicht gestellt. Nach dem letzten Decrete
des Königs in ihrer Sache richtete sie ein Schreiben an ihn voll
von glühendem Haß gegen die Cortes und von stolzem Bedauern
der Lage des Königs. „Ich verzeihe Ihnen, schrieb sie, und ich
beklage Sie; meine ganze Verachtung aber und mein ganzer Haß
trifft Die, die Sie umlagern und betrügen!" Dieser Brief war
ganz darauf gerichtet, im Drapeau blanc und im Oesterreichischen
Beobachter zu prangen.

Alle diese Vorgänge in dem fernen kleinen Uferlande konnten **Frankreich.**
Militärverschwö-
übrigens keinen stark beunruhigenden Eindruck auf die beobachten- **rungen.**
den Ostmächte machen und keinen unmittelbar bestimmenden Einfluß auf ihre Entschließungen ausüben. Ganz anders war es mit
anderen gleichzeitigen Ereignissen in Frankreich, wohin die Mili-
tärmeutereien im spanischen und neapolitanischen Stile schon gleich
nach dem Ausbruch der Revolutionen im Süden[1] vorzudringen **[1. vgl. 1. 563.**
versucht hatten, wohin sie nachher wiederholt auf neuen Wegen
einzubrechen strebten. Eben als die Congregation die Früchte ihrer
geheimen Verbindungen geerndtet und die Ultras in die Regierung geschoben hatte, standen die Liberalen ihrerseits in neu
belebten geheimen Gesellschaften zu neuen Thaten gerüstet und
das Erste, was die Regierung Villèle's empfing, waren aus allen

Weltgegenden her die Anzeigen von ausgebrochenen oder angelegten Soldatenaufständen. Eine Weile hatten sich die Pariser
Verschwörer nach dem Scheitern des Militärcomplots vom August
1820 stille gehalten. Einer der Theilnehmer an den damaligen
Verschwörungen, Dugied, der sich flüchtig nach Neapel begeben
hatte, kehrte, als die Gesahr einer gerichtlichen Verfolgung verschwunden war, mit den Statuten der Carbonari nach Paris [1]
zurück und theilte sie einem Kreise von Studenten, darunter der
Mediciner Buchez, auch zwei Beamten Bazard und Flottard mit,
unter denen sofort beschlossen wurde, die zerstobenen Elemente der
früheren, aufgelösten Verbindungen in eine neue Gesellschaft französischer Carbonari zu versammeln. So verschieden von den südro-
manischen Verhältnissen in dem gebildeten Staate von Frankreich
Menschen und Zustände waren, doch gab es in dem französischen
Volke, das seit Ludwig's XVI. Reformen aus seiner politischen
Stabilität in den absolutistischen Zeiten in einen Schwindel leicht-
fertiger Veränderungssucht verfallen war, eine Unzahl jener Unruhigen, die, in keiner Lage besriedigt, als ob ihr Ziel wäre nirgends feste Wurzel zu fassen, immer in vergangene Zeiten zurück
oder in künstige vorausschwärmen; eine Unzahl jener entzündlichen
Versührbaren, die, den Revolutionshang mit Freiheitsliebe, die
vage patriotische Ueberspannung mit festem bürgerlichen Rechts-
und Pflichtgefühl verwechselnd, um den Preis eines Namens vor
keinem politischen Abenteuer zurückschrecken; eine Unzahl jener
eitel Aufgeblasenen, die der Abscheu eines einfachen Sohnes des
Lagers wie Foy waren, der Leute, die ihr Wohlgefallen an allem
Theatralischen, an allem Rollenspielen und Maskentragen zu den
natürlichsten Recruten aller geheimen Gesellschaften machte.
Gleichwohl aber ward jenen neuen Werbern dieses Mal die Lese
nicht leicht. Die Lage der Zeit hatte sich für die Geschäfte der
Verschwörung innen und außen außerordentlich verschlimmert.

Der heilige Bund hatte eben jetzt seinen Fuß auf die besiegte Revolution in Italien gesetzt. In dieselbe Zeit fiel[1] der Tod Napo- '5. Mai.
leons auf St. Helena, dessen Name bis jetzt das Looswort aller
veränderungssüchtigen Geister in Frankreich gewesen war, die in
blinder Liebe für den Kaiser schwärmten, dessen Regierung eine
Weltbeherrschung war, die von blindem Hasse gegen die Bourbonen erfüllt waren, deren Regiment für eine Fremdherrschaft galt.
Wie sehr dieser Todesfall taugen konnte und benutzt wurde, um
die schleichenden Gegensätze zwischen Napoleonisten und Orleanisten
auszugleichen, dennoch war er für die Freisinnigen ein neuer Schlag,
für die Königlichen aber ein großer vertrauengebender Gewinn eben
jetzt, wo sie ihrem Ziele, der Besitznahme der Regierung, täglich
näher rückten. Denn es war dieß, erinnern wir uns, eben die
Zeit, wo die Ultras ihre Gegner in der Kammer mit entfesselter
Leidenschaft verfolgten und außerhalb in Verwirrung und Schrecken
warfen, wo sich ein Béranger erkältet fühlte in der rauhen Luft
der Ausnahmsgesetze, geärgert von den Heulern, die die Wahlen
verfallen ließen, gequält von den Hoffnungen der Royalisten
auf ihr Wunderkind, den Erben der Krone[32]. Der Liederdichter,
der sich eben damals hoch ermuthigt fand, seinen Gesängen in
England Namen und Würden der Poesie zuerkannt zu sehen, die
die launige Aesthetik Frankreichs aller gesungenen Dichtung verweigerte, hatte sich eben, den höheren Gattungen entsagend, ausschließlich auf sein bescheidenes Lied geworfen, dessen Inhalt er

---

32) Dem er prophetisch das Horoskop in den deux cousins stellte, worin
der König von Rom den neugebornen Herzog verwarnt:

> Confonds ces courtisans maudits
> en leur rappelant ma naissance;
> dis-leur: je puis avoir mon tour!
> de mon cousin qu'il vous souvienne!
> vous lui promettiez votre amour,
> et cependant il est à Vienne.

jetzt mehr als früher von der öffentlichen Meinung und dem politischen Tagesinteresse bestimmen ließ. Eben in diese Zeit fiel dann die Ausgabe der zweiten Sammlung seiner Gesänge, die ihn nach St. Pélagie in dasselbe Zimmer brachte, das eben Paul Louis Courier verließ[33], der den Namen des Pamphletairs damals so zu Ehren brachte wie Béranger den des Chansonniers. Mit dieser Ausgabe war es Béranger's erklärte und trotz allen Verwarnungen durchgeführte Absicht, die gesunkene Stimmung des Tages zu heben, mit dem Lärmschuß einer vorgeschobenen Schildwache das liberale Lager aufzuwecken; und es fragt sich, ob alle damaligen Werbungen der Geheimbündler in Frankreich so viele Erfolge hatten, wie seine Lieder aus diesen Jahren, die „den Schutt der alten Lorbeeren aufhäuften", um mit diesen untergegangenen Glorien dem Groll in dem Heere Nahrung zu geben. Als die Charbonnerie in Paris unter dieser Ungunst der Zeit ihre Anwerbungen stocken sah, richtete sie ihre Blicke in die höheren Kreise, in denen sich Béranger mitbewegte, um sich dort Namen von stärkerem Einfluß und Ansehen zuzugesellen. Béranger selber weigerte sich an der Verbindung Theil zu nehmen und suchte auch seine engsten Freunde wie Manuel davon abzuhalten; dagegen gewann sie erst Cauchois Lemaire und den Maler Ary Scheffer und durch sie selbst Lafayette, der im steten Bedürfnisse nach Volksgunst, ohne nüchterne Erwägung der Verhältnisse, ohne Vorbedacht der Folgen seiner Handlungen, sich fortwährend zum Aushängeschild aller Aufstandspläne gebrauchen ließ. Er übte als Präsident in der Oberventa, in dem Kreise der Joubert, Ary Scheffer, Laresche,

---

33) Wegen seines simple discours über die Subscription, durch die Chambord dem Herzog von Bordeaux gegeben werden sollte; er hatte da in empfindlich stechender Vergleichung von diesen ersten Bemühungen um das Kind Europa's auf die Erziehung des Herzogs von Chartres im öffentlichen College hingewiesen.

Bazard, Trélat u. A. den Haupteinfluß aus, während er mit den
Gliedern des früheren leitenden Comités[1] wieder einen politischen *vgl. 1, 201.
Ausschuß außerhalb jenes innersten geheimen Rathes bildete.
Alle Angehörigen der früheren Union, die „Freunde der Preßfreiheit", die Augustverschwörer traten nach und nach in die Charbonnerie; im Sommer zählte Paris schon 50 Venten. Man
dachte nun darauf, Sendboten in die Provinzen zu schicken. Nach
Westen gieng ein Riobé ab, der in dem Loirethal eine unverhoffte
Entdeckung machte. Dort hatte sich in der Nähe der Stadt Saumur (Mayenne u. Loire), die aus örtlichen Gründen stark anti-
bourbonisch war, ein Regimentsfeldscheerer Grandménil niederge-
lassen, der schon 1815 in Paris einer napoleonistischen Gesellschaft
der „Ritter der Freiheit" angehört hatte; auf zufällige Anlässe hin
bei einer Anwesenheit Benj. Constant's im Herbste 1820 hatte der
Mann diese Gesellschaft in einem bürgerlich-militärischen Geheim-
bunde erneut, der sich aus verarmten Schiffleuten, Arbeitern, aus-
gedienten Soldaten rekrutirte und zuletzt in den Zöglingen der
Militärschule in Saumur seine Hauptstärke hatte. Als Riobé in
Angers auf diese Verbindung stieß, zählte sie in den Loiregebieten
bis Nantes hin 15—20000 Mitglieder, die sich sofort der Pariser
Charbonnerie untergaben. Im Rheinthale arbeitete Buchez von
den Fabrikanstalten d'Argenson's und Jac. Köchlin's im Elsaß
aus; den militärischen Stützpunct bildete hier das 29. Linieure-
giment in Béfort. Geringeren Anklang fand die neue Verschwö-
rungsmission im Norden, wo der fruchtlose Ausgang der August-
bewegung noch in zu frischem Andenken war; wenig auch in dem
royalistischen Süden, wo Ary Scheffer nur in Lyon eine bürgerliche, und in Marseille eine militärische Venta (im 5. Linien-
bataillon) bilden konnte. Die Plane der Verschworenen reisten
mit der steigenden Macht der Königlichen; aus 35 Departements
machten die Präfekten im Laufe des Jahres 1821 die Anzeigen

von Köhlerverbindungen, deren Mitglieder die Zahl von 50—
60000 erreicht haben sollten. Schon war Alles im Gange zum
Betrieb eines gleichzeitigen Ausbruchs in Saumur und Béfort,
der auf den Neujahrstag zu einer Jahresfeier des spanischen
Inselaufstandes werden sollte, als die Ultras in die Regierung
traten. Dieß Ereigniß wirkte auf die verschiedenen Führer verschieden, spornend und einschüchternd, ein. Die Kammerdeputirten
des erwähnten politischen Ausschusses, wie Manuel u. A., die
sich nicht leichtfertig aussetzen wollten, erhoben Bedenken über die
Verläßigkeit der Zusicherungen des jungen Volks in den Provinzen, und gewannen es über Lafayette, der halb ihnen und halb
den entschlossenen Waghälsen der Oberventa angehörte, daß man
erst d'Argenson und Köchlin nach dem Elsaß vorausandte, um
über den Stand der Vorbereitungen zu berichten und zu entscheiden, ob Lafayette ihnen nachfolgen sollte. Gegen die Zeit der
Ausführung aber hielt erst d'Argenson, ein aufrichtiger Enthusiast
aber leicht entmuthigt und zum Handeln wenig geschickt, hinzögernd
zurück; und an Lafayette selbst, an dem seine Bewunderer ganz
und nur Hingebung, unbändigste Energie und Todesverachtung
sahen, fanden es die Manuel und Dupont doch sehr seltsam, daß
er sich eben jetzt, wo er stündlich den Bericht von Argenson erwartete, nach seinem Schlosse Lagrange begab, wo er am 24. December den Todestag seiner Frau zu begehen pflegte. Gleichwohl
als ihn der Bote der Rheinländer hier erreichte, reiste er ab und
berief noch einige mitverschworene Officiere aus Paris.   Man
'1. Jan. 1422. hatte genau die Zeit[1], auf die man die Ankunft Lafayette's berechnete, zum Ausbruch in Béfort bestimmt; kurz vor dem Augenblick
des Losschlagens aber wurde den Officieren des aufgewiegelten
Regiments die Verschwörung durch einen Zufall verrathen; und
es gelang ihnen die Truppe festzuhalten und einen Theil der
Verschworenen zu verhaften. Lafayette und die Pariser Reisenden

aber waren so glücklich, die Unglücksbotschaft zeitig genug unterwegs zu erfahren, um sich schleunigst zurückzubegeben. Während dem war die gleichzeitig beabsichtigte Erhebung in Saumur durch ein anderes Ungefähr schon früher erstickt: bei einem Brande war durch den Einsturz einer Mauer ein Theil der Verschworenen der Militärschule verschüttet worden, in deren Kleidern man enthüllende Papiere fand. Und so scheiterte auch eine Diversion in Marseille, die ein Hauptmann Vallée an der Spitze einer Compagnie Philhellenen unterstützen sollte, der dann durch Unvorsichtigkeit[1] seine Verhaftung in Toulon verschuldete, während '8. Jan. die Pariser Sendlinge auch hier durch ihre größere Vorsicht entwischten.

Die Pariser schickten nun den General Berton, ein Opfer Fortsetzung. bourbonischer Verfolgungen, an die Nantesen, mit der Aufforderung, diese drei erlittenen Schlappen durch einen glücklicheren Aufstand gut zu machen; und es wurde eine neue Bewegung verabredet. Gerade war auch dieser Plan[1] durch einen Verrath zweier '9. Febr. Sergeanten vereitelt worden, als Grandménil aus Saumur ankam, um die Nantesen zu einer gemeinsamen Unternehmung zu bestimmen; nun nahm er Berton mit nach Saumur, wo der Ausbruch der Insurrection auf einen nächsten Markttag beschlossen ward. Der dortige leitende Ausschuß hatte aber Bedenken über die Stimmung der Stadt und fand es sicherer, ihr vom Land aus, von Thouars, einen Anstoß zu geben, wohin man also Berton beorderte, der des Landes und aller Verhältnisse ganz unkundig war. Aber auch in Thouars konnten sich den warnenden Vorstellungen von Weib und Kind kaum ein 130 Verschworene entreißen, die sich dann langsam in Bewegung setzten und spät Abends[1] vor Saumur anlangten. Dort waren Ausschuß und '21. Febr. Bürger so unlustig sich der Bewegung anzuschließen, wie der

Unterpräfect unwillig war, die Familienväter der Bürgerwehr gegen die Aufständischen ins Gefecht zu führen. Es war ein lächerlicher Spießbürgerkrieg, der am Morgen, als endlich Anstalt gemacht wurde ein Geschützstück vom Schloße zu holen, mit der Zerstreuung der Aufrührer endigte. General Berton, dem man den Vorwurf der Schwäche machte, glaubte etwas zu seiner Ehrenrettung thun zu müssen. Er wagte sich nach la Rochelle, wo ein neuer Aufstand im Augenblick der Reife war[34]. Die Stadt, ein natürlicher Sammelplatz von Flüchtigen, war der Sitz einer Bürgerventa, die sich auf zwei Bataillone Colonialinfanterie stützte, und auf das 45. Linienregiment, das vor nicht lange aus Paris hierher verlegt worden war und durch die Charbonniers in seiner Mitte die Weisungen der Pariser Oberventa für die Verschworenen im Westen mit sich gebracht hatte. Unvorsicht und Plaudersucht, die diesem französischen Volke die Fähigkeit der Südromanen zur Verschwörung ganz entziehen,
'13. Mär̃. führten auch hier[1], kurz nach Berton's Ankunft, zu einigen Verhaftungen und zu Geständnissen, die die Festnahme aller Carbonari des Regimentes nach sich zogen. Der aus Nantes herzugeeilte General Graf Despinois wußte, den verkappten Mitverschworenen spielend, zwei Sergeanten Ponmier und Goubin alle ihre Geheimnisse abzulocken, in Folge deren auch einige Mitglieder der Centralventa in Paris festgesetzt wurden. Von nun an untergrub die geschickte Späherei der Regierungsagenten auch die letzten Plane der Verschwörer. In Saumur, wo ein dritter Aufstandsversuch unter dem wieder hierher gezogenen Berton im Werke war, spielte ein Wölfeld, von Lafayette als ein muthiger und verlässiger Mann empfohlen, den Schlingenleger, der[1] Berton in den
'14. Jun. Kerker brachte und Grandmenil zur Flucht nach Paris nöthigte.

---

34) Souvenirs de la conspiration de la Rochelle. Par J. S. Lefèvre. Rouen 1845.

In ähnlicher Weise wurde in Colmar dem Oberflieutnant Caron, der auf eine Befreiung der dorthin gebrachten Béforter Gefangenen dachte, eine riefige Falle gestellt, in die er[1] durch den Verrath einiger scheinbar Mitverschworenen hineinfiel. Um diese Zeit *2. Jul.* waren die Untersuchungen über die Dinge in Saumur und la Rochelle zu Ende geführt, durch die die Regierung erst zu genauerer Kenntniß von der Existenz und Ausbreitung der Charbonnerie gelangte und sehr nahe zu den Spitzen der ganzen Verschwörung hinangeleitet ward. Die schuldigsten Verhafteten von la Rochelle, die vier Sergeanten Bories, Goubin, Pommier und Raoulr, die mit Lafayette, Laresche u. A. in Verbindung gestanden waren, hatten, selbst mit Begnadigung gelockt, die erforschten Namen der ersten Urheber standhaft verschwiegen; einer der Saumurer Gefangenen aber, der Weinhändler Baudrillet hatte gestanden, daß er Lafayette gesehen. Ein mitverhafteter Notar bewog ihn noch zu guter Zeit, in seinen späteren Verhören ein falsches Signalement des Generals anzugeben, um die Ueberzeugung zu erwecken, daß man ihn mit einem falschen Lafayette getäuscht habe. Der geflüchtete Grandménil aber war in Paris auf der Gallerie anwesend, als der Kammer die Anklageacte des Staatsanwalts Mangin von Poitiers bekannt wurde, worin Lafayette und Andere als die Männer genannt wurden, die auch er, Grandménil, in Paris gesprochen haben sollte. Die fälschlich bezüchtigten, unbetheiligten Liberalen wie Foy suchten den Schild ihrer persönlichen Unschuld über die schuldigen Freunde an ihrer Seite zu decken; und Lafayette verlangte in leckem Troze, daß den Anschuldigungen die größte Oeffentlichkeit in der Kammer gegeben werde, wo sie und ihre Gegner sich in aller Offenheit sagen könnten, was sie sich seit 30 Jahren vorzuwerfen hätten: eine Bravade, die bis zu dem König hinaufreichte. Villèle setzte Drohung gegen den Troz: wenn die Zeugenaussagen bewiesen würden, so werde man erfahren,

IV. 21

ob die Minister zur Verfolgung der Beschuldigten den Muth
hätten oder nicht. Gleichwohl weiß man, daß die Schwäche oder
Nachsicht oder Klugheit, die die Regierung unter Richelieu in Bezug auf die Häupter der Verschwörungen bewies, auch auf Billele
vererbte, der Mangin die Erlaubniß, jene eigentlichen Urheber zu
belangen und zu verhaften, verweigerte[33]. Die Strafen fielen
[21. Sept.] nur auf die Werkzeuge. Die vier Sergeanten in la Rochelle gingen[1]
zum Tode mit einem Muthe, der selbst einem alten Emigranten Bewunderung und Nachdenken über den Zauber der Freiheit entlockte,
deren Namen im Munde sie starben; der Eindruck ihres Schick-
sals hat sich nie verwischt, das im Volke wie zu einer Märtyrer-
[1. Okt.] legende ward. Wenige Tage nach ihnen[1] ward Oberst Caron in
[5. Okt.] Straßburg hingerichtet. Berton fiel[1] unter der Guillotine in
Poitiers und zwei andere der Saumurer Verschworenen in Thouars.

Die französischen Liberalen, Führer wie Verführte, hatten sich
über ihre Stärke, über die Lage und Stimmung in Zeit und Land
noch einmal verrechnet; die waghalsige Kühnheit der wenigen Verschwörer fiel noch weit rascher und erfolgloser als in den Aufständen im Süden der Theilnahmlosigkeit der Massen zum Opfer.
Verloren die Bewegungen dieser Jahre so schnell selbst dort ihre
Stoßkraft, wo die Gebrechlichkeit und Verderbtheit der Zustände
den Revolutionären ganz andern Zusammenhalt, Verschwiegenheit,
Zuversicht, Muth oder Verzweiflung eingab, so waren hier all
diese Verschwörungen noch viel hoffnungsloser, in diesen geordneten Staatsverhältnissen, wo die öffentliche Meinung immerhin zur
Rede kommen konnte, wo es in sich ein sinnloser Widerspruch war,
die gesetzliche öffentliche Berathung mit geheimen Wühlereien, das
freie Wort der Partheien mit den Fäusten der Factionen zu kreuzen.
War es befremdlich, in solch einer Staatsgesellschaft so verwegene

---

33) Vaublanc (souvenirs 1, 432) wollte dieß durch Mangin selbst wissen.

Unternehmungen so leichtfertig, so mittellos, so verstandlos betrieben zu sehen, so konnte man doch noch mehr stutzen, daß so
namhafte und bewunderte Männer sie führten und förderten. Daß
ein Lafayette sich in alle diese niedern Complotte einlassen, sich in
seiner Feldherrnstellung in der Parthei bei jedem so kleinen Schar-
mützel aussetzen mochte, daran nahm sogar eine so abenteuerliche
Natur wie W. Pepe gerechten Anstoß. Auch war in dem liberalen
Lager der Pariser selber keineswegs Eintracht und gleiche Bethei-
ligung an diesen blutigen Entwürfen. Wir wissen, daß die Royer
Collard und seine Freunde ihnen ganz fremd waren; die Foy,
Périer, Constant mißbilligten sie, obschon sie darum wußten;
selbst Béranger, der in Lafayette's Leben Alles Ruhm fand, „Alles
für die Freiheit, jeden Tag seine Seite, und kein Druckfehler", sah
doch eine große Schwäche und Irrung in dieser steten Verschwö-
rungssucht[36], die nutzlos so viele Existenzen bloß stellte, eine
Menge kleiner eifersüchtiger Ehrgeize erzeugte, das allgemeine Interesse den Leidenschaften der Einzelnen unterordnete, die untern
Klassen verdarb, die sie heranzog ohne sie aufzuklären. Andere
noch Besonnenere fanden wieder, daß auch Béranger diesen seinen
klugen Grundsätzen durch die That selber widersprach, da seine
Lieder wie in einer offenen Verschwörung diese Klassen durch ihr
Schmeicheln und Stacheln nicht minder unaufgeklärt verdarben;
und B. Constant traf den staatsmännischen Ausdruck gegen diese
Art poetischer Opposition, als er später einmal an Béranger
schrieb: daß ihm „ein Wunsch nach Umsturz, ohne andere Beweggründe als die der Erinnerungen und des Hasses, nie in den Sinn
kommen werde." Bei diesem inneren Zwiespalte nun unter den
Führern der Unabhängigen begreift sich die flaue Anlage und die
Erfolglosigkeit der Aufruhrversuche um so leichter, die aber der

36) Ma biographie. Paris 1858. p. 239.

21 *

ganzen Sache der Liberalen diesmal verderblich werden sollten. Die
Parthei verrieth den Gegnern in und außer Landes ihre Schwäche,
indem sie zugleich die ganze Gefährlichkeit ihrer Absichten verrieth;
sie gab ihnen, wie die spanischen Exaltirten, schwere Vorwände zu
stets systematischerer Verfolgung ihrer Reactionsplane, indem sie
ihnen zugleich die sichersten Erfolge in Aussicht stellte. Den Royalisten in Frankreich, dem Auslande, das ganz durch die Brille
der Royalisten sah, erschien Frankreich in Folge dieser tollen Aufstände als ein geöffneter Krater, durch den der spanische Revolu-
tionsvulcan nach den Wendungen, die die Dinge dort seit dem
Juli genommen, ganz Europa mit seinen Ausbrüchen bedrohte.
Das Zusammenspiel einzelner der spanischen und französischen Meuterer galt seit den Wühlereien Montarlot's und anderer Flüchtlinge
für bewiesen; vor allen Gerichten, die die französischen Verschwörungen verhandelten, fiel der Name der Cortes und verriethen sich
die Hoffnungen auf Spanien; die französischen Ausgewanderten
arbeiteten ihr Theil mit, um in der spanischen Presse den Thron
Frankreichs zu beschimpfen, um in dem Grenzheere Schmähschriften zu verbreiten. Im Herbste verkündete der spanische Beobachter
ganz offen, auf welche Mittel die Revolution gegen die feindseligen
Bourbonen zu rechnen habe: auf das spanische Heer, auf 10,000
Freiheitsritter in dem Beobachtungscorps, auf 100,000 im Innern
von Frankreich, auf 25,000 wenigstens in der Armee, und auf den
unversöhnlichen Haß von neun Zehntheilen des Landes gegen
seinen Tyrannen. Kein Wunder, wenn die Erregteren unter den
Royalisten Frankreich jetzt durch Spanien so gefährdet ansahen,
wie es Europa 1793 durch Frankreich war. Unmittelbar nach den
Madrider Julitagen fand Chateaubriand den König Ferdinand in
derselben Lage wie Ludwig XVI. in seinen letzten Tagen; er erwartete zu den Hinrichtungen Ludwig's und Karl's I. ein drittes
Urtheil hinzutreten zu sehen, „das durch die Autorität der Ver-

brechen eine Art Völkerrecht und Corpus Juris gegen die Könige zu begründen scheinen würde[37]. Für ihn lag die einfache Existenzfrage vor: ob die durch die Legitimität besiegte Revolution mit Gewalt wiederkehren oder mit Gewalt niedergehalten werden sollte. Und desselben Sinnes wurden jetzt entschiedener die Fürsten des heiligen Bundes. Als der Staatsanwalt Marchangy, der den Prozeß der la Rochelle vor der Seinejury eingeleitet, eine Darstellung von der Organisation und den Zwecken der französischen Charbonnerie, halb Wahrheit halb Fabel, entworfen hatte und an Kaiser Alexander schickte, erkannte dieser darin einen ganz Europa geleisteten Dienst: sie enthüllte ihm, daß Frankreich (wie ein späteres russisches Schriftstück sagte) ein Vulcan sei, auf dem man nur zitternd wandeln könnte; und daß die Aufgabe nunmehr vorlag: sich „dieser selbst nicht mehr ruhigen Nation zu bedienen, um das unruhige Spanien, und mit ihm ganz Europa zu vollständiger sicherer Ruhe zu nöthigen." Die französischen Royalisten und die ausländischen Legitimisten waren einverstanden, daß der Augenblick der Intervention in Spanien gekommen sei. Nur die französische Regierung schien sich dieser Ansicht fortwährend und standhaft zu versagen.

Der Furchtsamkeit und der oberflächlichen Betrachtung war es zu verzeihen, wenn man damals Frankreich im Verhältniß zu Spanien in derselben Lage sah, in der Europa um 1792 zu Frankreich war. Alle Erscheinungen der französischen Revolution, aus den gleichen und schlimmer gearteten Verhältnissen entsprungen, spielten sich in Spanien ab und nach, aus Verhältnissen, die die Königlichen in Frankreich gerne wiederherstellen wollten, die man in Spanien mit der Wurzel auszutilgen rang. Die Spaltung der

Die französische Regierung. Bläcle.

---

37) Mémoires d'outre tombe 7, 195.

Nation in zwei ungleiche feindselige Massen, eine bevorrechtete
Minderheit und eine geschundene Mehrheit, war hier um vieles
greller, als sie in Frankreich gewesen war; der Feudalanfang, der
die unteren Klassen im Elende hielt und alles Staatsgedeihen zu
ersticken drohte, war hier weit ärger; ein agrarisches Gesetz, das
hier die kleinen Landbesitze erst schaffen sollte, die Frankreich schon
vor der Revolution so zahlreich wie nachher besaß, war hier viel
dringender gewesen; die Eingriffe in hergebrachte Besitze und Rechte,
die Gesetze über die Klöster und die gutsherrlichen Rechte, riefen
dann hier dieselben Auflehnungen der privilegirten Klassen hervor,
wie in Frankreich die Civilverfassung der Geistlichkeit und die Abstellung des Adels; Auswanderung und Bürgerkrieg boten endlich
dem Auslande die Handhaben der Einmischung und schienen im
Innern dieselbe Volksleidenschaft entzügeln zu wollen, die in
Frankreich zu Königsmord, zu Republik, zu Krieg und Propaganda
getrieben hatte. Aber grade an diesem Puncte, der die Fremde
allein angehen konnte, hörten die Aehnlichkeiten der spanischen und
französischen Revolutionen auf. Man mußte allen Abstand von
Worten zu Handlungen, von Prahlereien zu Heldenthaten mis-
kennen, wenn man aus dem Bombast der spanischen Eisenfresser
in Clubs und Presse eine ernste Gefahr für das Ausland befürchten wollte; man mußte die ganze Trägheit und Sorglosigkeit des
spanischen Volkscharakters vergessen, wenn man von dort eine revolutionäre Propaganda vermuthen, von den Cortes die Rolle eines
Convents besorgen wollte. Alle die republikanische Schärfe, all
der revolutionäre Trotz, alle die kriegslustige Kraft der französischen
Girondisten fehlte der spanischen Regierung, all der vaterländische
Ueberschwang, der Fremde gegenüber, dem spanischen Volke ganz
und gar. Die verschiedenen Regierungen in Madrid hatten nach
der Reihe und zu aller Zeit die größte Mäßigung und Vorsicht
nach außen, und im Besondern gegen Frankreich bewiesen. Ihre

amtlichen Blätter enthielten nichts Beleidigendes gegen die Fremde.
Als 1820 die Junta von Oporto und 1821 die Regierung von
Neapel Spaniens militärische Unterstützung nachsuchte, war sie
verweigert worden. Während die spanischen Auswanderer in
Bayonne und Perpignan den Bürgerkrieg bereiten durften, hatte
man in Madrid kaum die Winke der französischen Regierung ab-
gewartet, um gegen jenen Montarlot einzuschreiten, um die Flüchtlinge aus Frankreich in das Innere zu verweisen; die angebotenen
Dienste dreier Regimenter in dem Beobachtungsheere rühmte man
sich ausgeschlagen zu haben[38], und als Mina die Regentschaft und
ihr Heer über die Grenze warf, hatten die Constitutionellen die
allerstrengsten Befehle, das französische Gebiet nicht zu berühren[39].
Und diese maasvolle Rückhaltung war keineswegs etwa auf die
Regierung beschränkt. Der General Vaudoncourt, jener gelehrte
Soldat der französischen Republik und Kaiserzeit, der aus Neapel
und Piemont nach Spanien gekommen war der Revolution seinen
Arm zu leihen, hatte wiederholt bei allen Häuptern der Radicalen
auf eine Verbindung mit den französischen Unabhängigen und ein
angreifendes Vorgehen gegen Frankreich gedrungen: aber er mußte
sich überzeugen, daß selbst die Alpuente und Morales, daß selbst
ein Riego jeder Maasregel entgegen war, die dem heiligen Bunde
einen Vorwand zum Einschreiten geben konnte[40], und daß die
fahrlässigen Freimaurer, höchst ungleich den Girondisten, trotz
allen Congressen und offenkundigen Feindseligkeiten der Ostmächte
an keine Einmischung glaubten; er mußte von einem Serrano das
Geständniß hören: daß zu solchen Entschlüssen erst eine zweite Re-

---

38) Diese Angaben sind in einem amtlichen Memorandum des spanischen
Geschäftsträgers Zabat in London vom 18. Febr. 1823 gemacht.

39) A. Thiers, les Pyrénées et le midi de la France pendant les
mois de Novembre et Dec. 1822. Paris 1823.

40) Vaudoncourt p. 242. 354.

volution nothwendig wäre; daß die Spanier eben nicht die Lebhaf-
tigkeit der Franzosen besäßen; daß in dieser Beziehung „bei allen
Aehnlichkeiten der Revolutionen beider Länder große Abweichungen
Statt hätten". Dieß schien man denn auch unter der Regierung
Richelieu's in Frankreich verständig genug zu begreifen, der die
Revolution wollte austoben lassen, um dann durch die innere
Nöthigung der Dinge zu der gewünschten Verfassungsänderung zu
gelangen. So wie zur Zeit der französischen Revolution Kaiser
Leopold, argwöhnisch gegen Preußen, besorgt für seine belgischen
Provinzen, dem Andrängen der Ausgewanderten und der Kriegslust der Nordmächte widerstand und durch den Einfluß der Feuillans und ihre beabsichtigte Verfassungsreform dem Krieg zu entgehen wünschte, so wollten Ludwig XVIII. und sein Richelieu, mis-
trauisch gegen England, ängstlich vor der Ausbreitung der Revolutionsseuche im eigenen Lande, zu eben diesem Ziele mit Spanien
gelangen; und die Invasion ward damals und jetzt vermieden, so
lange jener Kaiser lebte und dieser Minister regierte. Hätte damals Leopold länger gelebt und jetzt Richelieu länger regiert, so
mag man gern denken, hätten sich Fürsten und Liberale durch guten
Rath beschwichtigen lassen und ein gewaltsamer Zusammenstoß
wäre vermieden worden; wenn nur nicht so oft erfahren wäre, daß
in so tiefen Verwicklungen, wenn einmal die blinden Triebe größerer
Partheimassen entbunden sind, ein einzelner Mensch, wie mächtig
oder weise er sein möchte, nichts bedeutet. Richelieu's äußere Politik wurde von seinem Nachfolger in ganzem Maaße gebilligt und
wohl selbst mit festerer Hand und der gleichen Unterstützung des
Königs fortgeführt, und sie mußte gleichwohl den umstrickenden
Einflüssen der royalistischen Coterie weichen, der Villèle wohl durfte
zu gebieten glauben. Dieser Mann hatte in all der Zeit, wo er
sich vom gemeinen Soldaten in der königlichen Parthei zum Feldherrn aufschwang, fortdauernde Beweise von Geschicklichkeit und

Arbeitsamkeit, von Gleichgültigkeit gegen Vergnügungen, von Ge-
schäftskenntniß und Erfahrung, von einer Einsicht und Mäßigung
gegeben, die ihn von seinen Partheigenossen sehr vortheilhaft unterschied, von deren erst getheilten Uebertreibungen[1] seine nüchterne vgl. 1, 60.
Natur sich bald geläutert hatte. Als Vicepräsident der Kammer
hatte er die Liberalen oft durch seine Unpartheilichkeit überrascht; er
durfte sich rühmen, „es koste ihn nichts unpartheilisch zu sein", ihn
kümmere nur der Fortgang der Geschäfte, die er übernommen, und
er sei dabei ohne die geringste Leidenschaft gegen die Personen"[41].
So hatte er, mit diesen Eigenschaften fast allein stehend unter
seinen brausenden Freunden, reich wie kein Anderer an Hülfsmit-
teln, mit Ruhe und Kälte und in einem zähen umsichtig verhüllten
Ehrgeiz an dem Zwecke gearbeitet, die Parthei zur Regierung fähig,
sich selbst der Regierung Meister zu machen; mit einem Geschid,
das ihm nicht von Jedermann zugetraut ward, hatte er die Gewalt
nach der er strebte in regelmäßiger Belagerung umstellt. Eine erste
Bresche schien geöffnet, als er sich unter Richelieu in das Ministerium[1] eingereiht hatte in einer bescheidenen Stellung, die ihm nichts vgl. 3, 605.
gab und wenig versprach; nachdem er aber Stellung und Angriffs-
weise falsch erkannt hatte, war er rasch wieder zurückgetreten. Hatte
damals sein Eintritt die Partheigenossen an seiner Aufrichtigkeit
zweifeln lassen, so machte er durch seinen schleunigen Rückzug seine
Gegner glauben, daß es ihm an dem Charakter fehle, auf alle
Gefahr einen Zweck zu verfolgen, und an dem entschlossenen Ehrgeiz, den Erfolg zu wollen. Diese Letzteren hatten weniger Recht
als die Anderen. Auch verkannten die Freunde, die neben und mit
und hinter ihm nach der Herrschaft emporklommen, in ihm nicht
dieses ausdauernde Bestreben, mit dem sie ihn so sicher voranschrei-
ten sahen, mit dem sie sich selbst in seinem Geleite zu fördern

---

41) Guizot, mémoires 1, 231.

dachten. In späterer Zeit freilich hat Chateaubriand alles Geheimniß des Villèle'schen Glücks nur in der niederträchtigen Kunst
„Ohrfeigen einzustecken" finden wollen; aber dieß war nur der
Aerger des hochmüthigen Ritters, der sich wie Andere zuletzt nur
zum Bügel gebraucht sah, auf dem sich Villèle in seine hohen
Stellungen schwang. Denn mitten in die Ränke der stellensüchtigsten
und einflußreichsten Partheigenossen gestellt, verstand es Villèle
vortrefflich, sie Alle vor Allem zu seinen Zwecken zu benutzen, und
das still, ohne Zudrängen, ohne Aufsehen, unter dem Scheine,
als ob er in keinem der tausend neidischen Ränke dieser Kreise seine
Hände im Spiele hätte. Noch auf dem Wege zum Amte gebrauchte
er den damals sehr demüthig ergebenen Chateaubriand, um sich
mit den Verfassungssinnigen unter den Royalisten zu setzen, wie
er Corbière brauchte, um sich mit den strafferen Ultras zu halten;
er benutzte Larochefoucauld, der damals „auf Leben und Tod" mit
ihm Freund war, um sich durch ihn mit dessen Schwiegervater
Vicomte Montmorency und durch diesen mit der Congregation gut
zu stellen, um durch seine Freundin v. Cayla eine Fürsprecherin
bei dem Könige zu gewinnen. So gelang ihm das fast Undenk-
bare: sich zum Haupte der Königlichen aufzuwerfen und doch den
Undank von sich abzuhalten, mit dem der Pavillon Marsan bis
dahin noch alle Verdientesten, die Vitrolles, Morin, Flévée, Vau-
vineur, Bellart bezahlt hatte; es gelang ihm, unter dem Zwist
des Königs und seines Bruders zur Regierung zu kommen und
doch Beider Vertrauen auf sich zu vereinigen; durch die Forderungen
einer zügellosen Parthei emporgehoben zu werden, und dann doch
durch die Bildung eines besonneneren Centrums in der Kammer
die unheilbarsten Ultras in eine Minderheit zu schieben; nach so
vielen Schwankungen endlich eine Regierung zu schaffen, die Frankreich zuerst wieder eine einheitlichere innere Action gab, und, wiewohl sie nicht in dem Sinne des aufgeklärten Theiles der Nation

war, doch augenblicklich den ganzen Vortheil bewährte, der in einer solchen gleichen und gewissen Richtung gelegen ist. Diesem Emporkömmling nun, dessen politischer Geschäftskreis sich mit seiner erhöhten Stellung immer mehr erweitert hatte, war nach seiner ganzen Natur der Gedanke an ein gewaltsames Einschreiten in Spanien sehr zuwider. Ein Mann der Verwaltung wollte er die günstige innere Lage, das finanzielle Gedeihen Frankreichs, seine 25 Mill. Ueberschüsse, die er am Jahresende zu haben dachte, nicht den „Fanatikern" opfern, nicht in einem muthwilligen Kriege aufs Spiel setzen, der Gewerbe und Handel schädigen würde, der von der gesunden Meinung im Lande entschieden nicht gewünscht ward, der in eine Verwicklung mit England reißen konnte, der so peinlich die Misgeschicke der Napoleonischen Waffen in Spanien ins Gedächtniß rief. Sollte sich Frankreich in die äußeren Weltereignisse einmischen, um sein altes Ansehen unter den Mächten herzustellen, so schienen ihm die Verwicklungen im Orient weit lockendere Anlässe zu bieten. Auch Villèle wollte demnach wie Richelieu den Vulcan in Spanien lieber ausbrennen lassen, und kaum schien es ihn zu reizen, ihn ausbrennen zu helfen. Auch Er verfolgte fortwährend die chartistischen Plane seines Amtsvorfahren; er schien dem König Ferdinand den Ausgang der Julitage fast zu gönnen, weil er sich zu den in Paris verhandelten Verfassungsänderungen nicht hatte bewegen lassen; selbst in Wien suchte er für diese Auskunft in den spanischen Wirren zu stimmen. Er war ein Gegner der Regentschaft von Urgel, er galt als der Störer ihrer Anleiheversuche; als sie ihr Gesuch um Unterstützung an die französische Regierung richtete[1], waren es Villèle und Corbière allein im Ministerrathe, die sie entschieden widerriethen, und der König, unbewegt von Ferdinand's Hülferuf, stellte sich auf ihre Seite[42]. In-

'vgl. oben S. 299.

'Ent. 1822.

---

42) Miraflores, documentos 2, 92 ff.

zwischen aber schürte die Leidenschaft der Königlichen die kriegerische
Stimmung gegen den nüchternen Minister auf, in der Parthei, in
der Kammer, im Land, an der Grenze, in der Presse und im
Schooße der Regierung selber. Die royalistische Presse hatte mit
ihren giftigen Verleumdungen schon ganz im Anfang, schon im
Mai 1820, die Beschwerden der Madrider Regierung hervorgerufen.
Die spanischen Liberalen ihrerseits hatten es nicht fehlen lassen an
Erwiederungen auf die Drohungen der Königlichen in Frankreich,
die ihre wüthenden Ausfälle dann wieder wie Kriegserklärungen
aufnahmen; gegenseitig glaubte man die gegründetsten Anklagen
gegen einander zu haben über die offenkundigsten feindseligen
Plane und Handlungen der Revolution dort, der Gegenrevolution
hier. An den Grenzen hatten seit lange die offenen Unterstützungen der spanischen Aufständischen begonnen. Nicht die Privaten
allein unter den Königlichen halfen dazu nach. Der Vicomte
Montmorency beförderte diese Unterstützungen hinter dem Rücken
seines Collegen[43], und auch der Kriegsminister Herzog von Belluno
hatte Theil an diesem Treiben. Noch wiederholte die französische
'23. Mai. Regierung[1] auf eine Beschwerde der spanischen über die Begünstigung der Aufrührer die friedlichsten Versicherungen, noch
veranlaßte der König große Geschäfte in spanischen Papieren und
'4. Juni. Anleihen, als er[1] in seiner Thronrede versicherte, daß die Truppen-
versammlung an den Pyrenäen keine andern als gesundheitliche
Zwecke habe und daß nur Uebelwollen ihr andere Absichten un-
terlegen könne, als sein Kriegsminister schon seit einem Monate
geheime Vorbereitungen zum Kriege traf[44]! Als dann die Julitage in Madrid erfolgt waren, hatte ihr Ausgang die gereizte
Stimmung der Royalisten aufs äußerste verbittert: die Gefahr

43) Nach den Memoiren Larochefoucaulds.
44) Geheimnisse dieser Art sind in den verschiedenen Streitschriften über
die Ouvrard'schen Verträge ausgeplaudert.

der spanischen Revolution schien ihnen durch die „Descamisado-"
Regierung nun immer drohender zu wachsen, grade als die Gefahr
der Insurrection in Frankreich eben beseitigt war; der Sieg der
Ueberspannten in Madrid machte sie wüthender, die Besiegung der
Aufstände zu Hause machte sie kecker; das lärmende Geschrei, den
spanischen König aus seiner Gefangenschaft, die Welt von dem
Aergerniß dieser Revolution zu befreien, ward nun immer heftiger.
In der neu eröffneten Kammer war die Partheinahme der Ultras
für die spanischen Aufrührer ganz ausgesprochen. Die nun längst
üblichen stürmischen Scenen, zu denen noch in der letzten Sitzung
die Vorlage eines finsteren Preßgesetzes den Anlaß gegeben hatte,
wiederholten sich aufs neue und führten zu Schimpfreden, Drohungen, verspotteten Ordnungsrufen, Anklagen, persönlichen Rei-
bungen und Zweikämpfen. Ihr Anlaß waren diesmal wesentlich
die spanischen Verhältnisse, die Wuth der Königlichen über die
Julitage. Die Officiere der Garde veranstalteten eine öffentliche
Unterzeichnung für die Madrider Leibwachen, bei deren Ankün-
digung sie den Wunsch aussprachen, bald deren Ruhm und Gefahren theilen zu können, um Spanien von den Ungeheuern zu
befreien, die es regierten. Die Liberalen in der Kammer erhoben
laute Anklagen über die Unterstützung der spanischen Empörer, die
Montmorency verlegen ableugnete, aber in Worten, die schon an-
sagten, daß Frankreich demnächst in die Politik des heiligen Bundes eintreten dürfte. Um für Mataflorida und seine Plane zu
wirken, umlagerten die royalistischen Eiferer unaufhörlich die Minister. Ein Vicomte Brissot täuschte den Marquis Monate lang
mit Vorspiegelungen, die er selber gern geglaubt hätte, indem er
jede private Aeußerung der Minister als eine amtliche Zusage, und
jede von der Parthei eröffnete Aussicht als eine Regierungsver-
pflichtung annahm und wiedergab. Denn noch immer war die
Gunst, die er Mataflorida vorgaukelte, nicht eigentlich in der Re-

gierung, sondern nur in den kriegerischen Salons der Vorstadt
St. Germain zu finden, wo man die Beauftragten der Regentschaft
von Urgel mit Wärme empfing. An der Grenze ließ die Regierung
noch die spanischen Royalisten, die im November mit der Regentschaft nach Frankreich geworfen wurden, entwaffnen; und dort, wo
man diese Helden und ihre Regenten in der Nähe sah, lachte man
über die Figur und Rolle, die man sie in der Presse der Königlichen spielen ließ. Demungeachtet sah die englische Regierung
schon jetzt den Ausschlag der gespannten Verhältnisse in einen Krieg
voraus und sie konnte dazu bestimmtere Anhalte haben. Aus seinem
Gesandtschaftsposten in London hatte Chateaubriand gleich nach
'16. Juli. den Julitagen[1], in der Angst seines phantasiereichen Kopfes, dringend gerathen den Cordon in ein Beobachtungscorps zu ver-
wandeln, im Wunsch und in der Voraussetzung, daß dieß bei den
Cortes einer Kriegserklärung gleich gelten werde. Wir wissen, daß
'Sept. diese Verwandlung sofort[1] Statt hatte. Sie war kaum geschehen,
'Oct. so ließ der Kriegsminister[1] zwei große Belagerungstrains und 30
Feldbatterien auf der Linie der Pyrenäen versammeln und bestellte
Anf. Dec. nachher[1], um die Absicht möglichst geheim zu halten, eine Schiff-
brücke fern in Straßburg und andere Kriegsgeräthe in Lille und
im Departement der Eure.

Einleitungen zu
dem Congresse
von Verona.
Selbstmord Lord
Londonderry's.

Unter diesen Umständen war es, daß der Congreß von
Verona[45] zusammentrat, der, bereits in Laibach verabredet, durch

45) Ueber den Bearbeitungen der Geschichte des Veroneser Congresses hat
ein leidiges Schicksal gewaltet. Mathieu von Montmorency hatte eine Darstellung derselben geschrieben, die ihn Graf Artois zu unterdrücken bat; der Au-
tor sträubte sich eine Weile, als aber der Prinz wiederholt in dem „Christen"
drang, warf er die Handschrift ins Feuer. Chateaubriand's Congrès de Vérone
1838. war bereits in einer zugleich umfang- und aufschlußreicheren Gestalt in
4 Bänden gedruckt (von der vielleicht noch Ein Exemplar vorhanden ist), als er
es auf vielfache Vorstellungen auf die Hälfte kürzte. Die Mängel des schwachen

die großen Zwischenfälle im Osten bisher verschoben worden war.
Die griechischen Aufstände in der Wallachei und Morea, die schon
während der Versammlung in Laibach[1] ausgebrochen waren, 'Febr.—Apr.1821.
hatten sich rasch über die Inseln und das Festland ausgebreitet
und ihre Fäden in einer Verschwörung bis nach Constantinopel
gezogen. Furchtbare Rachehandlungen der Türken waren erfolgt;
die verübten Barbareien hatten wieder den christlichen Fanatismus
in Rußland aufgeregt; dem Kaiser Alexander schien die lockendste
Gelegenheit zur Ausführung der glänzendsten Plane russischen
Ehrgeizes entgegenzukommen; ein russisches Heer ward am Pruth
versammelt, ein Cordon, der viel geneigter war, den flüchtigen
Griechen die Hand zu reichen, als das französische Beobachtungsheer den spanischen Royalisten; es war zum Abbruch der diplomatischen Verhältnisse gekommen, zu einem Ultimatum Rußlands,
zu einer Verwerfung von Seiten der Türkei. In dem hohen
Spiele, das hier der Diplomatie eröffnet war, suchte Oesterreich
mit England einträchtig Alles aufzubieten, um den russischen
Kaiser von seinen Religionsgenossen zu trennen. Metternich und
Londonderry (Castlereagh) harsten um die Wette, und mit der
größten Geschicklichkeit, auf der Saite in Alexander's Gemüth, in der
die Schmeichelei über seine Gerechtigkeit und Großmuth und die
Einschüchterung vor der Revolution gleich stark anklang. Frankreich
arbeitete wenigstens so weit mit, um in Constantinopel zur Nachgiebigkeit zu stimmen. Dieß hatte gegen Herbst 1821 zu Erfolg
weniger, als zu Aussichten auf Erfolg geführt und Metternich
hatte damals die Anwesenheit König Georg's IV. in Hannover[1] 'Oct.

Buchs werden auch in der schwächeren Nachlese des Grafen Marcellus: poli-
tique de la restauration en 1822 et 1823. Paris 1853. nicht ergänzt. Ueberall bedarf man daneben der im englischen Parlament aufgelegten Staatspapiere: Hansard 8, 903 ff. 1136 ff. Vgl. Schaumann, Gesch. des Congr. von
Verona, in Raumer's hist. Taschenbuch 1855.

benutzen können, um von Lord Londonderry das Versprechen seiner
persönlichen Erscheinung auf dem neuen Congresse zu erhalten.
Die Versammlung des Fürstenvereines, die sich dann noch ein
ganzes Jahr verzögerte, hätte Metternich gewünscht nach Wien zu
legen; auf Wunsch des russischen Kaisers aber ward sie nach Verona bestimmt. Die Vorbesprechungen in der Residenz des bewirt-
thenden Hofes waren schon anberaumt, als eine neue Verzögerung
durch die bestürzende Nachricht von dem Selbstmord des englischen
Ministers des Auswärtigen eintrat, der sich wenige Tage vor dem
12. Aug. 1822. Zeitpunct seiner Abreise die Halsader[1] durchschnitt. Er hatte seit
Lord Sidmouth's Rücktritt die ganze Arbeit der Leitung des Unterhauses, die Hauptlast der Regierung zu tragen gehabt; seine
Thätigkeit im auswärtigen Amte, in dem er den Entwurf zu jeder
Depesche selber zu schreiben pflegte, war zu aller Zeit erdrückend
gewesen; schon seit Jahren hatten Ermüdung und Nervenleiden
seine Freunde besorgt um ihn gemacht; die Mühen eines letzten
parlamentarischen Feldzugs hatten ihn stark angegriffen; er selbst
hatte in nervöser Aufregung das Vorgefühl, daß er zur Reise nach
Wien unfähig sein werde; dem König und Lord Wellington
waren in den Tagen vor seinem Ende Merkmale von Geistesab-
wesenheit in ihm aufgefallen. Die boshafte Welt achtete dieser
natürlichen Gründe seines Selbstmordes nicht; sie sah ihn mit der
politischen Lage der Zeit in einer augenfälligen Verbindung. Er
sollte Verzweiflung empfunden haben über den drohenden Triumph
der ihm verhaßten politischen Prinzipien: gegen die doch Niemand
eine unerschütterlichere Kaltblütigkeit gesetzt hatte, als dieser kecke
Verächter aller öffentlichen Meinung; er sollte tiefer, als er
glaubte verantworten zu können, sich mit dem heiligen Bunde in
Verpflichtungen eingelassen haben, obgleich das Programm seiner
auswärtigen Politik von seinem Nachfolger Canning ausdrücklich

anerkannt und übernommen ward. Es ist zwar österreichischerseits[46]
behauptet worden, daß Metternich schon in Hannover mit Castlereagh Einleitungen oder Vereinbarungen über die Unterdrückung
der spanischen Revolution getroffen habe. Nach den Versicherungen
oder nach dem Anstellen der englischen Minister aber, daß sie bis
zuletzt die völlige Schlichtung der italienischen Angelegenheiten
und die Beilegung der russisch-türkischen Mißhelligkeiten für die
einzigen Gegenstände der beabsichtigten Congreßverhandlungen
gehalten hätten, ist dieß wenig glaublich; wenig glaublich auch nach
den Instructionen, die sich noch Lord Londonderry selber für den
Congreß aufgeschrieben hatte[47] und die ganz bei der (in Italien
beobachteten) strengen Enthaltung aller Einmischung verharrten;
wenig glaublich endlich nach den Handlungen, die noch von ihm
selber vor dem Congresse in Betreff der spanischen Dinge ausgegangen waren. Daß Metternich es war, der, besorgt vor einer
neuen Ansteckung Italiens, Fürsten und Minister zu dem Congresse
und zu der Dazwischenkunft in Spanien drängte, und daß er den
russischen Kaiser dafür gewonnen hatte, ist notorisch; daß Beide
die Vorstellungen der Regentschaft von Urgel für die Herstellung
des unumschränkten Königs und ihre Anklagen der chartistischen
Ränke der französischen Regierung und der „schlechten" Spanier
in Paris mit Beifall annahmen, ist beweisbar; es ist aber eben
so ausgemacht, daß die Regierungen der beiden westlichen Reiche
die Eine nur halb, die Andere gar nicht auf die Interventions-
plane einzugehen geneigt waren. Die Weisungen, die Vicomte
Montmorency, der Bevollmächtigte Frankreichs, von Villèle entworfen, aus dem Ministerrathe mit sich nach Wien und Verona
trug, schrieben ihm auf's bestimmteste vor, in Bezug auf Spanien

---

46) Binder's „Metternich".
47) Hansard 5, 1139.

IV.   22

die Rolle des Berichterstatters, wie sie Oesterreich in Laibach in
Betreff Neapels gespielt, zu vermeiden. „Wir sind nicht entschlossen,
sagten sie, Spanien den Krieg zu erklären, noch in der Nothwendigkeit ihn zu führen." Frankreich, als die einzige Macht, die
in einem Kriegsfalle hier durch ihre Truppen wirken werde, müsse
allein der Beurtheiler dieser Nothwendigkeit sein und dürfe von
dem Congresse weder Vorschrift noch Hülfe annehmen. Die englische Regierung ihrerseits hatte in ihrer spanischen Politik stets
nur die Eine Sorge, einen französischen Einmarsch abzuhalten,
dessen Erfolg Frankreich unerwünschte Macht und Einfluß wiedergab, dessen schlechter Ausgang es mit gefährlichen inneren Erschütterungen heimsuchen mußte. Um die französische Regierung in
guter Stimmung, um sie von den Ostmächten abgesondert zu erhalten, hatte Lord Londonderry in letzter Zeit die offenste Verfah-
rungsweise eingehalten, hatte alle Weisungen, die er nach Madrid
abgehen ließ, in Paris vorlegen lassen; er hatte um wie es schien
in Madrid jeden Trotz gegen den französischen Nachbar, jede Leidenschaft gegen den bevorstehenden Congreß, jeden Kriegseifer,
jede Hoffnung auf englischen Beistand zu dämpfen, im Sommer
den Sir W. A'Court, von leidigem neapolitanischem Angedenken, zu
einer Mission nach Madrid bestimmt, um dort, unterstützt von See-
Rüstungen, mit aller Rücksichtslosigkeit eine in diesem Zeitpuncte
höchst unwillkommene „Rechnung" vorzulegen, Forderungen englischer
Unterthanen für piratische Schädigungen in den westindischen Ge-
wässern, die nachher zu 40 Mill. Realen liquidirt wurden. Die
Mächte, besorgt vor einem neuen Vertrage Englands mit Spanien,
verlangten in einer Collectivvorstellung eine Verschiebung dieser Sendung bis die Berathungen in Verona zu einem Schlusse gediehen
seien: erst dadurch wollten die englischen Minister (fast unglaublich,
obwohl bei der üblichen Sorglosigkeit und Geringschätzung aller englischen Staatsleute gegen die festländischen Dinge keineswegs un-

möglich) erfahren haben, daß die spanischen Dinge in Verona zur
Verhandlung stehen würden. Diese Vorstellung der Mächte war nur
wenige Tage vor Wellington's Abreise nach Paris¹ gemacht, wohin '14. Oct.
er nur 48 Stunden nach Canning's Amtsantritt abgegangen war,
um dort, immer in dem Zwecke Frankreich von dem Congresse zu
trennen, eine Vermittlung mit Spanien anzutragen⁴⁸. Es ist aus
Wellington's Depeschen ersichtlich, daß dieser vornehme Vertreter
der englischen Macht jetzt in Paris zum ersten Mal von dem Grenz-
cordon hörte, der eben damals in das Beobachtungsheer gegen die
revolutionäre Seuche umgewandelt ward; daß er jetzt erst erfuhr,
es würden die spanischen Dinge einen ernsten Theil der Veroneser
Verhandlungen bilden, wozu er sich daher¹ weitere Instructionen '21. Sept.
erbat. In den Verhaltungsvorschriften¹, die er hierauf empfing, '27. Sept.
hielt Canning ganz die Stellung ein, die Castlereagh in Laibach
genommen. Er suchte den areopagitischen Geist der Ostmächte zu
dämpfen und England seine Seitenstellung und Neutralität zu
wahren, die er nur in einer etwas barscheren (von den Whigs
desto mehr durchgehänselten) Kraftsprache betonte: wenn ein bestimmter Plan vorgelegt werde, in Spanien mit Gewalt oder
Drohung einzuschreiten, so solle der Bevollmächtigte frei und entschieden erklären, daß S. Maj. von Großbritannien, komme was
wolle' sich dabei nicht betheiligen werde.

Die verspätete Ankunft des Herzogs von Wellington in **Congreß von Verona.**
Wien¹ gab das Zeichen zum Aufbruch nach Verona. Wir gehen '30. Sept.
schweigend an den äußeren Ausschmückungen vorüber, an den
öffentlichen Freuden, die wie auf dem Wiener Congresse neben den
geheimen Verhandlungen herliefen, an den „babylonischen Festen",
die Herrn von Bonald wegen der anstößigen Verbindung von

---

48) Canning speeches 5, 19.

Vergnügungen und Kindereien mit dem Unglück und den blutigen
Zerrüttungen der Völker befürchten machten, die Könige, zu leicht
in der Wage befunden, möchten von dem ersehnten Werke der
gesellschaftlichen Restauration ganz ausgeschlossen werden. Gleichwohl, was ihr Restaurationsgeschäft in den spanischen Dingen
angeht, die uns zunächst beschäftigen, so wurde wenigstens von
Bonald's Freunden die Eintracht gerühmt, die unter den Fürsten
des heiligen Bundes herrschte, vor deren Tribunal die Revolution,
wie Chateaubriand schrieb, ihren Prozeß für immer verloren hatte.
Die kleinen und großen Eifersuchten ermangelten zwar nicht, in
dieser Eintracht mitzuspielen, aber sie thaten darum der gemeinsamen Ansicht und Handlung keinen Eintrag. Dafür daß Oesterreich in der griechischen Sache so fest mit England zusammenhielt,
mußte Metternich nun erfahren, wie sich der russische Kaiser ins
vertraulichste Einverständniß mit den französischen Bevollmächtigten Montmorency und besonders Chateaubriand setzte, die das
Hauptziel aller Staatskunst des royalistischen Frankreich, der
englischen Politik Talleyrand's entgegen, in der engen Verbindung
mit Rußland suchten, um mit ihm „Europa zu leiten." Wie sehr
daher Metternich die Unterdrückung der spanischen Staatsveränderung am Herzen lag, so fürchtete er doch gleich sehr auf der Einen
Seite, wenn eine Invasion in Spanien übeln Ausgang nähme,
eine Zusammenwirkung Frankreichs mit Rußland, dessen Kaiser
auch jetzt zu militärischer Unterstützung sich höchlich bereit zeigen
sollte; wie er auf der anderen Seite die Erstarkung Frankreichs
fürchtete, wenn es für sich allein handelnd, wie Villèle wollte,
rasche und große Erfolge errang. Man ließ also ein Vorspiel zu
dem Congresse einstudiren, dessen Tendenz war, Frankreich bloß
zum Diener oder Beauftragten der heiligen Allianz zu machen; das
zu diesem Zwecke die französischen Bevollmächtigten bedeuten
sollte, daß Frankreich nicht grade nothwendig die „einzige Macht"

sei, die in Spanien einschreiten könne, daß sich diese Sache im
Nothfalle sogar ganz „defranciſiren" laſſe. Der Herzog von Modena, jener Kämpe der heiligen Allianz, der immer bereit war ihre
Grundſätze durch ſeine Uebertreibung über den ſchon bedeckten Rand
überlaufen zu machen, mußte zur Eröffnung des Congreſſes[1] den '12. Oct
Antrag auf den Sturz der ſpaniſchen Verfaſſung ſtellen und zugleich
den Vorſchlag machen (der ſich auf einen, dem König von Neapel
von ihm ſelber eingegebenen Wunſch gründete): die Fürſten möchten
dieſem zur Nachfolge nächſtberechtigten Verwandten des ſpaniſchen
Hauſes die Waffen und Mittel leihen, um den König von Spanien aus ſeiner Gefangenſchaft zu befreien[19]. Dieſer von Metternich eingefädelte Handel mag dazu mitgewirkt haben, den gutmüthigen Vicomte Mathieu, der auf dieſem Gebiete der Ränke
ganz au unrechter Stelle war, nach Oeſterreichs Zwecken zu lenken
und ihn zu eigenmächtigen Vorlagen zu bewegen, die den Villèle'ſchen Vorſchriften gradaus entgegen waren. Auch ohne ſo viel
Kunſt wäre dieß nicht ſchwierig geweſen. Montmorency gehörte zu
den verbiſſenſten Royaliſten, die den Einmarſch in Spanien um
allen Preis wollten: er hatte wenige Tage vor ſeiner Abreiſe aus
Paris im Salon der Frau Récamier erklärt, er werde nicht ohne
den Krieg, den Alle wünſchten, zurückkommen. Er war ein kleiner
Geiſt voll ſtillem Eigenſinn, vor deſſen Aufnahme in das Miniſte-
rium, vor deſſen Abſendung nach Verona der König verwarnt hatte,
der weder die jetzigen congreganiſtiſchen noch die einſtigen revolutionären Meinungen des hochadligen Herren liebte, und der nun
vorſorglich den beſonneneren Villèle gleich nach Montmorency's
Abreiſe zum Präſidenten des Conseils[1] machte, um ihm das Ueber- '4. Sept.
gewicht gegen den Miniſter des Auswärtigen zu ſichern. Durch
dieſe Erhebung des landjunkerlichen Emporkömmlings gereizt, gefiel

---

19) Galiani 3, 122.

sich Montmorency in dem stolzen Trotze, gleich in Wien sich ganz als
Premier zu benehmen, und er schien seinem Collegen beweisen zu
wollen, daß die „Wir", die in den Villèle'schen Instructionen
sprachen, die herrschende Parthei sei, und nicht der Finanzminister,
noch der Präsident. Er ergriff daher in Verona[1] in möglichst grell
auffälliger Weise die Initiative[50], die ihm untersagt war, indem
er dem Congresse ganz aus dem Geiste der Allianz die drei Fragen
stellte: ob die Mächte, falls Frankreich sich zu einem Abbruch seiner
politischen Verbindungen mit Spanien genöthigt sähe, das Gleiche
thun würden; ob und wie sie, wenn ein Krieg erfolge, Frankreich
ihre moralische Unterstützung leihen würden, die „seinen Maasregeln das Gewicht und Ansehen der Allianz geben und den Revolutionären aller Länder einen heilsamen Schreck einjagen würde";
und ob sie im Nothfalle eine materielle Hülfe leisten würden und
in welcher Form und Weise? Die Antworten erfolgten unverweilt.[1]
Die russische ganz willfährig, ohne Einschränkung und Bedingung.
Preußen verklausulirte nur seine Bejahung der dritten Frage: so
weit die Nöthigungen seiner Lage solch eine Hülfe ihm ermöglich-
ten. Oesterreich machte den Vorbehalt, daß bei Eintritt des Falls
der dritten Frage eine neue Berathung die Art der Hülfe regeln
müsse. England beharrte auf seiner Seitenstellung. Wellington,
der hier auf einem Felde stand wo ihm kein Ruhm blühen konnte,
erklärte sich, um nur Eine der drei Fragen beantworten zu können,
ohne hinlängliche Kenntniß der gegenseitigen Beschwerden zwischen
Spanien und Frankreich, die ihm durch nähere Prüfung leicht zu
beseitigen schienen. Er behandelte die ganze Frage kalt und gutmüthig aus dem bloßen Gesichtspuncte der Räthlichkeit und wie
aus der Voraussetzung, daß Frankreich seine Fragen bloß für den
Fall eines Angriffs von Seiten Spaniens gestellt habe, den er

20. Oct. (margin)
30. Oct. (margin)

---

50) Chateaubriand, congrès de Vérone 1, 105.

selbst der „revolutionären Tollheit" nicht zutraute. Jede Vermittlung aber zwischen Spanien und der heiligen Allianz, wenn
es zu einem Defensivtractat oder gar zu einer gemeinsamen
Erklärung gegen Spanien kommen sollte, lehnte er ab, und enthielt
sich seitdem aller Theilnahme an den Verhandlungen der Mächte
über ihr weiteres Verhalten. Sie beschlossen, um einem unmittelbaren Bruche noch vorzubeugen, durch ihre Gesandten in Madrid
gesonderte Erklärungen aber ähnlichen Inhalts abzugeben, nicht in
Gestalt von directen amtlichen Noten an den spanischen Hof, sondern von Depeschen an die einzelnen Gesandten, die der Auslegung
einen freieren Spielraum gestatten. In diesen Erklärungen sprachen
die Mächte von dem Ursprung der spanischen Revolution aus der
Militärrebellion, von ihrem Verlaufe in Anarchie und Zerrüttung,
von ihren unseligen Aehnlichkeiten mit den schauderhaften Ereignissen der französischen Umwälzung, von der Gefangenschaft des
Königs, von der gestörten oder bedrohten Ruhe Italiens, Frankreichs und Deutschlands, von dem Verfassungsgesetz, das der
Kriegsgeschrei einer gegen die Sicherheit und Ruhe aller Könige und
Völker verschworenen Faction geworden sei; sie folgerten aus Allem,
ohne über die Natur der Spanien zuträglichen Einrichtungen aburt-
theilen zu wollen, ihr Recht, die Folgen, die aus den spanischen Zuständen für sie entstehen möchten, nach ihrer Erfahrung zu bemessen und darnach ihre Maasregeln zu ergreifen. Auf die Mittheilung des Entwurfs der Depeschen[1] rieth Wellington[II], vor den
Folgen warnend, zur Verschiebung dieser aufreizenden Vorstellungen, und lehnte alle Mitwirkung auch zu diesem ersten Schritte
ab. Dieß blieb wie in Troppau ohne jede Wirkung. Die Depeschen wurden vollzogen und von Preußen[1], von Oesterreich und
Rußland[1] an Ort und Stelle unterzeichnet. Mitten zwischen diesen
Ausfertigungen überreichte Wellington eine neue Denkschrift[1], die
zum ersten Male verrieth, daß die heilige Allianz mit einem neuen

[1]. Nov.
[II] 29. Nov.

[22. Nov.
[26. Nov.
[24. Nov.

auswärtigen Minister in England zu thun habe. Sie kündigte
an, daß die Beziehungen Englands zu Südamerica, die Störungen des Handels in Folge der dortigen Aufstände und der Unmacht
der spanischen Regierung England nöthigten, die selbständigeren
Colonialregierungen de facto anzuerkennen. Die gereizte Antwort, die hierauf erfolgte, bewies, daß das bloße Aufzeigen dieser
Waffe, die England selbst für seine neutrale Stellung sicher hatte,
dieses Bundes, den man dem Ostbund in der neuen Welt entgegenstellen konnte, verstanden worden war; aber einen Einfluß auf die
Beschlüsse der Mächte hatte es nicht. Sie vereinbarten noch eine
Urkunde, in der die verschiedenen Ereignisse bezeichnet wurden,
unter deren Eintritt die Ostmächte den Feindseligkeiten Frankreichs
gegen Spanien beitreten würden: im Falle eines Angriffes Spaniens auf Frankreich oder einer gewaffneten Revolutionspropa-
ganda, im Falle gewaltsamer Acte gegen die königliche Familie, oder
anderer Maasregeln, die eine Veränderung der bestehenden Dynastie zum Zwecke hätten. Canning rühmte sich später in öffent-
licher Verantwortung, durch seine Politik wenigstens der Gemeinsamkeit der Handlung, dem Krieg aus einer angemaßten Juris-
diction des Congresses, dem allgemeinen Kriege vorgebeugt zu
haben; in der That aber nagte ihn die Erfolglosigkeit seiner Ein-
sprachen und die Nichtigkeit dieses formellen Scheinsieges, und er
empfand die Art und Weise, wie man seine Vorstellungen „gleich
Maculatur" behandelte, mit eben so bitterem Grolle wie die Opposition, die ihm (wie Castlereagh) vorwarf, den anmaßenden Aufstellungen der Allianz nicht mit scharfem Widerspruche entgegen
getreten zu sein, oder sich nicht gemeinsamen milden Vorstellungen
angeschlossen zu haben, die das Vertrauen der Spanier auf englische Hülfe (das durch die abgesonderte Haltung Englands
in Verona sehr bestärkt wurde) gedämpft, dadurch in Madrid
zu Nachgiebigkeit gestimmt und den Untergang der ganzen Staats-

veränderung in Spanien eben so wohl wie den Krieg vermieden
hätten.

Der Congreß von Verona ging so zu Ende. Eine Circular-
note[1] setzte die Gesandten der Ostmächte in Kenntniß von seinen 14. Dec.
Ergebnissen. Sie kündigte die Erledigung der italienischen Geschäfte an. Sie gedachte des griechischen Aufstands, den sie für
ein gleichartiges aus gleichem Ursprung stammendes Uebel wie die
andern Revolutionen des Südens erklärte; sie betonte die Eintracht
der fünf Mächte in ihren Verhandlungen über diese Sache, womit
(nach Gentz) alle Griechenfreunde bedeutet werden sollten, daß das
gewinnreiche Kunststück gelungen sei, die griechische Frage „in aller
Stille zu begraben." Sie sprach dann den Entschluß der Monarchen aus, auch in Bezug auf Spanien ihren bekannten Grundsätzen treu zu handeln. Sie ließ bei allen einzelnen Höfen erinnern, daß „die Monarchen die von ihnen angenommenen Grundsätze
als unerläßliche Bedingung der Erfüllung ihrer wohlwollenden
Absichten ansähen", daß sie, um Europas Ruhe und Frieden zu
sichern, auf die stets bereite Unterstützung aller Regierungen müßten rechnen können. In Deutschland besonders war man bemüht,
einen förmlichen Beitritt des Bundes zu diesen Veroneser Erklärungen[1] zu erwirken. Die Gesandten von Würtemberg und beiden 6. Febr. 1823.
Hessen erklärten sich dazu nicht ermächtigt und Würtemberg beharrte auch bei der endlichen Beschlußfassung auf seinem Widerspruch. Der Bund entledigte sich bald darauf jener dissentirenden
Vertreter (Wangenheim, Harnier und v. Lepel), lenkte seitdem
noch strenger in die Wege der heiligen Allianz ein und erhielt dafür die österreichischen Zeugnisse, daß sich der sittliche und geistige
Zustand in Deutschland seitdem wesentlich bessere, daß die Schreier
zum Schweigen gebracht würden, daß die politische Literatur von
1823 mit der von 1817—22 nicht mehr zu vergleichen sei. Der
Druck, der sich seit diesen Veroneser Verhandlungen in allen

inneren Verhältnissen der kleineren Staaten und Frankreichs selber empfinden ließ, in Zusammenhang gebracht mit den Prinzipien der heiligen Allianz, gab vorübergehend dem argwöhnischen Gerüchte Nahrung, daß in Verona förmliche Beschlüsse gefaßt, ein geheimer Tractat gegen alle repräsentative Verfassung und gegen die Presse abgeschlossen worden sei[51]. Obscure Anträge in diesem Geiste sind in Verona in einer Denkschrift von Haugwitz über die Freimaurerei, in „Betrachtungen über Italien" von dem Herzoge von Modena wohl gemacht, formelle Beschlüsse aber nicht darüber gefaßt worden.

Noch waren Fürsten und Minister in Verona versammelt, als sich der Brennpunct der spanischen Geschäfte schon nach Paris verlegt hatte. Sobald der König von dem übereilten Kriegseifer Montmorency's unterrichtet war, ließ er den „unseligen Mathieu, der doch nichts als dumme Streiche mache", eiligst nach Paris berufen und die Geschäfte in Verona seinem Zugeordneten Chateaubriand übertragen. Dem[1] zurückgekehrten Bevollmächtigten folgte Pozzo di Borgo auf dem Fuße, um ihm und der Kriegsparthei eine Stütze zu sein, und der Herzog von Wellington, um Villèle's friedliche Neigungen zu unterhalten: beider Minister Einflüsse und Meinungen schaukelten sich dann einige Wochen in der unsichersten Schwebe. Durch das bloße Bekanntwerden der kriegerischen Beschlüsse des Congresses war die Stellung Frankreichs bereits leidig verschoben; und Villèle, so geneigt und bemüht er war, die unbedachten Schritte in Verona zurückzumessen, sah doch schon, gedrängt von den Ostmächten, bestürmt von den Königlichen wegen

Verhandlungen
in Paris.

'30. Nov. 1822.

---

51) Bei Jon. Elliot, american dipl. code 2, 179. Schaumann hat die Nechtheit des Actenstückes nochmals erörtert, über die 1846 in französischen Blättern schon einmal Streit geführt war. Es war 1823 in Börsenzwecken in London für das Morning Chronicle fabricirt.

der Zersprengung der Regentschaft von Urgel und Mina's Anwesenheit an der Grenze, den Krieg wider seinen Willen und mög-
licherweise über Nacht auf Frankreich hereinbrechen. In dieser
Stimmung traf ihn Wellington, der bei seiner Ankunft in Paris[1] '8. Dec.
eine Weisung Canning's vorfand, förmlich eine Vermittlung anzubieten. Die spanische Regierung selbst hatte[1] in mittelbarer Weise 's. Nov.
die guten Dienste Englands nachsuchen lassen, die Canning dem
eingeschlagenen System zufolge nicht in Verona, desto eifriger aber
in Paris zu leisten bereit war, um eine Verhandlung von Reich zu
Reich, nicht zwischen Spanien und der Allianz einzuleiten. Wellington, von dem König an Villèle gewiesen, erlangte in der ersten
Unterredung, daß dieser sogleich einen Boten abschickte, um in
Verona den Wunsch auszudrücken, es möchte die Absendung der
Depeschen nach Madrid vorerst verschoben werden. Dieß kam zu
spät. Die Mächte, der wunderlichen Schwankungen der getheilten
französischen Regierung wohl kundig, beeilten sich grade auf diese
Botschaft, ihre Circularnote[1] zu unterzeichnen; nach Paris ließen '14. Dec.
sie durch Chateaubriand erklären, daß sie ihre Depeschen nicht zu-
rückhalten würden, der französischen Regierung aber überließen, die
Zeit der Absendung der ihrigen und der eventuellen Abberufung
ihres Gesandten selber zu wählen. Diese Festigkeit des Congresses
erhöhte den Muth Montmorency's, der sich ohnehin mächtig fühlte
auf seinem eigenen Boden, inmitten seiner Parthei, die eben durch
die Wahlen[1] eine neue Verstärkung erhalten hatte; er lehnte die 'Nov.
englische Vermittlung[1] in einer Note[m] ab, die ganz aus dem Prin- '18. Dec.
zip der Allianz lautete, daß es zwischen Revolution und Legitimität
eine Vermittlung nicht gebe; die grabaus erklärte, daß es sich
hier nicht um ein französisches Interesse handle: die Mächte in
Verona hätten die spanische Frage als eine „völlig europäische" an-

---

62) Deren Datum sehr oft fälschlich vom 26. Dec. angegeben ist.

gesehen und in diesem Sinne ihre Maasregeln getroffen, deren Erfolg, wenn England sich daran betheiligt hätte, völlig gesichert
gewesen wäre. Die Ablehnung war also ein ausdrücklicher Schlag
auf die Hand, die in Verona die Vorschläge der Mächte zurückge-
20. Dec. stoßen hatte. Kaum aber war nun Wellington mit diesem Bescheide[1]
abgereist, so bog sich die Wage des Einflusses in Cabinette wieder
auf Villèle's Seite. Der Friedensminister fuhr noch immer fort,
ohne Kenntniß seines Collegen, blos mit des Königs Wissen, die
Verhandlungen in Madrid um eine Verfassungs-, eine Systems-
änderung zu betreiben[53]; dazu stimmte nun nicht die von Montmorency übernommene Verpflichtung der gemeinsamen Absendung
einer mit den scharfen Erklärungen der Mächte gleichlautenden Depesche. Villèle trieb es also zur Entscheidung zwischen ihm und
dem Minister des Auswärtigen[54]. Er entwarf eine gemäßigtere
25. Dec. Depesche[1] an Lagarde, worin gesagt war, daß die französische Regierung, fest verbunden mit den Mächten in dem Entschluß die revolutionären Bewegungen zu unterdrücken, sich doch auch in dem
Wunsche mit ihren Alliirten vereinige, es möge der edlen spanischen Nation gelingen, selbst ein Heilmittel ihrer Uebel zu finden;
Frankreichs Hülfe stehe Spanien zu Gebot zu Allem, was sein
Glück sichern könne; zugleich aber werde es bei den ergriffenen
Schutzmaasregeln beharren, so lange die Factionen herrschten, und
selbst zur Rückberufung des Gesandten schreiten, wenn wesentliche Interessen fortführen beeinträchtigt zu werden. Als der Minister des Auswärtigen im Rathe auf seiner stärkeren Note bestand
25. Dec. und der König sich für Villèle erklärte, gab und erhielt[1] Montmorency, der für seine Dienste eben erst zum Herzog gemacht
worden war, seine Entlassung. Sein Nachfolger ward Chateau-

53) Nach Capefigue, der die Correspondenz zwischen Villèle und dem Gesandten Lagarde gesehen zu haben scheint.
54) Guizot, mémoires 1, 234.

briand. Unter diesem seinem persönlichen Freunde hoffte Canning die Dinge sich zum Frieden entscheiden zu sehen. Aber diese Hoffnung dauerte nur die 48 Stunden, die zwischen Montmorency's Abgang und der Veröffentlichung der Depesche nach Madrid lagen. Sie wurde so schnell im Moniteur[1] gedruckt, um die beunruhigte '27. Dec. Kriegspartei durch ihren doch nicht so gar friedlichen Inhalt zu beschwichtigen, der immerhin von dem fehlerhaften Prinzip ausging, ohne klare Forderung eine Veränderung in den spanischen Verhältnissen zu verlangen, indem er die Drohungen der übrigen Mächte nur etwas dunkler wiederholte.

Die Hoffnung Canning's auf die Mäßigung des neuen Chefs des auswärtigen Amtes gründete sich nicht allein auf seine persönliche Bekanntschaft mit Chateaubriaud, der sich jetzt höchlich gefiel, Poet zu Poet, Intelligenz zu Intelligenz, dem englischen Minister auch als Staatsmann gegenüber zu stehen. Man wußte, daß er die Verkehrtheiten, die Unbildung, den Freiheitshaß seiner Partheigenossen nicht theilte. Er hatte selbst bei dem nüchternen Castlereagh den Royalisten einen besseren Namen gemacht, „dem man sie stets als Narren und Dummköpfe vorgestellt hatte". Nach seinen Schriften durfte man erwarten, daß er Spanien keine ehrenrührigen Zumuthungen in Bezug auf seine Verfassung machen werde, indem er vor nicht so lange von sich selbst erklärt hatte, er werde, wenn ganz Europa ihn nöthigen wolle die Charte anzunehmen, lieber nach Constantinopel auswandern. Das freilich mußte man voraussehen, daß sein unruhiger Kopf in Frankreichs äußere Politik mehr Feuer und Leben tragen werde; er hatte auf seinen Gesandtschaftsposten (in Berlin und London) der Unthätigkeit der Regierung bei den Bewegungen in Italien schon immer mit Unmuth zugesehen; er hätte Richelieu 1821 gerne zur Besetzung Piemonts bestimmt; er hatte Montmorency aufgefordert, mit England in

Unterhandlung über das Schicksal der spanischen Colonien zu treten; sobald die spanische Frage ihrer Lösung näher rückte, war es
sein größter Ehrgeiz gewesen, die Hände mit im Spiele zu haben
und der Gesandtschaft nach Verona beigeordnet zu werden. Er
hatte dieß bei Villèle durch seine Freundin die Herzogin von Duras
betrieben, er hatte deßhalb bei Montmorency erst angepocht und
als dieser nicht hören wollte, durch einen Wink mit seiner Entlassung[55] seinen Willen endlich durchgesetzt. Er kam nach Verona
nicht weniger kriegerisch gestimmt als Montmorency, aber kriegerisch
aus weltsichtigeren Gründen. Er durchschaute mit Sicherheit die
innere Lage Spaniens und die gefahrlose Hohlheit seiner Revolution; er sah dort an den Pyrenäen die Gelegenheit vor der
Thüre liegen, Frankreich durch einen kurzen und leichten Krieg in
den Rang der großen Militärmächte herzustellen, die weiße Cocarde
zu Ehren zu bringen, zugleich die Gefahren des innern Aufruhrs
gründlich zu beseitigen und die Legitimität und die Bourbonen
fester zu stellen in dem Lande, in dem die Idee der Freiheit die des
Ruhmes nie ersetzen werde. Bei all dieser Kriegslust hatte Chateaubriand gleichwohl in Verona vorsichtig an sich gehalten und
den Mantel geschickt nach dem Winde gehängt, um sich in dem
Widerstreit der Einflüsse Villèle's und Montmorency's auf alle
Fälle zu behaupten. Während sich Montmorency in die Kriegs-
absichten der Mächte vertiefte, hatte er gegen Villèle den Gemäßigten gespielt, und auch vor dem Congresse hatte er klüglich lieber als
der „Mann" des besonnenen Finanzministers als des unfähigen
großen Barons erscheinen wollen. Wechselnd hatte er vorher an
Villèle geschrieben, der ausgesprochene Wunsch der Mächte sei für
den Krieg, und dann wieder, Preußen und Oesterreich zeigten nur
wenigen Eifer dafür; seine eigene Meinung hatte er stets im Dunkel

---

55) Villemain, M. de Chateaubriand. 1858. p. 289.

gelassen, „um sich nicht unmöglich zu machen". Auch war er doch in sich selber keineswegs außer allem Zweifel in seinen Kriegsneigungen gewesen: glaubte er zu bemerken, daß Englands Widerstand gegen die Verbündeten erkalte, so neigte er stärker zum Kriege; glaubte er England auf Spaniens Seite fürchten zu müssen, so suchte er doppelte Mittel um Frieden zu halten. Was ihm in diesem Bedenken den Ausschlag gegeben, das war der Verkehr, den er in Verona mit dem Kaiser Alexander gehabt. Wie in so vieler Franzosen politischer Anschauung, so war es auch in der seinigen gelegen, daß alle französische Politik zwischen den beiden Gegengewichten der englischen und russischen Macht hin und herschaukeln müsse; wäre er in London geblieben, so hätte ihn Canning vielleicht bei seiner Vorliebe für die Ordnung der spanischen Colonialangelegenheiten gefaßt und für England gewonnen; in Verona fiel er dem Russen in die Hände. Der Kaiser und der Minister pflegten sich auf Spaziergängen zu begegnen; sie kannten sich früher, als Chateaubriand ein Ultra und Alexander liberal war; ihr jetziger Rollentausch schadete der Annäherung nicht. Die Eitelkeit, die religiöse Empfindsamkeit, die hinter ritterliche Offenheit versteckte Schlauheit verstanden sich wohl zusammen. Es gab Scenen melancholischen Schweigens, es gab Scenen vertraulicher Unterhaltung; man hatte den Kaiser vor Chateaubriand's Verführungskunst gewarnt, aber er verführte ihn troß der Verwarnung. Soll man ihm glauben, so war es der Kaiser, der um die Freundschaft des Poeten warb, und der Poet, der sich so oft seiner Verachtung der Fürsten und ihrer Auszeichnungen gerühmt, war herablassend genug sie ihm zu gewähren. Er wurde der Mann der Umstände, der im Vertrauen des Kaisers den Fürsten Metternich ausstechen sollte. So sagte la Ferronays, der ganz mit Chateaubriand eingestimmt war, der in St. Petersburg früher unter der Herabwürdigung Frankreichs viel zu leiden gehabt, dem

jetzt die steigende Geltung seines Landes wohl that, seitdem der
Kaiser (der in Oesterreich und England seine natürlichen Feinde in
den griechischen Händeln erkannte) die militärische Wiedererstarkung
Frankreichs selber wünschen mußte. Der Gedanke, im Bunde mit
Rußland sein Frankreich zum Lenker der Welt zu machen, zündete
in Chateaubriand und warf in seiner Seele flammende Entwürfe
auf. So kam er mit frisch angefachtem Ehrgeize nach Paris zu
'20. Dec. rück[1], eben als der Kampf zwischen Montmorency und Villèle zur
Entscheidung stand. Er war auch jetzt klug genug, sein Schicksal
an Villèle's zu knüpfen, obgleich er seine Friedenspolitik zu untergraben dachte; und er trat nach einigen Winkelzügen und etwas
tolettem Sträuben an die Stelle seines Freundes Montmorency,
dessen Politik er gleichwohl fortzusetzen meinte. Durch seine Veroneser Verbindungen brachte er eben genug persönliche Empfehlung
und Rückhalt mit sich, um des Königs alte Abneigung gegen den
Romantiker zu überwinden, der nun auch Alles that, um sie seinerseits völlig auslöschen zu helfen. Er ließ sich des Königs
Schwächen dar[56], indem er sich pflichtmäßig an seinen Erzählungen
ergötzte; entzückt von des Ministers Empfänglichkeit konnte der
alte Herr bald seine Geschichtchen mit der sicheren Voraussetzung
einleiten, nun „werde er Herrn von Chateaubriand lachen machen";
und wirklich, schrieb dieser, „wir waren bei dieser Gelegenheit ein
so natürlicher Hofmann, daß wir lachten als ob wir dazu commandirt wären." Auch in den großen Geschäften ging er eben so hofmännisch zu Werke. Wie kriegerisch entschlossen er sich später in
seinen Schriften darstellte, die Thatsache liegt doch vor, daß auch
jetzt die französische Regierung fortwährend von übereilten Versorgungsanstalten für die Pyrenäenarmee zurückhielt, um bei den
fortbestehenden Friedensaussichten keine nutzlosen Ausgaben zu

---

56) Congrès de Vérone 1, 243.

machen. Chateaubriand blieb getheilt in seinen Rücksichten zwischen dem König und dem Ministerpräsidenten und der Parthei der Royalisten; er blieb zweifelhaft und mißtrauisch gegen die Absichten Englands, während ihn die mittelbaren oder unmittelbaren Verpflichtungen, die er in Verona übernommen, auf die Bahn des Krieges voranstießen. Sein Buch über den Congreß von Verona zwar schrieb er später um zu beweisen, daß man dort Frankreich den Krieg nicht auferlegt habe: gleichwohl hatte er sich förmlich gebunden, die spanische Frage als eine europäische zu behandeln und insofern die französische Politik unter die des heiligen Bundes zu stellen; sein Stellvertreter in London, Herr von Marcellus, rieth ihm kurz nach seinem Amtsantritt, England gegenüber die Frage vertraulich als eine französische zu behandeln, was im Grunde doch ehrenhafter für Frankreich sei, und nur amtlich das Prinzip der „europäischen Frage" aufrecht zu halten, „weil dieß so sein müsse"! Dieß Prinzip, daß es fortan nur noch eine allgemeine, keine französische, österreichische, russische u. a. Politik mehr gebe, mußte Chateaubriand denn auch später in seiner berühmten Rede vor der zweiten Kammer öffentlich verkündigen, sammt Anderem was er „auf Befehl" Alexander's über ihre persönlichen Verbindungen mitzutheilen hatte. Damals hatte die Verwicklung der Dinge den Krieg bereits unvermeidlich gemacht, und von da an, als der poetische Minister die französische Regierung 100mal stärker gemacht zu haben glaubte, als er sich für eben jene Rede von den fremden Höfen beglückwünscht, seinen staatsmännischen Ruhm weithin begründet, die Epoche firirt sah, wo er „die Geschichte so gut wie den Roman" zu machen lernte, von da an entschied sich erst sein kriegerischer Eifer in aller Keckheit. Nun lebte er in einer neuen Thatenlust wie nie zuvor! Er hatte sich zuletzt auf seinem Posten in Berlin gelangweilt, wo er zwar mit einer Prinzessin preußischen Blutes wie Eginhard zu Emma wollte gestanden haben; er hatte sich gelang-

IV. 23

weilt in London, wo er die gesellschaftlichen Coterien nicht fand,
die seinem Dünkel den gewohnten Tribut brachten; er hatte sich
(dieß war der stärkste Ausdruck seiner gigantischen Eitelkeit, der
die ganze Welt nicht schien genügen zu könnten) „vom Mutter-
schooße auf gelangweilt"; aber jetzt schien er Alles einbringen zu
wollen, was er in dieser Blasirtheit früher versäumte. Nun drängte
er kopfüber in die große Unternehmung hinein, zum Aeußersten entschlossen was er thun würde, wenn sie scheiterte („wir hätten uns in
die Seine gestürzt!"), zum Aeußersten entschlossen was er thun
wollte, wenn sie gelänge. Denn er überließ sich nun den aus-
schweifendsten Träumen, zu was allem er diesen „seinen" spanischen
Krieg und das Bündniß mit Rußland künftig noch ausbeuten
wollte. Die militärische Erstarkung Frankreichs, die ersthin der
Zweck des Krieges war, sollte jetzt nur das Mittel zu weit ferneren größeren Dingen werden. Er wollte, wenn er das Wunder
vollendet, auf dem Boden zu siegen, wo Napoleon's Armeen geschlagen wurden, mit Beseitigung des englischen Einflusses den
französischen in Spanien wieder herstellen; er wollte ihn, wie es
die Absicht Napoleon's und Ludwig's XIV. war, auf America
ausdehnen und in den abgelösten Colonien Spaniens 3—4 bourbonische Dynastien schaffen, die zu Frankreichs Vortheil ein Gegengewicht des Handels Englands und der Vereinigten Staaten schaffen sollten; er wollte Griechenland befreien und die griechische und
lateinische Kirche vereinigen; er wollte die verhaßten Wiener Verträge zerbrechen und Frankreich, nachdem er es ruhmreich in Spanien gemacht, am Rheine stark machen; er wollte die Dynastie der
Bourbonen „auf ewig sicher stellen." Diesen stolzen Entwürfen
nachlebend erwarb sich Chateaubriand damals den Ruhm, sein
Land aus seiner letzten Starrsucht aufgerüttelt und ihm ein äußeres
Leben, ohne das ein großes Volk nicht bestehen kann, wieder gegeben zu haben; aber freilich hat er durch eben diesen Krieg und

seine Folgen auch wieder neue innere Zerrüttungen auf das Land
herabbeschworen. Er gab der Legitimität die Gelegenheit, ihr erstes
Pulver unter der weißen Cocarde zu verschleßen, aber es war auch
ihr letztes. Er sollte sich des Triumphs rühmen, „in 6 Monaten
zu vollbringen, was Napoleon nicht in 7 Jahren vermocht", aber
dieser Triumph sollte zugleich sein eigener Sturz werden. Sein
Freund Fontanes, der diesen brausenden aber kurzathmigen Ehrgeiz kannte, hatte es so vorausgesagt: er wird in seinem Amte
etwas Großes vollbringen und dann fallen.

Was selbst bei einer größern Unschlüssigkeit in der franzö- *Bruch zwischen Spanien und den verbündeten Mächten.*
sischen Regierung zuletzt den Ausschlag zum Kriege hätte geben
müssen, war die zwischen Ueber- und Abspannung schaukelnde,
zwischen Trotz und Schwäche wechselnde Haltung der spanischen
Regierung, die dieser Krise in keiner Weise gewachsen war. Statt
Alles an eine kräftige Kriegsrüstung zu setzen, hatte sich San
Miguel bis zuletzt in Träumen der Sicherheit gewiegt, nachdem er
erfahren, daß England in Verona sich gegen die Absichten der
Mächte gestellt und daß nach Beendigung des Congresses nichts
Unmittelbares geschah. Er bot dann Alles auf, um A'Court's Geld-
forderungen zu genügen, fest überzeugt, daß England eine französische Besetzung Spaniens nie zugeben und selbst wider Willen
sich in den Krieg verwickeln werde. Diese Zuversicht stimmte sich *'6. Jan. 1823.*
plötzlich herab, als die Veroneser Depeschen¹ anlangten. Die be-
stürzten Minister, statt in gefaßter Besonnenheit auf ihre alleinige
Verantwortung und nach dem Rathe verständiger auswärtiger
Freunde zu handeln, beriefen ihre Partheigenossen, die Freimaurer,
zu einer privaten Berathung, in der der Partheiunsinn die Stimme
führte. Die Thoren lasen aus jenen Schriftstücken nicht heraus,
daß selbst troß ihrer anmaßenden Form die Spanier darin ganz
anders ehrenvoll behandelt waren als die Neapolitaner; daß man

23*

In Erinnerung ihres Unabhängigkeitskampfes ihrer Revolution
eine Hinterthüre offen ließ, in die man mit allem Geschicke sich hätte
einbrängen sollen, wäre es nur um Zeit zu gewinnen zur Vermit-
telung oder zur kräftigsten Rüstung. Ihnen galt es nur um ihre
Popularität für den Tag, nicht um einen nationalen Gewinn für
die Dauer; sie fürchteten mehr die nahen Dolche der Comuneros
als die fernen Bajonette der Feinde; sie gefielen sich in dem schein-
kräftigen prahlerischen Vertrauen auf den spanischen Heroismus
besser als in der nüchternen Erwägung der wahren Verhältnisse
und Sachlage; sie handelten wie halsstarrige Kinder, die ihren
Willen nicht aufgeben mögen, wie wenig sie ihn ausführen können.
Sie bestimmten die Minister, die Depeschen mit dem Entwurfe
ihrer Antworten den Cortes vorzulegen, d. h. die Leidenschaften
der Menge zu entzügeln. Hielten sich auch die Cortes bei der Vor-
'9. Jan. lage[1] noch in würdiger Ruhe, so brach doch die Gallerie über der
unverschämtesten Note, der russischen, in das Geschrei aus: Nieder
mit dem Tyrannen! und über den ketzerischen König von Preußen,
der sich des spanischen Throns und Altars so sorglich annahm,
aber selbst sein Versprechen einer Verfassung nicht gehalten hatte,
ließ sich sogar der Madrider Pöbel auf den Straßen aus. Die
Versammlung trat in einem jener gefährlichen Räusche der Parthei-
versöhnung einmüthig der Haltung der Minister und ihren Ant-
'11. Jan. wortsentwürfen bei; und als zwei Tage darauf[1] ein Adreßentwurf
an den König von Galiano verlesen und in heller Begeisterung
gebilligt ward, wurden die bewunderten Redner des Tages, die
Galiano und Arguelles, im Triumph auf den Schultern des Volks
nach Hause getragen, das alle diese Tage und Nächte mit Jubel,
mit Musikbanden und Fackeln die Straßen durchzog. Die erwie-
dernden Noten sprachen dann begreiflich in dem Tone einer un-
klugen Schnödigkeit, die der aufgewühlten Volksleidenschaft entsprach. Der schonenderen Regierung, die am schonendsten behandelt

war, ſagte man: daß Frankreich ſein Anerbieten, für Spaniens
Glück zu wirken, nicht beſſer erfüllen könne, als durch ganz paſſives
Verhalten und durch Entfernung des Grenzheeres, das allein den
Unruhen in Spanien neue Nahrung gebe; auf die „amphibolo-
giſchen" Inſtructionen des Grafen Lagarde einzugehen wurde ver-
ſchmäht, die doch grade ihrer Dehnbarkeit wegen ſo leicht wären
mit einer vagen Antwort zu erwiedern geweſen, die den Bruch hin-
ausgeſchoben hätte. Die Circularnote an die drei Oſtmächte bezeichnete in ihrem erſten Satze die Depeſchen als ein Gewebe von
Entſtellungen und Anſchwärzungen, von eben ſo ungerechten als
verleumberiſchen Beſchuldigungen, die zu einzelner Beantwortung
nicht Anlaß geben könnten; ſie wies dann die Anmaßung jeder
Einmiſchung in ſchroffen Formen zurück. Als die Geſandten hierauf[1] ihre Päſſe verlangten, führten die Begleitſchreiben, womit ſie '10. Jan.
ihnen zugeſtellt wurden, eine noch um vieles thörichtere Kraft-
ſprache des Hohns und der Grobheit, die ſich kaum ein Napoleon
an der Spitze ſiegreicher Heere erlaubte. Dem ruſſiſchen Geſandten Grafen Bulgari warf man „ſcandalöſe Verletzung des Völ-
kerrechts" vor und ſprach die Hoffnung aus, daß er die Hauptſtadt
ſo ſchnell als möglich verlaſſen werde. Dazu bemerkte der Univer-
ſal[1], er bedaure, daß der Miniſter den ruſſiſchen Geſandten als 13. Jan.
einen Grobian behandeln zu müſſen geglaubt und nicht bedacht
habe, daß man von einem Kalmucken nicht die Bildung eines civili-
ſirten Europäers erwarten könne. Mitten unter all dieſem Wort-
heldenthum aber verrieth die Regierung im Augenblicke ihr richtiges Gefühl von ihrer wahren und eigentlichen Lage. San Miguel
wandte ſich nun[1] grabaus an England um ſeine guten Dienſte zur '12. Jan.
Verhinderung des Kriegs, und dem Herzog von S. Lorenzo in
Paris trug er friedliche Eröffnungen, die man ſo eben in der Note
weit weggeworfen hatte, an Chateaubriand auf. Und zu dieſen
Mahnungen des eigenen Gewiſſens ſollte die Regierung auf dem

Fuß noch eine weit empfindlichere Mahnung treffen, die zugleich
eine Strafe versäumter Pflichten, zugleich eine Aufmunterung für
den drohenden Nachbar, zugleich die traurigste Vorbedeutung für
den bevorstehenden Krieg war. Während in Catalonien und den
baskischen Provinzen der Aufstand so gut wie erloschen war, schlugen sich in Aragon noch einzelne royalistische Haufen um so verzweifelter, weil ihnen der sichere Rückzug über die Grenze fehlte.
Unter ihren Führern war ein Bessières, ein Franzose, der in dem
spanischen Kriege wegen Mordanschlägen aus seiner Armee hatte
entweichen und zu den Spaniern übertreten müssen, der um 1820
in Barcelona wegen republikanischer Umtriebe zum Tode verurtheilt, auf die Bedrohungen der Exaltirten aber begnadigt worden
war, nachher dem Kerker zu entrinnen wußte und jetzt nach ge-
wechselter Farbe einer der grausamsten Helfershelfer des Despotismus ward. Dieser Mann erschien nur 4—5 Tage nach der stolzen
Cortesdebatte in Medina Celi, brachte dem gegen ihn ausgesandten
'24. Jan. O'Daly, einem der Helden von Jsla de Leon, bei Brihuega¹ eine
schimpfliche Niederlage bei, nahm Guadalajara [10 Leguas von
Madrid] hinweg und machte die Hauptstadt, die kaum erst der
ganzen Welt so heroischen Trotz geboten, vor seiner zerlumpten
Guerilla zittern. Eine unglaubliche Verwirrung bemächtigte sich
aller Geister. Der König spannte in neuen Erwartungen; seine
Freunde sprachen in neuer Anmaßung; die Partheien, ihrer flüchtigen Eintracht plötzlich vergessen, fielen sich in gegenseitigen Vorwürfen an. Die besinnungslose Regierung suchte nach einem Führer,
den sie dem Abenteurer Bessières entgegenstellen könnte. Sie fiel
auf den elenden Abisbal, der seit zwei Jahren vergebens seinen
Frieden bald mit den Liberalen bald mit dem König zu machen gesucht und zuletzt bei der radicalen Regierung Gnade gefunden hatte.
Bessières freilich mußte der militärischen Geschicklichkeit des Mannes
weichen, aber der unglückliche Eindruck blieb nach; die Lorbeeren

des Juli waren gewollt, und unseliger Weise war mit der Wahl
jenes Mannes eine Maaßregel getroffen, die in ihren Folgen den
faulenden Stamm der Revolution noch an der Wurzel angreifen
sollte. Eifersüchtig auf die Ernennung Abisbal's, eines Mannes
der Maurer, drängten die Comuneros auch für i h r Haupt Ballesteros eine hohe Stelle zu erhalten, und die schwache Regierung
gab ihm den Militärbefehl von Madrid. Durch ihn wieder, der
sich sofort wie ein Dictator benahm, ward dem General Morillo
ein höherer Befehl zugetheilt, dem Moderado, den die Comuneros
nach dem Juli verurtheilt haben wollten. So riefen diese Tage
des panischen Schreckens diese drei Feldherren aus den drei verschiedenen Partheien in die höchsten Militärstellen, die nachher an
der Spitze dreier Heercorps durch schuldvolle Pflicht- und Ehrver-
gessenheit dem Krieg fast vor seinem Anfang ein Ende mit Schaden
und Schande bereiteten.

Es hätte des Bessieres'schen Zwischenspiels, das Herrn Chateaubriand
und Canning.
von Chateaubriand über die Widerstandsfähigkeit Spaniens ganz
sicher stellte, nicht bedurft, um in Paris die letzten Widerreden
gegen den Krieg, selbst bei dem König, selbst bei Villèle zu beseitigen, dem die Ablehnung aller Verfassungsänderung das letzte
Mittel der Verhandlung entzogen hatte. Zwar Canning that noch
einmal einen Vermittlungsschritt auf eben diesem Wege der französischen Regierung entgegen, indem er Lord Fitzroy-Sommerset
zu einer privaten Sendung nach Madrid bestimmte, um dort aus-
gerüstet mit einem Memorandum seines Freundes Wellington zu
einer Modification der Verfassung nach französischen Wünschen zu
stimmen; und er richtete dann¹, immer bemüht die schwebende ¹⁰. Jan.
Frage als eine „wesentlich französische" aufzufassen, eine erneuerte
friedliche Vorstellung an Vicomte Marcellus. Grade dieser Schritt
stachelte Chateaubriand, dem die Rücksicht auf Rußland die Rück-

sichtslosigkeit gegen England zu einer Art Pflicht machte, den

'18. Jan. Gesandten Lagarde aus Madrid in einer vertraulichen Depesche[1] abzuberufen, in der er von Sommerset's vergeblichen Vermittlungsversuchen sprach, zu einer Zeit, wo der Mann noch nicht einmal in Madrid angekommen war! Denn hätte sich auch Chateaubriand jetzt noch zum Frieden bequemen sollen, so hätte er dem heiligen Bunde die sichersten Bürgschaften und eine glänzende

'22. Jan. Genugthuung mitbringen müssen: daher hatte er noch dem[1] abgehenden Lagarde die von San Miguel amphibologisch gefundenen Instructionen, die Bedingungen des Friedens, genauer bestimmt: der König solle eine allgemeine Amnestie erlassen, solle die nothwendigen Verfassungsänderungen beschließen, und möge über Beides an der Spitze seiner Truppen am Ufer des Bidasoa im Angesicht des französischen Heeres, mit dessen Führer dem Herzog von Angoulème berathen; dieß poetische Versöhnungsspiel hätte den König von Spanien, wie den Neapolitaner in Laibach, in die Hände der heiligen Allianz geliefert. Diese Bedingungen theilte

'23. Jan. Chateaubriand[1], in dem Augenblick als Canning den Antrag der spanischen Regierung vom 12. auf englische Vermittlung mit den

'24. Jan. freundlichsten Vorstellungen[1] an ihn abgehen ließ, der englischen Regierung mit, in einer Note, die ihrem Sinne nach ganz wie eine Wiederholung der Montmorency'schen Ablehnungsnote vom 19. Dec. llang, die diesen seine Stelle gekostet hatte. Chateaubriand rechtfertigte darin ausdrücklich die Stellung seines Amtsvorfahren in Verona; er bezeichnete die spanische Frage als eine „ganz europäische“ und zugleich (insofern Frankreich allein werde zu handeln haben) als eine „ganz französische“, und erklärte eine Vermittlung für unannehmbar, weil es „unmöglich sei, eine Unterlage für eine Verhandlung über politische Theorien und für ein Schiedsgericht über Prinzipien“ zu finden. Chateaubriand ging also im „europäischen“ Schritt mit der heiligen Allianz in einen

Kreuzzug gegen die Ideen und Theorien der spanischen Revolution, und im „französischen" Schritt die Charte in der Hand
(wie Mahomet den Koran, spottete Canning) gegen die spanische
Verfassung zu Felde; obgleich er in poetischer Gedankenlosigkeit
nur wenige Tage später dem portugiesischen Geschäftsträger in
Paris die amtliche Erklärung gab: wenn Frankreich gegen Spanien zu Krieg gehe, so geschehe es „nicht, um politische Theorien
zu unterstützen!" Eben beauftragte Canning[1] den Lord Stuart, '16. Jan.
auf die Ungeeignetheit der gebieterischen Forderung einer Verfassungsänderung aufmerksam zu machen, in diesem Moment
grade, wo England nach Frankreichs Wunsch diese Aenderung
freundlich zurathend empfehle, da durchschnitt eine ganz unerwartete Neuigkeit diese letzten Friedensbemühungen. An demselben
Tage[1] sprach der König von Frankreich eine Thronrede, die wie '28. Jan.
eine Kriegserklärung lautete: die Hoffnung zur Erhaltung des
Friedens bleibe gering, es sei denn daß König Ferdinand frei
werde, seinem Volke die Einrichtungen zu geben, „die es nur
von ihm empfangen könne"; 100,000 Franzosen ständen bereit, den
spanischen Thron einem Enkel Heinrich's IV zu erhalten. Dieser
Rede war eine Minister-Berathung[1] vorhergegangen, bei welcher '26. Jan.
Corbière Drohungen royalistischer Kammerglieder einbrachte, die
Alles aufbieten wollten das Ministerium zu stürzen, wenn die
Thronrede nicht augenblickliches Einschreiten ankündige. Dieß
entschied die Beschlüsse des Cabinets; und von dem folgenden
Tage an begannen die Truppenmärsche nach den Pyrenäen, und
in Salons, Theatern, Kammern, Blättern, Armee und Kirche
schrie nun Alles nach Krieg. In England verekelte man sich an
der Zweizüngigkeit des genialen französischen Ministers, der zu
Stuart fort und fort vom Frieden redete; man verbitterte sich an
der Thronrede, nach deren Inhalt England mit seiner Magna
Charta ebenso der Kriegserklärung des heiligen Bundes bloß

'3. Febr. stand. Canning verhehlte in seiner nächsten Depesche an Stuart[57] nicht, wie sehr er die freundschaftlichen Bande zwischen England und Frankreich erschüttert ansah. Des Königs Rede, sagte er, lege die Art an die Wurzel auch der englischen Verfassung. England maße sich nicht an, seine Verfassung für das einzige System nationalen Wohles auszugeben, wolle auch nicht das Glück und die Freiheit in Untersuchung ziehen, die Frankreich aus seiner octroyirten Verfassung ziehe; doch könne es nicht Frankreichs Verlangen unterstützen, sein Beispiel andern Nationen zur Richtschnur zu stellen, im Besondern nicht, es Spanien in Kraft der Verwandtschaft beider Dynastien aufzudringen: dieser letztere Grund müsse vielmehr Erinnerungen erwecken, die es England unmöglich machten, hierauf gestützte Forderungen zu befürworten. Dieser Satz winkte mit einem bis dahin unveröffentlichten Separatartikel des 1814 zwischen Spanien und England geschlossenen Vertrages[57], worin sich der König von Spanien verpflichtete, kein Verhältniß zu Frankreich wie das unter dem Namen des Familienpactes bekannte einzugehen. Diesem Artikel beeilte sich Chateaubriand sofort Achtung zu versprechen, der auch jetzt noch den englischen Freund mit täuschenden Friedensversicherungen hinhielt.

'8. Febr. Er specificirte[1] noch einmal nach Madrid und London etwas näher die Bedingungen des Friedens, und das in demselben Augenblick, wo der stärkste Friedensanker, Villèle's Widerstand, völlig abriß. Die Congreganisten, müde der Zögerungen und der versöhnlichen

'9. Febr. Reigungen des Finanzministers, beschickten ihn so eben[1] und ließen ihm kurzer Hand die Wahl stellen, ob er sich sofort zur Intervention entscheiden oder durch die Mehrheit der Kammer genöthigt einem Ministerium Vitrolles-Labourdonnaye weichen wolle[58].

---

57) Hansard 8, 1141.
59) Vaulabelle 6, 24.

Dieß war zur selben Stunde, wo Stuart die letzten Friedens-
bedingungen Chateaubriand's nach London berichtete; am folgenden
Tage aber[1] erschien Villèle vor der Kammer und verlangte einen '10. Febr.
außerordentlichen Credit von 100 Millionen zur Deckung der
Kriegskosten! Diese Nachricht kam für Canning eben so über-
raschend und durch ihre Treulosigkeit eben so verletzend, wie zuvor
die Zeitung von der Thronrede. Chateaubriand mochte sich freuen,
wenn es der Freude werth war, den Schüler Pitt's in seinen Versuchen zur Abwehr der Allianzpolitik, der französischen Invasion,
der Vermittlung für Spanien an- oder abgeführt zu haben. Einen
Augenblick konnte es scheinen, als ob sich Canning im Unmuth
darüber gestachelt fühlte, England aus seiner Zuschauerrolle
herauszutreten zu machen. Eine Stelle in dem Entwurf der englischen Thronrede, die die Neutralität aussprach, wurde nach
Bekanntwerdung der Rede des französischen Königs unterdrückt.
Herr von Marcellus hatte zu berichten[1]: daß Canning zu eben '31. Jan.
dieser Zeit gedroht habe, die Minister „würden blind der öffentlichen Meinung folgen", und einige Wochen später[1]: er habe aus '28. Febr.
guter Quelle gehört, daß Canning im Ministerrath selbst den
Widerstand gegen die allgemeine Meinung, die die Unterstützung
Spaniens verlange, für unmöglich erklärt. So sehr aber der
französische Gesandtschaftssecretair auch warnte vor dem Nachfolger
Castlereagh's, der alle Stärke neben seinen widerstrebenden Collegen nur aus der Volksgunst schöpfe, der daher der Sclave der
öffentlichen Meinung sei, welcher Castlereagh stets zum Trotze gehandelt, der schwankend stehe zwischen den Pitt'schen Bekennt-
nissen streng monarchischer Grundsätze, die seinen früheren Ruhm
ausgemacht, und den demokratischen Prinzipien des Tags, denen
er Zugeständnisse machen werde, die von Castlereagh nie zu befürchten gewesen, der der Geburtsaristokratie und selbst der „hohen
Opposition" (des Königs) tief abgeneigt, dagegen des Volkes

Meister sei, daß ihn erhalten werde wenn Er ihm gehorche; dennoch beharrte Canning kaltblütig bei Castlereagh's Programm der auswärtigen Politik und steckte selbst empfindlichere Streiche schweigend ein, als Castlereagh in Troppau. Chateaubriand war für den Fall einer englischen Verbindung mit Spanien der Hülfe des russischen Kaisers versichert[59], der in einer Note durch Lieven[60] in London seine Verwunderung ausdrücken ließ, daß die englische Regierung im Munde des französischen Königs das Prinzip beunruhigend finden wolle, das sie früher in allen Verhandlungen die Frankreich zum Gegenstand gehabt stillschweigend zugelassen habe; und daß sie in Spanien eine Sache gerecht und unangreifbar erkläre, die sie weder in Neapel noch in Piemont unterstützt habe. Canning verschluckte diese Pille, weil es in der That auch jetzt nicht Englands Absicht war, auch seine Absicht nicht war, diese Sache zu unterstützen. Wurzelte bei den französischen Royalisten die Kriegslust im letzten Grunde in der Ueberzeugung, daß man in Frankreich dem Zustande der revolutionären Gefahr in dem man sich befand ein Ende machen müsse; war es Chateaubriand's Ansicht, daß man das Beobachtungsheer weder zurückziehen noch unbeweglich an der Grenze lassen könne, ohne es der Ansteckung auszusetzen; war es Villèle's ausgesprochene (durch Mißdeutung so angefochtene) Meinung, daß man in der Wahl stand, der spanischen Revolution den Krieg zu machen, oder an der Nordgrenze für sie fechten zu müssen; so waren die englischen Tories von den gleichen Besorgnissen zu ernstlich bewegt, um sich mit Gewalt der Dazwischenkunft Frankreichs widersetzen zu wollen. Und es waren die gleichen Gedanken wie Villèle's, wenn Liverpool die Möglichkeit großer festländischer Verwicklungen voraussah, falls (in Folge

---

59) Chateaubriand an Vicomte Marcellus 10. März 1823.
60) Congrès de Vérone I, 427.

selbst nur vorübergehender Vortheile der Spanier) die revolutionäre Bewegung sich in Frankreich ausbreiten sollte; und wenn
Canning durch offene Unterstützung der spanischen Sache den glimmenden Funken der Revolution in Frankreich aufzublasen scheute,
damit nicht noch einmal wie früher ein großer Stoß aller Ostmächte gegen den Westen veranlaßt werde. So weit waren
Canning's Gründe zu seiner Neutralität dieselben, die Castlereagh
mit dem heiligen Bunde selber getheilt hatte. Nur daß er noch
andere Entschlüsse und andere Mittel zu haben schien, durch die er
bei aller Neutralität wirksamer als Castlereagh Englands „Ehre
und Interessen auf alle Fälle zu wahren"⁶¹ und der Uebermacht
der absolutistischen Prinzipien vorzubauen sicher war. Schon hatte
in Verona Wellington mit der Anerkennung des befreiten Südamerica gewinkt, und Herr von Marcellus bereitete seinen Chef
wiederholt darauf vor, daß sich Canning, wenn ihm die spanische
Bühne entgehe, ein Theater in den Colonien suchen, daß er in
ihrer Anerkennung der öffentlichen Meinung und dem großen
Handelsinteresse seines Landes die ersten Opfer bringen werde.
Und dann gab es jetzt schon freisinnige Männer, die vorauszu-
wittern glaubten, daß, wenn die Mächte fortführen ihre politischen
Grundsätze einer straffen Einseitigkeit zu überspannen, aus Mei-
nungsstreiten über Regierungsformen, aus der Frage, ob nur die
Könige den Völkern oder auch die Völker den Königen Gesetze
geben dürsten, Kriegsfragen zu machen, Canning der Mann sei,
diese Uebertreibungen im Nothfall mit den gleichen Waffen nieder-
zuschlagen.

In dem diplomatischen Wettkampfe der Mächtigen des Westens
fiel das arme Spanien, über dem der Zusammenstoß Statt hatte,

---

61) An K'Court 9. Febr. 1823.

zermalmt als Opfer. Es ging in den Krieg, angegriffen von dem
rücksichtsvoll geschonten Nachbar, verlassen von dem kalten selbst-
süchtigen Vermittler, dem es vor nicht lang der Schauplatz seines
Ruhmes und die Werkstätte seiner Siege gewesen war, der es nun
für die Zukunft mit dem Raube seiner Colonien, seiner letzten und
größten Hülfsmittel, bedrohte, der ihm in der Gegenwart mit
einer unbarmherzigen Schuldeinforderung die Mittel der Vertheidigung aufs empfindlichste beschnitt. Und das in dieser Lage der
ärmlichsten Noth und der dringendsten Gefahr, wo das Land ohne
Heer war und Flotte, und ohne die Kraft sie zu schaffen. In den
spanischen Finanzen war von Regierung und Cortes alle die Zeit
her „auf Gott und gutes Glück" hineingewirthschaftet worden.
Der Charakter jeder Cortesdebatte über die Finanzverhältnisse war
immer ein allgemeiner Wirrwar gewesen. Bei dem Mangel alles
festen thatsächlichen Unterlagen pflegte jeder Abgeordnete und jeder
Minister nach seiner Partheifarbe anders und jeder mit gänzlich
ungewissen und bestrittenen Zahlen zu rechnen, und die ersten
Meister des Fachs, wie der Kaufmann J. M. de Ferrer, hatten
über die Unverständlichkeit der Finanzrechnungen zu klagen, da
man nie gewußt, was die Staatskasse habe noch was sie schulde,
noch auch heute wisse, welche von den Angaben der Staatsschuld,
die von 6 in 12 Milliarden aus einander gingen, die richtige sei.
Unter diesen Umständen war jede Berechnung jeder Auflage fehl
geschlagen und fortwährend stemmte und klemmte es sich allent-
halben. Das Leidigste war, daß ganz im Anfang, bei dem ersten
günstigen Stande der Revolution versäumt worden war, ein
großes bedeutendes Anlehen zu machen, das eine größere Men-
schenzahl bei dem Gedeihen der neuen Ordnung interessirt hätte,
das nicht für die laufenden Bedürfnisse der Verwaltung hätte ver-
zehrt werden müssen, wie die späteren kleinen Anlehen, die die
Thätigkeit zur Belebung der inneren Hülfsmittel einschläferten und

für eine Verwendung zur Hebung der öffentlichen Wohlfahrt nicht
ausreichten. Als die ordentlichen Cortes von 1821 nach einem
träglichen Budgetentwurf in den letzten Tagen ihrer Sitzung die
Nothwendigkeit einer Anleihe von 200 Mill. erkannten, war diese
günstige Zeit längst vorüber; der Credit war ganz gesunken; die
verzinslichen Papiere verloren 79, die unverzinslichen 88%; die
Anweisung der zur Tilgung der Schuld bestimmten Staatsgüter
hatte nichts geholfen, diesen Stand zu heben. Die versuchte sogenannte „Nationalanleihe" scheiterte und dieß nöthigte dann zu einem
neuen Conversionsanlehen[1], das unter so schmählich nachtheiligen
Bedingungen abgeschlossen werden mußte, daß die Cortes von
1822 seine Annullirung verlangten und auch eine Aenderung des
Vertrags erwirkten, der aber noch immer der Regierung die außerordentlichsten Verluste zuzog[2]. Diese Exaltado-Versammlung
hatte sich gleich bei ihrem Zusammentritt über den jammervollen
Zustand erschreckt gefunden, den der Finanzbericht[1] aufdeckte, in dem
ein Ausfall von 193 Mill. in Aussicht gestellt war. Noch in der
vorigen Sitzung hatte einer der Minister den Satz aufgestellt:
während im Privathaushalte die Ausgaben von den Einnahmen
bestimmt würden, so müsse das im Staatshaushalte umgekehrt
sein; jetzt aber verlangte die Cortescommission, daß die Höhe der
Abgaben und Ausgaben nach dem genau untersuchten Vermögen
des Staats bemessen würde; das Deficit sollte durch Ersparnisse
möglichst gedeckt werden, die in allen Zweigen beschlossen wurden
und das Budget[1] im Vergleiche mit dem von 1821 von 756 auf
685 Mill. herabbrachten. Aber alle diese Beschränkungen nutzten
zu nichts. Neue Anleihen unter den lästigsten Verträgen wurden
nothwendig. Die Ausgaben wuchsen unter der Abnahme der Ein-

'22. Nov. 1821.

'5. März 1822.

'28. Juni 1822.

---

82) X. T., aperçu hist. sur les emprunts contractés par l'Espagne
en 1820—31. Paris 1834.

künfte. Die Feldzüge Mina's in Catalonien erschöpften den
Staatsschatz völlig. Und als nun die Kriegsgefahr von außen
näher rückte, fand sich Alles was das Heerwesen anging in der
schrecklichsten Lage. Wohl hatten die Cortes schon seit 1820—21
immer große Worte geführt: die Marine zu heben um America
wieder zu gewinnen, das Heer auf 160,000 Mann, darunter
90,000 Milizen, zu bringen, um gegen einen Kriegsanfall gerüstet
zu sein. Aber die Noth war nahe, America war weit; die für die
Flotte bewilligten Summen wurden von anderen Departements
verschlungen; so drohten die Colonien mehr und mehr verloren zu
gehen; und gleich unheimlich lagen nun alle Verhältnisse für den
Oct. 1822. bevorstehenden Krieg mit Frankreich. Der Regierung war[1] die
Aushebung von 20—30,000 Mann bewilligt worden, um gegen
das Ausland eine kräftige Haltung annehmen zu können; es waren
aber die außerordentlichsten Maaßregeln nöthig sie aufzubringen;
in jeder Cortessitzung liefen Bitten um Befreiung, liefen Klagen
über Ausreißen und Auswandern ein; die Kriegslust war offenbar
auf dem niedersten Stande; alle festen Plätze, Castelle, Artillerie-
parks befanden sich im kläglichsten Verfalle. Jetzt als nach dem
11. Febr. 1823. Bruche mit den Mächten[1] die Kriegsberathung in den Cortes begann und bei diesem Zustande der Vertheidigungsmittel die Leichtigkeit eines Handstreiches auf Madrid erwogen ward, hatte Niemand den Muth, aus dieser trostlosen Lage den Schluß auf das
Aufgeben jedes nutzlosen Widerstandes, auf eine Verhandlung mit
Frankreich zu ziehen. Man tröstete sich, daß die zerlumpten Gueril-
las mit Knoblauchrationen selbst einen Napoleon besiegt hätten;
diese Art der Kriegführung wollte man wieder ins Leben rufen.
Man wollte jede Hauptschlacht vermeiden, Madrid Preis geben,
den eindringenden Feind in dem Maaße wie er vorrückte auf der
Seite, in seinen Verbindungen und Zufuhren bedrohen, bis Dauer
und Druck der Invasion das niedere Volk gegen den Franzosen

aufreize wie vordem. Mit dem Beschlusse, daß die Cortes und der
König sich nach Sevilla zurückziehen sollten, schlossen die außerordent- '19. Febr.
lichen Cortes, die am 1. März als ordentliche wieder zusammentreten
sollten. Auch jetzt suchte der König diese wenigen Tage der Interlegis-
latur zu einem Staatsstreiche zu benutzen. Er hatte sich auf den ersten
Antrag mit verständigen Gründen gegen den Rückzug nach Sevilla
erklärt; als er doch beschlossen wurde, wollte er die Minister entlassen, um den Cortesbeschluß umzustoßen. Sofort regte sich die
Bevölkerung von Madrid; die Haufen wälzten sich gegen das
Schloß; die Volksführer wütheten gegen den „Idioten", den König;
aus der Menge schallten die Rufe: Regentschaft! König heraus!
(presencia, regencia!) und des Königs Person und Familie war
zum ersten Mal in wirklicher Gefahr, als eine Anzahl der Aufrührer in das Schloß drangen und ein „Tod dem Könige" riefen![63]
Das angefochtene Ministerium gab seine Entlassung ein; der
König wollte zu Martinez de la Rosa zurückgreifen, der sich versagte; dann ließ er sich von dem Staatsrath eine Comuneroliste
vorlegen, die er am Tage der Eröffnung der ordentlichen Cortes '1. März.
genehmigte. Die neuen Minister durften ihr Amt nicht antreten,
ehe ihre Vorgänger die üblichen Denkschriften über die Lage ihrer
Aemter in den Cortes gelesen hatten; die Cortes aber, entschiedene
Anhänger des Freimaurer-Ministeriums, schoben diese Lesung hinaus und nöthigten durch diesen einfachen Kunstgriff die Comunero-
minister, wieder zurückzutreten. Dem König dienten diese kläglichen
Ränke vortrefflich, seine Willenlosigkeit ins Licht zu setzen. Als es
sich um die Abreise nach Sevilla handelte, erklärten seine Aerzte,
daß seine Gicht sie ihm nicht gestatte; die Cortes räumten durch
eine ärztliche Commission auch dieses Hinderniß weg. Es blieb
dem Fürsten nichts übrig als die Reise nach Sevilla anzutreten '20. März.

---

63) Miraflores 1, 179.

IV. 24

und sich in die Verlegung der Regierung zu fügen. Sie hatte mit
einer gewissen Würde Statt. Die Bevölkerung von Madrid, deren
Interessen mit dieser Maasregel gewiß nicht gedient war, verhielt
sich ruhig, ohne Beifall und Mißfallen. Auf der Reise galten alle
Zeichen der Anhänglichkeit im Volke den Cortes; der König wurde
überall mit Gleichgültigkeit gesehen und kaum gegrüßt. Es war
ein neuer Beweis, daß der Royalismus, auf seine eigenen Kräfte
gewiesen, der stärkere Theil im Lande nicht war.

Getäuschte Hoffnungen auf Unruhen in Frankreich.   Die Regierung erließ aus Sevilla ihre Kriegserklärung gegen
Frankreich, dessen Truppen seit Ende März marschfertig an der
Grenze standen. Noch Eine schwache Hoffnung gab es, mit der
sich die Ueberspanntesten trösteten: daß den Liberalen in Frankreich
gelänge, mit der Gewalt des Wortes oder der Waffen einen Umschlag in Frankreich hervorzurufen, der den feindlichen Nachbar in
einen Bundesgenossen verwandelte. Ein Vorgang in der französischen Kammer störte zuerst auch diese trüglichen Erwartungen,
indem er verrieth, wie gering jetzt die Macht der freien Parthei in
und außer dem Hause geworden war. In den Tagen der Berathung über den verlangten Credit für die Kriegsbedürfnisse war
26. Febr.   unter den liberalen Rednern Manuel[1] aufgetreten, dessen kalte Haltung und feste entschlossene Gegnerschaft wider alle conterevo-
lutionären Plane die Ultras immer aufs heftigste gereizt hatte.
Im Laufe seiner Rede sprach er einen Satz, der durch die Leidenschaft der Königlichen unterbrochen und mißverstanden als eine
Rechtfertigung der Hinrichtung Ludwig's XVI. gedeutet ward.
Die wüthenden Feinde, zu einem Partheistreich verbunden, setzten
unter dem Stillschweigen der Minister seine Ausstoßung für diese
2. März.   Sitzung[1] durch. Am folgenden Tage erschien Manuel dennoch in
der Kammer; er erklärte nur der Gewalt zu weichen; er dachte mit
diesem Trotze zu den aufgeregten Massen zu reden, und als er durch

die bewaffnete Macht entfernt werden sollte, hörte man die Liberalen förmliche Ermunterungen zur Widersetzlichkeit an die Nationalgarden richten, deren Sergeant Mercier in der That zögerte, dem
Befehle Folge zu leisten. Wohl ward dieser Mercier nun im Volke
ein gefeierter Mann; wohl sang Béranger von Manuel: man reiße
ihn von der Tribüne und er falle — in die Arme eines ganzen
Volkes; aber die Wirkung, die man mit dem Schritte bezweckt
hatte, wurde nicht erreicht. Die Blicke der Factionäre wandten sich
dann von der Kammer um so erwartungsvoller auf die Truppen
an den Pyrenäen. Es war eine weitere Täuschung, verzeihlicher
bei den Spaniern, die die Bande der Ordnung nicht kannten und
die Achtung nicht würdigten, in der in einem geordneten Staate
die militärischen und bürgerlichen Gesetze stehen. Man sah das
Grenzheer an den Bergen in derselben Lage, in der die spanischen
Truppen 1820 in Isla de Leon waren. Ein gleicher Widerwille,
wie diese gegen die Seefahrt nach America, beseelte so viele der
französischen Soldaten gegen diese militärische Capucinade der Congreganisten zu Gunsten der spanischen Mönche. Und es geschah
Alles diesen Widerwillen zu nähren. Wie geschäftig breitete man
die Lüge aus, der König von Rom befinde sich in Catalonien bei
Mina! Wie geschäftig war man, den heiligen Bund als eine erneuerte Coalition zur Vollendung einer Gegenrevolution auch in
Frankreich darzustellen! Wie geschäftig, jenen Worten Villele's die
Bedeutung zu geben, als ob der Feldzug im Dienste der Fremden
gemacht werde! Wie geschäftig, Béranger's „neuen Tagsbefehl" mit
dem wohl verstandenen Refrain „Kehrt um", herumzutragen und
die Schlagworte Courier's: sie wollen nicht Spanien, sie wollen
Frankreich in Spanien erobern! Von Paris aus gingen, gleich
nachdem[1] der Herzog von Angoulème nach der Grenze abgegangen 18. März.
war, täglich Wagen voll junger Carbonari ab, um sich der erwarteten Bewegung anzuschließen. Die Pariser Demagogenhäupter

24*

waren auch jetzt rege. Wenn Pepe Glauben verdient[64], so ließ
Lafayette in Gemeinschaft mit ihm den einverstandenen Officieren
in der Armee schon seit dem Herbste Gelder zukommen und schwin-
delte den Madrider Radicalen vor, ihnen gegen die Anerkennung
der Unabhängigkeit Columbias und Mexicos aus America 100
Millionen zu schaffen, wovon sie dann zwei Millionen zur Auf-
wiegelung des Grenzheeres steuern sollten, was selbst jetzt, selbst
von einem Galiano als eine gefährliche Provocation abgelehnt
worden sei. In den letzten Wochen vor dem Aufbruch trieb sich
Fabvier 14 Tage in der Armee unter den Verschwörungslustigen
um, ohne entdeckt zu werden. Man glaubte, die Verschwörung
reiche bis in die nächste Nähe des Generalissimus hinauf, als der
Adjutant des Generalstabschefs Grafen Guilleminot[1] verhaftet
und nach Paris gebracht wurde. Man weiß jetzt[65], daß dieser
Verdacht nur durch eine grobe List der Ultras künstlich erzeugt war,
um den verhaßten Guilleminot zu stürzen, der noch bei Waterloo
unter Napoleon gedient, den aber freiere Köpfe weislich empfohlen
hatten, um des Prinzen militärische Schwächen zu decken. Die
Schlinge wurde entdeckt, der abgeführte Adjutant (Costende) um
einen Grad befördert zur Armee zurückgeschickt. Seine Verhaftung
hatte indessen alle Complotte in der Armee ganz plötzlich entmuthigt. Fabvier ging nach Spanien, um mit den französischen
und italienischen Flüchtlingen an der Grenze, unter denen auch
Collegno war, der Vorhut des französischen Heeres mit der drei-
farbigen Fahne entgegenzutreten. Es war eine thörichte Ueberhebung des Mannes, der Napoleon's Geist und Kraft nicht nur,
sondern auch seinen Ruf und Ruhm hätte besitzen müssen, um von
solch einem Schritte Erfolg zu erwarten. Als seine kleine Truppe
am Bidasoa den ersten Franzosen gegenüberstand, ward er mit
Kugeln begrüßt und keine Hand streckte sich ihm entgegen.

c. Der Krieg.

War so dem Kriege ein guter Anfang eröffnet, so fügten sich gleich beim Einmarsch die Dinge so, daß ihm auch der gute Fortgang gesichert ward. Der Feldzugsplan[66], den man nach langen und gründlichen Vorarbeiten im Kriegsamt angenommen hatte, konnte nach der Natur des Landes und allen früher gemachten Erfahrungen voll Gefahr und Verwegenheit scheinen. Anfangs war ein Einmarsch auf allen Puncten der Pyrenäen vorgeschlagen in der Hauptrichtung auf Aragon; er wurde aber der Aufstellung der spanischen Armee gegenüber aufgegeben, die in vier Abtheilungen gespalten war: eine Reserve unter Abisbal, die in Neucastilien stand; ein westliches Corps unter Morillo, dem Galicien als Ausgangs- und Stützpunct diente; ein östliches unter Ballesteros, dessen Mittelpunct Aragon war; und Mina's catalonische Armee. Die Aufgabe war nun, den zur Seite aufgepflanzten Heertheilen keine Vortheile im Kleinkriege zu gestatten, die den Krieg hinauszögern könnten; man wollte durch einen möglichst raschen Stoß der Hauptmacht auf den Sitz der Regierung die Befreiung des Königs und dadurch ein schleuniges Ende des Krieges erwirken; von dem Hauptcorps sollten sich zwei größere Abtheilungen gegen Morillo und Ballesteros abzweigen, um Spanien nach allen Seiten zu durchfurchen, während ein viertes Corps den Guerillakrieg gegen Mina möglichst isolirte. Bei diesem Entwurfe kam es aber wesentlich darauf an, daß Versorgung und Transportmittel überall aufs pünktlichste, verläßigste und rascheste zur Hand seien, unter einer Bevölkerung, die den Franzosen in dem letzten Kriege so

---

66) Die Darstellung des spanischen Feldzugs (von Beauvais) in dem 23. Bande der Victoires et Conquêtes des Français macht die andern einschlägigen Werke von Marcillac, Hugo, Capefigue u. A. entbehrlich.

löblich verfeindet war, in einem Lande, das seit Urzeiten jedem
Heere die eigenthümliche Schwierigkeit darbot, daß wo der Unterhalt einer größeren Truppenmasse keine Schwierigkeit hat auch die
Vertheidigung leicht ist, und dagegen, wo der Bewegung kein Hinderniß entgegensteht der Unterhalt behindert ist. Grade in dieser
Beziehung schien aber der Feldzug unter den ungünstigsten Anzeichen beginnen zu sollen. Der Herzog von Belluno hatte sich
trotz seinen langen Vorbereitungen als ein unfähiger Verwalter
bewiesen. Er hatte für die Beschaffung der nöthigen Vorräthe an
der Grenze verworrene und unpassende Befehle gegeben, deren
schlechte Ausführung durch unerfahrene von der Parthei begünstigte
Unterbeamte ihr Ungenüge vollends ins Licht stellte. Selbst nur
die regelmäßigen Transportmittel fanden sich nicht vor, als Guilleminot mit dem Stabe nach Bayonne kam; und wenn die vorhandenen Lebensmittel auch für den Anfang zureichten, so fehlte es
doch an einem festen Versorgungsplan für den weiteren Feldzug,
da der Kriegsminister versäumt hatte, sich genaue Auskunft über
die Subsistenzmittel und Preise in Spanien zu verschaffen. Ueber
diesen vorgefundenen Mängeln und Unordnungen der Verwaltung
bemächtigte sich wie ein panischer Schreck des Stabs, der für den
Erfolg des entworfenen Feldzugsplanes statt der unfähigen Regie
nach einem Unternehmer verlangte, nach einem Manne, der Vertrauen hatte und gab. Dazu bot sich Ouvrard dar, obwohl er
dieser Mann nur zur Hälfte war. Er besaß kein Vertrauen, aber
er wußte es einzuflößen. Er hatte all sein Leben zwischen Ueberfluß und Bankerott verbracht, er hatte stets die gleichen Beweise
von Schlechtigkeit und Brauchbarkeit gegeben; er war jetzt eben
auf die Klage eines seiner Gläubiger zur Zahlung der ungeheuren
Summe von 1,670,000 Frcs. verurtheilt worden, aber er hatte
mächtige Gönner, die ihm aus seinen Verlegenheiten helfen wollten; man hatte ihn mit Villèle viel verkehren sehen, der ihm

manche seiner Finanzpläne zu danken haben sollte. So war er vorbereitet nach Bayonne gekommen, wo er sich durch seine Kenntniß des für alle Ränke- und Beutemacher ergiebigen spanischen Bodens empfahl, auf dem er schon seit Godoi's Zeiten bekannt war. Der Prinz schloß mit ihm[1] hinter dem Rücken des Kriegs- **'3—4. April.** ministers, ohne andere Bürgschaft als die Person und das Leben des Abenteurers, die viel berüchtigten Lieferungsverträge[67] ab, bei denen alle gewöhnlichsten Verwaltungsregeln hintangesetzt waren. Sie gaben Ouvrard die vorhandenen Vorräthe der Magazine zur Verfügung und stellten ihm ¹¹⁄₁₂ der muthmaßlichen Summen für die Monatsversorgung der Armee schon in den ersten fünf Tagen des Monats im Voraus zu; sie überlieferten ihm Geld und Waare zugleich und setzten ihn für die schwierigen ersten Anfänge in völlige Sicherheit; sie gaben ihm Alles was er gebrauchte, Alles was in die richtigen Hände gelegt bewirkt haben würde, daß man i h n nicht gebraucht hätte. Sobald die französische Armee in Spanien eingerückt war, spielte dann die theatralische Effectscene, die die Freude selbst ernster französischer Geschichtschreiber ist, wo der große Magier seinen Zauberring schwang, das gefürchtete Kriegsunheil für die Spanier in ein Horn des Geldüberflusses, die gefürchtete spanische Wüste für die Franzosen in ein lachendes Friedensland verwandelte. Man war[1] in Tolosa. Dort versammelte Ouvrard **'11. April.** die heftigsten Anhänger der alten Ordnung um sich, unterrichtete sie von den Bedürfnissen der Armee und forderte sie auf, für die

---

67) Um sich ein Urtheil über diese Verträge zu bilden, muß man von Ouvrard's Mémoires. Paris 1827. zu den Flugschriften übergehen, die (meist auf Grund des 5bändigen Berichtes einer 1825 bestellten Untersuchungscommission) 1824—26 erschienen sind, aus deren Zahl wir nur anführen: Mém. pour G. J. Ouvrard, par Mauguin 1826. — Mém. pour le duc de Bellune sur les marchés Ouvrard. 1826. — Mém. de M. le comte Andréossy. 1826. — Mésures administratives dans la campagne 1823. Paris 1825.

Zufuhr alles Nöthigen zu sorgen, für das er die geforderten Preise
baar bezahlen und je nach der frühern Morgenstunde selbst 10, 9,
8fach bezahlen werde. So reizte er mit Einem Schlage durch die
auf dem Markte aufgepflanzten goldenen Berge die Gewinnsucht
und Habgier des geldarmen Volkes und schaffte dem Invasions-
heere allerdings die unschätzbaren Vortheile, daß die gefährliche
untere Bevölkerung dem Feinde gewonnen und gewogen und die
Beschleunigung des Marsches durch keine Magazinanlagen und
Nachfuhren aufgehalten ward. Die rohen Volksmassen, die ein
Spanier den Irrlichtern verglich, die den Fliehenden verfolgen, den
Verfolgenden fliehen, dieselben Haufen, die sich früher mit den
Tragalisten heiser schrieen und jetzt von den Mönchen aufgewühlt
ihr „Tod dem Vaterland, der Nation und den Gesetzen" riefen, be-
grüßten, verpflegten, feierten die gehaßten Feinde von 1808 jetzt
wie Befreier und machten ihren Feldzug zu einem Spaziergang.
Dieser Erfolg, wenn man ihn wie der ruhmredige Ouvrard nur
auf Rechnung seiner Dienste setzen will, mochte die unmäßigen
Geldpreise werth sein, die er sich für seine Lieferungen zahlen ließ,
ohne daß sie den Schwindler vom Bankerotte gerettet hätten;
mochte auch der Lobspenden werth sein, die ihm der Herzog von
Angoulême und Villèle als einem rettenden Genius der Armee und
dem Urheber des glücklichen Kriegsausganges zollten, ohne daß
ihm dieß später die Angriffe der Kammer und eine Untersuchung
seiner staatsschädigenden Verträge und eine Auflage von dem
Freunde Villèle selber erspart hätte, die freilich zu sehr dem hohen
Gönner Generalissimus mit Scandalen gedroht hätte, als daß sie
hätte durchgeführt werden können.

Einnahme von
Madrid.

7. April.

Das französische Heer hatte 95,000 Mann und 21,000
Pferde stark den Bidasoa[1] überschritten, geleitet von Tausenden
spanischer Royalisten, den „Hemdlosen" des königlichen Lagers,

Banditenhausen, deren sich die Franzosen selber schämten, die aber
die Regierung in Paris seit dem Beschlusse des Krieges mit schwe-
rem Aufwande bekleiden und besolden ließ. Das erste und Hauptcorps unter Marschall Oudinot, von dem sich gleich nach dem
Uebergang eine Abtheilung unter General Bourke zur Blokade von
St. Sebastian ablöste, kam auf Wegen und Durchgängen, die vor
10—14 Jahren so viel französisches Blut getränkt hatte, nach
Vittoria¹ fast ohne einen Schuß zu thun. Dort hielt sich der Her- ¹ 17. April.
zog von Angoulême fast drei Wochen auf, um das Reservecorps
abzuwarten, um genaue Erkundigungen über Stellung, Stärke
und Pläne des spanischen Heeres einzuziehen und um die Treue
seiner Führer zu prüfen. Man wollte die Generale kaufen, wie
Duvrard die Bevölkerung gekauft hatte: auf diese Waffe war von
allen Seiten her die Hauptsorgfalt zu legen empfohlen worden.
So hatte schon Ouvrard mit bloßem Gelde, mit einer großen Anleihe der Regentschaft von Urgel die zuversichtlichste Aussicht zu
einer friedlichen Besiegung der Revolution gegeben; so gaben die
Diplomaten in Chateaubriand's Dienst, so gab der Abbé Liautard,
ein Freund der Frau von Cayla, diesen Rath das Gold zu ver-
schwenden und das Pulver zu sparen; der Herzog von Wellington
versicherte den Vicomte Marcellus im Voraus: ihr werdet ganz
Spanien haben, wenn ihr es bezahlt. Man köderte also zuerst den
Führer der Reserve, die die Hauptstadt zu decken hatte, den Verräther jeder Sache, Abisbal, mit dem Verdienste, Spanien den
Krieg wie den Bürgerkrieg zu ersparen; man bot ihm Erhaltung
seines Grades und Gehaltes an, und da er diese Wechsel auf König
Ferdinand's Ehre nicht annehmen wollte, bezahlte man ihm den
Preis den er verlangte. So in der Fronte gesichert, galt es vor
Allem sich im Rücken und auf der Seite zu decken, wo unter Bal-
lesteros in Aragon die treuesten Truppen standen, die die Cortes
als den Anker des Schiffs betrachteten, wo in Catalonien, der an

Widerstandsmitteln reichsten Provinz, ein General commandirte, auf den man die klingenden Berechnungen nicht erstrecken konnte. Man löste daher Bourke von der Blokade St. Sebastians und das zweite Corps unter Graf Molitor von der begonnenen Einschließung

'16. April. Pamplonas[1] durch das dritte Corps unter Prinz Hohenlohe ab, und richtete die zweite Heerabtheilung dann gegen Ballesteros auf Zaragoza, den Knotenpunct so vieler Verbindungen, in dem doppelten Zwecke, Catalonien, das Moncey mit dem vierten Corps zu seinem Schauplatze erhielt, zu „sequestriren", zu einem gesonderten Kriegstheater zu machen, und das dort gegebene Beispiel des Kleinkriegs für das übrige Spanien zu neutralisiren. General Bourke ward durch Burgos auf die Provinzen Leon, Asturien und Gallicien detaschirt, um mit Morillo zu verhandeln oder zu kämpfen.

'26. April. Graf Molitor kam unter dem Jubel der Einwohner[1] nach Zaragoza, das vor Jahren so viele französische Leben gekostet hatte, und machte dann eine Demonstration auf dem linken Ebrouser in der Richtung von Lerida, auf dem militärisch altberühmten Gebiete der Stromquellen, um seine Verbindungen mit Moncey anzuknüpfen. Um wieder die Verbindung Molitor's mit dem Hauptcorps zu sichern, schickte der Herzog eine Abtheilung unter General Obert nach Logroño, die dann von dort über Guadalajara auf Madrid convergiren sollte, wohin der Herzog selbst auf der Straße von Aranda, Oudinot über Valladolid vorging. In Madrid hatte

'15. Mai. Abisbal im Einverständniß mit dem Grafen Montijo in der Presse[1] einen Versuch gemacht, ob man Heer und Bevölkerung von den Cortes trennen und in den angesponnenen Verrath mit hineinziehen könne; noch aber erregte dieser Anschlag den allgemeinen Unwillen und der Verräther mußte sich bis zum Einzug der Franzosen verbergen,[68] nachdem er seine Stelle an den Marquis Castellbosrius ab-

69) Die Franzosen rühmen sich, ihm zur Freiheit geholfen zu haben, als er bei seinem Fluchtversuch nach der Grenze in Bergara angehalten ward, von

getreten hatte. Die Folgen des Verrathes blieben darum nicht
aus. Die Entmuthigung war durch Abisbal's Haltung in das
Heer geworfen; nah und fern begannen Veteranen und Recruten
auszureißen und in die Glaubensbanden überzutreten. Eine Capitulation wurde mit den anrückenden Franzoſen geſchloſſen, bis zu
deren Erfüllung General Zayas mit einem kleinen Truppentheile
in der Hauptſtadt zurückblieb, einer der wenigen Ehrenmänner, der
der Verfaſſung, obgleich er ihr nicht hold war, treu blieb ſo lange
ſie Geſeß war, der ein Freund des Königs war aber nicht ſeiner
Schändlichkeiten, ein offener Tadler des Kriegs aber entſchloſſen
die ſinkende Sache des Vaterlands in den letzten Gefahren nicht zu
verlaſſen. Er zog ſich nach Talavera zurück, als General Foiſſac-
Latour mit den erſten Franzoſen[1] ſeinen Einzug in Madrid hielt, **23. Mai**
wo ſogleich der Pöbel aufwogte, um in der preisgegebenen Stadt,
deren Milizen aufopfernd mit nach Sevilla gegangen waren, an
den Verfaſſungstafeln, am Cortespalaſt, an den Kaufläden, an
den Häuſern der Conſtitutionellen, unter der boshaften Schadenfreude der Mönche, ihre rohe Wuth und Plünderungsluſt zu
büßen. Der franzöſiſchen Armee ward in der Hauptſtadt kaum
eine Raſt gegönnt. Chateaubriand ſah voll Unmuth, daß man mit
nichts zu Ende kommen werde, ſo lange man den König nicht
hatte. Man ſchob alſo[1] das Hauptcorps unter dem Namen der **1. Juni**
„andaluſiſchen Armee“ ſogleich auf zwei Wegen gegen Sevilla weiter vor. Der Stimmung unter dem Landvolke kundig, wußte man
auch, daß der gleiche Geiſt des Unwillens am Kriege in allen
Theilen des ſpaniſchen Heeres gleicherweiſe verbreitet war, daß man
ernſtliche Widerſtände nirgends zu befahren hatte. Bourmont
verfolgte Caſtelldosrius auf der Straße von Eſtremadura; General

---

wo man in der Umgebung des Königs anfragte, ob man ihn hängen oder ent-
ſchlüpfen laſſen ſollte. Nach Durvard war es Pater Cirillo, der ihm durchhalf.

Bordesoulle rückte durch die Mancha gegen die in der Sierra Morena aufgestellten Truppen vor, die sich von dem alten Ruhme der
Defilés von Despeñaperros, die die Cortes zu neuen Thermopylen
hatten machen wollen, nicht zum Standhalten bestimmen ließen
und, wie ihr eigner Führer Plasencia schrieb, mit dem Verluste von
„Allem und selbst der Ehre" davon flohen. Nach Cordova gelangt,
'16. Juni. brach Bordesoulle¹ alsbald wieder auf, um in Eilmärschen von
täglich 12—15 Legnas nach Sevilla vorzugehen. Aber auch von
dort war der König bereits entfernt worden. Nichts war für den
ungeduldigen Minister des Auswärtigen in Paris so verdrießlich
wie dieß. Man suchte die metallischen Hülfstruppen noch einmal
hervor. Chateaubriand schrieb an Vicomte Marcellus, ob sich nicht
in London einige der dort so häufigen unternehmenden Leute fänden, die den König für 1—2 Millionen aus Sevilla entführen
würden⁶⁹. Ouvrard verhandelte über geheime Projecte mit spanischen und französischen Abenteurern. Man weiß nicht, ob man
mit Jemandem handelseinig wurde, aber der gewünschte Versuch
zu des Königs Befreiung wurde in Sevilla gemacht.

Die Cortes in   Die Cortes in Sevilla fuhren in der verächtlichen Rolle fort,
Sevilla.
bei dem Sturz der Verfassungssache mit gekreuzten Armen zuzu-
sehen, und nur zwischendurch den gedemüthigten König ihren
Trotz fühlen zu lassen, als ob es gälte die Rachsucht des Fürsten
aufs Höchste zu reizen, der nachgerade sicher war, daß seinen Spaniern die Blutgier des politischen Fanatismus abging, um ihm
Ludwig's XVI. Loos zu bereiten. Die Versammlung war kalt
22. April. und düster¹ eröffnet worden. Jeder war sich bewußt, obgleich es
keiner gestehen wollte, daß Alles verloren war, da man weder Geld
noch Soldaten noch einen Feldherrn hatte, der die großen Mittel

---

69) Marcellus p. 270.

Andalusiens, der die Volkskraft in Spanien hätte in Bewegung setzen können, noch auch eine Regierung, die nur nach so energischen Thaten ausgesehen hätte. Die Minister, die abgehenden wie die kommenden, waren auch jetzt, wo mehr als je eine feste und starke Faust am Steuer noth war, bloße Diener der Gesetzgebung, in der sie eine Masse Gegner in Worten, zu Werken keine Stütze hatten. Gleich nach Eröffnung der Sitzungen[1] war San Miguel, nach Vor- '24. April. lage der Verhandlungen zwischen Spanien, Frankreich und Eng- land, abgetreten und hatte sich nach Catalonien zu Mina begeben. Sein Ministerium löste sich auf; und nach neuen Vereinbarungen zwischen Maurern und Comuneros legte man dem willenlosen König ein neues Ministerium auf, in dessen Zusammensetzung sich die Auflösung aller Dinge aufs neue kund gab, da wie in den Militärcommandos alle Partheien darin vertreten waren. Wer mochte sich jetzt noch zu dieser Stellung hergeben, als verzweifelte Ehrgeizige oder verzweifelnde Ehrenmänner, die sich ihres Opfers bewußt waren? Ein Handiola[1], einst als Verschwörer gegen den 'vgl. 2, 193. König, später als ein Moderado verfolgt, ward jetzt Finanz- minister; ein Calatrava gehörte dazu, sich jetzt die Stärke zuzu- trauen, die Seele einer neuen Regierung zu werden; ein Zoraquin wurde zum Kriegsminister bestellt, der in Mina's Heere stand und um die Zeit seiner Ernennung fiel; der unbescholtene General Sal- vador füllte inzwischen den (schon früher einmal eingenommenen) Posten aus, der bald nachher im Gram über des Vaterlands Un- tergang sich lebenssatt selber den Tod gab. Die Cortes, in denen alle die alten Unarten unverändert weiter spielten, ernannten einen Ausschuß, um über die Hinterlassenschaft des Freimaurer-Ministe- riums, die Kriegsunternehmung und ihre Angemessenheit, über die Räthlichkeit eines Friedensversuchs auf dem Wege einer Verfas- sungsänderung zu berichten. Galiano hatte den Bericht zu erstat- ten, der sich platt gegen jede Nachgiebigkeit erklärte. Als die Be-

rathung zur Tagesordnung stand, kannte man bereits den schlechten Stand der Dinge in Madrid; und Ein Mal endlich hörte man
nun auch von einzelnen Stimmen die ganze Wahrheit in ganzer
Stärke über die Sinnlosigkeit dieser Kriegspolitik aussprechen.
Dieß änderte nichts an der Stimmung der Cortes; nur einige

'20. Mai. dreißig Mitglieder stimmten[1] gegen den Bericht, meist Radicale, die
der Trotz gegen die Minister antrieb, oder die so ihren Frieden mit
den Königlichen einleiten wollten.   Die in ihrer kriegerischen Abstimmung aufrichtig waren, hofften noch immer, dem Widerstande
von Cadiz aus wie 1810 ein neues Leben zu geben; sie wiegten
sich in dem Gedanken, daß der Feind wie unter König Joseph sich
nicht so rasch nach Andalusien vorwagen werde. Aus diesen Träumen schreckte Alles, was augenblicklich innen und außen vorging,
entsetzlich auf. Die Patriotischsten verloren den Muth. Die oberste
Regierung der Freimaurer löste sich in diesen Tagen wie von selber
auf. Die Meuterei begann in den constitutionellen Truppen selbst
in Sevilla. Die Madrider Milizen hatten sich bisher vortrefflich
gehalten; als sie jetzt von den Unthaten der Royalisten in der
Hauptstadt hörten, schrieen sie nach Rache an den Sevillaner Königlichen; es kam zu Aufläufen, es wurden friedliche Einwohner
verfolgt, Häuser zerstört, ein Unbekannter erdolcht. Gleichzeitig
erfuhr man, daß sich eine Verschwörung zur Befreiung des Königs
anspann, für dessen Sache das niedere Volk bereit war aufzustehen.
Und dazwischen fuhr die Nachricht von dem Einbruch der Franzosen in die Sierra Morena. Keine Truppe zur Deckung des Cor-
tessitzes war zur Verfügung. Noch war da das Estremadurer Corps
des Marquis Castelldosrius, dem jetzt zum Mißfallen der kriegs-
satten Leute der kriegslustige Lopez Baños vorgesetzt war; wo es
aber stand, das wußte man nicht, denn das feindselige Landvolk
schnitt alle Verbindung zwischen Heer und Regierung ab. Es gab
nur Ein Mittel der Rettung, den Rückzug nach Cadiz.   Man

wußte, daß der König, leck durch seine verschwörende Umgebung und die Nähe der Franzosen, nicht darein willigen würde. Es wurde daher ein Plan zwischen den Ministern und einigen entschlossenen Abgeordneten abgekartet, der den König einschrecken oder zwingen, den Franzosen vielleicht mit der Aussicht auf Schlimmeres drohen, auf alle Fälle die Cortes aus ihrer gefährlichen Lage retten sollte. Galiano war es vor Allen, der in diesen Tagen alles Wesentliche angab, wie er es später als Geschichtschreiber in lobenswerther Aufrichtigkeit erzählte. In der Sitzung[1], in der die verabredete Handlung spielte, befragte er die Minister, ob sie Sevilla für widerstandsfähig hielten und im andern Falle, ob sie die sofortige Verlegung der Residenz nach Cadiz für geboten hielten. Sie bejahten dieß und theilten auf weitere Anfragen mit, daß der König, dem bereits der Staatsrath die Entfernung nach Algeciras vorgeschlagen, in der Sache nichts beschlossen habe. Galiano forderte dann auf, in diesem außerordentlichen Falle über die Regel hinwegzusehen und den König durch eine Abordnung anzugehen, sich mit Hof und Cortes sofort nach Cadiz zu begeben. Die Deputation ging ab, an ihrer Spitze der General Cayetan Valdes, ein Mann von seltenem Ansehen bei allen Partheien. Die Versammlung harrte schweigend ihrer Wiederkehr. Der König verweigerte die Reise. Bei einer zweiten ehrfürchtigen Vorstellung der Abgeordneten hatte er ihr den Rücken gewandt mit den Worten: ich habe gesprochen. Die Cortes hatten nun die Wahl, ob sie den König in die Hände der Franzosen und sich selbst schon jetzt besiegt geben sollten, was bei der Stimmung des Sevillaner Pöbels eine Uebergabe auf Gnade und Ungnade gewesen wäre; oder ob sie zu einem Acte der Nothwehr schreitend Trotz gegen Trotz setzen wollten. Galiano war vorbereitet, den hingeworfenen Handschuh aufzunehmen, und er that es mit aller „theatralisch-pathetischen Feierlichkeit". Er stellte den „pedantisch-constitutionel-

'11. Juni.

len" Satz auf, der König könne kein Verräther sein, obgleich seine
Antwort die Absicht eines Verrathes kund gebe; diese Widersprüche
könnten sich nur durch die Annahme einer augenblicklichen Geistes-
abwesenheit erklären, die, sagte er in schmerzlichem Tone, ohne
Zweifel durch die letzten Unglücksfälle verursacht sei. Er entwickelte
daraus die Nothwendigkeit der Bestellung einer Regentschaft, die
sofort auch gegen nur wenige Gegenstimmen beschlossen und den
Generalen Valdes, Vigodet und Ciscar, nur vorübergehend für
die Zeit der Reise nach Cadiz, übertragen ward. Der König empfing die Nachricht gelassen; er dachte den Streich der Cortes durch
die Anschläge seines Anhangs dennoch abzuwehren. Ein schottischer
Abenteurer General Downie stand an der Spitze einer Verschwörung, die dem König seine Freiheit wiedergeben sollte; und ein
kühner Handstreich der Royalisten, wenn sie Muth gehabt hätten,
hätte auch unstreitig dem Congreß und der Versammlung jetzt ein
rasches Ende gemacht. Die Verschwörer waren eben Abends[1] zu   '12. Jun.
einer Berathung versammelt, als einige constitutionelle Eiferer sie
überfielen und verhafteten. Der König mußte sich, geleitet von
einer Escorte unter Espinosa, der sich Riego als Freiwilliger anschloß, zu der Reise nach Cadiz bequemen. Die Cortes schifften
sich auf dem Guadalquivir[1] ein. Kaum lichtete das Schiff den   '13. Jun.
Anker, so gaben die Glocken das Zeichen zum Ausbruch der royalistischen Rache, zu Plünderung, zu Gewaltthat, zu Ausrufung
des unumschränkten Königs. Eine unverhoffte Ueberraschung störte
die rohen Scenen, als Lopez Baños am rechten Ufer des Flusses
erschien. Halten konnte er sich freilich in Sevilla nicht. Schon war
Bordesoulle, der von der dortigen Verschwörung der Royalisten
Kunde hatte, auf dem kürzesten Wege über Marchena, Ecija links
lassend, vorgerückt, um ihm den Weg nach Cadiz bei Utrera zu verlegen; Lopez Baños wandte sich daher nach der Grafschaft Niebla
(heute Provinz Huelva), wo ihn Bourmont's Reiterei erreichte und

sein Corps zerstreute, das in Trümmern nach Cadiz kam. Sevilla
wurde von Bourmont[1] besetzt.   [21. Jun.]

Bei der Ankunft des Königs in Cadiz[1] legte die Regentschaft   Morillo und
ihre Macht in seine Hände zurück. Nicht alle Beamten und Ab-   Ballesteros.
geordneten waren nachgefolgt. Von Madrid nach Sevilla war   [15. Juni.]
die Reise der Cortes ein Umzug gewesen, von Sevilla nach Cadiz
war es eine Flucht. Das Ausreißen begann auch im bürgerlichen
Quartiere. Wer sich nicht verzweifelt bereitete ins Elend zu
gehen, mußte sich einen Rückweg suchen. Die Vorwände waren
gegeben. Die Verfassungstreuesten konnten sich über die Bestellung
der Sevillaner Regentschaft, über diese letzte Herabwürdigung des
Königs, mit Fug, wie viel leichter zum Scheine empören. Die
verderblichste Ausflucht gaben diese Vorgänge den Militärbefehls-
habern auf beiden Flanken des französischen Hauptheeres, denen
der Herzog von Angoulême von Madrid aus, wo er während des
Marsches auf Sevilla und Cadiz zu diesem Zwecke verweilte, die
Waffen aus den Händen zu winden suchte. Morillo, der bisher
schon Alles gethan hatte, den Widerstand in den ihm untergebenen
Provinzen zu lähmen, gerieth auf die Sevillaner Nachrichten in Wahrheit oder Verstellung in die leidenschaftlichste Wuth, kündigte den
Cortes[1] den Gehorsam auf, bat den General Bourke um Einhalt [20. Juni.]
der Feindseligkeiten und machte mit den Franzosen seinen Frieden;
in die öffentliche Uebereinkunft war keine andere Bedingung eingetragen, als die Erhaltung der Grade seiner Offiziere, Schutz
des Eigenthums und der Person und Vergessenheit des Vergangenen. Er selber half nun den Franzosen Galicien, das er
hatte vertheidigen sollen, unterwerfen. Quiroga, der erst Morillo's Benehmen gebilligt hatte, ließ sich in Coruña von der
Besatzung anders stimmen; einen Versuch des General Bourke[1], [15. Juli.]
die Stadt zu überrumpeln, konnte er vereiteln, dann aber schiffte

IV.   25

'23. Juli. er sich', die Vergeblichkeit der Vertheidigung erwägend, nach England ein. — Ungefähr gleichzeitig mit der Besetzung Galicien's
'13. Aug. und der Uebergabe Coruña's' kamen auch die Dinge mit Ballesteros, dem tapfern Schreier der Comuneros, zu dem gleichen
Ende wie mit Morillo. Er hatte langeher das System seines
Collegen befolgt, den Widerstand zu vereiteln, die Patrioten zu
entmuthigen, die freiwilligen Milizen, die sich ihm anschließen
wollten, abzuweisen; der junge Torijos, der in Cartagena commandirte, hatte seine Treulosigkeit durchschaut und die Cortes vergebens gewarnt. Wochenlang wurden durch den Zwischenläufer
Regato die Verhandlungen zwischen Ballesteros und dem Herzog
von Angoulême geführt, ohne daß dieß den Vorgang der französischen Waffen unterbrochen hätte. Nach einander war der spanische
Feldherr vor Molitor, immer rascher als der Verfolger, aus Aragon nach Valencia, aus Valencia nach Murcia zurückgewichen,
wo er einmal in einer festen Stellung schien Stand halten zu
wollen, aber auch jetzt wieder aufbrach um nach Granada zu gelangen. Als sich die Franzosen die Straße in diese Provinz durch
einen tapfern Handstreich auf Lorca und sein Schloß eröffneten,
warf er sich in die Berge zwischen Granada und Jaen. Hier auf
'24. Juli. der Grenze wurde er bei dem Dorfe Campillo de Arenas' erreicht:
und grade an diesem einzigen Tage eines ernstlicheren Zusammentreffens unterzeichnete der Prinz in Madrid die Bedingungen,
unter denen sich Ballesteros unterwarf, Bedingungen für den Verräther, keine für die verrathene Sache, Bedingungen, die die Spanier immer aufs tiefste beschämt haben, die so schmählichen Abfall
weder dem eiteln, Freisinn heuchelnden Aragonesen Ballesteros,
noch dem emporgekommenen Soldaten des Glückes Morillo zugetraut hätten. Noch an demselben Tage verließ der Herzog von
Angoulême Madrid, um sich vor Cadiz zu begeben, vor dem die
'23. Jun. ersten Franzosen unter Bordesoulle bereits vor Wochen' angelangt

waren, nachdem sie von Madrid aus 100 Stunden in 11 Tagen
zurückgelegt hatten. In Puerto S. Maria eingetroffen richtete der
Prinz[1] einen Brief an den König, worin er ihm seines Oheim's [17. Aug.]
Wunsch aussprach, daß er, der Freiheit wiedergegeben, eine Amnestie bewilligen und seinen Völkern unter Berufung der alten
Cortes Bürgschaften der Ordnung, Gerechtigkeit und guten Verwaltung geben möge; wenn in fünf Tagen eine zufriedenstellende
Antwort nicht eingetroffen, noch der König der Freiheit wiedergegeben sei, so werde er seine Befreiung mit Gewalt durchsetzen.
Der Wink zur Nachgiebigkeit, der den Cortes noch einmal gegeben
war, fruchtete auch jetzt nicht; sie beharrten in ihrer Antwort[1] [21. Aug.]
auf ihrem kindischen Trotze. An dieser Hartnäckigkeit hatte ein
neuer militärischer Plan sein Theil, der von Riego vorgeschlagen
und von Ministern und Cortes war gebilligt worden; von Vielen
wohl nur, um den spanischen Pepe los zu werden, dessen Nähe
ihnen Furcht einflößte. Dieser unglückliche Mann lebte fortwährend in den seltsamsten Täuschungen über sich und über die Lage
der Welt und seines Landes. Ein tollkühner Soldat, gut von
Natur und von menschlichen Absichten, war er immer von den
wildesten Menschen umgeben, die seiner Leidenschaft schmeichelten,
und auf ihr Anstiften handelte er nicht selten, als ob sein Kopf
nicht ganz gesund sei. Seine Talente waren nie groß gewesen,
seine Erfahrung gering, seine Umsicht eng, seine Popularität
mehr scheinbar als ächt, aber die Eitelkeit seines Selbstvertrauens
über alles Maas. Einst hatte er öffentlich versichert, „er werde
nicht der Cromwell seiner Nation werden", fest überzeugt, daß er
einmal der Schiedsrichter der vaterländischen Geschicke sein werde
wie jener. Vielleicht glaubte er jetzt diesen Augenblick gekommen.
Er wollte, während Molitor seine Truppen zerstreut hatte, um
Alicante, Cartagena und Ballesteros' Corps zu überwachen, die
treuen Besatzungen von Malaga und andern Städten versammeln,

25*

sich mit ihnen mitten unter die Truppen Ballesteros' werfen (unter
denen sein Regiment Asturien stand, mit dem er die Revolution
begonnen hatte), sie gegen den Verräther aufwiegeln, dann sich in
die Sierra Morena werfen, um die Verbindung zwischen Madrid
und Cadiz zu durchbrechen und so das Belagerungscorps zum Rück-
'17. Aug. zug zu nöthigen. Er kam[1] nach Malaga, wo er mit roher durchgrei-
fender Gewalt dem General Zayas den Befehl abnahm und ihn
gefangen nach Cadiz schickte, dann sich mit den 2500 Mann der
Besatzung in die unzugänglichen Berge der Alpujarras warf. Es
war am Ende der Revolution ein Verzweiflungsstreich, das Seitenstück zu seinem Zuge von 1820, der aber nicht wie damals zu
seinem Ruhme, sondern zu seinem Verderben ausschlagen sollte.
Auf furchtbaren Wegen gelang es ihm den Jenil zu erreichen, bei
Luchar in der Richtung auf Montefrio zu überschreiten und zum
'10. Sept. Hauptquartier Ballesteros', Priego, wirklich[1] zu gelangen. Dort
warfen sich seine Soldaten den Truppen Ballesteros' mit Freuden-
geschrei entgegen und rissen sie und ihren Führer in ihre Begeisterung mit. Ballesteros schien bekehrt; der gutmüthige Riego,
statt ihn im ersten Erfolge fest zu nehmen, bot ihm den Oberbefehl
an; einen Augenblick schien die beste Eintracht zu herrschen. Aber
weder Ballesteros noch seinen Officieren taugte die Einbuße ihres
Vertrags. Sie trafen heimliche Anstalten, ihre Truppen der
Berührung mit Riego's Corps zu entziehen. Schon sollte es
zwischen den beiderseitigen Schaaren zu einem feindlichen Zusammenstoße kommen, als die Annäherung der Franzosen, die Riego
zu umzingeln manövrirten, ihn nöthigte sein halbgelungenes
Wagestück Preis zu geben und den Versuch zu machen sich zu
Mina durchzuschlagen. Wiederholt von den Verfolgern erreicht
und geschlagen, flüchtete er mit wenigen Begleitern in die Sierra
Morena, wo er in einem Pachthofe bei la Carolina d'Arguillos
verhaftet und auf Verlangen der spanischen Behörden von den

Franzosen ausgeliefert und nach Madrid gebracht ward. Die Rohheiten, denen er auf dem Wege ausgesetzt war, mußten ihm ein schauerliches Vorzeichen sein von dem was seiner wartete, eine schauerliche Erinnerung an seine letzte gefeierte Rundreise unter dem Volk Andalusiens, das ihn kaum erst vergötterte, das ihn jetzt steinigte!

So lange Ballesteros noch nicht unterworfen war, so lange man Sevilla und die Berge der Ronda besetzt halten mußte, um die Bewegungen dieses Generals zu beobachten, der von den Cortes nach Cadiz heranbefohlen war, hatten die Franzosen zur eigentlichen Belagerung von Cadiz nicht schreiten können. Auch war anfangs die Flotte nicht beisammen; was von Schiffen angelangt war brauchte man am Eingang des Hafens, um die Entführung des Königs zu verhüten; die Kanonenboote zu einer Beschießungsflottille, die leichteren Fahrzeuge fehlten noch, die den Spaniern die Einfahrt in den Canal Sancti Petri von der Seeseite her wehren konnten, der Leon zur Insel macht und über den bei S. Fernando die einzige mit dem Festland verbindende Suazobrücke führt. Diesen Mängeln wurde allmälig abgeholfen, während zugleich die Verstärkungen der Reserve heranrückten. Die Thorheit der Hoffnungen, die die Enthusiasten auf die Vertheidigung der Gaditanischen Insel gesetzt hatten, wurde eingesehen, sobald es Ernst war. Wie niedergeschlagen, wie düster und todt sah sich die berühmte Insel jetzt an gegen 1810! Damals war Frankreich ohne Seemacht und England kämpfte auf Spaniens Seite um das wohlbeschützte und reichlich versorgte Bollwerk. Jetzt rückten die Franzosen mit ihrer Landmacht und zugleich mit einer Flotte an, der die Spanier nur Ein Linienschiff und einige Kanonenboote entgegenzustellen hatten. Die Besatzung war klein, und ihr Muth, ihre Treue, ihr Selbstvertrauen zweifelhaft, wenn nicht gebrochen. Man konnte befürchten, daß die benachbarten Küstenorte, von der allgemeinen Stimmung angesteckt, die Lebensmittel vorenthalten würden. Der Feind in eigner Mitte, der König, lähmte alle Kräfte durch den bloßen Schatten seiner Würde. Die Vertheidigungsmittel waren im schlechtesten Stande, viele Kanonen demontirt, die Munition gleich im Beginne unzulänglich. Nur Einen Vortheil hatte man vor 1810 voraus. Damals hatten sich die Franzosen der kleinen in die Gaditaner Bai vorspringenden Halbinsel Trocadero bemächtigt und von da die Fahrten in der Bai belästigen und die Stadt Cadiz selbst beschießen können; diesen Punct hatte man 1812 durchstochen, zur Insel gemacht und zu einem vorgeschobenen Werke befestigt. Die Arbeiten waren indessen unvollendet geblieben, die Werke mangelhaft selbst für den Fall, daß die Vertheidiger Herren der See waren; denn sie bestanden blos in einer graden Linie oder Courtine ohne Bastionen, deren Feuer sie von den Seiten beschützt hätte; ein Mangel, dem die wenigen aufgestellten Kanonenboote nur unvollkommen abhalfen, da die Wirksamkeit ihrer Hülfe von dem Wasserstande abhing. Dazu war der Canalgraben nicht rein gehalten und durch aufgehäuften Sand verschlämmt und stellenweise durchwatbar. Dennoch rüstete man sich hier zu einer kräftigen Vertheidigung, die dem Obersten Grases und 1700 Mann, darunter Madrider Milizen, anvertraut war. Gleich als der Herzog von Angoulême, Triumphator ohne Kämpfe, vor Cadiz angekommen war, wurden die Laufgräben gegen den Trocadero[1] eröffnet, und in solcher Schnelligkeit, daß nach vier Tagen' die zweite Parallele 40 Meter von dem Durchstiche errichtet und fünf Batterien aufgepflanzt waren. Gleich für die Nacht des Tages[1] an dem das Feuer eröffnet wurde, bereitete man den Sturm vor. Man baute auf die Sorglosigkeit der Spanier, die einen Angriff vor drei Uhr Morgens, wo der Wasserstand am niedrigsten aber

'20. Aug.
'24. Aug.
'30. Aug.

immer noch einen Meter hoch war, nicht erwarteten. Schon um
zwei Uhr¹ früh aber bildeten 14 ausgewählte Compagnien auf der '31. Auz.
Höhe der zweiten Parallele nicht 110 Schritte von dem Canal die
Sturmcolonne. Sie gehen hindurch ohne Schuß und Schrei, das
Wasser bis an die Schultern, wobei sich der Prinz von Carignan,
durch seine Größe begünstigt, sehr rüstig und den Officieren um
ihn her hülfreich erwies. Die Spanier, durch den Ruf einiger
Schildwachen geweckt, eilen zu ihren Kanonen, als schon ein
Theil der Angriffscolonne auf der Insel Fuß gefaßt hat; während
sie auf gut Glück ein ungeordnetes Feuer eröffnen, dringen die
französischen Grenadiere mit dem Bajonnette in die Batterien und
tödten die Kanoniere fast Alle auf ihren Stücken. Die übrige
Besatzung eilt in Unordnung heran, man schlägt sich Mann für
Mann, aus ihren Verschanzungen herausgetrieben werfen sich die
Spanier in ein letztes Fort, das von Candlen und Sümpfen gedeckt ist. Der Prinz selbst führt frische Bataillone und trockne
Munition herzu; um neun Uhr war auch dieses Fort erstürmt,
und Grases, der umsonst den Tod gesucht hatte, gezwungen die
Waffen zu strecken. Das im Volk uneinnehmbar geglaubte Bollwerk war gefallen. Die Franzosen übertrieben ihre tapfere Waffen-
that, von der ganz Europa widerhallte, ins Ungemessene. Aber
Cadiz war allerdings durch sie bereits erobert. Sie warf den
letzten Muth dort nieder, wo bis dahin der König fortgefahren
hatte sein tückisches Spiel zu treiben, die Cortes wie im Delirium
weiter zu decretiren. Jetzt schickte man' den wohlberufenen General '4. Ept.
Alava, Wellington's früheren Adjutanten, an den Prinzen, auf
Waffenstillstand und Verhandlungen anzutragen. Die kurze Antwort des Herzogs war, daß er nur mit dem freien König allein
unterhandeln werde; und auf die Anfrage, was ihm nothwendig
erscheine um den König als frei zu betrachten, erfolgte der
Bescheid: seine Anwesenheit inmitten des französischen Heeres.

Hierauf verfammelte die Regierung die Cortes in außerordentlicher Sitzung, um Rath und Hülfe bei ihnen zu suchen; die Cortes aber, die ebensowenig eine Verantwortung tragen wollten, verwiesen sie auf sich. Sie trieben so weit nur möglich die Schwäche, die allen größeren Versammlungen, in Zeiten wo es ums Thun und nicht ums Reden gilt, eigen zu sein pflegt; die ihre wahren Absichten und Meinungen nicht zu verfolgen wagen, so lange sie noch einen Vorwand haben, sich nicht zu entschließen. Die Regie-

'7. Sept. rung machte[1] den Vorschlag, der König solle — wie es vordem Chateaubriand selber gewollt — in der Mitte beider Heere, unter gegenseitiger Sicherheit, aber auf einem neutralen Schiffe mit dem Prinzen verhandeln; als er abgelehnt ward, schien man wieder die Rettung von irgend einem Maschinengott zu erwarten. Nicht

'20. Sept. lange darauf[1] ergab sich das Fort Sancti Petri am Eingang des gleichnamigen Canals den Franzosen; dieß ermöglichte es nun Truppen von der Seefeite her und auf einer Schiffbrücke über den Canal auf die Insel zu werfen, und nun ward die Mißstimmung über die nutzlose Vertheidigung größer in Garnison und Stadt. Die Entscheidung drängte näher. Ein Parlamentär des Herzogs

'26. Sept. erschien[1], der allen Abgeordneten und höheren Beamten drohte, daß man sie über die Klinge werde springen lassen, wenn der königlichen Familie ein Leid geschähe. Diese Drohung hätte die verstockten Gemüther vielleicht noch zu neuem Trotze gereizt, wenn nicht wirksamere Anträge sie begleitet hätten, über die alle spanischen Geschichtschreiber mit beschämtem Schweigen hinweggehen. Bei Chateaubriand war es schon vor Monaten beschlossene Sache, den Cortesgliedern allen einzeln persönliche Vortheile für die Befreiung der königlichen Familie anzubieten[70]. Und dieß ward nun ausgeführt. Ouvrard sollte die Ehre haben, den Feldzug, den

70) Marcellus p. 313.

er mit seinen Waffen begonnen hatte, auch mit seinen Waffen zu beenden. Er schickte einen befreundeten Agenten, einen spanischen Obersst, nach Cadiz, der den hartnäckigsten Mitgliedern in Regierung und Cortes vorstellte, was sie bei einer gewaltsamen Einnahme von Cadiz zu gewärtigen hätten, und wie viel klüger sie thäten, von Frankreich die Erleichterung ihrer Auswanderung und die Mittel zu einem hinreichenden Unterhalt bis auf besssere Tage anzunehmen! Zu diesen Zwecken wurden dem König zwei Millionen zugestellt und zwei weitere Millionen an andere militärische und politische Persönlichkeiten vertheilt, die die Uebergabe von Cadiz entschieden. Nach all dem Redetrotz, den sie an die Erhaltung ihrer Verfassung gesetzt, fand sich unter all den spanischen Vertretern nicht Einer, der sich nun mit den Waffen für sie hätte opfern wollen. Auf Calatrava's Antrag genehmigten[1] die Cortes '26. Sept. die Freistellung des Königs und erklärten sich für aufgelöst. Der König wollte sich[1] schon nach Puerto S. Maria begeben, als ein '29. Sept. neues Hinderniß dazwischentrat. Die aufgeregten Milizen von Sevilla und Madrid kamen in Bewegung, die ihre Sicherheit durch die Uebergabe bedroht wußten. Der König verlangte brieflich von dem Herzoge die Feststellung einiger Bedingungen, die die Garnison sicher stellten; als der Prinz auch diesen Wunsch ablehnte, steigerte sich die Unruhe unter den Milizen und der König mußte neue Verbindlichkeiten übernehmen, in neuer Absicht zu betrügen. Er unterzeichnete[1] eine Erklärung, in der er „aus freiem '30. Sept. Willen und unter der Bürgschaft seines königlichen Wortes" den Milizen vollständige Sicherheit in Betreff ihres politischen Verhaltens zusagte, und die Erhaltung aller Angestellten in ihren Aemtern, die Anerkennung der Staatsschuld und die Herstellung einer die bürgerliche Freiheit verbürgenden Regierung versprach. Dieß Schriftstück hatte er im Entwurf mit seinen Ministern durchgegangen und selbst daran geändert, so ernst, in so wenig auf

Schein berechneter Weise, daß nicht nur die Calatrava, die sich Stelle und Sold zugesichert sahen, über den Papierschnitzel ganz glücklich waren, nein daß selbst Solche, die den König durch und durch kannten, noch einmal Hoffnung faßten, es möchten die Erlebnisse dieser Jahre einen Eindruck auf ihn gemacht haben und die Wiederkehr der alten Zeiten für Spanien verhüten. Es bedurfte noch neuer Enttäuschungen, um diese Starkgläubigen über ihren Fürsten aufzuklären. Als der König nach Puerto S. Maria übersetzte, begleiteten ihn Alava und Valdes auf seiner Schaluppe, die er beschwor sich mit ihm auszuschiffen, da er nun der treuesten Diener am benöthigtsten sei. Sie machten sich statt dessen ohne Abschied zu nehmen davon, während man den König sie mit wüthendem Blicke verfolgen sah und die Worte murmeln hörte: Ah Schurken! wie glücklich seid ihr mir zu entrinnen[71]! Sie wären der Rache des Tyrannen geopfert worden, der auch über die Regentschaftsmitglieder Vigodet und Ciscar heimlich das Todesurtheil gesprochen hatte[72], obwohl er Vigodet's Annahme der Stelle auf dessen Anfrage gebilligt und Ciscar sie sogar befohlen hatte. Ballesteros war unter den Gegenwärtigen, die sich zur Unterwerfung drängten; er wurde mit Verachtung abgewiesen und mußte das Land verlassen. Welche Zeiten er an diesem Tage für Spanien wiedergebracht hatte, konnte der Herzog von Angoulême aufs klarste voraussehen, als er dem König noch einmal zu Verzeihung und zu Zugeständnissen rieth. Sie hören diese Vivas! sagte ihm der König, vor dem die versammelten Volksmassen mit fanatischem Jubel ihr Geschrei für Absolutismus und Inquisition erhoben.

---

71) Vaulabelle 6. 176. aus mündlicher Mittheilung.

72) Die französischen Generale erfuhren es und zwangen die Beiden halb mit Gewalt, sich nach Gibraltar und London zu retten.

Die Uebergabe von Cadix entschied auch die Uebergabe der
letzten festen Plätze, die noch in spanischen Händen waren; unter
den spätesten capitulirte Barcelona, wo Mina den Befehl hatte,
der allein in seiner Provinz die Ehre der spanischen Waffen rettete.
Er war mit der Niederwerfung der Aufständischen grade fertig geworden, als der Einmarsch Marschall Moncey's[1] bevorstand. Er
fuhr den Franzosen gegenüber in seinem System fort, den Feld-
herrnstab mit der Guerillerolanze vertauschend allen regelmäßigen
Krieg zu vermeiden, dagegen sich desto eifriger, und immer mit
Erfolg, auf die Glaubensbanden zu werfen. Ueberall zu fürchten
und nirgends zu finden, suchte er an der Spitze seiner kleinen
Operationstruppe den Feind auf alle Weise zu necken, seine Verbindungen und Zufuhren abzuschneiden, und indem er seine ermüdeten Soldaten oft mit frischen Besatzungen vertauschte, durch die
gewagtesten Märsche und Bewegungen die Gegner zu ermüden, zu
täuschen, zu überraschen. Die Franzosen ihrerseits, über Jun-
quera, Puigcerda und andere Puncte gleichzeitig in Catalonien
eingerückt, ließen sich nirgends auf die gefürchteten Belagerungen
und Erstürmungen der befestigten Plätze ein. Vor ihren ersten Operationen auf Figueras und Gerona, und des durch die Cerdagne
eingerückten Corps auf Ripoll wich Mina nach Vich und von da
auf Vallsogona zurück; seine Unterbefehlshaber holten sich bei
diesen Bewegungen nicht selten Schlappen, Er in der Regel betrog
die Wachsamkeit und Berechnung seiner Gegner, litt zuweilen kleine
Verluste, brachte dann wieder dem Feinde (wie bei Vallsogona den
Franzosen mit dem verbundenen Eroles) einen Schlag bei, und
rief seine Thaten im Befreiungskriege, obgleich ihm die Bevölkerung der Berge jetzt entgegen war und seine Befehle gegen die
Königlichen und ihre Maasregeln daher ihre Kraft verloren, in
erneuertes Angedenken zurück. Nach einem vergeblichen Angriff
auf Vich mußte er nach Cardona weichen; die französischen Bulletins

.

gaben ihn schon für verloren aus, da erscheint er plötzlich in Seu

'9. Juni. d'Urgel, wo er seine Verwundeten abgiebt, bringt dann[1] in die französische Cerdagne ein, füllt die Umgegend mit dem Schrecken, er wolle Frankreich aufwiegeln, zieht aber nach eingelauften Vorräthen wieder ab, um Figueras zu entsetzen. Auch da abgewiesen, bestand er den gefährlichsten Rückzug, auf dem er geschlagen, der Hälfte seines Corps beraubt (das sich unter Gurrea ergeben mußte),

'13. Juni. und schwer verwundet nach Seu d'Urgel[1] zurückging. Schon nach vier Tagen brach er mit der Besatzung dieses Platzes wieder auf, und kam über S. Colona de Queralt und Taragona mit erschütter-

'5. Juli. ter Gesundheit[1] nach Barcelona, nachdem er über zwei Monate 29,000 Franzosen und Royalisten mit seinen Kreuz- und Querzügen beschäftigt und von der Einschließung der Hauptstadt abgehalten hatte. Krank wie er war, vertreten durch General Rotten der hart und verhaßt war, eingeschlossen von der See- und Landseite, unter einer in sich getheilten Bevölkerung und Truppe, hielt Mina auch jetzt die Stadt noch Monate lang. Um sich der fanatischsten in seinem Corps zu entledigen, sandte er die Bataillone der Freiwilligen, der Fremden und der Douaniers zur Verstärkung von Figueras aus; dieß Corps fand sich auf einem Zuge voll Mühsal und Kampf durch die Vorsicht der französischen Befehls-

'Mitte Sept. haber genöthigt, sich bei Llers an den Baron Damas[1] zu ergeben, dem diese That von wenig eigenem Verdienste nachher das Kriegsministerium eintrug. Die Bevölkerung Barcelonas wetteiferte indessen während der Belagerung mit den Truppen in Beweisen der Entschiedenheit und der Ausdauer. Langehin konnte man hier glauben die Hingebung von 1808 wiedererwacht zu sehen. Beim Falle von Cadiz aber faßte Kleinmuth auch hier die Gemüther. Die Heftigsten, Bloßgestelltesten widersetzten sich auch jetzt noch jedem Gedanken an Uebergabe und Austrag: zum Glück war Mina nun so weit hergestellt, um das drohende Chaos beschwören, die un-

ruhigsten Geister dämpfen zu können und den Weg zu der einzig
noch möglichen Lösung, einer ehrenvollen Uebergabe, anzubahnen.
Als er mit Moncey die Verhandlung einleitete, waren nur noch
Taragona und Hostalrich in spanischen Händen; Seu d'Urgel war
zuletzt[1] gefallen, nachdem keine Kanone mehr unbeschädigt, die Ci- '21. Oct.
tadelle zerstört, alle Magazine vernichtet, für die einziehenden Be-
lagerer kaum eine Stätte mehr da war. Auf die Kunde von der
angeknüpften Unterhandlung regten sich die Eiferer in Barcelona
noch einmal und drohten, unter Ermordung der Befehlshaber die
Regierung an sich zu nehmen; und Mina hatte der ganzen barbarischen Autorität des Guerillero nöthig, diese Leute niederzuhalten.
Er erhielt[1] einen ehrenvollen Vertrag, der für Soldaten und Mi- '1. Nov.
lizen, für Bürger und Fremde in den drei catalonischen Orten, wo
die spanische Fahne noch wehte, umsichtige Sicherheiten festsetzte;
dann begab er sich nach England. Nach der Besetzung Barcelonas[1] '4. Nov.
öffneten sich noch zuletzt[1] auch die Thore von Cartagena und '5. 11. Nov.
Alicante.

So endete dieser militärische Jagdzug, dem man in aller Welt   Schluß.
so viel Gefahr geweissagt und Unheil gewünscht hatte, im unver-
hofft raschesten Glücke, und Herr von Chateaubriand und die Royalisten konnten sich blähen und krähen. Ihre Großrednerei und
Schmeichelei machte den Herzog von Angoulème zu einem großen
Heerführer, der die weiße Fahne auf den Säulen des Hercules
aufgepflanzt, der in wenigen Monaten einen Krieg in dem Lande
beendet habe, wo Ludwig XIV. zehn Jahre mit dem Ruin seiner
Finanzen gekämpft, wo Napoleon nach 6 Jahren gescheitert war,
weil er die Volksthümlichkeit der Bewegung von 1808, die die Gefangenschaft des Königs auf französischem Boden zum Grunde
hatte, verkannte; während Angoulème die Unvolksthümlich-
keit der Bewegung von 1820, die des Königs Gefangen-

schaft zu Hause zur Folge hatte, scharf durchschaut und auf diese
Erkenntniß sein wagend glückliches Kriegssystem gebaut hatte! Die
lauten und stillen Erwartungen der Foy, der Canning und Liverpool waren nicht in Erfüllung gegangen, die sich nicht denken mochten, daß die Spanier von 1808 sich Alle das Wort gegeben haben
sollten, Feige und Verräther zu sein. Die neuen Romantischen
Belagerungen des Unabhängigkeitskrieges hatten sich jetzt kaum
spurweise wiederholt. Die wilden Guerillahaufen hatten dem
französischen Einbruch jetzt nicht wie früher die furchtbaren Hinder-
nisse bereitet; sie standen vielmehr zum größeren Theile auf der
Seite der Angreifer und zerfleischten sich mit ihren landsgenössischen
Gegnern unter einander. Wie sollte dem stärkeren Nachbar, der
dießmal ganz Europa hinter sich hatte, das hülfs- und helferlose
kleine Volk widerstehen, das ohne König, ohne Mittel, ohne Heer,
ohne Rüstung, ohne Bundesgenossen, ohne Feldherrn war; das
zwar (wie es solchen Zeiten eigen ist) in seiner Mitte mit gierigen
Augen seine Retter und Führer zu entdecken meinte, die aber treu-
los das Land verkauften und seine neue Verfassung verriethen, welche
hier so wenig wie in Neapel ein richtig gewürdigter Besitz war.
Ruhmlos zerfiel daher mit dem Kriegswiderstande auch die Revolution, die vier Nachbarlande erschüttert, die Regierungen in ganz
Europa erschreckt, in allen Enthusiasten die stolzesten Hoffnungen
auf dieß „Land der Verheißung" geweckt hatte. Herr von Chateaubriand steckte das Lob von Metternich ein: dieß Schauspiel
der schnellen Hinlegung der Revolution würde auch 1792 angeschlagen haben, wenn man andere Mittel (die des Herrn von
Chateaubriand) angewandt hätte; und von der Herzogin von
Angoulême hörte er den wehmüthigen Seufzer: es sei also (durch
Herrn von Chateaubriand) bewiesen, daß man einen unglücklichen
König erretten könne! War der üble Verlauf des Krieges
leicht erklärlich, dieser erfolglose Ausgang der spanischen Revolution

war noch weniger zu verwundern. Man vergißt in der Ferne so
leicht und man muß die civilisirteren Bevölkerungen Europas immer
wieder erinnern, was in dieser „westlichen Türkei", wie Canning
Spanien nannte, die Zustände eigentlich waren. Das Bild, das
einst Jovellanos in seiner Spottschrift „Brod und Stiere" von
seinem spanischen Volke entworfen hatte, war noch immer ähnlich.
Er sah in diesem seltsamen Lande alle Altersstufen der Völker neben
einander, und zwar carikirt neben einander liegen. Es gab, so
führte er aus, ein kindisches Spanien, ohne Bevölkerung, Ge-
werbfleiß, Vaterlandsgeist und Reichthum, selbst ohne sichtbare
Regierung; wüste Felder, verfallene Dörfer, müssige Menschen,
eine Verfassung, die ein verworrener Mischmasch von allen Verfassungen heißen konnte. Es gab ein knäbisches Spanien ohne
Kenntnisse, einen thierischen Pöbel, einen Adel, der aus der Unwissenheit Staat machte, Schulen voll Barbarei mit Doctoren des
10. Jahrhunderts. Es gab ein jugendliches, kriegerisches Spanien,
mit einer Schaar von Generalen, genug die Heere der Welt anzu-
führen, und mit einer Flotte ohne Matrosen, die aber den Orient
mit den größten Rattenfallen versehen konnte. Es gab ein männ-
liches Spanien, weise, religiös, wissenschaftlich, mit mehr Tempeln
und Altären als Häusern und Heerden, die heiligsten Religions-
mysterien an den Schenkthüren von Blinden gesungen, an allen
Straßenecken Anzeigen von Wundern, so glaublich wie Ovid's
Verwandlungen; theologische und rechtsgelehrte Werke von nütz-
lichstem Dienste für alle Krämer und Apotheker, die Physik als
Teufelei verdächtig zum kindischen Zeitvertreibe getrieben. Es gab
ein altes, ein juristisches Spanien, mit einem Rechte, das in der
Wiege eines barbarischen Zeitalters geschaukelt war, bis es Phi-
lipp II. der Große aus den Windeln nahm und in einen Gängel-
korb setzte, dem es noch nicht entwachsen ist: mehr Richter als Gesetze, mehr Gesetze als menschliche Handlungen. Es gab endlich

405

ein abgelebtes Spanien, ein abergläubisches, das sich anmaßt
Seelen und Geister zu ketten, ein Volk, erfüllt mit lächerlichen
Wundermährchen, die der furchtbaren Majestät Gottes widersprechen, dem Namen nach Christen, in den Sitten schlimmer als
Helden; ein Land, wo man aus Furcht vor der Fremden Freiheit
im Schreiben die Einheimischen zu Sclaven im Lesen gemacht
hatte. — Wie sollte bei dieser Verwahrlosung aller Bildung eine
politische Reform hier gedeihen, die mit dem Sprung aus der trost-
losesten Wirklichkeit in die vernunftmäßigsten Theorien, in die blendendsten Lehren der Staatsidealisten gemacht war? Jene Aufklärung der öffentlichen Meinung, die der französischen Revolution
vorgearbeitet hatte, war hier nur als ein Fremdes eingetragen
worden, das sich nicht nationalisirt hatte; jene Aufklärung hatte,
nach einem Jahrhundert der furchtbarsten Erschütterungen, in dem
civilisirten Frankreich selber nicht über den erlogen Wechsel zwischen
politischen Extremen hinweggeführt; wie sollte man in dem spanischen Staate so bald eine feste dauernde Einrichtung erwarten?
Die Keime, die der religiöse und bürgerliche Freiheitssinn hier gelegt hatte, waren kaum in den gebildeten Klassen recht aufgegangen; der Mittelstand, der überall die nationale Meinung ge-
stalten sollte, war in Folge der Amortisation des Grundbesitzes,
der Beschränkung des Wissens, der Bekenntnisse, der Denkfreiheit,
des Gewerbfleißes in zu geringer Zahl, als daß der große Revo-
lutionskampf zwischen Altem und Neuem zu seiner Gunst hätte
ausschlagen können, der wesentlich zwischen den Geistlichen und
dem Proletariat auf der Einen Seite und den Eigenthümern und
Gewerbsleuten auf der Anderen geführt ward. In jenem Lager
kämpften das Vorurtheil und das Vorrecht, die Blindheit und
Wildheit der großen Massen der Mehrheit, die mit den Worten
Vaterland, Nation und Verfassung kaum einen Sinn verbanden,
und der König gab den Ausschlag für sie; auf der Gegenseite war

troß allen Verirrungen Geist, Aufklärung und Mäßigung; aber
die Gemeininteressen leider, Verkehr, Gewerbsfleiß, Handel, waren
nicht mächtig, nicht sprechend genug, um der Leidenschaft und Rohheit dort die Wage zu halten. Sie hatten nicht Bedeutung genug
und hatten nicht Zeit genug behalten, um die Grundsätze der Duldsamkeit, Gleichheit, Vorurtheilslosigkeit und Unabhängigkeit, die
aus dem Wohlstande entstehen, in die Wagschale zu legen gegen
Fürstentyrannei, Priesterherrschaft und Soldatengewalt, um auf
den Verband von Ordnung und Freiheit, auf Gesittung und Gesetze den freiheitfördernden Einfluß üben zu können, der ihnen eigen
ist: weil die ruhige Wirksamkeit der Civilisation (der ausdauerndste,
siegreichste, geräuschloseste Kämpfer gegen alle Willkürherrschaft) die
Unsicherheit der Person und Habe, die launische Gesetzgebung, die
ungerechten Privilegien, die Widersprüche in den Verordnungen,
die Geheimnisse in den auswärtigen Beziehungen auf die Länge
hin nicht erträgt. Erst hätte die Veräußerung der Nationalgüter,
die die geschickten Revolutionäre wie Graf Toreno als den Kern-
punct der neuen Ordnung ansahen, durchgreifen und Zeit gewinnen
müssen ihre Frucht zu tragen, um der Revolution und Verfassung
treue Anhänger zu sichern; aber die geschickten Gegenrevolutionäre,
die Metternich, ließen ihr geflissentlich dazu nicht die Muße: die
wohl wußten, daß sich in jeder Revolution bei rechtzeitigem Angriff, ehe der Besitz ganz und gar gewechselt hat, die Vereinzelung
der Partheien unter einer unthätigen Masse immer herausstellen
muß. Was aber diese Gemeininteressen, auch wären sie stärker gewesen, in dieser Zeit der Bewegung vor Allem verhindert hätte, zur
Sprache zu kommen, das war die blinde Leidenschaft nicht nur der
Gegner, sondern auch der revolutionären Regenten und Gesetzgeber
selber, denen so gut wie den Absolutisten das Glück der Regierten
am wenigsten am Herzen lag; die unvorbereitet ans Ruder gestellt
wie Menschen handelten, die unversehen zum Genusse dessen kom-

IV.   26

men, was sie niemals besessen haben und was sie nicht zu gebrauchen wissen. Die Freiheit zeigte sich hier, wie jeder höchste Besitz der Menschen, als das leicht verletzlichste und verderbbarste der
Güter; die Willigkeit zu gegenseitigen Opfern, zu gegenseitiger
Achtung gegenseitiger Interessen, die Verträglichkeit und Duldung,
die Selbstbeherrschung, die selbst in dem offenen Kampfe der Meinungen sich Maas aufzulegen weiß, alle diese Eigenschaften, die
eine verfassungsmäßige Ordnung um zu gedeihen am meisten er-
fordert, haben die romanischen Völker, und die Spanier vor den
anderen, am wenigsten bewiesen. Alle Thätigkeit der Partheien
schien damals nur darauf gerichtet, durch wiederholte Zusammen-
stöße sich selbst und ihre Wuth zu ermüden, zu erschöpfen; alle
Aufgabe der Spanier schien für die nächste Zukunft, diesen steten
Versuchungen, sich zu einer Zeit Wunden zu schlagen, um sie zu
anderer wieder zu heilen, zu entwachsen. Nur was hierin negativ
Förderliches für die Besserung der öffentlichen Zustände gelegen
war, konnte diesen nicht jetzt, aber künftig zu Gute kommen, wenn
einst vereinte Vernunft und Kraft, Leidenschaft und Interesse zu-
sammenzuwirken Raum fanden, die die längsten Wege abkürzen,
während Mangel an Einsicht und Maas die nächst geglaubten Ziele
verschwinden machen, wie damals den spanischen Liberalen. Die
Hast, mit der diese Hungernden nach Nahrung, diese Kranken nach
Arznei verlangten, hätte Beschwichtigung und die ruhigste Behandlung verlangt; statt dessen gaben die Quacksalber, die man berieth,
die Mittel ein, die das Fieber nur steigerten, die was sie heilen
sollten zerstörten; und ihre Mishandlungen regten den kranken
Volkskörper zuletzt gegen sie selber auf, der lieber das Uebel ertragen wollte, dessen stumpfen Druck er gewohnt war, als die stechen-
den Schmerzen der Heilung. So war die Rückkehr zum Absolutismus die Frucht der Revolution. Aber die Revolution sollte auch
wieder die Frucht des Absolutismus werden. Die spanische Be-

wegung jener Jahre war nichts als eine neue Phase der großen europäischen Revolution, die Spanien um 1808 zum ersten Male erreicht hatte. Die Regierung der sechs Jahre hatte das alte Spanien wieder herstellen, die der drei Jahre hatte es gründlicher wieder austilgen sollen; keins war gelungen. Die Herstellung, die nun 1823 erfolgte, begann das Unternehmen von 1814 wieder von vorne; mit schärferen Mitteln, aber mit geringeren Erfolgen. Denn eine stille moralische Umwälzung in den Sitten war doch trotz allen Reactionen langsam weiter geschritten; der gröbste Aberglaube über Königthum und Religion war doch neu erschüttert; die Anstalt der Nationalmiliz hatte neue halb militärische halb revolutionäre Züge dem Volke eingeprägt; die friedliche Berührung mit den Franzosen konnte nicht ohne einige Folgen bleiben; so ward die neue Restauration in gewissen Beziehungen nur eine Fortsetzung der Revolution, in dem was sie ihr entlieh, und in Anderem was sie für die Zukunft vorbereitete. Diese Zuckungen, wechselnd von den alten und neuen Uebeln veranlaßt, mußten dazu helfen, die Nation wiederholt so aufzurütteln und zu stählen, bis sich allmälig die Rathgeber in ihr bilden würden, die eine wahre Heilung bezwecken, die Organe, die sie ertragen, und die Mittel, die sie bewirken können. Sie ganz zu stillen, jene Zuckungen, vermochten die Gewaltmittel auch der Invasion und der Gegenrevolution nicht, die damals so zuversichtlich auftrat und ihrer Sache so sicher schien. Alle geschichtlichen Zustände haben ihre entscheidenden Augenblicke, die zu begreifen und zu ergreifen das Meisterstück des richtigen politischen Handelns ist. Dieses Meisterstücks rühmte sich Metternich damals, als er die Feuer der südlichen Revolutionen erstickte, als er die Politik von Pillnitz, die oft bereute, jetzt wieder bekannte, wo sie unerwartet erfolgreich war. Aber die Unbefangenheit, die die Lehre jenes Satzes voraussetzt, auch jene Momente scharf zu erkennen, wo das was unseren Wünschen und Interessen zuwider

26*

ist ebensowohl seine Zeit erhält, hätte er doch ganz entbehrt. Er
hätte nicht geträumt, daß die im Staate damals unterdrückten
Ideen im Augenblick der Unterdrückung auf dem geistigen Gebiete
desto mächtiger wieder aufquellen würden, daß in wenigen Jahren
die bewältigte Revolution in Spanien aufs neue emporstehen, und
daß die Rückwirkung der französischen Invasion auf Frankreich
selber der Anmaßung, die Autonomie der Völker in ihren eigenen
Angelegenheiten zu bestreiten, einen solchen Stoß versetzen werde,
daß von Pillnitzer Verschwörungen fortan nie mehr die Rede
sein sollte.

Die Restauration
vor der Befreiung
des Königs. Die französische Regierung, die einen äußeren Vortheil von
ihrem Kriege nicht erwarten durfte, hatte auf desto größere Ge-
winne moralischen Einflusses in Spanien gerechnet. Sie sollte aber
von Anfang an erfahren, daß König Ferdinand noch mitten aus
seiner Gefangenschaft heraus mächtig und verwegen und undank-
bar genug war, all ihre Rechnung zu trügen. Diese Gegenwirkungen des königlichen Gefangenen hatten sogar schon vor dem
Kriege auf französischem Boden selber gespielt. Dort hatte man
immer die Regentschaft von Urgel, deren absolutistischer Fanatismus
nicht zusagte, zu beseitigen gesucht; man hatte die angesehensten
Flüchtlinge, aus dem Schooße der Regentschaft selber den Baron
'Auf. Febr. Eroles, zu den chartistischen Planen herübergezogen; man hatte
die Bildung einer neuen Regentschaft betrieben, und dieß zwar auf
briefliche Ermächtigung des spanischen Königs selber, die der dä-
nische Gesandte in Madrid und der Graf Lagarde nach Paris gebracht hatten. Mataflorida aber hatte von demselben Könige, der
Freunde und Feinde, Helfer und Bedränger gleichmäßig betrog
und verrieth, Ermächtigung gegen Ermächtigung, Gegenbefehle
'Januar. gegen Befehle zu stellen: er hatte von ihm die ausdrückliche Billigung seiner vergangenen und künftigen Handlungen erhalten und

dazu die Weisung, Alles, was man ihm in entgegengesetztem Sinne mittheile, als nicht geschehen zu betrachten! Mataflorida that mehr als dieß: er verklagte das Verfahren Frankreichs und seine charistischen Entwürfe mit gutem Erfolge bei den Ostmächten, und dem Herzog von Angoulême weigerte er persönlich in Toulouse gradezu die verlangte Niederlegung seiner Stelle. Auf diese Widerstände hatte man Mataflorida und den Erzbischof von Taragona nach Tours verwiesen und gleich nach dem Uebergang über den Bidasoa hatte¹ ¹12. April. der Herzog die sogenannte Junta von Oyarzun gebildet aus Leuten, die er für die lenksamsten halten mochte: aus dem kindischen Eguia, einem einstigen Sekretär Godoi's, Erro, und einem dritten charistisch Gesinnten, Calderon. Der König aber hatte Wege gefunden, an Eguia neue Vorschriften gelangen zu lassen, auf welche die Junta sofort in schnöder Keckheit die Maske der Fügsamkeit in die französischen Absichten abwarf und, ganz wie die Regentschaft von Urgel, die Herstellung der Zustände vom 7. März 1820 verkündete. Die Bestellung dieser Junta war eine unbedachte Maasregel äußerster Thorheit, durch die man auf das arme Land mit Einem Schlage das Unheil einer wüthenden Partheiregierung, das System einer grausamen Verfolgung, die Schrecknisse einer neuen Revolution herabbeschwor, gegen die die Erhebung von 1820 mit all ihren Folgen ein paradiesischer Friede war. Denn bei dieser Bewegung von 1820 war durch die örtlichen Junten notabler Bürger, die in herkömmlicher Weise die Leitung in die Hand genommen, sogleich eine Ordnung und ein Maas in die Veränderung gekommen, die wesentlich den Einrichtungen galt und die Personen höchstens in ihren Besitzverhältnissen, und nur auf dem Wege gesetzlicher Verordnung, berührte; jetzt aber wurde die Raub- und Plünderungssucht des Pöbels zugleich mit der Blut- und Rachegier der Fanatiker entfesselt, die auf den Fersen der Franzosen das Land überall in einen furchtbaren Schauplatz der Anarchie, der

Aechtungen, des Vermögensraubs, des Mords, der Martyrien,
des Elends aller Art verwandelten. Dieß zu bewirken, hatte ein
einziger Beschluß der Junta genügt, der die Bildung königlicher
Freiwilligencorps anordnete, in deren erste Reihen der Auswurf
der royallstischen Raubbanden und des spanischen Pöbels hinein-
drängte. Aus diesen höllischen Schaaren, denen man das über-
demokratische Reglement der constitutionellen Bürgerwehr und dazu
die Waffen dieses Standes ordentlicher Leute in die Hand gab, um
sie sofort gegen ihn zu gebrauchen, aus diesen Schaaren bildeten
dann die königlichen Exaltados, die nun am Ruder waren, die
Schergen weniger des königlichen, als vielmehr ihres Partheides-
potismus, und gestatteten ihnen jeden Unfug im Lager, jede Gewalt vor dem Forum, jeden Vorzug in den Versorgungen, jede
Ausschreitung bis zu dem Uebermaaße, wo sie dem Könige den sie
ausriefen eben so ungehorsam wurden, wie die constitutionellen
Ueberspannten der Verfassung die sie anriefen unfolgsam gewesen
waren. Wer noch in Spanien einiges Gefühl und Einsicht besaß,
hatte dem Herzoge Vorstellungen über das sinnlose Auftreten dieser
Junta gemacht. Und kaum in Madrid angelangt, war er daher
zur Errichtung einer Regentschaft für die Zeit der noch dauernden
Gefangenschaft des Königs geschritten, deren Mitglieder er durch
die alten Räthe von Castilien und Indien wollte ernennen lassen.
Die vorsichtigen Leute begnügten sich, die Männer zu empfehlen,
die sie dem Könige genehm wußten, der auch jetzt die Mittel gefunden, aus Sevilla seinen Willen kund zu geben. Der Herzog
umgab dann diese Madrider Regentschaft mit aller Ausrüstung
einer vollständigen Regierung, mit Ministern, mit Diplomaten,
mit der Anerkennung der Mächte, um der Raserei der überspannten Absolutisten eine starke Obrigkeit entgegenzustellen; sie konnte
aber in dem aufgewühlten Meere der Partheileidenschaften ihrer
Schritte so wenig Meister bleiben, wie die Junta vor ihr, in deren

'23. Mai.

Wege sie unverweilt eintrat, deren Anordnungen sie bestätigte, deren Irrungen und Tollheiten sie gegen jeden besseren Rath nachahmend fortsetzte. Sie begann[1] damit, die Truppen, die zuletzt '30. Mai. die Ordnung in Madrid aufrecht erhalten, aus der Heerliste zu streichen; die Bildung und die Ordnung der königlichen Freiwilligen zu bestätigen; alle Abgeordneten, Minister, Officiere, die den König von Sevilla nach Cadiz begleitet, zum Tode zu verurtheilen; alle Anleihen dieser Jahre, alle Gesetze seit dem März 1820 für nichtig zu erklären; sie verfügte[1] die Herstellung der aufgehobenen '11. 21. Juni. Klöster und die Rückgabe ihrer Güter ohne Erstattung der Kaufsumme, wie später[1] auch die Herausgabe aller übrigen veräußerten '12. Aug. nationalen oder vincullrten Güter; sie beraubte[1] alle in der consti- '27. Juni. tutionellen Zeit angestellten Beamten ihrer Stellen und unterwarf selbst die früher Angestellten und im Amte Gebliebenen dem Spruch einer Reinigungsjunta, die ihr politisches Verhalten zu untersuchen hatte. Formen und Instructionen dieses Tribunals[73]), das eine Herausforderung der Verleumdung, der Habsucht, der Privatrache war, waren von der Weite, daß auf die geheimen Zeugnisse dreier „Wohlgesinnter" hin Jeder von der Purification konnte ausgeschlossen werden, der die Freunde des Königs oder der Religion auf irgend eine Art beleidigt hatte, oder von dem eine einstige Lauheit der guten Gesinnung zu befürchten stand! Mit dieser Anstalt hatten es die Royalisten in der Hand, in ihrer gemeinen Stellengier den Kreis der Reinen immer enger zu ziehen, um in dieß Netz alle Aemter zu fischen; sie hatten in ihr die Mittel, in diesem Lande, wo seit 15 Jahren wie nirgend sonst die Menschen Gestalt und Farbe gewechselt, tausend Familien in Sorge und Angst zu halten, wie sie die Werkzeuge zu jeder gewaltsamen Verfolgung in den Proscriptionsgesetzen hatten, die eine Art Interdict legten auf alle

---

73) Blanqui, voyage à Madrid. Paris 1826. p. 164.

Milizen, Beamten, Soldaten, die Mitglieder der Provinzialdepu-
tationen und der geheimen Gesellschaften, auf säcularisirte Mönche,
auf die Käufer der Nationalgüter; vielleicht 50,000 solcher Käufer
wurden ihres Kaufgelds und ihrer Verbesserungsausgaben beraubt;
und diese Unsicherheit alles Besitzes, das Mistrauen, das aus der
Aufhebung von Gesetzen entstand, denen der König so gut seine
Sanction hätte weigern können, wie dem über die gutsherrlichen
Rechte, die Verbitterung, die sich an alle diese Scandale knüpfte,
bewirkte, daß eine Menge Spanier in den nächsten Zeiten aus-
wanderten, daß viele der aus America Rückkehrenden sich anderswo
niederließen und daß auf beiderlei Art wohl 300 Millionen Realen
aus dem Lande gingen oder außerhalb angelegt wurden. Die Franzosen, die sich anfangs in ihrem Prinzen, wenn er nur erst in
Madrid wäre, den Versöhner aller Partheien gedacht hatten, vermochten all diesem Unheile nicht zu steuern, und kaum nur daß sie
es versuchten. Gaben sie sich das Ansehen, die gemäßigten Verfassungsfreunde stützen und schützen zu wollen, so reizte dieß die
Königlichen nur zu größerer Ueberstürzung. Auf dem Lande hausten
die Banden der Glaubensarmee in einer schrecklichen Weise; in
den größten Städten, in Madrid, in Zaragoza, in Sevilla war die
Anwesenheit französischer Truppen nicht im Stande, die Plünderung, die Verfolgung, die willkürliche Einkerkerung der „Negros",
der Constitutionellen, zu verhindern, selbst wo sie durch Capitulation mit den Franzosen gedeckt waren. Dieser freie Bruch ihrer
Verträge, den Franzosen frech ins Angesicht geschleudert, drohte
jede fernere Verhandlung mit den spanischen Heertheilen unmöglich
zu machen. Gleichwohl glaubte man bei dem ergriffenen Kriegs-
systeme, bei der Zerstreuung der Truppen ein scharfes Auftreten
gegen diese Schmählichkeiten nicht wagen zu dürfen. Der Schritt
einer Anzahl von Granden in Madrid, die mit dem Anerbieten
der Bewaffnung von 8000 Mann dem Herzog von Angoulême

eine Hand gegen die Regentschaft und die Pöbelherrschaft reichen
wollten, bewies, daß man es nicht so schwer gehabt hätte, den
öffentlichen Geist in einem verständigen Sinne zu lenken; da man
aber in dem Schooße der französischen Regierung selber nicht einig
war, ob man den Krieg führe, um in Spanien die Religion oder
den reinen König oder eine Charte aufzurichten; da man, ganz
anders als die Oesterreicher in Neapel, die Einheit der Action schon
durch die Bestellung zweier Oberbehörden, einer militärischen und
einer bürgerlichen, gestört hatte, so konnte man auch eine feste Richtung nicht einhalten; und wo im Kriege Alles Erfolg war, war in
den politischen Verhältnissen Alles Verlegenheit und Mißlingen.
Dort hatte Herr von Chateaubriand den Ausspruch eines klugen
Mannes gerechtfertigt: daß Alles was kühn aussehe ohne es zu sein
fast immer weise sei; hier aber wagte man weder kühn zu sein noch
auch nur zu scheinen. Nachdem Morillo und Ballesteros unschädlich gemacht waren, hatte den Prinzen auf seinem Wege nach Cadiz
in Andujar der soldatische Unwille übermannt und bewogen, eine
Ordonnanz[1] gegen die willkürlichen Verhaftungen der spanischen ·8. Aug.
Behörden zu erlassen; auf den hellen Protest der Regentschaft aber
und der bewaffneten Royalisten in Spanien, ja der unbewaffneten
in Frankreich, mußte er sie auf das Einschreiten der französischen
Regierung, des Herrn von Chateaubriand selber, durch eine flaue
Auslegung[1] wieder zurücknehmen. Niemand in Spanien, Niemand 28. Aug.
unter den ehrenhaften Franzosen begriff diese Folgewidrigkeit, diese
Schwäche, diese Heuchelei, diese Verschämtheit und Schüchternheit
des französischen Heerführers, der die Regentschaft von Urgel durch
die von Oyarzun und diese durch die von Madrid ersetzen konnte,
und doch diesen selbstgeschaffenen Gewalten, wie nachher dem befreiten Könige, keine Bedingungen auferlegen wollte, die die französische Ehre und Menschlichkeit gebieterisch hätte fordern müssen.
Die Tadler freilich dachten nicht Alle daran, wie sehr dem Soldaten

von seiner Regierung in Paris, und dieser wieder von ihrer Parthei die Hände gefnebelt waren. Nicht Alle wußten auch, daß
selbst die fremde Diplomatie in Madrid, eiferfüchtig auf das rasche
Waffenglück Frankreichs, noch eiferfüchtiger die charliftischen Projecte der franzöfifchen Regierung beargwohnte und behinderte; daß
Metternich erst den König von Neapel aufftiftete die Regentschaft

'Juli. für sich zu verlangen; daß er dann[1] auf neue Zusammenkünfte
drang, um Frankreich seine Rolle als des bloßen Waffenträgers
der heiligen Allianz in Erinnerung zu bringen; daß selbst der Kaiser
von Rußland sein Mißtrauen gegen die franzöfifche Macht und
Eigenmacht in Spanien an la Ferronays ganz offen ausfprach;
daß beider Oftmächte Vertreter in Madrid alle abfolutiftischen Lei-
benschaften gegen die Plane der Franzosen aufschüren halfen und
ihnen alle möglichen Plackereien machten.

Reftauration nach
der Befreiung
des Königs.
'1. Oct. Sobald der König seine Freiheit wieder besaß, war sein erstes
Geschäft gewesen, ein Decret[1] zu unterzeichnen, das alle Acte der
constitutionellen Regierung nichtig erklärte und alle Verfügungen
der beiden Zwischenregierungen von Oyarzun und Madrid bestätigte. Gleich nach diesem Erlasse begab sich der Herzog von
Angoulème, nachdem er dem König und seiner Familie bei aller
Gelegenheit sein Mißfallen über dieses Verfahren bezeigt, auf den
Rückweg nach Paris; mit dieser stummen Warnung schien sofort
aller franzöfifche Einfluß völlig aufzuhören. Eine fast mehr theokra-
tifche als abfolutiftische Reaction, die wir nur in den gröbsten Zügen
umzeichnen, brach nun über das spanifche Land herein, die Schreckensherrschaft von Leviten, von priefterlichen Eiferern, die vor Allem
das unheilvolle Bündniß zwischen Klerus und Pöbel aufs neue
herzustellen eilten und den Zweck zu verfolgen schienen, die apofto-
lische Gewalt von Rom über Spanien aufzurichten, den König,
den das Volksgeschrei zum „abfolut-abfoluten" Fürften ausrief, zu

einem Prolegaten des Pabstes zu machen, in der Inquisition ein
geeignetes gegenrevolutionäres Tribunal zu bestellen, Spanien in
eine Colonie des Klerus zu verwandeln, die Mönche wie Besatzungen einer römischen Miliz über das Land zu breiten, die königlichen
Freiwilligen zu einem Janitscharencorps der Parthei zu bilden, und
gegen die Revolution und ihre Reste zu wüthen, so lange der got-
tesläſterliche Ruf nach Amneſtie, nach Friede und Eintracht noch
gehört werde, oder so lange (nach dem Ausbruck des Staatsraths
Elifalde) noch ein Negro lebe und noch ein Franzose in Spanien
sei! Es war eine Revolution durch eine andere von unendlich.
scheußlicherer Gestalt ersetzt, die durch die Waffen des gleisnerischen
heiligen Bundes begünstigt ward: statt des Soldatenaufstands
eine Banditenrebellion, statt der bewaffneten Bürgermacht ein bewaffneter Pöbel, statt der constitutionellen Demokratie eine prole-
tarische, statt der Freimaurer ein allmächtiges Pfaffenthum, statt
der Pabillasöhne eine noch fanatischere geheime Gesellschaft, statt
der von Partheien despotisirten Minister neue Räthe, die noch viel
abhängiger waren. Das auserkorene Haupt für die neue Regierungsweise war Victor Saez, der höchst bezeichnend die unverträg-
lichen Aemter eines Beichtvaters des Königs und eines erſten Ministers vereinigte, um nun, als ein anderer Fimenez gepriesen,
seine staatsmännischen Tirocinien zu versuchen. Zur unsichtbaren
Verſtärkung der neuen Ordnung sollte eine geheime Gesellschaft
des „Würgengels" gegründet worden sein, deren Seele der unwissende Bischoff von Osma war, einer der trotzigsten Schürer der
Zwietracht. Erinnerte diese Anstalt an die französische Congregation, so glich auch sonst das ganze Aussehen des Landes der anarchischen Gewaltherrschaft der Royalisten von 1815 in Südfrank-
reich; grade so wie diese stellten sich die spanischen Apostolischen
an, als ob der König seine Freiheit nur ihnen, nicht den Fremden,
zu danken hätte; und grade so wie dort suchten sich die blutigsten

und schrofften Meinungen eine Stütze an dem Thronerben Don
Carlos, wo ihnen der König in seinen Zugeständnissen an die
Fremde zu gefügig erschien. Anfangs trugen alle Maasregeln die
Färbung des religiösen Fanatismus dieser Extirtesten der königs=
'6. Oct. lichen Parthei. Auf seiner Reise nach Madrid befahl der König[1]
aus Lebrija, Sühnfeste für die dem Altare widerfahrene Schmach,
'9. Oct. und[1] Todtenämter für die gefallenen Royalisten zu feiern. Ehe der
Fürst in die Hauptstadt einzog, wurde die schauervolle Tragödie
der Hinrichtung Riego's zu einem schadenfrohen Siege der Zeloten
'6. Nov. gewendet: man preßte dem kleinmüthigen Verurtheilten[1] eine eigen=
händige Erklärung ab, in der er um Verzeihung seiner Revolutions=
verbrechen bat und im Schooße der Kirche zu sterben wünschte.
Nach seiner Rückkehr nach Madrid besuchte dann der König täglich
mit seiner Familie das Kloster Atocha, um das Volk mit seiner
Frömmigkeit zu blenden. Indessen legten sich, wie 1815 in Frank=
reich, die Fremden bei den ersten Anzeichen dieser theokratisch=fana=
lischen Wendung der Dinge dazwischen, die in ganz kurzem so weit
gedieh, daß selbst die österreichischen Agenten voll Besorgniß die
Apostolischen in Spanien mit den französischen Congreganisten und
den Eiferern in Italien in einem verdächtigen geheimbündlichen
Zusammenhange auf sinnlose Projecte lossteuern sahen. Lud=
'Ende Oct. wig XVIII. schrieb[1] an König Ferdinand und ermahnte ihn, an
seinen eignen Brief vom 23. Juli 1822 erinnernd, zu der Wieder=
belebung der altspanischen Einrichtungen; und die Diplomatie
drang wiederholt in die Verkündung einer Amnestie und legte ihr
bestimmtes Veto auf die Wiedereinführung der Inquisition. Der
Brief des französischen Königs blieb aber ohne jede Beachtung;
denn der Einfluß Frankreichs war jetzt bereits durch Rußland aus=
gestochen, das den absoluten Hängen Ferdinand's günstiger war.
'25. Oct. In außerordentlicher Sendung kam[1] Graf Pozzo di Borgo nach
Madrid, der die hier einzig möglichen Wege der Einwirkung nicht

so hochfahrend wie Chateaubriand verschmähte und versäumte, der mit dem berüchtigten Ugarte die Verbindungen der früheren russischen Gesandtschaften wieder anknüpfte, mit seiner Hülfe Saez stürzte und an seiner Stelle erst Casa Irujo, und nach dessen bald erfolgtem Tode den Grafen Ofalla zum Haupt der Regierung machte. Voll Grimm und Eifersucht auf dieses russische Uebergewicht stürmte nun Chateaubriand, dieß Ministerium wieder zu ändern; sein Gesandter Talaru und sein Militärcommandant in Madrid, Bourmont, suchten im Einverständniß mit den Creus und Casianos, den Fürsprechern der Inquisition, ein rein royalistisches Ministerium zu gründen; allein Ofalla erkaufte sich Talaru's Gunst durch die Anerkennung der französischen Vorschüsse von 34 Mill. und wußte den mißbilligenden Bourmont zu entfernen [74]; und inzwischen betrog der König, diese Nebenbuhlerei seiner Befreier belauschend, alle Beide. Er suchte sein altes System hervor, seine Minister von verschiedener Farbe zu wählen und gegenseitig zu überwachen, zu schwächen und je nach Bedürfniß nach entgegengesetzten Richtungen zu steuern, sei es gegen die Fanatiker oder gegen die Gemäßigten seines Anhangs, sei es gegen die Fremden oder die Constitutionellen, sei es wechselnd gegen Alle zugleich. Dieß System durchschaute und begünstigte der Justizminister Calomarde, der sich dadurch zum Lieblingsminister aufschwang und in den vielen Wechseln dieser Jahre am längsten erhielt; er war[1] zum '17. Jan. 1824. Gegengewicht gegen Ofalia's Mäßigung ausersehen worden, stand im Vertrauen der apostolischen Parthei und war ihren Oberen und dem Fürsten gegenüber so kriechend demüthig wie trotzig und hochmüthig nach unten. Dieser Mann nun konnte die Inquisition allerdings den Mächten zum Trotze nicht herstellen, aber doch ließ er geschehen, daß die eifrigsten der Bischöffe in ihren Sprengeln

---

74) F. Case, la vérité sur l'Espagne. Paris 1825. p. 87 ff.

das heilige Gericht unter dem Namen von Glaubensjunten gleichwohl wieder belebten. Er konnte die zugesagte Amnestie nicht ganz
und gar vorenthalten, aber er zögerte sie so lange nur möglich hinaus; und als sie auf Frankreichs fortwährendes Drängen endlich
'20. Mai. erschien[1], war Ofalia's Entwurf in dem Quartier Don Carlos'
so verunstaltet worden, daß der Gnadenact vielmehr ein Aechtungs-
gesetz ward, das viele Menschen die sich bis dahin sicher geglaubt
aus dem Lande trieb. Es schien ein neuer Sieg russischen Einflusses, als Ofalia bei Ugarte in Ungunst kam, durch dessen Ein-
'12. Juli. fluß[1] fiel und durch Zea Bermudez ersetzt wurde, einen kaufmännischen Emporkömmling, der in St. Petersburg sein erstes Glück
gemacht hatte, in Cadiz 1811 heftig liberal gewesen war, jetzt für
gemäßigt galt und in Paris goldne Berge versprochen hatte, ohne
daß dieß neue Verbitterungen in den Beziehungen zu Frankreich,
neue Verstärkungen des Schreckenssystems verhindert hätte. Ein
'3. Aug. hirnloser Versuch einiger verzweifelter Flüchtlinge, in Tarifa[1] die
Fahne der Empörung aufzupflanzen, forderte die Blutgier der Königlichen aufs neue heraus. Die Militärcommissionen arbeiteten
unter dem Kriegsministerium des rohen Aymerich in der Wuth von
'24. Aug. — Revolutionsgerichten. In nicht drei Wochen[1] wurden 112 Men-
12. Sept. schen als Verschwörer dem Tod überliefert. Und bald darauf er-
'9. Oct. schien[1] ein racheschnaubendes Decret, das man aus Scham vor
dem Ausland nicht einmal in der amtlichen Zeitung erscheinen
ließ: sein erster Artikel erklärte Alle, die sich seit dem 1. Oct. 1823
durch Waffenerhebung oder durch Handlungen irgend welcher Art
als Feinde des Throns bewiesen, für Majestätsbeleidiger und des
Todes schuldig; in diesem Falle waren (nach Art. 9.) alle Angehörigen einer geheimen Gesellschaft, die sich nicht freiwillig selber
angaben, und Jeder, der, wenn auch im Zustand der Trunkenheit,
den Ruf für Verfassung und Freiheit erhoben hatte; der 7. Artikel
gestattete den Richtern, über die Kraft der Beweise für und gegen

die Angeklagten nach freiem Ermessen zu urtheilen. Wenige Tage
später[1] vernichtete ein anderes Decret des Königs, der noch bei '11. Det
seiner Befreiung ausdrücklich die Erhaltung aller Grundgesetze des
Reiches zugesagt hatte, den letzten Schatten des uralten Rechtes
der Volkswahl zu den Stadträthen, „damit von dem spanischen
Boden auf ewig auch der entfernteste Gedanke verschwinde, daß die
Souveränetät einer andern als der königlichen Person inne wohne."
Diesem nackten Bekenntniß des reinen Despotismus gab ein spä-
terer Beschluß[1] noch die letzte Ergänzung in einer Art Ewigkeits- '19. April 1825
erklärung des sinnlosen Systemes hinzu: „der König sei entschlossen, die gesetzlichen Rechte seiner Souveränetät in ganzer Fülle zu
erhalten, ohne weder jetzt noch je den kleinsten Theil an Kammern
oder ähnliche Einrichtungen aufzugeben, die den spanischen Gesetzen
und Sitten widerstrebten."

Bis zu diesem Puncte getrieben, schienen aber die Tollheiten **Zustände der**
des Königs sich selber die Spitze abbrechen zu sollen. Von Arg- **wider den König.**
wohn, von Mißtrauen, von Furcht vor seinen constitutionellen
Feinden gequält, sollte der Fürst jetzt erfahren, daß es oft noch
schwerer ist mit seinen Partheigenossen in Frieden als mit seinen
Gegnern im Kampf zu leben, und daß bei seinem Bunde mit der
Rohheit des Pöbels und der Wuth der Partheien die Revolution
ihn aus dem eigenen Lager bedrohe. Schon im Jahre 1824 war
die Polizei den Anschlägen eines royalistischen Häuptlings Capape
in Zaragoza auf die Spur gekommen, der das Zeichen zu einer
Bewegung gegen das Ministerium geben sollte, das von der Parthei in den Geruch der Freimaurerei gebracht ward. Darauf hin
schien ein anderes System eingeschlagen zu werden, als es Zea gelang, seinen eigenen Beförderer Ugarte[1] als Gesandten nach Sar- '17. März.
dinien zu entfernen, den brutalen Aymerich[1] durch Zambrano zu '13. Juni.
ersetzen, die Generalcapitanien zum Theil an menschlichere Männer

'4. Aug. zu übertragen und die Militärcommissionen' aufzuheben. Dieß nahm die Parthei wie eine Aufforderung auf und ersah sich jetzt den Errepublicaner Bessières, ein Pronunciamento gegen die

'15. Aug. Freimaurer-Regierung zu machen. Er verließ' Madrid, um sich auf den Schauplatz seines kleinen früheren Ruhmes, nach Brihuega zu begeben, wo er die königlichen Freiwilligen zu einer neuen Militärrebellion im hyperroyalistischen Sinne aufrief. Man'sagte eine ganze Reihe Bischöffe und Generale in die Verschwörung eingeweiht und in Zaragoza, Granada und Tortosa fuhren einige Funken gleichzeitiger Bewegungen auf. Der König schickte den Grafen España zur Niederhaltung der Empörung aus, einen Franzosen, wie erwählt für die Launen des Königs, der Blutgier mit erheuchelter Frömmigkeit, Priesterhaß mit royalistischer Ergebenheit paarte und in der Art, wie er seine Familie, seine Untergebenen und Truppen mit einer furchtbaren Zucht peinigte, den Anfällen von Verrücktheit ausgesetzt schien. Die raschen und scharfen Maasregeln, die er ergriff, erstickten in der That den Aufstand

'20. Aug. im Keime und überantworteten Bessières in Molina' dem Tode. Als ob aber den Apostolischen für diese Niederlage eine glänzende Genugthuung müsse gegeben werden, war die Expedition gegen Bessières zugleich von den härtesten Schlägen gegen die Constitutionellen begleitet und gefolgt. Schon vor Bessières' Hinrichtung war ihm der berühmte Guerillero, der Empecinado, wie zum Sühnopfer vorausgeschlachtet, der nach einem zweijährigen Märtyrerthum im Kerker den Nachstellungen eines persönlichen Feindes erlag, und auf dem Wege zum Galgen in verzweifelte Wuth ausbrechend mehr wie ein gehetztes Thier, denn wie ein verurtheilter

'19. Aug. '1. Oct. Verbrecher' fiel. Nicht lange nachher² gelang es Don Carlos und Calomarde, sich Zea's zu entledigen und ihm den abgenutzten Herzog von Infantado zum Nachfolger zu geben, den seine Schwäche den Apostolischen in die Hände warf. Eine neue Verrücktheit der

Liberalen, die unter zwei Brüdern Bazan einen Aufruhrverfuch 'Febr. 1826
an der Küste von Alicante machten, schien eine Weile der Parthei wieder völlig gewonnenes Spiel zu geben: seitdem wurden
neue Purificationen verhängt und die königlichen Freiwilligen, die
zuletzt strenger im Zügel gehalten waren, wurden mit neuen Zugeständniffen zu neuem Uebermuthe gestachelt. Allein auch diese
Richtung follte bald wieder, Alles wie es unter der Regierung der
sechs Jahre (1814—20) gewesen war, ihre Gegenrichtung finden.
Es war die Zeit, wo Dom Pedro Portugal eine gemäßigte Verfassung verlieh, wo die französische Regierung dem spanischen König
von neuem zusetzte, mit einer ähnlichen Maasregel zu verföhnen,
ja wo der König felber Aeußerungen that, die feine Umgebung
fürchten machten, daß er aus Feigheit nachgeben möchte: dieß spornte
dann wieder die Königlichen zu neuen Gegenminen. Man fah die
Dinge in Spanien damals darauf an, daß der König, in feiner
Weise zwischen beiden Partheien die Wage haltend, wechselnd nach
beiden Seiten von Zugeständniffen zu Zugeständniffen fo weit
werde getrieben werden, bis die Apostolischen ihm die Krone für
Don Carlos entreißen würden, „wenn nicht neue unvorgesehene
Umstände die Gestalt der Dinge veränderten."[73] Diese unvorgesehene Veränderung follte einige Jahre später in der That eintreten, und dieß eben durch den verfrühten und überlebenen Eifer
der Apostolischen felber. Trotzig wenn sie hintangesetzt waren,
übermüthig wenn sie vorgezogen wurden, spannen sie fortwährend
über ihrem alten Plane, Don Carlos auf den Thron zu erheben,
der zwar allezeit in bester Eintracht und grundsätzlichem Einklang
mit dem Könige gelebt hatte und deffen Gegner felber ihn von
jedem Gedanken freisprechen müffen, sich bei feines Bruders Leben
der Krone bemächtigen zu wollen. Der ausspähende König ließ

---

73) F. C. (Caze), les agraviados d' Espagne. Paris 1827.
IV.   27

den Anschlägen der Apostolischen lange ihren Lauf, um sich mit
ihren Wühlereien der Zumuthungen Frankreichs erwehren zu
können; Calomarde und España, ohne grade einen vorzeitigen
Thronwechsel zu begünstigen, standen in geheimem Verbande mit
ihren Planen; die Gesellschaft des Würgengels ließ[1] eine Schrift
ausgeben „über die Nothwendigkeit den Infanten Don Carlos auf
den Thron zu erheben;" das Gerücht, daß der König dem Bruder
die Krone abtreten wolle, wurde sorglich im Umlauf erhalten; und
in la Granja mußte der König zu seinem tiefen Aerger bemerken,
daß die dienstthuende Leibwache dem Prinzen dieselben militärischen Ehren erwies, wie ihm selber. Es geschah im Einverständniß mit diesen Treibereien am Hofe, daß in derselben Provinz
Catalonien, die sich 1822 für den König erhoben, der Aufruhr
aufs neue die Schwingen regte, und dießmal im Namen des Königs
gegen den König. In dem Fürstenthum hielten sich die Banden, die die Kreuzzüge von 1823 mitgemacht, für ihre Dienste
nicht hinlänglich belohnt; diese Beschwerdeführenden (agraviados)
voll Stellen- und Soldhunger schwollen von giftigem Neide gegen
die „höllischen Factiosen, die, nachdem sie das Vaterland ins Verderben gestürzt, jetzt wieder die ersten Stellen einnähmen"; sie wütheten hier gegen die ungereinigten Negros fort, wo sich im übrigen
Lande die Verfolgung lange gelegt hatte; nach den der Audienz
von Barcelona zugekommenen Mittheilungen belief sich[1] die Zahl
der Liberalen aus dem aufgelösten Heere, die in den Dörfern und
auf den Landstraßen der Volksrache in Catalonien erlegen waren,
auf 1828. Die catalonische Geistlichkeit that das Ihrige, an dieser
Gährung nachsäuern zu helfen; seit der Zeit, wo schon 1825 Tortosa, der Bischofssitz des Exministers Victor Saez, der Heerd der
Unzufriedenheit gewesen war, glaubte man sie in ihren Zusammen-
künften fortwährend mit den Carlistischen Planen beschäftigt. Eben
hier um Tortosa, um Manresa und Vich regten sich nun[1] unter

Marginal notes: [1. Nov.], [Oct. 1827.], [März, April.]

verschiedenen Häuptlingen die königlichen Banden wieder; die
Rolle des Führers fiel diesmal dem alten Jep dels Estañs (Jos.
Busoms) zu. Die erste Bewegung stockte indessen, die Soldaten
blieben treu, die Banden wurden zerstreut und durch einen Indult
beschwichtigt. Nur Jep dels Estañs verschmähte die dargebotene
Gnade und erschien nach kurzer Ruhe wieder[1] auf der Bühne. Er '3uli.
breitete aus, daß der König ein Gefangener seiner verrätherischen
Umgebung sei, aus der ihn zu befreien der Zweck seiner Erhebung
wäre; und er gab zu errathen, daß er in geheimen Befehlen vom
Könige selber ermächtigt sei, indem er sich in seinem Aufrufe[1] '20. Juli.
„General der königlichen Divisionen von Catalonien, der Voll-
zieherinnen der königlichen Befehle" nannte. Auf diese neue Schilderhebung regten sich die Aufständischen in der ganzen Provinz; sie
überrumpelten[1] Manresa und hausten hier und in Vich in solcher '21. 26. Aug.
Weise, daß alle Besitzenden flüchtig nach Barcelona strömten, in
dessen Bevölkerung die Apostolischen keine Freunde hatten. Dießmal entschloß sich der König zu einem Schritte, der ihn 1820
würde erhalten haben. Nachdem er den Revolutionsbändiger
España mit den weitesten Vollmachten vor sich her geschickt, ging
er selbst[1] nach Catalonien und forderte dort zur Niederlegung der '22. Sept.
Waffen auf. Die Wirkung war unmittelbar. España's Truppen
fanden nirgends Widerstand. Die meisten Häuptlinge stellten sich
auf der Stelle, zum Theile schon vor dem Aufruf des Königs.
Man sollte denken, diese Leichtigkeit des Sieges hätte versöhnen
müssen. Statt dessen entrollten sich die Scheußlichkeiten des
Fürsten und seines Regiments greulicher als zuvor wieder nach
beiden Seiten. Erst wurde eine ganze Reihe von Häuptlingen,
die sich der Gnadenerbietung des Königs vertrauend ergeben hatten[1], mit schmählichem Treubruch der Hinrichtung überliefert; einige 'Nov.
waren durch die Flucht entkommen und ließen dann von Paris

27*

Schriften ausgehen[76] zur Rechtfertigung der Agraviados. Jep
des Estaño wurde unter Verletzung des französischen Gebiets von
'13. Febr. 1828. seinen spanischen Verfolgern auf der Grenze ergriffen und in Olot'
erschossen. So weit traf das Schicksal die royalistischen Aufrührer;
und nun wieder das alte Spiel: um das Gleichgewicht herzustellen, gingen von Madrid neue Racheacte gegen die Constitutionellen
aus; und in Catalonien begann España seine Verfolgungen der
Liberalen, die ihm dort einen furchtbaren Namen hinterlassen haben.
Neue Entwürfe der Freisinnigen mußten dieser Strenge zur Entschuldigung dienen. Ein gewisser Sierro hatte die Plane der in
England flüchtigen Spanier und ihre Verbindungen mit den Liberalen in Catalonien als ein scheinbarer Anhänger ausgespäht und
die Namen der Verwickelten angegeben, die in den Kerker geworfen
wurden. Die spanischen Geschichtschreiber glauben diese Verschwörung von España erfunden; es ist aber andersher bekannt, daß
sich Mina damals in England mit dem Gedanken eines neuen Aufstands trug. Das führte dann in Barcelona zu Hinrichtungen, zu
Kerkermartyrien, zu Präsidienhaften, zu Selbstmorden aus Verzweiflung, zu Scenen so schrecklicher Natur, als ob sie ganz andern
Zeitaltern angehörten.

Französische
Erfolge.   Der royalistische Aufstand in Catalonien hatte um die Zeit
Statt, wo die letzten französischen Truppen von der Besetzung
Spaniens, die sich durch fünf Jahre hinausgezogen hatte, zurück-
kehrten. Die Rückschau auf das Geschehene, der Hinblick auf das
Geschehende, die Voraussicht auf das Kommende mußte ein gut
französisches Herz mit Beschämung und Erbitterung über die so
pomphaft begonnene, so theuer (mit 200 Mill.) bezahlte Inter-

---

76) Révélations d'un militaire français sur les agraviados d'Espagne. Paris 1829.

vention und ihre Folgen erfüllen. Militärisch Sieger ging man
politisch nach vollständiger Niederlage davon. Herr von Chateaubriand hatte den Spaniern eine geeignete Verfassung gewünscht,
gegönnt und zu geben gehofft; er hatte ihren Einrichtungen nicht
den Krieg machen, sondern nur sich gegen Einrichtungen vertheidigen wollen, „die Frankreich den Krieg machten"; er hatte das
Recht der constitutionellen Ordnung schweigend anerkannt, als er
ihren Vertretern in Cadix die Unterhaltmittel zur Auswanderung
und zum Leben in der Fremde bezahlen ließ; was er aber in der
That mit diesem Sündengelde und mit den übrigen Opfern Frankreichs und mit all dem vergossenen Blute vollbracht hatte, das war
die Herstellung der scheußlichen Regierungsweise, die er selber als
„blutig, habgierig, fanatisch, als einen abgeschmackten Despotismus, eine vollständige Anarchie der Verwaltung" bezeichnete, die
Herstellung des Königs, den er selber einen „hassenswürdigen
Fürsten nannte, der die Verfassung nur beschwor um sie zu verrathen, fähig sein Reich in einer Cigarre aufzubrennen!" Alle
Versuche, der Wiederkehr jener Zustände vorzubauen, die die Revolution in Spanien hervorgerufen hatten, alle Anstrengungen, auf
einen gemäßigteren Gang der Regierung einigen Einfluß zu gewinnen, waren vergebens gewesen. Man sah sich nach einander
von den selbst bestellten Junten und Regentschaften, von dem er-
lösten König und seiner erneuten Camarilla aus aller Einwirkung
hinausgetrotzt. Das Ausland spottete dieser moralischen Unmacht
bei so viel physischer Macht; das eifersüchtige England rühmte
laut die Mäßigung, mit der Frankreich seine Stellung in Spanien
unmißbraucht ließ, und hohnlachte heimlich über diese Besetzung,
die nur Last ohne Vortheil, eine unbezahlte und unbelohnte Bürde
ward. Bald hatte sich Herr von Chateaubriand, der sich gleich
anfangs über die Folgen seiner Heldenthaten sehr gedrückt fühlte,
von dem Bundesgenossen Rußland so empfindlich ausgestochen

gesehen, daß er sich unterweilen zu der Freundschaft des beleidigten
England zurücksehnte, um mit ihm, Rußland zum Trotz, den Spaniern einige Freiheit zu sichern. Denn er empfand es voll Unmuth,
daß er seinen Sieg entehre, wenn er sich zum Mitschuldigen „der
Dummheit und des Fanatismus" des spanischen Königs mache;
und um die Zeit, wo er das unter Rußlands Einfluß bestellte Ministerium Ofalia zu stürzen arbeitete, hatte er daher seinen Gesandten Talaru im hochfahrendsten Tone angewiesen, sich gestützt
auf seine 45,000 Mann als Herrn von Spanien anzusehen,
Minister zu machen und zu entfernen, Amnestie, Heerreform, Anerkennung der französischen Vorschüsse vorzuschreiben; er meinte
sich genöthigt zu finden, den befreiten König von Spanien wieder
zum Gefangenen zu machen; er schrieb an Talaru: „Er solle sich
in den Kopf setzen König von Spanien zu sein!" Aber unversehen
kam's so, daß der verachtete spanische König, dem er seinen Thron
so zurechtrücken wollte, ihm selber den Ministerstuhl mit einem geschickt abgepaßten Fußtritte unterschlug. Es ist erst neuerdings
bekannt geworden [77], daß Chateaubriand's räthselhafter Fall (auf
den wir später zurückzukommen haben) durch sein gereiztes und
dünkelvolles Auftreten in Madrid unmittelbar veranlaßt ward. Er
wollte einer befreundeten, in ihrem Vermögen zerrütteten Hofdame
zu Hülfe kommen mit einer Speculation in den ganz entwertheten
Papieren der Cortesanleihen, deren sofortige Anerkennung er durch
Talaru in gebieterischem Tone betreiben ließ. König Ferdinaud
beschwerte sich darüber unmittelbar bei Ludwig XVIII., der seinen
auswärtigen Minister hierauf plötzlich[1] in das Privatleben zurück-
warf. Hätte er den Verlauf der Occupation und ihren Ausgang
im Amte erlebt, es hätte ihn, wenn er gesunden Ehrgefühls war,
viel tiefer kränken und beschämen müssen, als dieser sein persön-

s. Juni 1624.

---

77) Marmont 7, 293.

licher Fall. Denn kaum als nun die französischen Truppen den
Rücken wandten, als eben der König — was ihm die französischen
Waffen am ersten Tage als Bedingung auferlegen konnten —
seinen royalistischen Anhang als Parthei zu Boden geschlagen hatte
und nun als wirklicher König, nicht mehr als Partheihaupt regierte,
nun kam fast Alles wie von selbst, was bei der Anwesenheit der
Franzosen nicht werden wollte: eine größere Ruhe und Sicherheit
breitete sich über das Land, einige Duldsamkeit in politischen und
religiösen Dingen griff Platz, in die Geschäfte, in die Finanzen
kam eine bessere Ordnung. Obgleich die Cortesanleihen nicht anerkannt wurden, obgleich die Schuld seit 1823 in den zehn Jahren
bis zum Tode des Königs um 1745 Mill. vermehrt ward, so hob
sich doch der Credit des Landes unter den Anstrengungen Aguado's
besonders, dessen finanzielle Talente neben seinen doch auch des
Landes Vortheilen zu gute kamen. Nachdem die alte Armee bei
ihrer Auflösung schmählich war mishandelt worden, ward nun das
kleine auf französischem Fuße neu gebildete Heer einmal ordentlich
bezahlt. Nachdem die frühern Staatsdiener alle erdenkbaren Pei-
nigungen durchgemacht hatten, ward jetzt das Beamtenthum seit
lange endlich wieder regelmäßig besoldet. Nachdem der große Verkehr mit America zu Grunde gerichtet und die 140 Mill. Zölle, die
einst Cadiz bezahlt hatte, verschwunden waren, fing sich der Handel,
zu einer ärmlichen Cabotage herabgesunken, allmälig wieder an zu
beleben. Nachdem die royalistische Parthei zum höchsten Flore der
Macht gelangt war, mußte man sich gestehen, daß ihre Zahl jetzt
reißend in Abnahme war, und daß die Scham über die heimischen
Zustände dem Absolutismus täglich mehr seinen Anhang entzog.
Nachdem unter der carikirten Theokratie dieser Schlaraffenzeit des
Klerus die Zahl der Geistlichen (um 1830) wieder auf 175,578,
höher als ein Jahrhundert zuvor, gestiegen war, die 1822 auf
16,310 geschmolzene Zahl der Mönche sich wieder auf 61,727 ge-

hoben hatte, und die Moral dieser Menschenklasse so versunken war,
daß sie mit den Schleichhändlern im Bunde Klöster und Kirchen zu
Waarenlagern und Zufluchtsstätten der Schmuggler machten[78],
nachdem auf diese Weise der Zustand der alten spanischen Roman-
tik und Bigotterie, des Müßiggangs und der Räuberei völlig hergestellt schien, mußten doch bald nachher französische Reisende[79],
die grade diese poetischen Alterthümer aufsuchten, bekennen, daß
eine moralische Invasion gleichwohl das Land bis ins Innerste
durchdrungen habe, daß das Volk sich vergleichen gelernt und
seiner Mönchsherrschaft sich schäme. Von allen diesen glücklichen
Veränderungen kam nichts auf die Rechnung der französischen Regierung, wohl setzte man ihr Alles auf Rechnung, was Spanien
in diesen Jahren schädigte und demüthigte. Eine rasche Frieden-
stiftung im Innern, eine Erhaltung der capitulirenden Heertheile
hätte gestattet, Truppen nach America zu schicken und die zu Hause
erlittenen Schäden in den Colonien vielleicht wieder gut zu machen;
da aber Frankreichs matte Haltung die innere Zwietracht genährt und
geschürt hatte, und da es den Entscheidungen, den Anerkennungen
Englands — sehr entfernt von Chateaubriand's ehrgeizigen Entwürfen auf so viele bourbonische Throne in den Colonien — stumm
zusah, so schob man den Verlust America's auf seine Schuld. Herr
von Chateaubriand hatte sich gerühmt, durch seine glorreiche Unternehmung in Spanien auch die Wiedererstehung der portugiesischen
Monarchie aus ihrem Falle erleichtert und gefördert, und seinen
Freund Canning durch die Bestellung eines so englandfeindlichen
Gesandten wie Hyde de Neuville sehr geärgert zu haben; wir
werden aber demnächst sehen, daß die Madrider Wirthschaft, die

---

78) La España bajo el poder arbitrario de la congregacion apostó-
lica. Paris 1833. p. 44.

79) Custine, l'Espagne sous Ferdinand VII. Paris 1838. Geschrieben 1831.

Frankreich nicht zu zügeln verstand, dort zu Verwicklungen führte,
die einen Augenblick den Krieg zwischen Portugal und Spanien,
den Bruch Englands mit Frankreich, ja mit allen festländischen
Mächten befürchten lassen mußten. Und dabei sollten die schädlichen Rückschläge auf Frankreich nicht ihr Bewenden haben. Als
der König von Spanien mit Frankreichs Hülfe auf seinem absoluten Throne fester saß als je zuvor, hob er zum Dank das salische 29. März 1830
Gesetz auf und zerstörte so das Prinzip und schob die Rechte zurück,
die dieß Hausgesetz dem französischen Zweig der bourbonischen Familie auf die Nachfolge in Spanien gab. Und gleich darauf brach
in Frankreich die Katastrophe aus, die das regierende Haus stürzte,
und die ohne Zwang auf die Folgen der spanischen Invasion zurückgeführt werden konnte. Bis dahin war es noch immer geschehen, daß, so oft der französische Ehrgeiz gerungen, Spanien zu
einem Piedestal der Macht Frankreichs zu machen, dieß zum eigenen
Verderben ausgeschlagen war; und auch jetzt sollte es so kommen.
Die Legitimität ließ sich durch ihre Siege in Spanien verblenden;
es sollte sich bewähren, was die Courier vorausgesagt hatten, daß
sie in Spanien Frankreich erobern wolle; sie hatte dort die Verfassung zerstört und glaubte nun auch zu Hause die Charte vernichten zu können, und sie fiel. So sagte Herr von Chateaubriand
selbst, sein Schicksal beklagend, das ihn zum Förderer des Untergangs der alten Gesellschaft gemacht in dem Augenblick, wo er sie
retten wollte[50].

Georg Canning hatte schon vor dem Beginne des Krieges den   Englands
Vicomte Marcellus weitschauend vor solch einer Katastrophe in   Neutralität.
Frankreich gewarnt: das englische Verfahren gegen einen dem
Volkswillen widerstrebenden König, das auf Spanien angewandt
zur Vertreibung Ferdinand's führen würde, könne auch nach

---

50) Congrès de Vérone 2, 265.

Frankreich bringen; die angeblich gemäßigte Opposition, die dort (zur Vergeltung für die Ueberspannungen der Legitimität) auf eine Abweichung von der Legitimität sänne, mache Fortschritte und das zu krönende Haupt sei da[51]! Wie übermüthig mochte der Kämpe der Legitimität, Herr von Chateaubriand, damals diese revolutionäre Weisheit angehört haben, als er stolz an dem überlisteten Nebenbuhler vorübergehend seinen Siegszug betrieb! wie bald aber hatte er sich, selbst bei seinen Erfolgen, beschämt und selbstbetrogen fühlen müssen, dieweil ihm Canning schmunzelnd zusehen konnte, wie unzuträglich und uneinträglich seine kriegerische Glorie für Frankreich und ihn selber ausschlagen sollte! Denn wie überlegen, wie sicher ihrer Wege und ihrer Ziele spielte dieweile die stille und geräuschlose Politik des Engländers, der so gedemüthigt zur Seite geschoben schien! Die englische Staatskunst unter Castlereagh hätte vielleicht mehr als Eine Ursache blos in den spanischen Zuständen und in dem Verhältniß der Toryregierung zu den Festlandmächten gefunden, um wie in Italien so auch in Spanien sich in gleichgültiger Neutralität zu halten. Auch für Canning aber, der in der französischen Invasion wohl einen Kriegsfall vorliegen sah und der den Stoß, den sie auf das englische Nationalgefühl führte, tief und lebhaft mitempfand, auch für Canning aber gab es Einen allausreichenden Grund, sich jedes Einschrittes gegen das Einschreiten der Ostmächte zu enthalten und selbst die empfindlichen
vgl. o. S. 364. Vorhalte der russischen Regierung' stumm einzustecken; Einen Grund, der bei keiner Erörterung und in keiner Urkunde damals erwähnt, aber in dem verständigen englischen Volke gleichwohl schweigend gewürdigt ward: er durfte die revolutionsfeindlichen Gefühle des Kaisers Alexander jetzt, bei den Verwicklungen in der Türkei, in keiner Weise stören; denn kam er aus bloßer politischer Volksfreundlichkeit der Revolution in Spanien zu Hülfe, so behielt

---

51) Marcellus p. 20.

er gegen Rußland keinerlei Argument und Waffe, wenn es sich der
unterjochten Christen gegen die Pforte annahm. Es kam also darauf an, in dieser kitzlichen Lage die unerläßlich auferlegte Neutralität doch mit dem möglichsten Anstand einzuhalten und aus ihr den
möglichsten Vortheil zu ziehen; und aus dieser verwickelten Aufgabe
zog sich Canning wie ein ganzer Staatsmann. Er hatte kurz vor
dem Anfang des Kriegs in Paris eine letzte Erklärung[1] überreichen **31. März 1823.**
lassen, in der er mit aller Offenheit die einzuhaltende Stellung Englands für Gegenwart und Zukunft bezeichnete. Die wiederholten
Versicherungen Frankreichs, hieß es darin, entfernten allen Verdacht, daß es auf eine dauernde militärische Besetzung Spaniens
abgesehen sei, wie auch jede Besorgniß, daß England aufgerufen
werden könne, die Verpflichtungen seines Vertheidigungsbündnisses
mit Portugal zu erfüllen. In Bezug auf die spanischen Colonien
scheine die Abtrennung von dem Mutterlande durch die Ereignisse so
gut wie entschieden zu sein, obwohl die Anerkennung ihrer Unabhängigkeit von Seiten Englands durch verschiedene äußere und
innere Umstände beschleunigt oder verschoben werden könnte. Feier-
lich jeder Absicht entsagend, sich irgend einen noch so kleinen Theil
dieser Lande anzueignen, sei S. brit. Majestät überzeugt, daß
auch von Frankreich kein Versuch gemacht werde, durch Eroberung
oder Abtretung irgend welche von diesen Besitzungen an sich zu
nehmen. Diese beiden Puncte, von denen der Eine schon von
Castlereagh in seine Veroneser Instructionen aufgenommen, der
Andere von Wellington in Verona berührt worden war, bezeichnete
Canning als die einzigen, die vielleicht die Möglichkeit eines Zu-
sammenstoßes zwischen England und Frankreich herbeiführen könnten. So baute er vor, daß nicht Spanien in seiner neuen Verbindung mit Frankreich seinen rechtlichen Besitz der Colonien benutzen
sollte, um sich für ihren thatsächlichen Verlust irgend durch eine
Abtretung zu entschädigen. Er baute auch vor, daß nicht aus der
gegenwärtigen Friedfertigkeit Englands auf jeden Mangel an Kriegs-

bereitschaft geschlossen werde. Englands augenblickliche Unthätigkeit, sagte er damals in einer Rede zu Plymouth, sei so wenig ein
Beweis seiner Unfähigkeit zu handeln, wie die der mächtigen
Massen in den Wassern dieser Stadt: die auf den ersten Ruf des
Vaterlands das Bild lebendiger Wesen annehmen, ihr schwellen-
des Gefieder aufsträuben und ihre schlafenden Donner erwecken
würden. An den Grenzen von Portugal, wo Pflicht und Ehre die
englische Staatskunst eines ganz unzweifelhaften Weges wiesen,
zeigte er die möglichen Grenzen der englischen Neutralität, die er
für den spanischen Krieg schon aus Gründen der Zuträglichkeit
zusagte, wo England, immer noch in bedrängter innerer Lage, gerathen fand, sich nicht in eine zweifelhafte Politik für die unklaren
Interessen einer fremden, in sich völlig getheilten, Nation abenteuerlich vorzuwagen. Diese Neutralität nun schmähte die englische
Opposition als ein armseliges Erbtheil der Castlereagh'schen Politik, die sie mahnte in planen verständlichen Handlungen abzuwerfen. Aber gehandhabt wurde diese Neutralität doch von Canning in
einem ganz andern Geiste als von Castlereagh zuvor in Italien
geschehen war. Wenn er sich in thatsächlichen Maasregeln recht
unpartheiisch zwischen den kämpfenden Gegnern zu halten anstellte,
so geschah es in den Formen eines fast höhnischen Muthwillens,
unter dem Vorhalte einer sophistischen Gewissenhaftigkeit zu
Zwecken pur englischen Vortheils. Die Fremdenbill von 1818
hatte die Ausfuhr von Waffen nach den spanischen Colonien, und
um der Gleichheit willen auch die nach Spanien untersagt; jetzt
nun hätte man um der neuen Neutralität willen auch die Waffen-
ausfuhr nach Frankreich verbieten müssen; aber da dieß wegen der
Nähe der belgischen Häfen doch nur trügerisch gewesen wäre, so
erlaubte Canning lieber wieder die Ausfuhr nach Spanien, folglich
aber auch, immer um derselben strengen und gerechten Neutralität
willen, auch die in die spanischen Colonien, die eben die letzte Noth
des Mutterlandes benutzten, um ihm die letzten Streiche zu ver-

setzen! Und ferner: wenn Canning in schriftlichen oder mündlichen
Auslassungen über die spanische Verwicklung sich erging, so that
er es nicht, wie man Castlereagh vorgeworfen, mit Partheinahme
gegen den Schwächeren, sondern mit fast unverhohlener Feindseligkeit gegen den Stärkeren: und das allein gewann ihm die
Herzen im englischen Volk. Als er dem Parlamente, ohne einen
Antrag daran zu knüpfen, die Veroneser Staatspapiere mittheilte
(gegen die Gewohnheit, da man früher diplomatische Urkunden nur
vorzulegen pflegte, wenn die Verhandlungen in eine Kriegserklärung ausliefen), war dieß eine Aufforderung zur offensten Mei-
nungserklärung für oder gegen die Politik des Ministeriums. Die
Debatte, die sich darüber[1] in beiden Häusern entspann (in Gründen *yril.*
und Gegengründen wesentlich eine Wiederholung der Verhandlungen von 1821), übte eine schonungslose Kritik an der heiligen
Bundespolitik, die das auf dem Wiener Congresse begonnene Werk
fortsetze: Völker und Fürsten zu trennen, die Interessen, Gefühle,
Erwartungen und Anstrengungen der Gemeinwesen zu vergessen,
zu täuschen, zu strafen; sie übte aber auch eine furchtbare Kritik
an der diplomatischen Haltung der Regierung, an der Salonsprache,
die der Herzog von Wellington in Verona geführt, an der duld-
samen Politik, die gegen die Unduldsamkeit des heiligen Bundes
nur Worte keine Thaten setzte. Die Minister aber ließen es nicht
allein in unerschöpflicher Langmuth geschehen, daß man einem so
gefeierten Manne wie Wellington unbarmherzig die Lorbeeren zer-
zauste und Canning „die Lection las", sondern sie stimmten auch in
den rücksichtslosen Ton der Opposition selbst ein, der ein Gegengewicht gegen die bezeugte Schwäche der Regierung hatte bilden
sollen. Das klang doch ganz anders als Castlereagh's Reden in
die Ohren, als Canning zum Erstarren der französischen und aller
übrigen Diplomatie ganz unbekümmert die Hoffnung aussprach,
daß Spanien in dem ausgebrochenen Kampfe Sieger bleiben
werde; als er erklärte, er beneide die Redner, die von keiner Ver-

antwortlichkeit beengt, sich in der unverkürzten Aussprache ihrer
stärksten Gefühle auslassen dürften über diese Bekämpfung der spanischen Verfassung durch dieses Frankreich, dessen Unterdrückung und
Tyrannei eben diese Verfassung früher geschaffen habe! Das ver-
14. April. spottete Brougham zwar an diesem Tage[1], als ob der neue Minister durch seine freisinnigen Aeußerungen, die das Land allerdings
mit Entzücken füllen würden, seine erschreckten Collegen in ein
todtähnliches Stillschweigen begraben habe; allein wenige Tage
später erschienen die Peel, die Palmerston, ja selbst Lord Liverpool
im Oberhause in nicht anderer Stimmung und Sprache als Canning, und was die Opposition in den undiplomatischsten Worten
von ihrer Verachtung der zweizüngigen französischen Regierung
und des Herrn von Chateaubriand aussprach, das sagten die
Minister nur in anständigeren Formen Alle auch selbst. So geschah es bei dieser Debatte, daß das Zerwürfniß in Fragen der
auswärtigen Politik, das zwischen Volk und Verwaltung unter
Castlereagh fortbestanden hatte, jetzt hinweggeräumt, daß eine Ausgleichung der Empfindungen unter Regierenden und Regierten an-
gebahnt ward, die dann schnell die äußere Geltung Englands
wieder erhöhen und seinen verlorenen Einfluß im Rathe der Mächte
herstellen sollte: Vertretung wie Regierung ging in einem ganz
neuen Selbstgefühle davon, als die letztere eine fast einmüthige
Unterstützung nach den Verhandlungen im Unterhause davontrug,
nachdem die Opposition ihre beantragte Tadelsadresse zurückge-
nommen hatte. Der grundsätzliche Zwiespalt, der beide zur Zeit
der Debatte über Neapel getrennt hatte, war jetzt auf eine Meinungsverschiedenheit in Bezug auf die Zeitgemäßheit eines handelnden Einschritts zurückgebracht; die Minister wollten eine reifere
Frucht fallen sehen, die Whigs wollten sie unbeschädigt früher ab-
nehmen; diese wollten gleich an der Grenze von Spanien gethan
haben, was später an den Grenzen von Portugal doch geschehen
sollte; sie wollten gleich jetzt den Schweif des englischen Löwen ge-

schwungen haben, überzeugt (wie es sich später bewähren sollte),
daß es der Taten gar nicht bedurft hätte. Wenn die Redner der
Opposition sich auch jetzt wie 1821 sehr besorgt anstellten über die
Gefährdung der Verfassung Englands und des Gleichgewichts in
Europa durch die Prinzipien und die Macht der heiligen Allianz,
besorgt über die Besetzung des Landes, in dem man früher immer
Frankreichs Uebergriffe am meisten befürchtet und bekämpft hatte,
so wußte doch Canning, so gut wie Castlereagh es früher gewußt,
daß die Tragweite der Absichten und Mittel der Festlandstaaten an
so ferne und schlimme Ziele nicht reichte; er wußte, daß für Frankreichs Ehrgeiz das heutige Spanien (ohne America) nicht mehr das
Spanien war, in dem die Sonne nicht unterging, dessen Besitz in fremder Hand einst so gefahrdrohend war. Und daß es auf alle Fälle ein
Spanien ohne America sein sollte, mit dem Frankreich zu thun
hatte, darüber schien Canning ganz anders entschieden zu sein, als
es Castlereagh jemals war, denn die Anerkennung der Unabhängigkeit der Colonien an sich sehr sauer geworden, die Anerkennung
von Republiken aber schwerlich je zu Sinn gekommen wäre. Und
dieß war der schreckhafte Punct in der Sache; dieß das eigentlich
Besorgliche in dem bedeutsamen Wendepunct von Canning's Leben
und der englischen Politik, den die witternde Diplomatie aus den
bloßen öffentlichen Reden des Ministers in diesen Verhandlungen
durchschaute. Sie erkannte im Augenblick, daß Canning seine
strenge monarchische Vergangenheit und den Cultus Pitt's bereit
war abzuschütteln; sie nannte ihn schon damals falsch, unbe-
ständig, einen Jacobiner; Metternich, der dem „unersetzlichen"
Castlereagh sehnsüchtige Seufzer nachgesandt hatte, sah die Tory-
herrschaft bereits gebrochen; der kalte Lieven, „der schläfrigste Vertreter des aufgewecktesten Fürsten," hatte Auftrag, Beschwerde über
Canning's und Liverpool's Sprache zu führen; man lauerte sorglich auf falsche Schritte, die Canning mit seinen Collegen zer-
werfen könnten, man hoffte an den mancherlei Antipathien die

er zu überwinden, an den Schranken die er zu übersteigen hatte, eine
Hülfe und Stütze zu finden, um ihn zu stützen. Die leidige Thatsache aber war, daß er durch seine Fähigkeiten und seine Popularität täglich mehr Boden im Cabinette gewann; daß er elastisch jetzt
aufschnellte wider die, unter die er sich früher gebeugt hatte, wider den mächtigen Eldon selbst, der bei seiner Ernennung zum ersten
Male empfindlich zurückgesetzt worden war; daß er seinen alten
Freund Liverpool ganz gefangen nahm, in Palmerston sich einen
Jünger heranzog, durch sein Talent die Wellingtone in Schatten
warf, die Westmoreland und Hartowby annullirte. Herr von Marcellus begriff, daß die Berechnungen auf des „gefährlichen Ministers" Fall vollständig trüglich seien, und daß man lieber versuchen solle, ihn zu belehren, den Plebejer mit Gunst und Ehren
zu bestechen. Es ist uns wichtig, zu erkennen, ob der zu bestechende
Minister wirklich so gefährlich war, wie man ihn plötzlich verschrie,
ob der gefährliche Minister so bestechbar sein mochte, wie man es
anzunehmen schien.

Georg Canning. Als Canning[82] damals in seiner auswärtigen Politik sich die
öffentliche Meinung in England gewann, die Opposition versöhnte,
den whiggistischen Ansichten sich näherte, war dieß gleichsam eine
Rückkehr zu seiner eigenen Natur und zu den Anfängen seines denkenden und politischen Lebens. Er war als Knabe und Jüngling,
in den Zeiten wo Lord Lansdowne ihn als Fuchs in Orford seinem
Freunde Bentham als einen künftigen Premier von England zeigte,
ein entschiedener Whig gewesen. Große zusammenwirkende Beweggründe hatten ihn dann, wie damals so viele Andere, zum
Convertiten der Tories gemacht: seine Jugendfreundschaft mit

---

82) Zu dem Hauptwerk über Canning von Stapleton, das wir wie auch
Stoles' Denkwürdigkeiten in deutscher Uebersetzung lesen können, ist Rob.
Bell, the life of G. Canning. 1846 und die Einleitung zu Therry, the
speeches of G. C. 1936. zu vergleichen.

Jenkinson (Liverpool), der in der besondern Aussicht auf einstige Theilnahme an der Regierung erzogen ward; die Schwierigkeit, die die herrschende Oligarchie jedem aufstrebenden Manne ohne Geburt und Familienverbindung in den Weg warf; vor Allem doch die widerstrebenden Gefühle, die die französische Revolution und ihr drohender Einbruch in England in ihm erweckte. Die Eindrücke, die er über den demokratischen Zielen und Bestrebungen jener Jahre eingesogen, in denen ihm gradaus die Zumuthung gemacht ward, sich an die Spitze einer Aufstandsparthei in England zu stellen, hielten sein ganzes Leben in ihm aus, und haben ihm, den die Natur wie seinen Meister Pitt vor vielen Anderen zu einem Manne der weisen Mitte, des richtigen Maaßes, des harmonischen Gleichmaaßes bestimmt hatte, aus diesem Hange seiner Natur in jenen ausschweifenden Zeiten die Richtung gegeben, die Heilung des Extremes gern im Extreme zu suchen. Seine Verbindung mit Pitt hatte sich schnell nach seiner Bekehrung geknüpft und Niemanden förderte Pitt in vertrauensvollerer Hoffnung als diesen 23jährigen Adepten, und Niemand glaubte wieder in abergläubischerer Hingebung an Pitt's Unfehlbarkeit als Canning. Pitt's Schüler gewesen zu sein, war allezeit Canning's größter Stolz; er hat ihn in Prosa und in Versen verherrlicht, in seiner politischen Richtung ihn fortzusetzen, ihn zu überbieten gesucht. Von Familieneinwirkungen nicht gelenkt, hielt er wie Pitt sich außerhalb einer methodischen Partheipolitik; wie Pitt gab er dem Handel und der Industrie von England den hauptsächlich bestimmenden Einfluß auf seine staatsmännischen Ansichten; wie Pitt bekämpfte er im Innern jede Reformbestrebung als unzeitig, selbst als die Zeiten sich ganz geändert hatten; von Pitt erbte er in der auswärtigen Politik die rücksichtslose Energie in der Durchführung der französischen Kriege. Das übelste Vermächtniß aber, das ihm Pitt hinterließ, war der Stachel eines übermächtigen Ehrgeizes, den

IV.   28

er durch seine Bevorzugung in diese selbstgefühlige Seele eingesenkt,
die man wie im Treibhaus getrieben, von zu frühem Glücke ver-
wöhnt, in zu raschen Erfolgen überhoben fand. Gegen die athem-
lose Anstrengung nach Regierungseinfluß, die man Canning vorwarf, ist man leicht allzu empfindlich in einer Gesellschaft von weniger bewegtem Leben, wo wie in Deutschland die Bescheidungen
und Bescheidenheiten oft zu einem Viertheile Unfähigkeit und zur
Hälfte Verantwortungsscheu und Furchtsamkeit sind, doch aber
haben es, in England selber, die Freunde und Feinde Canning's
als eine Grundirrung seines Lebens angesehen, die ihn zu Ränke-
sucht, zu Arroganz, zu Unbeständigkeit, zu Charakterverleugnung
und Grundsatzbeugung mehr als ein Mal verführte: daß ihm
außer in Amt und Würden nicht wohl war, daß er von früh auf
überzeugt schien, man könne seinem Vaterlande nur in Macht und
hoher Stellung nützlich sein. Und wo anders als in dieser Irrung
hätte die Gereiztheit und Bitterkeit Canning's wurzeln können in
der Zeit, da er sich unter den Ministerien Addington und Grenville außer Amt geworfen sah? und die eitle Anmaßung, mit der
er den armen Doctor Addington verfolgte, um Pitt auch trotz ihm
selber zur Regierung herzustellen? und der blinde Seelenhaß, mit
dem er Fox einen rachsüchtigen Widerstand machte, ja ihm nach
seinem Tode sogar die Anzeige des Mordplans gegen Napoleon
zum Vorwurf machte? und die unedle Verhöhnung des Ministeriums
Grenville, über dessen Fall das wüste no popery Geschrei erscholl?
und bei seinem Eintritt in das Ministerium Portland die Verleugnung der Sache der Katholiken, der er sich zu anderer Zeit
rühmte zwei Mal den berechtigtsten Gegenstand erlaubten Ehrgeizes, einen Antheil an der Regierung, geopfert zu haben? Wir
haben früher schon angeführt, daß Canning in jenen Jahren aus
den Ränken, die er zu Einer Zeit seinem Gegner Castlereagh und
seinem Freunde Wellesley spielte, mit einer völligen Niederlage
davonging; er hatte seine Gunst im Volke, ja bei seinen besten

Freunden verloren. Man hörte damals von genau Unterrichteten,
daß sich fortan Niemand um ihn und seinen Anhang weiter küm-
mern werde. Hatte vorher der Uebermuth seiner Reden und jene
Kraft seiner sarkastischen Geißel mißhagt, die der Schrecken aller
gewöhnlichen Kläffer des Unterhauses war, so nahmen nun seine
Verbündeten Anstoß an der „christlichen Geduld", mit der er die
groben Ausfälle der Whigs dahinnehmen mußte. Nachdem ihm
1812 seit den letzten Versuchen Wellesley's eine Verwaltung zu
bilden, und nachdem er Liverpool's Anerbieten des auswärtigen
Amtes aus nachher bereuter Verbitterung gegen Castlereagh ausgeschlagen hatte, alle Aussicht geschwunden war, löste er (1813)
plötzlich und mit einiger Feierlichkeit seine Parthei auf und warf
seine größten Bewunderer wie Ward (Dudley) in trostlosen Zweifel, ob dieser Schritt eine bloße Laune oder eine tiefe Maasregel,
Annäherung oder Entfernung von der Regierung bedeute. Getäuscht in Allem, gesunken in der öffentlichen Meinung, unter den
Staatsmännern für einen burschikosen Querkopf von unglücklicher
Hand angesehen, war er um 1814 wie in einer Art Verzweiflung;
seinen Freunden schien er jetzt „sich selbst auflösen" zu wollen wie
seine Parthei zuvor; er wollte seinen Sitz im Parlament aufgeben
und zwei Jahre außer Landes gehen, um einen kranken Sohn in
das milde Klima von Lissabon zu bringen. Dann erstaunte er
wieder alle Welt durch eine neue Capitulation mit der Oligarchie,
als er nach all dem früher Vorgefallenen aus Castlereagh's Hand
bei dieser Gelegenheit eine amtliche Mission annahm und sich 1816
wieder ganz in die Verwaltung derer ziehen ließ, die er früher als
unwürdige Collegen verachtet hatte, die ihm ihrerseits fortwährend
mißtrauten. Und nun mißfiel dann wieder sein Weg im Amte
(selbst, was wir wiederholt betonen, seinen Freunden) nicht minder
als sein Weg zum Amte vorher. Der bittere Toryismus des fein
gebildeten Mannes, sein politischer Papismus bei so viel frei-

28*

finnigem Wesen hatte schon immer befremdet; nun vollends war es
ärgerlich, ihn nach so langer Bekämpfung der Sidmouth und
Castlereagh mit ihnen und mit allen thörichtsten Alarmisten in Verbindung zu sehen, um die Ausnahmsgesetze zu verfechten, die Reformer zu verfolgen, die äußersten Forderungen der Demokraten
mit den mäßigsten Anträgen der Whigs zusammenzuwerfen, auf
dem Buchstaben der Verfassung als auf einem Unverbesserlichen zu
bestehen, das Bedürfniß irgend einer Aenderung der Vertretung
platt abzuleugnen. Auch jetzt nicht im Stande festen Fuß zu gewinnen, war Canning schon bereit, an Hastings' Stelle das Gou-
vernement von Indien zu übernehmen, wie Brougham sagte: sich
„von seinen Collegen nach Indien deportiren zu lassen", als sie bei
Castlereagh's unvermutheten Tode „seine Strafe in die Zwangsarbeit des auswärtigen Amtes verwandelten". Denn wohl konnte
es eine Zwangsarbeit heißen, unter so vielen Feinden und Reidern
in so schwierigen Verhältnissen grade dieses Amt übernehmen zu
sollen. Aber sein unentbehrliches Talent, das seinen Eintritt entschieden hatte, das die Abneigung des Königs überwinden mußte,
machte ihn bald auch zum Meister der verwickelten Lage. Die hohe
Meinung, die man von Canning immer gehegt hatte, schien jetzt in
dem Augenblicke seines endlichen Erfolges noch bedeutend zu wachsen; Jeder schien überzeugt, daß über den Forderungen dieser erregten Zeit sein Charakter und seine Grundsätze in dem Moment
sich läutern würden, wo er sich auf den Posten gestellt sah, der
seinen Ehrgeiz befriedigte. Zu aller Zeit war Canning als ein
Mann von feinster geselliger Gabe, von umfassender geistiger Bildung bekannt, der unter Umständen ein Gelehrter von Ansehen geworden wäre. Immer war er als ein Mann geachtet, der edler
Regungen und einer schönen Begeisterung für würdige Zwecke
fähig war, dem in der Amtsthätigkeit die menschlichen Gefühle nicht
wie den Eldons erstarrt waren. Immer war er als ein gebiete-
rischer, allen jüngeren Zeitgenossen überlegener Redner geschätzt

worden, der wenn nicht an Tiefe oder Schwung, doch an durch-
sichtiger Klarheit und logischer Schärfe, an correcter Sprache, an
Fülle der Gründe und Vermeidung flacher Declamation, wie an
der Würze eines drolligen Humors vielleicht alle englischen Redner
übertraf. Immer hatte er schon früher durch das Geschick erstaunt,
mit dem er sich selbst in abgelegenen geschäftlichen Fragen zurecht
setzte, und neuerlich wieder hatte er in dem Vorsitz des indischen
Controlamts seiner Uneigennützigkeit, Geschäftsfähigkeit, Recht-
lichkeit und Urbanität die glänzendsten Zeugnisse erworben. Und
jetzt war man wie einstimmig und selbst mit überschätzender Vorliebe überzeugt, daß er dem Ruhm des Schöngeistes, des Redners,
des Geschäftsmannes auch den eines Staatsmannes ersten Ranges
hinzufügen werde. Selbst der tadelsüchtige und argwöhnische Lord
Byron hegte die Hoffnung von ihm, daß er, den man frei von
Castlereagh's Verbindungen, von stärkerem Selbstgefühle und Nationalgefühle, und von bestimmteren Entschlüßen wußte, den Pfad
seines Vorgängers verlassen und sein Vaterland werde retten wollen, wie er es könne, daß er die englische Politik mehr in Einklang mit den Ideen der Zeit, mehr mit den Wünschen des englischen Volkes bringen werde. Denn nur in diesem hatte Canning
die Wurzeln seiner Kraft. Er hatte 1820 den Ruf seines Namens
plötzlich herzustellen begonnen, als er in der Sache der Königin die
Seite des Volkes hielt und bei seinem Rückzuge bewährte, daß er,
wenn Ehre es forderte, Amt und Stellung auch in die Schanze
schlagen konnte. Allezeit hatte er dem Volke als einer der Seinigen
gegolten, wenn er zum Aerger der Tories sich so manches Mal
„zwischen den Wind und ihren Adel stellte“, wenn er auf die Leute
stach, die an eine erbliche Befähigung der großen Familien zur
Landesverwaltung zu glauben schienen, wenn er es unvernünftig
schalt, daß ein Bund von großen Namen die ganze Staatsgewalt
für sich monopolisiren wolle. So kannte man ihn auch bei allen
seinen Torystreichen doch als einen Mann, der die Partheigrund-

sätze niemals aus Systemsucht überspannt, der sich frei von dem
befangenen Glauben erklärt hatte, daß die Parthelung das Urtheil bestimmen, oder im Streite von Beiden pflichtmäßig über-
wiegen müsse; er war sehr weit von dem Eldon'schen Eigensinn,
dessen Ruhm es war, „immer recht oder immer falsch" gewesen zu
sein. Auch schob ihn immer die Eine Parthei der Anderen zu; die
Whigs nannten ihn einen bloßen Fortsetzer Castlereagh's, die
Tories verdächtigten ihn als einen Radicalen: und dieß eben war
der Grund, warum die französische Diplomatie darauf speculirte,
ihn, als sich jetzt in seiner auswärtigen Politik beide Partheirich-
tungen in ihm um die Herrschaft zu streiten schienen, bei seinem
Pittistischen Standpunct mit Bestechungen und Ehren festzuhalten.
In dieser Berechnung verkannten sie ganz, was den scheinbaren
Launen in Canning's Systemwechsel Grundsätzliches unterlag.
Canning war ein Bewunderer und Vertheidiger der englischen
Verfassung aus dem natürlichsten Grunde aller ächten Mäßigung,
aus dem prinzipiellen Hasse jedes Extrems, der im Engländer ge-
meinhin der beste Theil seines politischen Instinctes ist. Er ver-
abscheute den Despotismus in jeder Gestalt: den der Monarchie,
weil er die Existenz kaum ertragenswerth läßt; den der Aristokratie,
weil er den Geist des Wetteifers erstickt; den der Demokratie, weil
er in die Militärdespotie zurückstürzt. Dieß Bekenntniß hätte ihn
nach den Wünschen der Whigs zum Schützer der constitutionellen
Volksbewegungen im Süden machen sollen? Allein diese Bewegungen waren ihm zu sehr mit den Elementen der Verwirrung und
Anarchie versetzt, die er in vollem und tiefem Ernst zu entzügeln
sich scheute und verschmähte. Dann aber hätte er, nach der letzten
Haltung Castlereagh's, die Versuche der französischen Regierung zu
einer Ermäßigung der spanischen Verfassung mit aller Kraft und
Ehrlichkeit befördern sollen? Allein in diesem Puncte war er den
Verfassungsrevolutionen im Süden gegenüber, ganz wie Pitt im
Angesicht der französischen Umwälzung, ein Stockengländer, der